Das geträumte Land

Imbolo Mbue

Das geträumte Land

Roman

Aus dem amerikanischen Englisch
von Maria Hummitzsch

Kiepenheuer & Witsch

Die Arbeit der Übersetzerin am vorliegenden Text wurde
vom Deutschen Übersetzerfonds gefördert.

Verlag Kiepenheuer & Witsch, FSC®-N001512

2. Auflage 2017

Titel der Originalausgabe: Behold the Dreamers

Aus dem amerikanischen Englisch von Maria Hummitzsch

Umschlaggestaltung: Rudolf Linn, Köln, nach dem
Originalumschlag von Jaya Miceli für Random House
Umschlagmotiv: © Getty Images/Looking Glass
Foto der Autorin: © Kiriko Sano
Gesetzt aus der Aldus
Satz: Felder KölnBerlin
Druck und Bindung: CPI books GmbH, Leck
ISBN 978-3-462-04796-7

Für meinen umwerfenden AMR
Dankbar, dass du dich mit mir in dieses
Mysterium begibst

Denn der Herr, dein Gott, führt dich in ein gutes Land,
ein Land, darin Bäche und Brunnen und Seen sind,
die an den Bergen und in den Auen fließen; ein Land,
darin Weizen, Gerste, Weinstöcke, Feigenbäume und
Granatäpfel sind; ein Land, darin Ölbäume und Honig
wachsen; ein Land, da du Brot genug zu essen hast,
da dir nichts mangelt; ein Land, des Steine Eisen sind,
da du Erz aus den Bergen hauest.

5. Buch Moses 8: 7–9

1.

Er hatte noch nie im Anzug zu einem Vorstellungsgespräch erscheinen müssen. Noch nie mit Lebenslauf. Einen Lebenslauf hatte er überhaupt erst, seit ein ehrenamtlicher Berufsberater in der Bibliothek auf der 34. Straße Ecke Madison vergangene Woche einen für ihn geschrieben und seine beruflichen Tätigkeiten einzeln aufgeführt hatte, um ihn als Mann mit beachtlichen Fertigkeiten auszuweisen: Bauer, zuständig für das Bestellen von Feldern und das Einbringen einer ertragreichen Ernte; Straßenkehrer, damit beauftragt, für Glanz und Sauberkeit der Stadt Limbe zu sorgen; Tellerwäscher in einem Restaurant in Manhattan, verantwortlich für blitzblanke und hygienisch einwandfreie Teller zum Wohl der Gäste; Fahrer eines Livery Cabs in der Bronx, zuständig für die sichere Beförderung der Fahrgäste von A nach B.

Er hatte sich nie Gedanken darüber machen müssen, ob er über genügend Berufserfahrung verfügte, fehlerfreies Englisch sprach und intelligent genug rüberkam. Aber heute, in dem grünen Nadelstreifenzweireiher, den er am Tag seiner Einreise in die USA getragen hatte, gab es für ihn nur einen Gedanken: Würde er es schaffen, einen wildfremden Mann von sich zu überzeugen? Unaufhörlich dachte er nur an die Fragen, die ihm bevorstanden, an das, was man an Antworten von ihm erwarten würde, daran, wie er zu gehen und zu reden und dazusitzen hatte, wann er zu sprechen oder zuzuhören und zu nicken hatte, was er sagen oder nicht sagen sollte und ob er Auskunft über seinen Aufenthaltsstatus würde geben müssen, wenn man ihn danach fragte. Sein Hals war trocken, seine Hände feucht, und weil er in der brechend vollen

U-Bahn nicht an sein Taschentuch kam, wischte er sie an der Hose ab.

»Guten Morgen, bitte«, sagte er zu dem Wachmann, als er die Eingangshalle von Lehman Brothers betrat. »Mein Name ist Jende Jonga. Ich habe einen Termin bei Mr Edwards. Mr Clark Edwards.« Der Mann vom Sicherheitsdienst (Ziegenbart und Sommersprossen) fragte ihn nach dem Ausweis, den Jende rasch aus seiner braunen Brieftasche zog. Er kontrollierte Vorder- und Rückseite, sah hoch in Jendes Gesicht, sah hinab auf Jendes Anzug, grinste und fragte, ob er Börsenmakler werden wolle oder so was.

Jende schüttelte den Kopf. »Nein«, sagte er, ohne zurückzulächeln. »Chauffeur.«

»Na dann«, sagte der Wachmann und reichte ihm einen Besucherausweis. »Viel Glück!«

Jetzt lächelte Jende. »Danke, Mann!«, sagte er. »Heute kann ich das ganze Glück echt gebrauchen.«

Auf dem Weg hinauf in die 27. Etage stand er allein im Fahrstuhl und inspizierte seine Fingernägel (kein Dreck drunter, Gott sei Dank). Im Sicherheitsspiegel über ihm rückte er die Ansteckkrawatte zurecht, kontrollierte noch mal seine Zähne, aber da war nichts mehr zu sehen von den frittierten Kochbananen und Bohnen, die er zum Frühstück gegessen hatte. Er räusperte sich und wischte sich über die Mundwinkel, entfernte die winzigen Spuren getrockneten Speichels. Als sich die Tür öffnete, trat er mit gestrafften Schultern hinaus und meldete sich bei der Empfangsdame, die ihm zunickte und ihre strahlend weißen Zähne zeigte, dann telefonierte und ihn schließlich bat, ihr zu folgen. Sie durchquerten ein Großraumbüro, in dem junge Männer in blauen Hemden an ihren Schreibtischen mit Multi-Monitor-Ausstattung saßen, gingen einen Gang entlang, vorbei an einem weiteren Großraumbüro voller Kabinen, und betraten einen sonnendurchfluteten Raum mit einer riesigen viergeteilten Fensterwand, hinter der die herbstlich gefärbten Bäume und die stolzen Türme von Manhattan aufblitzten. Kurz blieb ihm der Mund offen stehen, beeindruckt vom Ausblick – so was hatte er noch nie gesehen – und dem Anblick der edlen Inneneinrichtung. Rechts von ihm befand sich eine Loungeecke (schwarzes Ledersofa, zwei schwarze Ledersessel, Beistelltisch aus Glas), in der Mitte ein mächtiger Schreibtisch (oval, Kirsche, ein bequemer Sessel aus schwarzem Leder für den Boss, zwei weitere Sitzgelegenheiten aus grünem Leder für Besucher) und links von ihm eine Büroschrankwand (Kirsche, Glastüren, akkurat platzierte weiße Aktenordner), vor der Clark Edwards stand, im schwarzen Anzug, und Unterlagen in einen Aktenvernichter stopfte.

»Bitte, Sir, guten Morgen«, sagte Jende und verbeugte sich leicht.

»Setzen Sie sich«, sagte Clark, ohne vom Aktenvernichter aufzuschauen.

Jende hastete zum linken Besuchersessel. Er zog den Lebenslauf aus der Mappe und legte ihn vor Clarks Stuhl auf den Tisch, sorgsam bedacht, den Wust aus Papierbergen und Ausgaben des *Wall Street Journals* ja nicht durcheinanderzubringen. Auf einer der Seiten des Journals, die unter losen Blättern mit Zahlen und Diagrammen hervorlugte, stand fett gedruckt: *Der große Hoffnungsträger der Weißen? Barack Obama und der Traum vom farbenblinden Amerika.* Fasziniert von dem aufstrebenden jungen Senator und interessiert an dem Artikel, beugte er sich vor, richtete sich aber rasch auf, als ihm wieder einfiel, wo er war, warum er hier saß und was ihm bevorstand.

»Haben Sie noch irgendwelche unerledigten Bußgeldbescheide?«, fragte Clark, als er sich auch setzte.

»Nein, Sir«, sagte Jende.

»Und Sie waren auch nicht in schwerere Unfälle verwickelt?«

»Nein, Mr Edwards.«

Clark nahm den Lebenslauf vom Schreibtisch, der zerknittert und feucht war wie der Mann, dessen Werdegang er enthielt. Ein paar Sekunden starrte er auf das Dokument, während Jendes Blick zwischen den Baumkronen des Central Parks in der Ferne und den Bildern an der Wand – abstrakte Gemälde und Porträts von weißen Männern mit Fliege – hin- und herhuschte. Schweißperlen traten ihm auf die Stirn.

»Also gut, Jende«, sagte Clark, legte den Lebenslauf beiseite und lehnte sich zurück, »erzählen Sie mir etwas über sich.«

Jende war schlagartig hellwach.

Das war die Frage, die seine Frau Neni und er am Vorabend besprochen hatten; die Frage, auf die sie beim Googeln von »Frage, die bei jedem Vorstellungsgespräch gestellt wird« gestoßen waren. Eine Stunde hatten sie vor dem launischen Bildschirm gehockt und nach der besten Antwort gesucht, die auf den ersten zehn Trefferseiten verdächtig ähnlich geklungen hatte, bevor sie zu dem Schluss gekommen waren, dass Jende am besten von seiner starken Persönlichkeit und seiner Zuverlässigkeit sprechen sollte, und dass er genau die Art von Chauffeur war, die ein viel beschäftigter Manager wie Mr Edwards brauchte. Neni hatte ihm auch dazu geraten, seinen wundervollen Sinn für Humor zu betonen, vielleicht mit einem kleinen Witz. Denn sicher wäre jeder Wall-Street-Manager froh, nach einem langen Tag, an dem er sich das Hirn darüber zermartert hatte, wie er noch mehr Geld scheffeln könnte, von seinem Chauffeur mit einem Witz begrüßt zu werden. Jende hatte ihr recht gegeben und eine Antwort vorbereitet, eine kurze Rede, die mit einem Witz über eine Kuh im Supermarkt abschloss. Das würde bestimmt gut ankommen, hatte Neni gesagt. Und das sagte er sich auch. Aber als er den Mund aufmachte, hatte er die vorbereitete Antwort schlichtweg vergessen.

»Gern, Sir«, sagte er stattdessen. »Ich wohne mit meiner Frau und meinem Sohn in Harlem. Mein Sohn ist sechs. Und ich komme aus Kamerun in Zentralafrika, oder Westafrika. Kommt darauf an, mit wem Sie sprechen, Sir. Ich komme aus Limbe, das ist eine kleine Stadt am Atlantik.«

»Verstehe.«

»Danke, Mr Edwards«, sagte er mit zittriger Stimme, nicht sicher, wofür er eigentlich dankbar war.

»Und was für Papiere haben Sie jetzt hier?«

»Ich habe Papiere, Sir«, stieß er hervor, wobei er sich abrupt nach vorn beugte, heftig nickte und Gänsehaut bekam.

»Ich habe gefragt, was für Papiere?«

»Ja natürlich, entschuldigen Sie, Sir. Ich habe EAD. EAD, Sir ... das habe ich jetzt im Moment.«

»Was soll das –?«

Das Blackberry auf seinem Schreibtisch surrte. Clark nahm es blitzschnell in die Hand. »Was genau heißt das?«, fragte er, den Blick auf das Handy gerichtet.

»Das ist die Arbeitserlaubnis, Sir«, sagte Jende und rutschte unruhig hin und her. Clark gab durch nichts zu erkennen, dass er ihn gehört hatte. Sein Kopf blieb gesenkt, der Blick haftete auf dem Gerät, die weich aussehenden Finger huschten über das Tastenfeld, schnell und geschmeidig – hoch, links, rechts, runter.

»Es ist meine Arbeitsgenehmigung, Sir«, fügte Jende hinzu. Er schaute auf Clarks Finger, dann auf dessen Stirn, wieder auf die Finger, unsicher, wie er die Augenkontakt-Regel befolgen sollte, wenn keine Augen für die Kontaktaufnahme zur Verfügung standen. »Das heißt, dass ich arbeiten darf, bis ich meine Greencard bekomme, Sir.«

Clark deutete ein Nicken an und tippte weiter.

Jende sah aus dem Fenster und hoffte, nicht zu heftig zu schwitzen.

»Und wie lange dauert es, bis Sie die Greencard bekommen?«, fragte Clark und legte das Blackberry weg.

»Ich habe keine Ahnung, wirklich, Sir. Die Einwanderungsbehörde ist langsam, Sir, keiner versteht, was die da machen.«

»Aber Sie sind doch auf Dauer legal hier im Land, oder?«

»O ja, Sir«, sagte Jende. Wieder nickte er heftig, mit gequältem Lächeln und ohne zu blinzeln. »Ich bin sehr legal hier, Sir. Die Greencard kommt noch, ich muss noch warten.«

Clark starrte Jende recht lange an, aber an seinen ausdruckslosen grünen Augen war nicht abzulesen, was er dachte. Warmer Schweiß rann Jendes Rücken hinab und durchweichte das weiße Hemd, das Neni ihm bei einem Straßenhändler in der

125. Straße gekauft hatte. Das Telefon auf Clarks Schreibtisch klingelte.

»Dann ist ja alles gut«, sagte Clark und griff nach dem Hörer, »wenn Sie legal hier sind.«

Jende Jonga atmete auf.

Er spürte, wie der Schreck nachließ, der ihm mit Mr Edwards' Frage nach den Papieren in die Glieder gefahren war. Kurz schloss er die Augen und dankte einem barmherzigen Gott, heilfroh, mit der halben Wahrheit durchgekommen zu sein. Was hätte er gesagt, wenn Mr Edwards nachgefragt hätte? Wie hätte er erklärt, dass seine Arbeitserlaubnis und sein Führerschein nur für die Dauer seines Asylverfahrens und den Fall der Bewilligung gültig waren? Dass alle diese Dokumente ihre Gültigkeit verlieren würden, sollte der Asylantrag abgelehnt werden? Dass er dann auch keine Greencard bekäme? Und wie hätte er überhaupt den Antrag an sich erklären sollen? Hätte er Mr Edwards davon überzeugen können, dass er ein ehrlicher Mann war, sehr ehrlich sogar, aber einer, der der Einwanderungsbehörde jetzt tausend Geschichten auftischte, nur um eines Tages amerikanischer Staatsbürger zu werden und für immer in diesem großartigen Land zu leben?

»Und seit wann sind Sie hier?«, fragte Clark, nachdem er aufgelegt hatte.

»Drei Jahre, Sir, ich bin 2004 gekommen, das war im –«, brach er mitten im Satz ab, erschrocken von Clarks donnerndem Niesen.

»Gesundheit«, sagte Jende, als sich der Manager den Unterarm vor die Nase hielt und ein zweites Mal nieste, lauter noch als zuvor. »Ashia, Sir«, sagte er. »Und noch viel mehr Gesundheit.«

Clark beugte sich vor und griff nach einer Flasche Wasser, die rechts auf dem Schreibtisch stand. Hinter ihm, jenseits der blitzblanken Fensterscheibe, flog am wolkenlosen Morgenhimmel ein roter Hubschrauber aus Westen über den Park in Richtung Osten. Jende richtete den Blick wieder auf Clark und schaute zu, wie er ein paar Schlucke trank. Wie gern hätte auch er etwas gegen die Trockenheit in seinem Hals getan, wollte aber nicht riskieren, dass das Vorstellungsgespräch zu seinen Ungunsten kippte, nur weil er nach Wasser fragte. Das konnte er sich einfach nicht leisten. Auf keinen Fall. Selbst wenn sein Hals dem trockensten Punkt der Kalahari gleichen würde, wäre das jetzt unwichtig – es lief gut. Na ja, nicht übermäßig gut. Aber auch nicht übermäßig schlecht.

»Also gut«, sagte Clark und setzte die Flasche ab. »Dann sage ich Ihnen mal, was ich von einem Chauffeur erwarte.«

Jende schluckte und nickte. »Ich erwarte Loyalität. Ich erwarte Zuverlässigkeit. Ich erwarte Pünktlichkeit, und ich erwarte, dass Sie tun, was ich Ihnen sage, und keine Fragen stellen. Passt das für Sie?«

»Ja, Sir, selbstverständlich, Mr Edwards.«

»Sie werden eine Vertraulichkeitsvereinbarung unterschreiben, in der steht, dass Sie nichts von dem, was ich sage oder tue, weitergeben. Unter keinen Umständen. Keinem Menschen. Absolut niemandem. Habe ich mich klar ausgedrückt?«

»Sehr klar, Sir.«

»Gut. Ich behandle Sie respektvoll, aber zunächst einmal haben Sie mich respektvoll zu behandeln. Ich komme für Sie an erster Stelle, und wenn ich Sie nicht brauche, kümmern Sie sich um meine Familie. Ich habe sehr viel zu tun, also erwarten Sie nicht, dass ich Ihnen auf die Finger schaue. Sie sitzen hier, weil Sie mir ausdrücklich empfohlen wurden.«

»Sie haben mein Wort, Sir. Versprochen. Mein aufrichtiges Ehrenwort.«

»Bestens, Jende«, sagte Clark. Er grinste, nickte und sagte noch einmal: »Bestens.«

Jende zog das Taschentuch aus seiner Hosentasche und tupfte sich damit die Stirn ab. Er holte tief Luft und wartete darauf, was als Nächstes geschehen würde, denn Clark überflog noch einmal seinen Lebenslauf.

»Haben Sie noch irgendwelche Fragen an mich?«, wandte sich Clark an Jende und legte den Lebenslauf auf einen Stapel Unterlagen links auf dem Schreibtisch.

»Nein, Mr Edwards. Sie haben mir alles, was ich wissen muss, sehr gut erklärt, Sir.«

»Morgen früh kommt noch ein Bewerber und dann entscheide ich mich. Sie hören dann voraussichtlich am Nachmittag von mir. Meine Sekretärin ruft Sie an.«

»Haben Sie vielen Dank, Sir. Sie sind sehr freundlich.«

Clark stand auf.

Rasch schob Jende den Bürosessel zurück und stand ebenfalls auf. Er strich die Krawatte glatt, die im Verlauf des Gesprächs verrutscht war und so schief hing wie ein Bäumchen im Sturm.

»Ach, und nebenbei«, sagte Clark und musterte die Krawatte, »wenn Sie etwas für Ihre Karriere tun wollen, dann kaufen Sie sich einen besseren Anzug. Schwarz, dunkelblau oder grau. Und eine echte Krawatte.«

»Absolut kein Problem, Sir«, erwiderte Jende, »ich kann einen neuen Anzug besorgen. Natürlich.«

Er nickte und lächelte etwas unbeholfen, entblößte die schief stehenden Zähne und schloss den Mund sofort wieder. Ohne das Lächeln zu erwidern, streckte Clark ihm die Rechte entgegen, die Jende mit beiden Händen umfasste und vorsichtig schüttelte, den Kopf gesenkt. Ich danke Ihnen schon jetzt von ganzem Herzen, Sir, wollte er erneut sagen. Und am liebsten hätte er gesagt, wenn Sie mir diesen Job geben, werde ich der beste Chauffeur sein, den Sie je hatten.

Er sagte nichts; er durfte nicht zulassen, dass seine Verzweiflung durch die eierschalendünne Schicht Würde brach, die ihn während des Vorstellungsgesprächs geschützt hatte. Clark lächelte und legte ihm kurz die Hand auf den Arm.

2.

»Genau ein Jahr und ein halbes«, sagte Neni zu Fatou, als die beiden auf der Suche nach Imitaten von Gucci- und Versace-Handtaschen durch Chinatown bummelten. »So lange bin ich jetzt in Amerika.«

»Ein Jahr und ein halbes?«, wiederholte Fatou, schüttelte den Kopf und verdrehte die Augen. »Zählst halbe Jahre mit? Und sagst das ohne Schämen.« Sie lachte. »Ich sag dir was. Wenn du *vingt-quatre ans* in Amerika und immer mit kein Geld, hörst du auf mit zählen. Sagst du gar nichts mehr dabei. Schämst dich, wenn du was sagst, ist so.«

Neni kicherte, als sie eine Gucci-Tasche in die Hand nahm, die so unbedingt als echt durchgehen sollte, dass sie sogar schimmerte.

»Du schämst dich, anderen zu sagen, dass du seit vierundzwanzig Jahren hier bist?«

»Nein, ohne Schämen. Warum mit Schämen? Ich sage für Leute, ich bin vor wenig Zeit gekommen. Sie hören zu und sagen, ah, sie weiß kein Englisch. Sie muss gerade erst von Afrika hier gekommen.«

Der chinesische Ladenbesitzer stürmte auf sie zu. »Sechzig Dollar und die Tasche gehört dir«, sagte er zu Neni. »Was?«, fragte Neni und verzog das Gesicht. »Ich geb dir zwanzig.« Der Mann schüttelte den Kopf. Neni und Fatou gingen weiter. »Vierzig, vierzig«, rief der Mann ihnen nach, als sie sich durch eine Gruppe europäischer Touristen drängten. »Okay, komm, dreißig«, rief er. Sie gingen zurück und kauften sie für fünfundzwanzig.

»Jetzt siehst du wie Angeli Joeli«, sagte Fatou, als Neni mit der

Tasche am Arm weiterging und die Locken ihres Haarteils im Wind wehten.

»Echt?«, fragte Neni und warf die Haare gekonnt zurück.

»Was heißt ›echt‹? Du willst hübsch sehen wie Angeli Joeli, oder?«

Neni legte den Kopf in den Nacken und lachte.

New York war einfach großartig. Sie konnte noch immer nicht fassen, dass sie hier war. Konnte nicht fassen, dass sie herumbummelte und Gucci kaufte und endlich nicht mehr die arbeitslose, unverheiratete Mutter war, die, ganz gleich ob Regen- oder Trockenzeit, von Sonnenaufgang bis Sonnenuntergang im Haus ihres Vaters in Limbe hockte und darauf wartete, dass Jende sie rettete.

Die Ankunft mit Liomi am JFK war ihr noch derart präsent, dass es sich gar nicht so anfühlte, als wären schon achtzehn Monate vergangen. Sie erinnerte sich ganz genau, wie Jende in der Ankunftshalle gestanden und auf sie gewartet hatte, mit rotem Hemd, blauer Ansteckkrawatte und einem Strauß gelber Hortensien. Sie erinnerte sich, wie sie sich eine kleine Ewigkeit umarmt und mit geschlossenen Augen schweigend festgehalten hatten, um die Gedanken an die Qualen der letzten zwei Jahre zu verscheuchen, in denen Jende mit drei Jobs das Geld für ihr Studentenvisum, Liomis Besuchervisum und die Flugtickets hatte zusammenbekommen müssen. Und sie erinnerte sich noch genau, wie Liomi in ihre Umarmung eingestimmt und sie beide an den Beinen umfasst hatte, bis Jende sie kurz losgelassen und ihn hochgehoben hatte. Sie erinnerte sich, dass die Wohnung in Harlem (die Jende nach zwei Jahren mit sechs Puerto Ricanern in einer Dreizimmerkellerwohnung in der Bronx erst kürzlich gefunden hatte) an diesem Abend von ihrer Stimme und Jendes Lachen erfüllt gewesen war, als sie ihm Geschichten von zu Hause erzählt hatte, und von Liomis Quieken, als Jende sich auf dem Teppich mit ihm gebalgt und ihn gekitzelt hatte. Erinnerte sich, wie sie Liomi mitten in der Nacht ins Kinderbett getragen hatten, damit sie nebeneinanderliegen und all das tun konnten, was sie einander in E-Mails, Telefonaten und SMS versprochen hatten. Und sie erinnerte sich ganz genau, wie sie danach neben Jende im Bett gelegen und den Geräuschen Amerikas gelauscht hatte, dem Geplapper und Gelächter von Männern und Frauen, von Afroamerikanern auf den Straßen von Harlem, und sich immer wieder hatte sagen müssen: Ich bin in Amerika, ich bin wirklich in Amerika.

Diesen Tag würde sie nie vergessen.

Genauso wenig wie den Tag zwei Wochen nach ihrer Ankunft, als sie mit Liomi als Ringträger und Jendes Cousin Winston als Trauzeugen im Rathaus geheiratet hatten. An diesem Tag im Jahr 2006 war sie endlich zu einer ehrbaren Frau erklärt worden, einer Frau, der Liebe und Schutz zustanden.

Limbe war jetzt nur noch irgendeine Kleinstadt weit, weit weg, ein Ort, den sie mit jedem Tag ohne Jende an ihrer Seite weniger geliebt hatte. Ohne ihn, mit dem sie Strandspaziergänge gemacht, getanzt oder an einem heißen Sonntagnachmittag an einem Drinking Spot gesessen und ein kaltes Malta-Guinness genossen hatte, war die Stadt nicht mehr ihre geliebte Heimatstadt gewesen, sondern ein trostloser Ort, den sie so schnell wie möglich verlassen wollte. Und in der Zeit ihres Getrenntseins hatte sie ihn in jedem Telefongespräch daran erinnert, dass sie immerzu von dem Tag träumte, an dem sie Limbe verlassen und zu ihm nach Amerika kommen würde.

»Ich träume auch, *bébé*«, hatte er immer zu ihr gesagt. »Tag und Nacht träume ich alle möglichen Träume.«

An dem Tag, als sie endlich die Visa für Liomi und sich in den Händen gehalten hatte, war sie abends mit den Pässen unterm Kissen eingeschlafen. In der Nacht, als sie Kamerun verließen, fühlte sie gar nichts. Als der Bus abfuhr, den ihr Vater für sie – und für die zwei Dutzend Verwandten und Freunde, die sie begleiteten – gemietet hatte, und sie die zweistündige Fahrt zum internationalen Flughafen in Douala antraten, hatte sie den Nachbarn und entfernten Verwandten vorm Haus, die gekommen waren, um sich mit neidischen Blicken von ihnen zu verabschieden, lächelnd zugewinkt. Sie hatte ein kurzes Gebet aufgesagt, als sie sie da so stehen sah, und ihnen das gleiche Glück gewünscht, das sie in Amerika finden würde.

Jetzt, anderthalb Jahre später, war New York ihr Zuhause, ein Ort mit allem, was sie sich wünschte. Sie erwachte neben dem Mann, den sie liebte, und wenn sie den Kopf leicht drehte, lag da ihr Kind. Zum ersten Mal in ihrem Leben hatte sie einen Job, arbeitete über eine Agentur als Pflegerin für Privatpersonen und wurde wegen der fehlenden Arbeitserlaubnis in bar ausgezahlt. Zum ersten Mal seit sechzehn Jahren war sie als Studentin eingeschrieben, am Borough of Manhattan Community College im Fach Chemie, und musste sich wegen der Studiengebühren keine Sorgen machen, weil sie wusste, dass Jende den Semesterbeitrag von dreitausend Dollar immer, ohne zu murren, zahlen würde, anders als ihr Vater, der sich wegen seiner finanziellen Sorgen ständig beschwert hatte und ihr und ihren Geschwistern jedes Mal, wenn sie nach Geld für die Schulgebühren und Schuluniformen gefragt hatten, mit einem Vortrag darüber gekommen war, dass CFA-Francs nicht an Mangobäumen wuchsen. Zum ersten Mal seit einer halben Ewigkeit wachte sie morgens auf und hatte am Tag noch ganz andere Pläne, als nur für ihre Eltern und Geschwister zu kochen, Liomi zu versorgen, das Haus zu putzen, auf dem Markt einzukaufen, Freundinnen zu treffen und ihnen zuzuhören, wie sie über ihre Schwiegermütter lästerten, und abends ins Bett zu gehen und zu wissen, dass der darauffolgende Tag ganz genauso aussehen würde, weil ihr Leben auf der Stelle trat. Zum ersten Mal in ihrem Leben hatte sie neben Ehe und Mutterschaft einen Traum: Sie wollte Apothekerin werden, so wie die Apotheker in Limbe, die von jedem respektiert wurden, weil man von ihnen Glück und Gesundheit in Pillenform bekam. Um sich diesen Traum zu erfüllen, brauchte sie sehr gute Noten, und genau die hatte sie mit einem Durchschnitt von B+ auch. An drei Tagen pro Woche besuchte sie Kurse, und wenn sie nach dem Unterricht mit ihren Mathematik-, Chemie-, Biologie- und Philosophiewälzern die Gänge entlangging, strahlte sie, weil aus ihr nach und nach eine gebildete Frau wurde. So oft wie möglich saß sie in der Bibliothek über ihren Hausaufgaben oder zog ihren Professoren in den Sprechzeiten Tipps aus der Nase, wie sie bessere Noten erzielen konnte, um einen Studienplatz für Pharmazie an einer guten Uni zu ergattern. Sie würde stolz auf sich sein, Jende würde stolz auf seine Frau sein, Liomi würde stolz auf seine Mutter sein. Viel zu lange hatte sie gewartet, etwas aus sich zu machen, und jetzt, mit dreiunddreißig, hatte sie alles, oder war kurz davor, alles zu haben, was sie sich je für ihr Leben gewünscht hatte.

3.

Der Anruf kam, als er auf der White Plains Road unterwegs war. Vier Minuten später klappte er das Handy zu und lachte. Er trommelte aufs Lenkrad und lachte noch lauter: glücklich, berauscht, fassungslos. Wäre er jetzt in New Town, Limbe, gewesen, hätte er mitten auf der Straße angehalten, jemanden umarmt und geschrien, Bo, wenn du wüsstest, was ich eben für 'ne Nachricht bekommen hab. In New Town hätte er mindestens ein bekanntes Gesicht am Straßenrand entdeckt, mit dem er die guten Neuigkeiten hätte teilen können, aber hier in den Straßen der Bronx mit den alten Backsteinhäusern und dem halb verdorrten Rasen kannte er keinen, auf den er hätte zustürmen und dem er hätte erzählen können, was Clarks Sekretärin gerade zu ihm gesagt hatte. Da lief ein junger Schwarzer mit Kopfhörern, der zu irgendeinem coolen Groove wippte; drei junge Asiatinnen, Teenager, doch keine davon mit Schulrucksack, kicherten hinter vorgehaltener Hand; eine Frau mit einem dicken Kind in einem rosafarbenen Buggy hetzte irgendwohin. Da lief auch ein Afrikaner, aber seinem dunklen kantigen Gesicht und dem locker fallenden großen Boubou nach war er wahrscheinlich Senegalese oder Burkiner oder aus einem der anderen französischsprachigen Länder. Jende konnte ihm nicht einfach in die Arme fallen, nur weil sie beide aus Westafrika kamen. Er musste seine Freude mit jemandem teilen, der seinen Namen und seine Geschichte kannte.

»O Gott, Jends!«, rief Neni, als er ihr am Telefon die Neuigkeit erzählte. »Ich kann's gar nicht glauben! Du vielleicht?«

Grinsend schüttelte er den Kopf. Ihm war klar, dass er darauf nichts zu sagen brauchte, sie war einfach genauso glücklich wie er.

Die Hintergrundgeräusche verrieten ihm, dass sie überdreht wie ein kleines Kind, dem man gerade lauter Süßigkeiten in die Hand gedrückt hatte, in der Wohnung umherhüpfte und -tanzte.

»Hat sie dir gesagt, wie viel genau sie dir zahlen?«

»Fünfunddreißigtausend.«

»*Mamami eh*! Wahnsinn! Jende, ich tanze. Ich mache Gymnastik!«

Sie hätte gern wenigstens noch zehn Minuten länger mit Jende telefoniert und die Freude mit ihm geteilt, aber sie musste schnell zu ihrem Chemiekurs. Auch nachdem sie aufgelegt hatte, grinste er weiter, amüsiert über ihre Freude, die gewaltiger schäumte als die Victoriafälle.

Dann rief er seinen Cousin Winston an.

»Hey Mann, Glückwunsch«, sagte Winston. »Wunder ergeben sich immer wieder.«

»Du sagst es«, entgegnete Jende.

»Du, der Busch-Junge aus New Town, Limbe, chauffierst also demnächst einen Wall-Street-Hai durch die Gegend, was? Und tauschst diesen *chakara* Hyundai gegen einen glänzenden Lexus?«

Jende lachte.

»Wie soll ich dir danken, Mann?«, sagte er. »Ich weiß nicht, wo ich anfangen –«

Plötzlich redete auch die Frau auf der Rückbank.

»Warte mal, Bo«, sagte Jende zu Winston. Er drehte sich um und merkte, dass auch sie telefonierte und sich, während er Pidginenglisch durchsetzt mit Französisch und Kpe sprach, in einer Sprache unterhielt, die er noch nie gehört hatte. Keiner verstand den anderen; durch Zufall sorgten beide in einem Livery Cab in New York für ein fast schon babylonisches Sprachgewirr.

»Was hast du denen erzählt?«, fragte er Winston. »Der Mann hat was von ›ausdrücklich empfohlen‹ gesagt.«

»Nichts«, sagte Winston. »Ich hab Frank gegenüber nur erwähnt, dass du manchmal eine Limo fährst und Chauffeur für eine Familie in New Jersey warst.«

»Was?«

»Wer nicht lügt, stirbt auch«, sagte Winston und lachte sich kaputt. »Glaubst du, man bekommt als Schwarzer in diesem Land einen guten Job, indem man sich vor einen Weißen setzt und die Wahrheit sagt? Mach dich nicht lächerlich. Ich wollte nur nicht, dass du noch aufgeregter bist, darum hab ich nichts gesagt.«

»Bo, echt jetzt? Aber nichts von dem stand im Lebenslauf! Wieso hat er nichts –?«

»Du und deine Ängste. Mr Edwards ist ein viel beschäftigter Mann. Mir war klar, dass er nicht da rumsitzt und dir lauter Fragen stellt. Frank ist sein bester Freund. – Was? Freust du dich nicht, dass ich ihm das gesagt hab?«

»Freuen?«, schrie Jende fast in den Hörer, schüttelte sich und warf den Kopf in den Nacken. »Ich möchte sofort aus dem Wagen springen und dir die Füße küssen!«

»Lass mal, Mann«, sagte Winston. »Ich frag die heißen *ngahs*, an denen ich grad dran bin, ob sie das übernehmen.«

»Mach das!«, sagte Jende, wobei sich seine Stimme fast überschlug. »Ich werd jetzt nicht neidisch, Neni bringt mich um.«

Winston lachte so sehr, dass er grunzte. »Die eine Nacht neulich, Bo, ich sage dir –«

»Aber was machen wir wegen der Überprüfungssache?«, fragte Jende. »Die Sekretärin hat gesagt, dass ich was abgeben muss, die Ref..., ähm ... Refer..., Referenzien?«

»Kein Problem. Wenn ich das nächste Mal vorbeikomme, füllen wir die Formulare zusammen aus. Für die Referenzen hab ich schon ein paar Leute.«

»Ich schulde dir was, Bo. Oh, Mann ... Ich weiß nicht, wie ich dir dafür danken soll.«

»Hör einfach auf mit diesem Danke-Kram, okay?«, sagte Winston fast beleidigt. »Du bist mein Bruder. Für wen, wenn nicht für dich? Sag Neni, ich wünsch mir ihre Spezial-Pfeffersuppe mit Rinderhufen und Hühnermagen. Damit bin ich voll zufrieden. Ich komme morgen Abend vorbei.«

»Das brauchst du nicht extra sagen. Wenn du morgen kommst,

ist der Tisch gedeckt, und dazu gibt's eiskalten Palmwein und *soya*.«

Winston gratulierte ihm noch mal, musste sich dann aber wieder dem Fall zuwenden, an dem er gerade arbeitete. Mit einem Lächeln im Gesicht fuhr Jende weiter in der Bronx umher, sammelte Fahrgäste ein und setzte sie wieder ab, dazu lief Lite FM. Sein Handy piepte, er sah nach, eine SMS: Jetzt nur die Papiere, schrieb Neni, und wir haben alles!

Recht hat sie, dachte er. Jetzt ein guter Job. Dann die Papiere. Wie sich das erst anfühlen musste!

Er seufzte.

Drei Jahre: So lange kämpfte er in Amerika schon um Papiere. Nach knapp vier Wochen im Land hatte Winston ihn zu einem auf Einwanderungsrecht spezialisierten Anwalt geschleppt, schließlich mussten sie eine Möglichkeit finden, wie er nach Ablauf seines Besuchervisums dauerhaft im Land bleiben konnte. Denn genau das war von Anfang an ihr Plan gewesen, auch wenn Jende es bei der Beantragung seines Besuchervisums auf der US-amerikanischen Botschaft in Yaoundé anders dargestellt hatte.

»Wie lange haben Sie vor, in New York zu bleiben?«, hatte man ihn auf dem Konsulat gefragt.

»Nur drei Monate, Sir«, hatte er geantwortet. »Nur drei Monate, danach komme ich auf jeden Fall zurück.«

Um dieser Behauptung mehr Gewicht zu verleihen, hatte er Beweismittel mitgebracht: ein Schreiben seines Vorgesetzten, das ihn als zuverlässigen Angestellten auswies, der seiner Arbeit so wahnsinnig gern nachging, dass er sie niemals aufgeben würde, um planlos in Amerika herumzusitzen; die Geburtsurkunde seines Sohnes, die belegen sollte, dass er niemals in Amerika bleiben und sein Kind zurücklassen würde; den Grundbucheintrag für ein von seinem Vater auf ihn überschriebenes Stück Land, um zu belegen, dass er vorhatte, nach seiner Rückkehr dort ein Haus zu bauen; ein Schreiben vom Bauamt der Stadt, das seinen Baugenehmigungsantrag bestätigte, für das er einen dort angestellten Onkel (dritten Grades) bezahlt hatte; und den Brief eines Freundes, der darin unter Eid schwor, Jende würde niemals in Amerika bleiben, da sie vorhätten, nach seiner Rückkehr gemeinsam einen Drinking Spot zu eröffnen.

Das hatte den Beamten überzeugt.

Am Tag darauf war Jende mit seinem Visum aus dem Konsulat spaziert. Er ging nach Amerika! Er, Jende Dikaki Jonga, Sohn von Ikola Jonga, Enkel von Dikaki Manyaka ma Jonga, ging nach Amerika! Leichten Schrittes stürmte er aus der Botschaft hinaus auf die staubigen Straßen von Yaoundé, ballte die Faust zu einer Siegesgeste und hatte ein so breites Grinsen auf dem Gesicht, dass eine Ewondo-Frau mit einem Korb voller Kochbananen auf dem Kopf mitten auf der Straße stehen blieb und ihn anstarrte. *Quel est son problème?*, hörte er sie zu einer Freundin sagen. Er lachte. Er hatte kein Problem. In einem Monat würde er Kamerun verlassen! Und zwar ganz sicher nicht, um drei Monate später zurückzukehren. Wer ging schon nach Amerika, um nach lächerlichen drei Monaten nach Kamerun zurückzukehren, wo einen dann eine Zukunft aus Nichts erwartete? Junge Männer wie er ganz sicher nicht und auch sonst keiner, dem in seinem eigenen Land nur ein Leben in Armut und Verzweiflung bevorstand. Nein, Leute wie er gingen nicht als Touristen in die USA. Sie reisten ein und blieben, bis sie als Eroberer nach Hause zurückkehren konnten – als Besitzer einer Greencard oder eines amerikanischen Passes, mit Taschen voller Dollars und Fotos von einem glücklichen Leben. Und darum war Jende an dem Tag, an dem er für einen Air-France-Flug von Douala nach Newark mit Zwischenhalt in Paris eincheckte, sicher, dass er erst nach Kamerun zurückkehren würde, wenn er seinen Teil von der Milch und dem Honig und der Freiheit abbekommen hatte, die in Amerika, dem Paradies für Selfmademen, flossen.

»Asyl ist die beste Möglichkeit, *papier* zu bekommen und im Land zu bleiben«, hatte Winston zu Jende gesagt, als dieser seinen Jetlag überwunden hatte und den halben Tag lang Bauklötze staunend über den Times Square gelaufen war. »Entweder das, oder du heiratest eine zahnlose weiße Alte in Mississippi.«

»Bitte, Gott, beschütze mich vor bösen Dingen«, hatte Jende erwidert. »Lieber trinke ich eine Flasche Kerosin und falle gleich tot um.« Ein Asylantrag war der einzige Weg für ihn. Winston bestärkte ihn darin. Es könnte Jahre dauern, aber das war es wert.

Winston besorgte ihm einen Anwalt, einen schnell sprechenden Nigerianer aus Flatbush, Brooklyn, der Bubakar hieß und mit seinem Redetempo wettmachte, was ihm an Körpergröße fehlte. Bubakar, hatte man Winston gesagt, sei nicht nur ein hervorragender, auf Einwanderungsrecht spezialisierter Anwalt mit zahlreichen afrikanischen Mandanten in allen Teilen des Landes, sondern auch ein Experte darin, jeden Mandanten mit der passenden und ihm Asyl garantierenden Verfolgungsgeschichte auszustatten.

»Was glaubt ihr, was die ganzen anderen Leute machen, deren Asylanträge durchkommen?«, fragte er die Cousins, als sie sich zu einem ersten kostenloses Beratungsgespräch mit ihm trafen. »Glaubt ihr, die sind wirklich alle auf der Flucht? Ach kommt schon! Ich sag euch was: Ich hab erst letzten Monat Asyl für die Tochter des Premierministers von irgendeinem Land in Ostafrika durchgeboxt.«

»Ach ja?«, fragte Winston.

»Ja!«, sagte Bubakar knurrend. »Was soll das heißen, ›ach ja‹?«

»Bin nur überrascht. Von welchem Land?«

»Das sag ich besser nicht, okay? Es ist auch nicht weiter wichtig. Ich wollte damit nur sagen, dass der Vater des Mädchens Premierminister ist, ja? Sie hat drei Leute, die ihr den Arsch abwischen, und noch drei weitere, die ihr die Popel aus der Nase pulen. Und sie stellt sich hierhin und behauptet, sie hat bei sich zu Hause Angst um ihr Leben«, sagte er spöttisch. »Jeder von uns tut, was er tun muss, um Amerikaner zu werden, *abi*?«

Jende nickte.

Winston zuckte mit den Achseln. Ein Freund aus Atlanta hatte Bubakar empfohlen und in höchsten Tönen gelobt. Dieser Freund war überzeugt, es allein Bubakar zu verdanken, dass er noch in Amerika lebte, jetzt eine Greencard besaß und in zwei Jahren dazu berechtigt war, die Staatsbürgerschaft zu beantragen. Trotzdem erkannte Jende an der Art, wie Winston sich das Kinn rieb, dass sein Cousin so seine Zweifel hatte, ob dieser kleine Mann mit den extralangen Nasenhaaren hier vor ihnen überhaupt Experte für irgendetwas sein konnte, geschweige denn auf dem so komplexen Rechtsgebiet der Asyl- und Einwanderungspolitik. Auf der Urkunde an der Wand stand zwar, er habe seinen Abschluss an irgendeiner juristischen Fakultät in Alabama gemacht, Bubakars manierierte Art jedoch war für Winston eher ein Zeichen dafür, dass dessen eigentliche Ausbildung aus Onlineforen stammte, von Seiten also, auf denen sich viele mit der Sehnsucht nach einem amerikanischen Pass tummelten und nach Möglichkeiten suchten, dem amerikanischen Einwanderungssystem ein Schnippchen zu schlagen.

»Brother«, sagte Bubakar zu Jende und schaute ihn in seinem supersauberen und makellos aufgeräumten Büro über den leeren Schreibtisch hinweg an, »warum erzählst du mir nicht einfach ein bisschen von dir, damit ich herausfinde, wie ich dir helfen kann?«

Jende setzte sich aufrecht hin, legte die Hände im Schoß zusammen und erzählte. Von seinem Vater, dem Bauern, seiner Mutter, der Marktfrau und Schweinezüchterin, seinen vier Brüdern und der ärmlich zusammengezimmerten Hütte mit den drei Zimmern, in der sie in New Town, Limbe, gewohnt hatten. Von seiner Schulzeit an der CBC Main School und der National Comprehensive Secondary School und wie er da dann hatte abbrechen müssen, nachdem er Neni geschwängert hatte.

»Was? Du hast mit der Schule aufgehört, weil du ein Mädchen geschwängert hast?«, fragte Bubakar und kritzelte etwas auf ein Blatt Papier.

»Ja«, sagte Jende. »Ihr Vater hat mich ins Gefängnis stecken lassen.«

»Treffer! Das ist es!«, sagte Bubakar, schaute von seinem Notizblock auf und strahlte Jende aufgeregt an.

»Das ist was?«, fragte Winston.

»Seine Chance auf Asyl. Die Geschichte, die wir der Einwanderungsbehörde erzählen.«

Winston und Jende tauschten Blicke. Jende dachte, Bubakar werde schon wissen, wovon er rede; Winston sah man an, dass er dachte, Bubakar habe keine Ahnung, wovon er rede.

»Das ist doch nicht dein Ernst!«, sagte Winston. »Die Verhaftung war 1990, das ist vierzehn Jahre her. Wie willst du einem Richter weismachen, dass mein Cousin befürchten muss, in Kamerun verfolgt zu werden, weil er ein Mädchen geschwängert hat und dafür ins Gefängnis gewandert ist, obwohl das Jahre zurückliegt? Ganz davon abgesehen, dass es bei uns und vielleicht auch in deinem Land absolut kein Rechtsbruch ist, wenn ein Vater den jungen Mann verhaften lässt, der seiner Tochter die Zukunft verbaut hat.«

Bubakar sah Winston verächtlich an und verzog leicht den Mund.

»Mr Winston«, sagte er nach einer langen Pause, in der er sich etwas notiert und dann gewichtig den Stift auf seinen Block gelegt hatte.

»Ja?«

»Wir sind beide Anwälte, schon klar. Nur dass du denkst, mit deinem Wall-Street-Getue was Besseres zu sein.«

Winston sagte kein Wort.

»Aber eins versichre ich dir, mein Freund«, fuhr Bubakar fort, »wenn man dich vor einen Asylrichter stellt und du für Leute wie deinen Cousin kämpfen musst, hast du keinen blassen Schimmer, klar? Also warum lässt du mich hier nicht meine Arbeit machen, und sollte ich je einen Anwalt brauchen, der mir Tipps gibt, wie ich den Staat austricksen und Steuern hinterziehen kann, lass ich dich deine Arbeit machen.«

»Meine Arbeit besteht nicht darin, Leute mit Tipps zu versorgen, wie sie den Staat austricksen und Steuern hinterziehen können«, erwiderte Winston in ruhigem Ton, obwohl Jende an seinem starren Blick ablas, dass er Bubakar nur zu gern über den Tisch gezogen und ihm alle Zähne ausgeschlagen hätte.

»Ach, nicht?«, sagte Bubakar spöttisch. »Was machst du dann an der Wall Street?«

Winston höhnte. Jende sagte nichts, er war genauso verärgert wie sein Cousin.

Vielleicht aus Angst, zu weit gegangen zu sein, versuchte Bubakar, sich mit weiteren Kommentaren zurückzuhalten und die Cousins zu besänftigen.

»Brothers, kein Stress«, sagte er und sprach auf einmal in einem Mix aus kamerunischem und nigerianischem Pidginenglisch. »Schlecht jetzt für Stress. Gibt viel Arbeit, *abi*? Jetzt keine Zeit wegzuschenken. Korrekt so?«

»Korrekt«, sagte Winston. »Kümmern wir uns lieber ums Wesentliche.«

Jende seufzte und wartete, dass das Gespräch wieder auf seinen Asylantrag zurückkam.

»Nur das noch, damit du Bescheid weißt«, fügte Winston an, »zu meiner Arbeit als Wirtschaftsanwalt gehören weder Lügen noch Manipulation.«

»Na klar doch!«, sagte Bubakar. »Tut mir leid, Brother. Muss ich mit einer anderen Art von Anwalt verwechselt haben.«

Die beiden Männer lachten.

»Was ist aus dem Mädchen geworden, das du geschwängert hast?«, fragte Bubakar und wandte sich jetzt an Jende.

»Sie ist in Limbe.«

»Und das Kind, das sie von dir bekommen hat?«

»Die Kleine ist gestorben.«

»Das tut mir leid, Brother, sehr leid.«

Jende mied seinen Blick. Er brauchte kein Mitgefühl. Und er brauchte ganz sicher keine vierzehn Jahre zu spät kommenden Beileidsbekundungen.

»Bist du vor oder nach ihrem Tod ins Gefängnis gewandert?«

»Noch vor der Geburt, als ihre Eltern herausgefunden haben, dass ich sie geschwängert habe.«

»So läuft das meistens«, sagte Winston. »Die Eltern rufen die Polizei, der Freund wird verhaftet.«

Bubakar nickte und unterstrich eins der Wörter auf seinem Notizblock gleich doppelt.

»Ich war vier Monate im Gefängnis. Als ich rauskam, war das Baby einen Monat alt. Drei Monate später ist es an Gelbfieber gestorben.«

»Tut mir echt leid, Brother«, sagte Bubakar erneut. »Aufrichtig leid.«

Jende nahm ein Glas Wasser vom Tisch, trank einen Schluck und räusperte sich.

»Aber ich hab noch ein anderes Kind in Kamerun«, sagte er. »Einen Sohn, er ist drei.«

»Mit der Frau, mit der du auch das Mädchen hattest?«, fragte Bubakar.

»Ja«, antwortete Jende. »Sie ist die Mutter. Wir sind noch zusammen. Wir wären auch verheiratet und eine kleine Familie, wenn ihr Vater der Heirat zustimmen würde.«

»Und warum ist er gegen die Heirat?«

»Er sagt, er braucht Zeit, um drüber nachzudenken, will es aber deshalb nicht, weil ich arm bin, das weiß ich.«

»Typischer Fall von falscher Klassenzugehörigkeit«, warf Winston ein. »Jende kommt aus einer armen Familie. Die Familie der jungen Dame hat etwas mehr Geld.«

»Aber vielleicht hat der Vater der jungen Lady nicht verkraftet, was passiert ist?«, sagte Bubakar. »Ich meine, wenn man als Vater sieht, wie die eigene Tochter schwanger wird, von der Schule runter muss und das Kind dann verliert, ist das schon echt hart, *abi*? Ich würde den Typen auch nicht mögen, der meiner Tochter so was angetan hat, egal, ob er aus einer reichen oder einer armen Familie kommt.«

Beide Cousins schwiegen.

»Aber der genaue Grund ist nicht wirklich wichtig«, sagte Bubakar dann. »Ich glaube, die Geschichte ist die beste Chance, dein Asyl durchzubekommen. Als Verfolgungsgrund machen wir die Zugehörigkeit zu einer bestimmten sozialen Gruppe geltend. Drum herum spinnen wir, dass du Angst hast, nach Hause zurückzugehen, weil du Angst haben musst, dass dich die Familie deiner Freundin umbringt, damit ihr zwei nicht heiratet.«

»So was passiert vielleicht in Indien«, sagte Winston, »aber nicht in Kamerun.«

»Willst du vielleicht sagen, Kamerun ist besser als Indien?«, entgegnete Bubakar.

»Nein, ich will sagen, Kamerun ist nicht Indien.«

»Das überlass mal mir, Brother.«

Winston seufzte.

»Wann können wir den Antrag abschicken?«, fragte Jende.

»Sobald du mich mit den ganzen Beweisen versorgt hast.«

»Beweise? Was zum Beispiel?«

»Was? Na zum Beispiel dein Haftstrafenregister. Die Geburtsurkunden von den Kindern. Und zwar von beiden. Die Sterbeurkunde der Kleinen. Briefe. Viele Briefe. Von Leuten, die bezeugen können, dass der Alte gesagt hat, wenn er dich wiedersieht, bringt er dich um. Leute, die gehört haben, dass seine Brüder, Cousins und irgendwelche anderen Verwandten gesagt haben, dass sie dich fertigmachen wollen. Außerdem Fotos. Im Grunde alles, was wir von dir, dem Mädchen und ihrem Vater kriegen können. Kannst du mir das besorgen?«

»Ich versuch's«, sagte Jende zögernd. »Aber was, wenn ich nicht genug Beweise auftreiben kann?«

Bubakar schaute ihn leicht belustigt an und schüttelte den Kopf.

»Ach komm schon, Brother«, sagte er, legte den Block und den Stift weg und beugte sich vor. »Muss ich dir das wirklich ausbuchstabieren? Benutz deinen Kopf und stell mir was zusammen, das ich den Leuten da vorlegen kann. Okay? Das ist wie bei dem Typen Jerry Maguire, der sagt ›Her mit der Kohle‹. Die Leute bei USCIS werden auch sagen, her mit den Beweisen. Weil die so ticken bei der Einwanderungsbehörde, die sagen: Her mit den Beweisen! Verstanden?«

Er lachte über seinen eigenen Witz. Winston schnaufte. Jende reagierte überhaupt nicht, er kannte keinen Jerry Maguire.

»Wir müssen denen auf jeden Fall ordentlich was vorlegen, verstehst du? Jede Menge Beweise, egal wie.«

»Wir tun unser Bestes«, sagte Winston.

Jende nickte, auch wenn ihm klar war, dass es schwer werden würde, die Art von Briefen zu beschaffen, die Bubakar wollte. Nenis Vater konnte ihn nicht leiden – das wusste er seit Jahren –, aber der Alte hatte nie gedroht, ihn umzubringen. Also gab es in Limbe auch keine Zeugen dafür. Einen Asylantrag zu stellen, war die beste Chance, im Land bleiben zu können. Er musste sich mit Winston besprechen und herausfinden, was sie tun konnten; Winston würde sicher etwas einfallen.

»Und du bist überzeugt, dass das klappt?«, fragte Winston.

»Ich liefre ihnen überzeugende Argumente«, sagte Bubakar. »Und dann bekommt dein Cousin hoffentlich seine Papiere.«

4.

Sie wollte alles über seinen ersten Arbeitstag wissen, vorher war an Schlaf nicht zu denken. Als sie ihn um die Mittagszeit angerufen hatte, um zu hören, wie sein Tag bislang gelaufen war, hatte er nur kurz gesagt, es würde gut laufen, er könnte jetzt nicht reden, aber es wäre alles in Ordnung. Ihr blieb also nichts anderes übrig, als zu warten, und jetzt, kurz vor Mitternacht, hörte sie ihn endlich an der Tür, ganz aus der Puste von den fünf Stockwerken hinauf zu ihrer Wohnung.

»Und?«, fragte sie und grinste, als er sich auf das abgewetzte Wohnzimmersofa setzte.

»Keine Probleme«, sagte er lächelnd. »Es lief gut.«

Sie holte ihm ein Glas kaltes Wasser aus der Küche und half ihm aus der Jacke, und nachdem er sich für einen kurzen Moment auf dem Sofa ausgeruht hatte, den Kopf zurückgelegt, stellte sie ihm das Abendessen hin und rückte ihm den Stuhl zurecht, damit er es sich am Esstisch bequem machen konnte.

Dann stellte sie eine Frage nach der anderen. Was genau hatte er für die Familie gemacht? Wo hatte er sie hingefahren? Wie sah die Wohnung von den Edwards aus? War Mrs Edwards nett? War ihr Sohn gut erzogen? Kam er jetzt jeden Abend so spät nach Hause?

Er war müde, aber sie ließ nicht locker und überschüttete ihn mit Fragen wie mit Konfetti. Sie wollte unbedingt wissen, wie reiche Leute lebten. Wie sie sich gaben. Wie sie redeten. Wenn sie jemanden anstellen konnten, der sie umherfuhr, dann musste ihr Leben doch echt was hermachen, oder?

»Bitte«, sagte sie. »Erzähl.«

Also erzählte er ihr in den Pausen zwischen den gierigen Bissen, so viel er konnte. Die Wohnung der Edwards' war groß und schön; Millionen Dollar schöner als ihre dunkle Zweizimmerwohnung. Vom Wohnzimmerfenster hatte man einen Blick auf die ganze Stadt – ihm war die Kinnlade runtergeklappt, als er das gesehen hatte.

»Chai!«, sagte sie. »Wie muss das sein, wenn man so eine Wohnung hat? Ich würde jeden Tag in die Luft springen und den Himmel berühren.«

Die Wohnung sah aus wie eine dieser Wohnungen von Reichen, die man aus dem Fernsehen kannte. Ganz in Weiß und Silber gehalten, und alles blitzte und blinkte. Er hatte nur wenige Minuten dort verbracht und auf Mighty gewartet, den er zur Schule fahren sollte, nachdem er Mr Edwards zur Arbeit gebracht hatte. Mrs Edwards hatte ihn hinaufgebeten, weil der neunjährige Mighty ihm richtig vorgestellt werden wollte, bevor er von ihm chauffiert wurde.

»Ein lieber Junge, dieser Mighty, und gut erzogen«, sagte er.

»Schön zu hören«, sagte sie. »Ein reiches Kind und gut erzogen.«

Sie wollte fragen, ob Mighty so gut erzogen war wie ihr Liomi, fragte aber nicht; sie hielt es für besser, den Rat, den ihre Mutter ihr vor Jahren gegeben hatte, zu befolgen und ihr Kind nicht mit anderen Kindern zu vergleichen.

»Haben sie nur das eine Kind?«, fragte sie stattdessen.

Er schüttelte den Kopf. »Mighty hat mir von einem großen Bruder erzählt. Er wohnt in Uptown, da haben sie noch eine Wohnung. Er studiert Jura an der Columbia University.«

»Fährst du ihn auch überallhin?«

»Keine Ahnung, vielleicht. Es ist kein Problem, wenn ich ihn auch fahren soll, aber Mighty klang so, als ob der Bruder nicht oft vorbeikommt und Mrs Edwards darum unglücklich ist. Ich hab nicht nachgefragt.«

Sie goss ihm Wasser nach und ließ ihn ein paar Minuten in Ruhe essen, bevor sie mit ihrem Fragenkatalog fortfuhr.

»Und wie sieht Mrs Edwards aus?«, fragte sie als Nächstes.

»Gut«, antwortete er, »so, wie die Frau von einem reichen Mann aussehen sollte. Winston hat gesagt, sie ist eine von diesen Essensleuten –«

»Was für Essensleute –?«

»Leute, die anderen Leuten beibringen, was man isst … damit sie so aussehen wie sie.« Er nahm sich die Dose Mountain Dew, die sie auf den Tisch gestellt hatte, öffnete sie und nahm einen großen Schluck. »In diesem Land überlegen die Leute die ganze Zeit, was sie essen sollen, und sie bezahlen anderen Leuten viel Geld, damit sie ihnen sagen: Das kannst du essen, das kannst du nicht essen. Wenn man nicht weiß, was man essen soll, was weiß man dann im Leben?«

»Das heißt, sie ist dünn und sieht sehr gut aus.«

Er nickte abwesend; von dem Extra-Pfeffer, den sie an das Hühnchen und die Tomatensoße gegeben hatte, lief ihm der Schweiß übers Gesicht. Er ignorierte sein Schwitzen und nahm sich ein Hühnerbein, riss das Fleisch mit den Schneidezähnen ab und zutschte den Saft aus dem Knochen.

»Aber wie sieht sie aus?«, hakte sie nach. »Komm, *bébé*, Details, bitte.«

Er seufzte und sagte, so genau wüsste er das gar nicht mehr. Nur dass sie ihn im ersten Moment irgendwie an die Ehefrau in *American Beauty* erinnert hätte, einem Film, den sie beide klasse fanden und sich immer anschauten, wenn sie sich in Erinnerung rufen wollten, dass das Leben in amerikanischen Vorstädten ganz schön eigenartig sein konnte und es vielleicht das Beste war, wenn man in friedlichen amerikanischen Großstädten wie New York lebte.

»Wie heißt die Frau in echt?«, fragte er mit vollem Mund, während an seinen glitschigen Fingern die Tomatensoße hinablief. »Du merkst dir so was immer.«

»Annette Bening?«

»Ja, genau. So sieht sie aus.«

»Dieselbe Augenfarbe und alles? Sie muss toll aussehen, was?«

Er hatte nicht drauf geachtet, ob Cindy Edwards dieselbe Augenfarbe hatte wie Annette Bening.

»Man kann gar nicht wissen, was ihre echte Augenfarbe ist«, sagte sie. »Manche haben bunte Kontaktlinsen, sie können die Augenfarbe ändern, wie es ihnen gefällt. Eine Frau wie Mrs Edwards kommt aus einer reichen Familie, ganz sicher, die hatte solche Kontaktlinsen schon als Kind.«

»Weiß nicht …«

»Reicher Vater, reiche Mutter, reicher Ehemann. Die hat sich noch nie Sorgen wegen Geld gemacht.«

Er leckte sich über die Lippen, brach ein Stück Kochbanane auseinander, tunkte es in die Schüssel mit Tomatensoße und schob es sich gierig in den Mund.

Sie beobachtete ihn, belustigt über das Tempo, in dem er das Essen hinunterschlang.

»Und dann, nachdem du Mighty zur Schule gebracht hast?«, fragte sie.

Danach war er zurück zur Wohnung gefahren und hatte Mrs Edwards abgeholt, sie zu ihrem Büro gebracht und dann zu einem Termin in Battery Park City und einem anderen in Soho, hatte sie dann wieder zu Hause abgesetzt und Mighty von der Schule abgeholt und ihn und seine Babysitterin zu einem Gebäude auf der Upper West Side gefahren, wo er Klavierunterricht bekam. Danach hatte er Mr Edwards von seinem Büro zu einem Steakhouse in Long Island gefahren und gegen zehn zurück in die Stadt. Er hatte den Wagen zum Schluss wieder vollgetankt, in der Garage geparkt und den Crosstownbus von der East Side zur West Side genommen. Dann war er im Norden von Manhattan in die U-Bahn-Linie 3 Richtung Harlem gesprungen.

»*Weh!*«, platzte es aus ihr heraus. »Ist das nicht sehr viel Arbeit für einen Tag?«

Vielleicht, aber war das bei dem Geld, das sie ihm zahlten, nicht auch zu erwarten? Noch vor zwei Wochen hatte er nur die Hälfte von dem verdient, was Mr Edwards ihm zahlte, und da war er auch zwölf Stunden am Tag in einem Livery Cab umhergefahren.

Sie nickte und sagte: »Wir haben großes Glück.«

Er nahm das Glas Wasser und trank einen Schluck.

»Ich habe mal deine fünfunddreißigtausend und meine zehntausend zusammengenommen und alles durchgerechnet«, sagte sie und schenkte ihm nach. »Wenn wir die Steuern und meine Studiengebühren, die Miete und alles andere bezahlt und auch noch Geld nach Hause geschickt haben, können wir jeden Monat immer noch dreihundert oder vierhundert sparen.«

»Vierhundert Dollar im Monat!«

»So können wir fünftausend im Jahr sparen, *bébé*, wenn wir unser Bestes geben. Zehn Jahre und wir haben genug Geld für eine Dreizimmerwohnung in Mount Vernon oder Yonkers.« Sie beugte sich noch weiter zu ihm vor. »Oder sogar in New Rochelle.«

Er schüttelte den Kopf.

»Irgendwann müssen wir mehr Miete zahlen«, sagte er. »Was glaubst du, wie lange es dauert, bis die Behörden herausfinden, dass Mr Charles einen Hummer fährt, aber eine Sozialwohnung beantragt hat? Wenn die merken, dass wir ihn bezahlen, um hier zu wohnen, schmeißen die uns raus –«

»Ja und?«

»Ja und? Irgendwann müssen wir mehr als fünfhundert für Miete ausgeben. Und dann sind fünfundvierzigtausend für ein Leben in Harlem gar nichts.«

Sie zuckte mit den Achseln: Es war typisch für ihn, immer vom Schlimmsten auszugehen.

»Irgendwann ist nicht heute«, erwiderte sie. »Bis sie es rausfinden, haben wir ein hübsches Geld gespart. Und ich bin Apothekerin.« Sie lächelte, und ihre Augen verengten sich, als würde sie von diesem Tag träumen. »Irgendwann haben wir eine eigene Wohnung mit drei Zimmern. Du verdienst als Chauffeur mehr Geld. Und ich bekomme als Apothekerin ein gutes Gehalt. Dann wohnen wir nicht mehr in der Höhle hier mit lauter Kakerlaken.«

Er schaute sie an und lächelte, und sie stellte sich vor, dass auch er fest daran glaubte, dass sie eines Tages Apothekerin werden würde. Wahrscheinlich erst in fünf Jahren; oder in sieben, aber irgendwann eben doch.

Sie schaute zu, wie er alles aufaß, sich das letzte Stück Kochbanane nahm, damit die Schüssel mit Tomatensoße auswischte und es sich zusammen mit dem letzten Happen Hühnchen in den Mund stopfte. Und während sie ihn liebevoll beobachtete, musste sie kichern, als er die Dose Mountain Dew austrank und laut rülpste. »Du bist wie ein Supertanker«, sagte sie zu ihm und knuffte ihn in die Seite.

Auch er gluckste erschöpft. Ihm war anzusehen, wie zufrieden er trotz seiner Müdigkeit war. Nichts stimmte ihn so zufrieden wie ein leckeres Abendessen nach einem langen Arbeitstag. Und nichts stimmte sie zufriedener als das Wissen, ihn zufrieden gemacht zu haben.

Nach einer langen Pause, in der er sich zurückgelehnt und sanft lächelnd die Wand angestarrt hatte, wusch er sich in der von Neni auf den Tisch gestellten Wasserschüssel die Hände und stand auf. »Liegt Liomi in seinem Bett oder bei uns?«, fragte er leise vom Flur aus.

»In seinem«, sagte sie grinsend und wusste, wie sehr er sich freute, dass sie das Bett zur Feier des Tages für sich hatten. Sie schnappte sich das dreckige Geschirr und trug es zur Spüle. *E weni Lowa la manyaka,* sang sie leise beim Abwasch, wiegte die Hüften dazu und lächelte. *E weni Lowa la manyaka, Lowa la nginya, Na weta miseli, E weni Lowa la manyaka.*

In letzter Zeit sang sie so viel wie noch nie in ihrem Leben. Sie sang, wenn sie Jendes Hemden bügelte, aber auch, wenn sie Liomi zur Schule gebracht hatte und auf dem Weg zurück nach Hause war. Sie sang, wenn sie sich die Augen schminkte, weil sie mit Jende und Liomi zu einem afrikanischen Fest ging: mal zu einer Taufe in Brooklyn, mal zu einer traditionellen Hochzeit in der Bronx, mal zu einem Fest in Yonkers, um einen in Afrika Verstorbenen zu verabschieden, den so gut wie keiner der anwesenden Gäste gekannt hatte; zu allen möglichen Festen, zu denen sie von Freundinnen aus ihren Kursen oder von der Arbeit eingeladen wurde, von irgendjemandem, der den Gastgeber kannte und Neni versicherte, dass es okay war, wenn sie kam, weil Afrikaner nicht viel von feinen weißen Sitten hielten, beispielsweise davon, nur mit einer Einladung auftauchen zu dürfen. Sie sang auf dem Weg zur U-Bahn, sang sogar, wenn sie bei Pathmark einkaufte, völlig unbeeindruckt von den Blicken anderer, die nicht verstanden, wie man beim Einkaufen von Lebensmitteln so glücklich sein konnte. *God na helele, God na waya oh, God na helele, God na waya oh, nobody dey like am oh, nobody dey like am, heyo, wayo God na helele.*

Als der Abwasch gemacht war, schnappte sie sich das Jackett von Jendes neuem schwarzen Anzug, den sie für einhundertfünfundzwanzig Dollar, rund ein Drittel ihres Erspartem, bei TJ Maxx gekauft hatte. Sie bürstete das Jackett ab, parfümierte es und legte es für den nächsten Tag aufs Sofa. Sie betrachtete das Jackett und strahlte, froh, es gekauft zu haben. Ursprünglich hatte sie in einem Discount-Warenhaus auf der 125. Straße einen billigeren Anzug kaufen wollen, aber Fatou hatte ihr davon abgeraten. Warum gibst du wenig Geld für Anzug, wenn er Mann mit viel Geld fährt, hatte sie gefragt. Kaufst du gut wie bei TJ Maxx, hast du besser davon. Kauf Anzug mit Schick, wenn er Mann mit Schick fährt. Und wenn Jende bald auch reich gehört, machst du Einkauf in Laden mit Schick. Dann machst du Einkauf für ihn und dich immer in Laden mit mehr Schick-Schick. Dann gehst du in Laden für weiße Leute mit Schick dabei wie Target.

5.

Cindy Edwards hatte ihn ausnahmslos freundlich behandelt (hatte jedes Mal umgehend auf seine Begrüßung geantwortet, wenn er ihr die Wagentür aufhielt, hatte ihn, wenn auch desinteressiert, gefragt, wie sein Tag war, hatte immer Bitte und Danke gesagt, wenn es sich gehörte), und trotzdem verkrampfte er jedes Mal, wenn sie im Wagen saß. Ging sein Atem zu laut? Fuhr er zu schnell oder zu langsam? Hatte er die Rückbank auch wirklich von jeglichem Staub befreit, der sonst ihren Hosenanzug beschmutzen würde? Er wusste, dass sie eine übertrieben pingelige Frau mit dem Instinkt eines Spürhundes hätte sein müssen, um solche winzigen Fehlleistungen überhaupt zu bemerken, aber darauf konnte er sich nicht ausruhen – er hatte den Job noch nicht lange, also musste alles perfekt sein. An den meisten Tagen telefonierte sie zum Glück, so wie an jenem Dienstag, zwei Wochen nachdem er seinen Job als Chauffeur für sie und ihre Familie angetreten hatte. An diesem Nachmittag hatte er sie von einem Restaurant in der Nähe des Union Square abgeholt, und kaum war sie eingestiegen, hatte sie ihr Handy gezückt. »Vince kommt nicht nach Aspen«, sagte sie langsam und traurig, fast wie unter Schock, als würde sie eine unfassbar tragische Schlagzeile aus der Zeitung vorlesen.

Nur zwei Stunden zuvor war eine sehr viel glücklichere Cindy aus dem Wagen gestiegen, und Jende war klar gewesen, dass der junge Mann, den sie vor dem Restaurant getroffen hatte, ihr Sohn Vince sein musste – er war das Ebenbild seines Vaters, war wie er schlank, 1,80 Meter groß und hatte leicht gewelltes Haar. Cindy war aus dem Wagen gesprungen und auf ihn zugestürmt, um ihn zu umarmen, ihm über die Wange zu streicheln und ihm drei Küsschen zu geben. Es wirkte, als hätte sie ihn monatelang nicht gesehen, was gut möglich war nach allem, was Mighty ihm erzählt hatte. Minutenlang hatten sie einfach auf dem Bürgersteig gestanden und geredet, Vince hatte die Hände aneinandergerieben und sie immer wieder in die Bauchtasche seines blauen Kapuzenpullis mit dem Columbia-Logo gesteckt und dann wieder herausgeholt, Cindy hatte in Richtung Union Square Park gezeigt und heftig gestrahlt, so als würde sie Vince an einen besonderen gemeinsamen Augenblick dort erinnern.

»Ich habe gerade mit ihm zu Mittag gegessen«, sagte sie jetzt. »Er hat nicht gesagt, warum ... Nein, er hat gesagt, er kommt auf keinen Fall ... Ich habe gesagt, dass er gesagt hat, dass er nicht kommt! ... Er fliegt zu irgendeinem Schweigeseminar nach Costa Rica, angeblich muss sein Geist ganz dringend weg von dem vielen Lärm ... Was heißt hier, das ist okay? Clark, bitte sag nicht, es ist okay. Dein Sohn beschließt, die Weihnachtsfeiertage nicht mit seiner Familie verbringen zu wollen, und du sagst, das ist in Ordnung? ... Nein, ich erwarte überhaupt nichts Bestimmtes von dir. Ich weiß, dass du nichts tun kannst ... Ich weiß, dass ich nichts tun kann, aber macht es dir denn gar nichts aus? Ist dir sein fehlender Familiensinn völlig egal? Er kommt nicht zu Mightys Geburtstag, und wenn er beschließt, über Weihnachten wegzufliegen, fragt er mich vorher nicht einmal ... Ich plane nicht noch mal alles um ... Klar, vielleicht ist es das Beste so. Jetzt kannst du am Abend vor Weihnachten arbeiten und am Weihnachtstag auch, ach weißt du, warum arbeitest du nicht einfach gleich durch bis ins neue Jahr? ... Nein, das ist überhaupt nicht lächerlich, und das weißt du genau! ... Wenn es dich interessieren würde, Clark, dich nur etwas mehr interessieren würde, wie es den Jungs geht und ob sie wirklich glücklich sind ... Du sollst überhaupt nichts anders machen, du bist doch sowieso nicht in der Lage, mal den Blick von deinem Nabel zu lösen und die Bedürfnisse von anderen über deine eigenen zu stellen ... Ja, natürlich, aber irgendwann musst du doch einsehen, dass du nicht einfach so weitermachen kannst wie bisher und immer nur hoffen, dass es den Kindern schon irgendwie gut geht. So funktioniert das nicht … So wird das nie was.«

Jende hörte, wie sie das Handy neben sich auf die Rückbank warf, und dann war ihr Atem eine Weile das einzige Geräusch im Wagen.

»Kommst du zu Mightys Aufführung?«, fragte sie, nachdem sie das Handy wieder in die Hand genommen und ihren Mann offenbar erneut angerufen hatte. »Ja, bitte ruf mich gleich zurück … Ich muss es so bald wie möglich wissen.«

Die Hände fest am Steuer, in Neun- und Drei-Uhr-Stellung, wie man es ihm in Kamerun beigebracht hatte, bog Jende auf die Madison Avenue. Die Sonne hatte sich an diesem kühlen Spätnachmittag längst aus der Stadt zurückgezogen, aber Manhattan erstrahlte wie immer in vollem Glanz, und im Schein der Straßenlaternen und hell erleuchteten Geschäfte sah er Menschen verschiedenster Hautfarben nach Norden oder Süden laufen, jeden in seinem eigenen Tempo. Manch einer auf der belebten Avenue sah glücklich aus, manch einer traurig, aber keiner wirkte derart traurig wie Cindy Edwards jetzt in diesem Moment. In ihrer Stimme lag so viel Schmerz, dass Jende sich wünschte, jemand würde sie anrufen und ihr gute Neuigkeiten verkünden, witzige Neuigkeiten, irgendetwas, das sie wieder lächeln ließ.

Ihr Handy klingelte und sie ging sofort ran.

»Wie, du machst es wieder gut?«, schrie sie. »Du hast ihm versprochen, dass du zur Aufführung kommst! Du kannst einem Kind nicht ständig … Ist mir egal, was bei Lehman los ist! Ist mir egal, welche Auswirkungen es haben kann, wenn Lehman nicht … Und was ist mit der Akkordeon-Gala? Sie bitten bis Ende der Woche um eine Antwort … O nein, Clark, natürlich, mach ruhig diese Reise. Dann fahr doch … fahr einfach …«

Sie warf das Handy ein zweites Mal beiseite und saß schweigend da, den linken Ellbogen an die Wagentür und den Kopf in die Hand gestützt. Minutenlang. Und Jende glaubte, das Schniefen einer verzweifelten Frau zu hören, die gegen die Tränen ankämpfte.

Irgendwo in den vierziger Straßen der Eastside nahm sie das Handy wieder in die Hand.

»Hey Cheri, ich bin's«, sagte sie, als sich die Mailbox einschaltete. Ihre Stimme klang ruhig, aber ihr Schmerz war trotzdem zu hören. »Wollte mich nur mal melden, nichts Besonderes. Ich hab endlich die Karten bekommen, es ist also alles gut. Ruf mich doch bitte … ach, was rede ich da, nein, das brauchst du nicht. Es geht mir gut, ich habe nur einen echt miesen Tag … wahrscheinlich bist du noch mit Kunden unterwegs. Na gut. Ach so, sag Bescheid, falls du dir Gesellschaft wünschst, wenn du nächste Woche zu deiner Mutter fährst, ja? Ich komme gern mit.«

Sie versuchte es mit einer anderen Nummer, und diesmal ging die Person offensichtlich ans Telefon.

»Bist du zu Hause?«, fragte Cindy. »Ach stimmt, das hab ich vergessen … Kein Problem, wir können später telefonieren. Grüß Mike von mir … Nichts … Also, nichts Neues, dasselbe wie immer … Ich bin nur so wütend, und zu allem anderen kommt jetzt noch … O nein, entschuldige, ja, du musst los … Nein, du brauchst mich dann nicht noch mal anrufen … Ja, wirklich, alles gut … Ich schaff das schon, June, versprochen. Geh. Viel Spaß.«

Während der verbleibenden zehn Minuten Fahrt telefonierte sie nicht mehr. Ganz still schaute sie aus dem Fenster und beobachtete die glücklichen Menschen, die die Madison auf und ab liefen.

6.

Sie kamen aus Washington, hatten gerade die Delaware Memorial Bridge überquert, damit gut die Hälfte des Rückwegs geschafft, und näherten sich mit jedem weiteren Turnpike-Schild New Jersey.

»Erzählen Sie mir von Limbe«, sagte Clark. »Ich würde gern etwas über den Ort erfahren, an dem Sie aufgewachsen sind.«

Jende lächelte. »Oh, Sir«, sagte er, und seine Stimme klang gleich etwas wehmütig. »Limbe ist so eine schöne Stadt. Sie sollten da irgendwann mal hin. Also genau genommen müssen Sie da unbedingt mal hin, Sir. Wenn Sie das machen, sehen Sie beim Hineinfahren ein Schild, das Sie willkommen heißt. Es ist ein besonderes Schild, Sir. Ich habe nie irgendwo anders so ein Schild gesehen. Wenn man auf der Straße von Douala aus runterfährt, sieht man es, sobald man an Mile Four vorbeigekommen ist. Man kann es so direkt über einem gar nicht verpassen. Es ist an einer Brücke angebracht, die von zwei leuchtend roten Pfeilern getragen wird, und es reicht über die ganze Straße. Da steht ›Willkommen in Limbe, der Stadt der Freundschaft‹. Wenn man das Schild sieht, Sir, ah, das ist toll. Dann freut man sich, dass man es nach Limbe geschafft hat, egal, wer man ist, und egal, ob man nur einen Tag oder zehn Jahre in Limbe bleiben will, egal, ob man in der Welt klein ist oder groß. Man riecht das Meer, das meilenweit herüberweht und einen begrüßt. Die süße Brise. Und hat das Gefühl, dass es auf der ganzen Welt keinen Ort gibt wie diese kleine Stadt Limbe am Meer.«

»Interessant.« Clark klappte seinen Laptop zu.

»Das ist es, Sir«, sagte Jende und wollte gern mehr erzählen. Mr

Edwards war gerade offen dafür. Nachdem sie jetzt drei Monate zusammen umhergefahren waren, hatte er verstanden, dass sein Boss ihm immer dann Fragen über seine Kindheit, sein Leben in Harlem und seine Wochenendpläne mit Neni stellte, wenn er eine kurze Pause von seinem Computer oder Handy oder den auf der Rückbank ausgebreiteten Unterlagen brauchte.

»Und nach dem Willkommensschild, Sir«, fuhr er fort, »wenn man durch Mile Two fährt, dann sieht man die Lichter der Stadt auf dem Meer glitzern. Die Lichter sind nicht zu hell oder zu viele, sondern genau so, dass man denkt, die Stadt ist voller Magie – eine OPEC-Stadt mit einer staatlichen Raffinerie auf der einen Uferseite und Fischern mit ihren Netzen auf der anderen. Und wenn man in die Mile One kommt, Sir, dann fühlt man das eigentliche Limbe so richtig. Das ist wirklich was anderes, Sir.«

»Klingt ganz danach.«

»Und ob, Sir, und ob. Limbe ist sehr besonders, Mr Edwards. In Limbe lebt man ein einfaches Leben, aber man genießt das Leben sehr. Wenn Sie irgendwann mal nach Limbe fahren, werden Sie es erleben, Sir. Wenn man weiter durch Mile One fährt, sieht man junge Männer, die sich an den Straßenecken gegrillten Mais kaufen, und alte Männer, die Dame spielen. Die jungen Frauen haben die verschiedensten Haarteile eingeflochten. Manche sehen aus wie *mami wata*, die Meerjungfrauen im Ozean draußen. Die älteren Frauen wickeln zwei *wrapper* übereinander. Das ist die Kleidung für reife Frauen. Und kurz darauf ist man schon an der Half-Mile-Kreuzung. Dort muss man sich entscheiden, ob man rechts nach Bota und zu den Plantagen fahren will, links nach New Town, wo ich herkomme, oder weiter geradeaus zum Down Beach am Atlantik.«

»Faszinierend«, sagte Clark und klappte den Laptop wieder auf.

»Es ist die beste Stadt in Afrika, Sir. Das schwöre ich Ihnen. Sogar Vince sagt, Limbe ist die Art von Stadt, in der er leben möchte.«

»Das glaube ich gern«, erwiderte Clark. Er schaute auf und begegnete Jendes Blick im Rückspiegel. »Wann hat er das gesagt?«

»Vor zwei Tagen, Sir. Als ich ihn nach dem Abendessen zu seiner Wohnung gefahren habe.«

»Was für ein Abendessen?«

»Er war zu Hause und hat mit Mighty und Mrs Edwards gegessen, Sir.«

»Ach ja, stimmt«, sagte Clark. Er stellte den Laptop links neben sich und griff nach einer Mappe mit Unterlagen, die von großen Büroklammern zusammengehalten wurde.

»Vince ist ein sehr lustiger junger Mann«, sagte Jende grinsend. »Er glaubt, Obama wird definitiv nichts machen wegen der –«

»Warum sind Sie also hier?«

»Wie bitte, Sir?«

»Warum sind Sie nach Amerika gekommen, wenn Ihre Stadt so schön ist?«

Jende lachte kurz auf, ein eher unbehagliches Lachen.

»Aber Sir«, sagte er. »Amerika ist Amerika.«

»Ich verstehe nicht, was Sie damit meinen.«

»Jeder will nach Amerika, Sir. Jeder. In diesem Land sein, Sir. In diesem Land leben. Ah! Das ist das Größte überhaupt, Mr Edwards.«

»Jetzt weiß ich aber noch immer nicht, warum Sie hier sind.«

Jende überlegte kurz; er überlegte, was er sagen sollte, ohne zu viel zu sagen.

»Weil mein Land nicht gut ist, Sir«, sagte er. »Es ist überhaupt nicht wie Amerika. Wäre ich in meinem Land, wäre nie etwas aus mir geworden. Dann wäre ich ein Niemand. Dann wächst mein Sohn auf und ist arm wie ich. So wie ich arm war wie mein Vater. Aber in Amerika, Sir, da kann was aus mir werden. Ich kann sogar ein angesehener Mann werden. Mein Sohn kann auch ein angesehener Mann werden.«

»Und in Ihrem Land wäre das unmöglich?«

»Ja, Mr Edwards.«

»Warum?«, fragte Clark und ging an sein Handy, das im selben Moment klingelte. Jende wartete, bis das Telefonat beendet war, zehn Sekunden, in denen Mr Edwards nur sagte: »Ja … nein …

nein, ich finde nicht, dass man ihn deshalb rausschmeißen sollte.« Dann klingelte es wieder, und er bat die Person am anderen Ende der Leitung, sie solle HR anrufen und ihm sagen, er werde sich darum kümmern. Er legte auf und bat Jende, weiterzureden.

»Weil … weil in meinem Land, Sir«, sagte Jende, seine Stimme zehn Dezibel leiser und längst nicht mehr so lebhaft und ausgelassen wie eben noch, bevor er gehört hatte, dass jemand kurz davor stand, seinen Job zu verlieren, »muss man als jemand geboren werden, damit man jemand werden kann. Wenn man nicht aus einer Familie mit Geld kommt – keine Chance. Wenn man nicht aus einer Familie mit gutem Namen kommt – keine Chance. So ist es, Sir. Jemand wie ich, was kann in einem Land wie Kamerun aus mir werden? Ich komme von nichts. Kein Name. Kein Geld. Mein Vater ist ein armer Mann. Kamerun hat gar nichts –«

»Und Sie glauben, Amerika hat etwas für Sie?«

»O ja, Sir, sehr viel, Sir!«, sagte er, und seine Stimme überschlug sich jetzt fast wieder. »Amerika hat für jeden etwas, Sir. Sehen Sie sich Obama an, Sir. Wer ist seine Mutter? Wer ist sein Vater? Das sind keine wichtigen Leute in der Regierung. Keine Gouverneure oder Senatoren. Ich habe gehört, sie sind tot. Und schauen Sie heute auf Obama. Der Mann ist ein Schwarzer ohne Vater und Mutter und versucht, Präsident zu werden und ein Land zu regieren!«

Clark antwortete nicht und ging stattdessen an sein Handy, das klingelte.

»Ja, ich habe seine Mail gesehen«, sagte er zu dem Anrufer. »Warum? … Ich weiß nicht, was ich dazu sagen soll. Ich bin nicht sicher, was Tom denkt … Nein, Phil, nein! Das sehe ich völlig anders. Wir können nicht einfach weitermachen wie bisher und hoffen, dass etwas anderes dabei herauskommt … Ja, klar, super Idee, bleiben wir bei unserer Strategie, obwohl wir seit drei Jahren eine schlechte Entscheidung nach der anderen treffen. Ich meine, das Ausmaß der Kurzsichtigkeit in dem Ganzen, das ist …« Er schnaufte und schüttelte den Kopf. »Ich habe es so deutlich gesagt, wie ich kann … Nein, das mache ich nicht … Es ist mir ein absolutes Rätsel, dass, bis auf Andy vielleicht, keiner erkennt, wie lächerlich es ist, immer und immer wieder dasselbe zu machen und davon auszugehen, dass wir schon irgendwie durchkommen. Wir müssen das Steuer rumreißen. Und zwar jetzt. Die Strategie komplett überdenken … Repo 105 wird nicht auf ewig der Wind in unseren Segeln sein … ich glaube nicht, dass das klappt, und das habe ich Tom gesagt … Alle machen die Augen zu! Ich versteh einfach nicht, warum keiner einsieht, dass wir uns mit oberflächlicher und kurzfristiger Schadenbegrenzung langfristig ins eigene Fleisch schneiden … Natürlich werden sie das … Wie? Das fragst du noch, ist das dein Ernst? Hast du auch nur eine Sekunde lang darüber nachgedacht, dass alles auf dem Spiel steht, wenn bei diesem Scheiß die Bombe platzt? Unser Leben, unsere Karriere, unsere Familien, unser Ansehen … O doch, und ob, darauf kannst du wetten. Und das FBI wird Tom genauso fertigmachen wie Skilling, und der Rest von uns …«

Einen Augenblick lang sagte er nichts, sondern hörte seinem Kollegen zu.

»Und du glaubst im Ernst, dass es hübsch gesittet und sauber zugeht, ja?«, sagte er. »Klar, der Laden brennt uns unterm Arsch, und wir werden mit sauberen Westen rauskommen … Vergiss es! Wie lange wir schon dabei sind, interessiert bald keinen mehr. Verdammt, Phil, es ist doch schon jetzt völlig egal. Unser Schiff sinkt.«

Er holte tief Luft und hörte zu, dann lachte er laut auf.

»Gute Idee«, sagte er. »Könnt ich gebrauchen. Vielleicht eine Runde. Hab schon länger keinen Golfplatz mehr betreten … Nein, genieß das mal alleine; eine Runde Golf irgendwann in nächster Zeit reicht mir … Nein, vielen Dank, Phil. Ist nicht mein Ding … Ja, ich versprech's, okay? Wenn ich ganz knapp vor einer Explosion stehe, werde ich dich um ihre Nummer anbetteln.«

Er beendete das Gespräch kopfschüttelnd und grinsend, klappte den Laptop wieder auf und tippte los.

Nach einer ruhigen halben Stunde stellte Clark den Laptop neben sich und rief drei Leute an: seine Sekretärin, irgendeinen

Roger wegen eines Berichts, den er noch nicht bekommen hatte, und jemanden, zu dem er in mittelmäßigem Französisch sprach.

»Macht immer Spaß, wenn ich mit dem Team in Paris mal mein Französisch aufpolieren kann«, sagte er, nachdem er aufgelegt hatte.

»Das ist sehr gutes Französisch, Mr Edwards«, sagte Jende. »Haben Sie in Paris gelebt?«

»Ja, während meiner Zeit in Stanford war ich ein Jahr lang da.«

Jende nickte, sagte aber nichts.

»Das ist ein College«, sagte Clark dann. »In Kalifornien.«

»Ach so, ja, Stanford! Jetzt weiß ich es wieder, Sir. Die haben ein gutes Footballteam. Aber ich war noch nie in Kalifornien. Kommen Sie von dort, Sir?«

»Nein, aber meine Eltern haben sich jetzt im Alter dort niedergelassen. Aufgewachsen bin ich in Illinois. Evanston, Illinois. Mein Dad war Professor am Northwestern, einem anderen College.«

»Mein Cousin Winston, Sir, als der nach Amerika gekommen ist, da hat er ein paar Monate in Illinois gewohnt. Aber er hat uns ständig angerufen und gesagt, dass er es da nicht mehr aushält, weil es so kalt ist. Ich glaube, er ist zum Militär gegangen, damit er an einen warmen Ort ziehen konnte.«

»Der Zusammenhang leuchtet mir nicht so ganz ein«, sagte Clark lachend, »aber ja, stimmt, es ist sehr kalt da. Ich kann zwar nicht behaupten, dass Evanston auch nur annähernd so schön ist wie Ihr Limbe, aber meine Schwester Ceci und ich haben eine herrliche Kindheit dort verbracht. Wir sind mit unseren Rädern durch die Gegend gekurvt, zusammen mit den anderen Kids aus der Nachbarschaft, sind mit Dad nach Chicago reingefahren, haben Museen und Konzerte besucht, am Michigansee gefrühstückt; für Kinder ist es ein zauberhafter Ort. Ceci denkt darüber nach, irgendwann wieder zurückzugehen.«

»Ach ja, Sir, Ihre Schwester. Ich wusste nicht, dass Sie ein Zwilling sind. Mighty hat mir erst vor ein paar Tagen erzählt, dass Ihre Schwester Ihre Zwillingsschwester ist. Ich mag Zwillinge sehr. Wenn Gott mir einen geben würde, dann –«

»Wo wir grade von ihr sprechen, ich muss mich unbedingt bei ihr melden«, sagte Clark.

Er griff nach dem Handy, wählte ihre Nummer und wartete, bis die Mailbox anging. »Hey, ich bin's. Tut mir leid, dass ich letzte Woche nicht zurückgerufen habe. Ich hatte einfach absurd viel zu tun, bei Lehmans ist die Hölle los ... Aber weshalb ich eigentlich anrufe, ich habe gestern Abend mit Mom telefoniert, und sie hat gesagt, du und die Mädchen, ihr wollt nicht nach Mexiko kommen?, Cec, hör zu, lass das alles über meine Kreditkarte laufen, okay? Es tut mir leid, wenn ich das nicht deutlich genug gesagt habe, aber ich möchte, dass du alles, was du dir nicht leisten kannst, mit der Kreditkarte zahlst. Alles. Den Flug, das Hotel, den Mietwagen, Keilas Zahnspange; was auch immer du brauchst, zahl es mit der Kreditkarte. Du weißt, wie wichtig es für sie ist, dass wir alle da sind. Cec, es ist Dads Achtzigster. Und ich möchte die Mädchen sehen. Es war einfach so irre viel los, dass ich kaum Luft holen konnte, aber wenn du das nächste Mal anrufst, versuche ich ranzugehen. Oder dir eine Mail zu schreiben. Mails oder SMS sind immer besser für mich, das weißt du ja.«

Als er aufgelegt hatte, atmete er tief durch und legte mit geschlossenen Augen den Kopf in den Nacken.

»Dann hatten Sie in Limbe also keinen Job?«, fragte er Jende, öffnete die Augen wieder und griff nach seinem Laptop.

»O doch, Sir, ich hatte einen Job«, antwortete Jende. »Ich war in Limbe bei der Stadt angestellt.«

»Und der Job war nicht gut?«

Jende lachte, erstaunt über Clarks Frage, die er naiv fand.

»Sir«, sagte er lächelnd und schüttelte den Kopf, »das gibt es nicht bei uns, gute oder schlechte Jobs«.

»Weil?«

»Weil in Kamerun jeder Job ein guter Job ist, Mr Edwards. Wenn man etwas hat, für das man morgens aufwacht und wohin man gehen kann, ist das gut. Aber was ist mit der Zukunft? Das ist das Problem, Sir. Ich konnte ja auch meine Frau nicht heiraten. Ich habe –«

»Wie, Sie konnten sie nicht heiraten? Arme Leute heiraten jeden Tag.«

»Ja, Sir, man kann heiraten. Jeder kann heiraten, Sir. Aber nicht jeder kann den Menschen heiraten, den er will. Der Vater von meiner Frau, Mr Edwards, denkt nur an Geld. Er war dagegen, dass ich seine Tochter heirate, weil er wollte, dass meine Frau jemanden mit mehr Geld heiratet. Jemanden, der ihm immer Geld gibt, wenn er danach fragt. Aber ich hatte keins. Was sollte ich –?«

Clark lachte kurz. »Ich nehme an, in Kamerun brennt keiner einfach so durch, was?«

»Was brennt, Sir?«

»Nein, keiner brennt durch. Sie wissen schon, wenn man abhaut und einfach ohne seine verrückte Sippe heiratet.«

»O ja, Sir, das gibt es auch. Leute machen das. Bei uns gibt es auch *come we stay*. Das heißt, ein Mann sagt zu einer Frau, ›Komm, lass uns zusammenziehen‹, aber ohne dass er sie vorher heiratet. Aber das könnte ich nicht, Sir. Auf keinen Fall.«

»Warum?«

»Es zeigt keinen Respekt für die Frau, Sir. Ein Mann muss zur Familie der Frau gehen und den Brautpreis für sie zahlen, Sir. Und sie dann zur Haustür hinausführen. Ich musste beweisen, dass ich ein richtiger Mann bin, Sir. Sie nicht einfach so mitnehme, als wäre sie … als wäre sie etwas, das ich auf der Straße aufgesammelt habe.«

»Verstehe«, sagte Clark und grinste wieder. »Sie haben also für Ihre Frau bezahlt?«

»Natürlich, Sir«, sagte Jende und strahlte stolz. »Als ich in Amerika war und meinem Schwiegervater mit Western Union eine hübsche Überweisung gemacht habe, hat er gesehen, dass ich vielleicht irgendwann reich bin, und seine Meinung geändert.«

Clark lachte.

»Ich weiß, Sir, sehr lustig, nicht? Aber ich musste mir meine Frau verdienen. Als ich zwei Jahre in New York war, hatte ich genug Geld für den Brautpreis und dafür, sie und meinen Sohn hier rüberzuholen. Ich habe meiner Mutter und meinem Vater Geld geschickt. Sie haben alles gekauft, was mein Schwiegervater als Brautpreis wollte. Ziegen. Schweine. Hühner. Palmöl. Mehrere Säcke Reis. Salz. Stoffe. Wein. Sie haben alles gekauft. Ich habe sogar einen Umschlag mit doppelt so viel Geld gegeben, wie er wollte, Sir.«

»Im Ernst?«

»Ja, Sir. Bevor meine Frau nach Amerika gekommen ist, hat meine Familie ihre Familie besucht und hat den Brautpreis gezahlt. Und sie haben zusammen gesungen und getanzt, und dann waren wir verheiratet.«

Clarks Telefon klingelte. »Spannende Geschichte«, sagte er, nahm das Handy kurz hoch und legte es gleich wieder weg.

»Und es stimmt, Sir«, sagte Jende, der nicht aufhören konnte zu reden, »das Stück Papier, das ich im Rathaus als Heiratsurkunde unterschrieben habe, gibt mir nicht das Gefühl, dass ich meine Frau geheiratet habe. Es bedeutet mir nicht sehr viel. Aber der Brautpreis, den ich bezahlt habe, der bedeutet mir etwas. Ich habe ihrer Familie Ehre geschenkt.«

»Na, dann hoffe ich«, sagte Clark, ohne den Kopf zu heben, »dass sie es wert ist.«

»O ja, Sir«, sagte Jende mit einem Lächeln. »Das ist sie. Ich habe die beste Frau auf der ganzen Welt, Sir.«

Die folgenden fünfundvierzig Minuten Autofahrt schwiegen sie. Im südlichen Teil von New Jersey war wenig Verkehr, nur hier und da ein paar Sattelschlepper, die wie aus dem Nichts auftauchten.

»Sie finden Amerika also besser als Kamerun?«, fragte Clark und schaute immer noch auf seinen Laptop.

»Tausendmal besser, Sir«, sagte Jende nickend. »Tausendmal. Schauen Sie mich an, Mr Edwards. Wie ich Sie hier in diesem schönen Auto fahre. Sie reden mit mir, als ob ich wer bin, und ich sitze hier auf dem Fahrersitz, als ob ich wer bin.«

Clark stellte den Laptop zur Seite und griff nach einer anderen Aktenmappe, einer mit losen Blättern. Er überflog sie und kritzelte etwas auf einen Notizblock.

»Mich würde aber doch noch interessieren«, sagte er, ohne seine Notizen zu unterbrechen und Jende anzusehen, »wie Sie es geschafft haben, ein Flugticket nach Amerika zu bezahlen, wenn Sie so arm waren, wie sie sagen.«

Wieder überlegte Jende, was er am besten antworten sollte. Es gab keinen Grund, sich für die Wahrheit zu schämen, also verriet er sie.

»Mein Cousin, Sir«, sagte er. »Winston.«

»Der Teilhaber von Dustin, Connors und Solomon?«

»Ja, Sir. Er hat mir das Flugticket gekauft. Ich habe ihm leidgetan. Mein Cousin ist ein besserer Bruder für mich als manche von den echten Brüdern, die ich habe.«

»Und wie ist er hierhergekommen?«

»Er hat in der Greencard-Lotterie gewonnen, Sir. Und ist dann zur Armee gegangen. Mit dem Geld hat er –«

»Ich weiß«, sagte Clark, »das hat Frank mir erzählt.« Sein Telefon klingelte. Er schaute kurz aufs Display und dann zum Fenster hinaus. Er ließ es eine halbe Ewigkeit klingeln, bevor er ranging. »Nein, habe ich nicht«, sagte er zu dem Anrufer, »warum?« Das Auto auf der linken Spur hupte und zog scharf vor ihnen rüber. »Arizona?«, fragte er. »Warum? ... Wann hat er dir das erzählt? ... Vergiss es ... Ich rufe ihn jetzt gleich an ... Nein, ich bin nicht wütend, er muss einen ziemlich guten Grund dafür haben, und den würde ich gern hören ... Nein, natürlich finde ich die Idee nicht gut ... Ja, ja, ich rede mit ihm.«

Hastig gab er eine Nummer ein.

»Hallo, ich bin's, Dad«, sagte er. »Ruf mich mal zurück, wenn es für dich passt, ja? Mom hat mir gerade erzählt, dass du das Praktikumsangebot von Skadden ausgeschlagen hast, und sie war sehr aufgebracht. Warum machst du das? Sie hat gesagt, du willst einen Monat in einem Reservat in Arizona verbringen. Ich weiß nur ... ich weiß nur nicht, was du glaubst, was ... Vince, Skadden ist eine großartige Chance für dich. Die kannst du nicht mal eben wegschmeißen, nur weil du lieber in Arizona herumsitzen möchtest. Kannst du da nicht vor oder nach dem Praktikum hin? Bitte ruf mich zurück, sobald du das hier abhörst. Oder komm doch morgen zu mir ins Büro. Ruf Leah an und frag, wann es gut passt. Ich wünschte nur, du hättest mit mir gesprochen, bevor du so eine Entscheidung triffst. Ich wünschte, du würdest keine so wichtigen Entscheidungen treffen, ohne mit Mom und mir darüber zu sprechen. Wenigstens das könntest du doch tun.«

Er legte auf und machte einen Atemzug, der tief und traurig und gleichermaßen hoffnungslos und besiegt klang.

»Unglaublich«, murmelte er vor sich hin. »Un-glaub-lich.«

Jende fuhr stillschweigend weiter, auch wenn er Mr Edwards nur zu gern gesagt hätte, wie leid es ihm tat, dass Vince ihn verärgert hatte, dass es keine schlimmere Strafe gab als einen ungehorsamen Sohn.

Zwanzig Minuten lang fuhren sie ohne ein Wort auf dem New Jersey Turnpike, an der Ausfahrt 9 zur Rutgers University vorbei weiter in Richtung Ausfahrt 10 nach Perth Amboy, vor ihnen Trucks und neben ihnen Familienwagen, in denen Kleinkinder schliefen und Hunde den Kopf durchs geöffnete Fenster in den kühlen Fahrtwind hielten, über ihnen der Himmel mit denselben Kumuluswolken, die ihnen schon seit drei Stunden hinterherspionierten. Clark rief Frank an und fragte, ob er Vince einen Praktikumsplatz bei Dustin besorgen könne, falls der bei Skadden nicht mehr zu haben sei; falls Vince klar werden sollte, dass er sich allmählich wie ein erwachsener Mann zu verhalten hatte.

»Ich bin froh, dass Sie die Chance, die Sie bekommen haben, auch als solche begreifen«, sagte er zu Jende, nachdem er das Telefonat mit Frank beendet hatte. Die höchsten Wolkenkratzer Manhattans tauchten jetzt nach und nach am Horizont auf, als sie in den Norden New Jerseys einfuhren. »Ich bin froh, dass wenigstens einer versteht, wenn ihm eine einmalige Chance geboten wird.«

Jende bekräftigte jedes Wort mit einem Nicken. Er überlegte, was er sagen könnte, damit Clark sich besser fühlte, was das Richtige war für seinen Boss in einer Situation wie dieser. Er beschloss, das zu sagen, woran er glaubte.

»Ich danke Gott jeden Tag für diese Chance, Sir«, sagte er und fuhr von der Mittelspur auf die linke. »Ich danke Gott und ich glaube, ich arbeite hart, und irgendwann werde ich hier ein gutes Leben haben. Meine Eltern werden in Kamerun ein gutes Leben haben. Und mein Sohn wird aufwachsen und jemand sein, wird sein, was er sein will, egal, was das ist. Ich glaube, wenn einer Amerikaner ist, ist alles möglich. Daran glaube ich fest. Und eigentlich bete ich, dass mein Sohn ein so bedeutender Mann wird wie Sie, wenn er groß ist.«

7.

An einem sonnigen Tag konnte man nur schwer erkennen, wie hoch in den Himmel sich der Büroturm von Lehman Brothers erstreckte. Die Glasfassade schien endlos in die Höhe zu ragen, wie eine unermesslich lange Lanze, und selbst wenn Jende den Kopf in den Nacken legte und die Augen zusammenkniff, konnte er nur bis zu der grellen Reflexion sehen, wo das Sonnenlicht auf das blitzblanke Glas traf. War es aber bewölkt, wie an dem Tag, an dem er Clarks Sekretärin Leah endlich persönlich kennenlernte, konnte er bis zur Spitze des Gebäudes sehen. Es glänzte auch ohne auftreffende Sonnenstrahlen; Lehman Brothers thronte stolz und majestätisch wie der König der Wall Street.

Leah hatte ihn gegen zwölf angerufen und gesagt, wo auch immer er gerade sei, er müsse sofort zurück zu Lehman kommen: Clark habe eine wichtige Aktenmappe im Wagen liegen lassen, und die brauche er für eine Besprechung um fünfzehn Uhr.

»Nein, wir treffen uns unten«, sagte sie, nachdem Jende freundlich angeboten hatte, die Mappe hinaufzubringen. »Clark dreht heute völlig durch und ich könnte etwas frische Luft gebrauchen«, sagte sie leise.

Als sie hinunterkam, lehnte er mit der Mappe in der Hand am Wagen. Er hatte sie sich klein vorgestellt – regelrecht zart –, weil ihre Stimme so hoch und honigsüß war und sie manchmal kindlich über banale Sachen kicherte, die er sagte, aber sie war breit und rund wie manche von den Leuten, die ihm bei seiner Ankunft am Flughafen Newark aufgefallen waren; dicke und wabblige Menschen, bei deren Anblick er sich gefragt hatte, ob Amerika ein Land der Riesen war. In Limbe hatte es unter Hunderten von Leuten in einem Viertel vielleicht ein oder zwei mit einem so extremen Körperumfang gegeben, aber am Flughafen hatte er allein auf dem Weg durch die Passkontrolle und den Zoll bis zur Gepäckabholung mindestens zwanzig gezählt. Leah war nicht so drall wie die dickste der Frauen, die er an dem Tag gesehen hatte, dafür aber riesig, sie überragte fast alle anderen Frauen vor dem Gebäude um mindestens einen Kopf. Mit einem lindgrünen Pullover, einer roten Hose und einem lockigen Bob, der ihn an die abgefahrene Perücke erinnerte, die Neni immer trug, wenn Fatou keine Zeit hatte, ihr eine Flechtfrisur zu machen, kam sie winkend auf ihn zu und strahlte.

»Wie schön, dich endlich kennenzulernen«, sagte Leah mit ihrer Singsangstimme, die live noch weicher klang als am Telefon. Ihr Lippenstift passte zur Hose und auf ihrem runden Gesicht waren etliche Schichten Make-up zu sehen, die die tiefen Furchen um ihren Mund nur kläglich überdeckten.

»Ja Leah, finde ich auch«, sagte Jende, lächelte zurück und gab ihr die Aktenmappe. »Ich habe überlegt, ob du erkennst, dass ich es bin.«

»Natürlich erkenne ich das«, sagte Leah und lächelte noch immer. »Du siehst sehr afrikanisch aus, und das meine ich absolut positiv, mein Lieber. Die meisten Amerikaner können noch nicht mal Afrikaner und Isländer auseinanderhalten, aber ich kann jederzeit einen Afrikaner von einem Jamaikaner unterscheiden. Ich weiß so was einfach.«

Jende grinste nervös und sagte nichts. Er wartete darauf, dass Leah sich verabschiedete und ging, was sie aber nicht tat. Er fragte sich, was sie wohl als Nächstes sagen würde. Sie wirkte nett, aber wahrscheinlich war sie eine von diesen Amerikanerinnen, deren Wissen über Afrika sich größtenteils aus Filmen, der *National Geographic* und Informationen Dritter speiste, von irgendjemandem, der jemanden kannte, der irgendwo auf dem Kontinent gewesen war, meistens in Kenia oder Südafrika. Und jedes Mal, wenn Jende auf solche Frauen traf (in Liomis Schule, im Marcus Garvey Park, in dem Livery Cab, das er vorher gefahren hatte), sagten sie in der Regel etwas wie, also ich habe da neulich so eine verrückte Sendung über dieses und jenes in Afrika gesehen. Oder sie sagten, meine Cousine/Freundin/Nachbarin war mal mit einem Afrikaner zusammen, und der war echt nett. Oder noch schlimmer, sie fragten ihn, wo in Afrika er herkam, und wenn er »Kamerun« sagte, entgegneten sie, die Tochter eines Freundes sei mal in Tansania oder Uganda gewesen. Wie ärgerlich! Doch dann hatte Winston ihm einen hervorragenden Tipp gegeben. Erzähl ihnen einfach, du hast einen Freund mit einem Onkel in Toronto. Und genau das machte er jetzt jedes Mal, wenn jemand als Antwort darauf, dass er aus Kamerun kam, ein anderes afrikanisches Land erwähnte. Wie cool, antwortete er dann, wenn etwas über den Senegal gesagt wurde, neulich habe ich eine Sendung über San Antonio gesehen. Oder er sagte, ich hoffe, ich schaffe es irgendwann mal nach Montreal. Oder, ich hab gehört, Miami soll echt schön sein. Und immer wenn er so reagierte, lachte er sich innerlich schlapp, wenn sich auf dem Gesicht seines Gegenübers plötzlich Verdatterung breitmachte, weil dieser einfach nicht begreifen konnte, was Toronto/San Antonio/Montreal/Miami denn bitte schön mit New York zu tun haben sollten.

»Und, wie gefällt es dir, für Clark zu arbeiten?«, wollte Leah wissen und übersprang gekonnt alle Fragen über Afrika.

»Es gefällt mir sehr gut«, antwortete Jende. »Er ist ein guter Mann.«

Leah nickte, zog eine Schachtel Zigaretten aus ihrer Handtasche und lehnte sich neben ihm an den Wagen. »Stört es dich, wenn ich rauche?«

Jende schüttelte den Kopf.

»Für ihn zu arbeiten ist gut«, sagte Leah und stieß einen Strahl weißen Rauch aus. »Er hat seine schlechten Tage, da nervt er mich ständig mit irgendwas und ich könnte ihn erwürgen. Aber abgesehen davon kann ich mich nicht beklagen. Er war immer sehr gut zu mir. Ich hab nie überlegt zu gehen.«

»Bist du schon lange seine Sekretärin?«

»Fünfzehn Jahre, Honey«, sagte Leah, »auch wenn wohl nicht

mehr viele dazukommen dürften, so wie es für das Unternehmen gerade aussieht. Der ganze Laden ist ein einziger großer Saustall.«

Jende nickte und schaute zum Haupteingang, wo ein junger Mann im schwarzen Anzug irgendwo in seinen Zwanzigern rechts neben dem Eingang unruhig auf und ab lief und alle paar Schritte stehen blieb und zu Boden starrte. Sicher hatte er gleich ein Vorstellungsgespräch, dachte Jende. Oder seinen ersten Tag im Unternehmen. Oder seinen letzten.

»Seit die Subprimeabteilung den Bach runtergegangen ist«, redete Leah weiter und schnipste die Asche von ihrer Zigarette, »sind alle schrecklich nervös. Und ich hasse es, nervös zu sein. Das Leben ist viel zu kurz dafür.«

Jende hätte gern gewusst, was die Subprimeabteilung gewesen und warum sie den Bach runtergegangen war, beschloss dann aber, dass er besser nichts fragte, was er mit großer Sicherheit auch mit hübsch unterlegten Bildern nicht verstehen würde. »Ich sehe, wie gestresst Mr Edwards ist«, sagte er stattdessen.

»Gestresst sind wir doch alle«, sagte Leah. »Aber Clark und seine Freunde da oben, die haben gar keinen Grund, nervös zu sein. Du glaubst doch wohl nicht, dass die hier die Sachen packen, wenn Leute gefeuert werden? Vergiss es, uns wird es treffen, die kleinen Leute. Darum verschicken manche auch schon Bewerbungen; ich kann's Ihnen nicht verdenken. Man kann diesen Typen einfach nicht trauen.«

»Ich glaube nicht, dass Mr Edwards dich irgendwo anders hingehen lässt, Leah. Ohne dich hat er keine rechte Hand.«

Leah lachte. »Das ist sehr nett von dir«, sagte sie mit einem Lächeln, das einen Blick auf ihre hübsch geraden gelben Raucherzähne freigab. »Und, o nein, nicht er wird diese Entscheidung treffen. Aber weißt du was? Es ist mir egal. Ich hab keine Lust auf schlaflose Nächte wegen diesem Unternehmen. Alle tuscheln und reden darüber, dass die Aktien im Keller sind, die Gewinne auch, und in der Vorstandsetage alle möglichen zum Himmel stinkenden Entscheidungen getroffen werden, aber von denen da oben erfahren wir gar nichts. Sie tischen uns Lügen auf, dass sie alles im Griff haben, aber manchmal sehe ich Clarks Mails, und, also, *pardon my french,* aber da geht so einiges an üblem Scheiß ab, den sie verheimlichen.«

»Tut mir leid, das zu hören, Leah.«

»Oh, mir tut es auch leid«, sagte sie achselzuckend und fummelte eine zweite Zigarette aus ihrer Handtasche. »Und was das Schlimmste ist«, sprach sie weiter, näher an Jende gerückt und sehr leise, »einer der Topmanager, mit dem ich mich gut verstehe, hat mir erzählt, dass anscheinend auch solche Sachen wie bei Enron abgehen.«

»Enron?«, fragte Jende und drehte den Kopf zur Seite, um Leahs Rauch auszuweichen.

»Ja, Enron.«

»Ähm, Leah … wer ist das?«

»Wer?«

»Dieser Enron-Typ … Ich weiß nicht, wer das ist.«

Leah prustete los. Sie lachte so heftig, dass Jende schon befürchtete, sie würde an ihrem Rauch ersticken. »Oh, Honey!«, sagte sie und lachte noch immer. »Du bist echt noch nicht lange hier im Land, hm?«

Jende lachte jetzt mit ihr, bedröppelt und belustigt zugleich.

»Vielleicht ist es besser, wenn du nicht weißt, was Enron war und was sie gemacht haben«, sagte Leah.

»Ich möchte es gern wissen«, sagte Jende. »Ich glaube, ich hab den Namen schon irgendwo gehört, aber ich weiß nicht, was sie gemacht haben.«

Leah holte ihr Handy hervor, schaute auf die Uhr und ließ es zurück in die Handtasche gleiten.

»Die haben die Bücher frisiert«, sagte sie zu Jende.

»Frisierte Bücher?«

»Ja«, sagte sie und ihre Lippen zitterten bei dem Versuch, sich das Lachen zu verkneifen. »Sie haben ihre Bücher frisiert.«

Jende nickte immer wieder, sein Mund ging auf und zu, er wollte etwas sagen, schüttelte dann aber nur den Kopf.

»Leah, ich stelle lieber keine Fragen mehr«, sagte er schließlich, und die beiden lachten los.

8.

Es war Mitternacht und sie hatte immer noch nicht angefangen. Erst hatte sie Jendes Arbeitskleidung bügeln müssen. Dann hatte Liomi ihre Hilfe bei den Hausaufgaben gebraucht und danach hatte sie vorgekocht, da ihr am nächsten Tag zwischen Arbeit und Abendkursen keine Zeit fürs Kochen und Aufräumen der Küche bleiben würde. All das musste heute Abend erledigt werden. Eigentlich hatte sie bis zehn mit allem fertig sein wollen, aber plötzlich war es schon elf und sie hatte die Haare noch nicht gewaschen, obwohl das dringend nötig war. Als sie dann aus der Dusche stieg und ihr Schlafkaba anzog, sehnte sie sich nur noch nach ihrem Bett, würde auf den wohlverdienten Schlaf aber noch warten müssen.

In der Küche nahm sie den Instantkaffee aus dem Wandschrank über dem Herd, öffnete die Dose und drehte den Kopf leicht zur Seite, als sie zwei Löffel des löslichen Pulvers in die Tasse gab. Sie mochte weder den starken Geruch noch den bitteren Geschmack von Kaffee, trank ihn aber, weil er wirkte. Und das zuverlässig. Nach einer Tasse blieb sie zwei Stunden länger wach. Nach zwei Tassen blieb sie bis in die frühen Morgenstunden wach. Und das war heute sicher eine gute Idee: Um alle Hausaufgaben zu machen und sich auf den anstehenden Mathematiktest vorzubereiten, würde sie mindestens drei Stunden brauchen. Für die Hausaufgaben wahrscheinlich zwei Stunden, für Mathe eine Stunde. Vielleicht waren auch vier Stunden besser, zwei Stunden Hausaufgaben und zwei Stunden Mathe. Sie brauchte in dem Mathetest ein A. Ein A– wäre nicht gut genug. Und ein B+ definitiv zu schlecht, wenn sie das Semester mit einem Durchschnitt von mindestens 3,5 abschließen wollte.

Auf Zehenspitzen ging sie ins Schlafzimmer und holte ihren Rucksack, der neben Liomis Kinderbett lag. Liomi hatte sich unter seiner Batman-Decke auf die Seite gedreht und zusammengerollt, atmete kaum hörbar (im Gegensatz zu seinem Vater), hatte den Mund leicht geöffnet und die rechte Hand flach auf die rechte Wange gelegt, als würde er im Schlaf über wichtigen Dingen brüten. Ganz leise trat sie an sein Bett, zog ihm die Decke bis unters Kinn und beobachtete ihn lächelnd, bevor sie zurück ins Wohnzimmer ging.

Sie büffelte drei Stunden: Zuerst las sie den Geschichtsstoff für die nächste Stunde, setzte sich dann für das Fertigschreiben des schon in der Bibliothek angefangenen Englischaufsatzes an den Schreibtisch am Fenster, um sich anschließend für Mathe wieder an den Tisch in der Essecke zu setzen, wo sie ihre Unterrichtsaufzeichnungen, ihr Lehrbuch und aus dem Internet gezogene Aufgaben samt Lösungswegen durchging. Die Stille in der Wohnung war wie himmlischer Gesang, die perfekte Hintergrundmusik für die Stunden, in denen sie lernte – keiner störte sie, keiner unterbrach sie, keiner bat sie, bei diesem oder jenem zu helfen oder mal schnell zu kommen. Alles war still, nur weit entfernt die Geräusche von Harlem bei Nacht.

Ein widerwärtiges Gebräu trinken zu müssen, war ein moderater Preis für diese herrliche Ruhe. Zwei Studenten aus ihrem Mathekurs hatten eine Lerngruppe gegründet und andere eingeladen mitzumachen, aber auf diese E-Mail hatte sie gar nicht erst geantwortet – sie wollte die wertvollen Stunden allein nicht hergeben, um mit anderen zu lernen. Überhaupt schien eine Lerngruppe nicht viel zu bringen. Sie hatte zu Beginn des Semesters bei einer für ihren Einführungskurs in Statistik mitgemacht, und es war reine Zeitverschwendung gewesen. Bei ihrem ersten Treffen (im Aufenthaltsraum für Studenten) hatte einer aus der Gruppe nach nicht mal dreißig Minuten vorgeschlagen, chinesisches Essen zu bestellen, als ob sie sich den Hunger keine zwei Stunden lang hätten verkneifen können. Neni war sich sicher gewesen, dass die anderen abwinken würden, aber alle – zwei junge weiße Frauen, eine sehr junge Afroamerikanerin und ein junger Mann, der noch wie ein Teenager aussah und dessen ethnische Zugehörigkeit unmöglich zu bestimmen war – fanden die Idee ganz wunderbar. Also blieb ihr nichts anderes übrig, als Moo-Shu-Schwein zu bestellen und zähneknirschend zehn Dollar auszugeben, die sie nicht ausgeben wollte, denn den anderen beim Essen zuzusehen, hätte sie schrecklich hungrig gemacht und an ihrer Konzentration genagt. Das Lernen war also unterbrochen worden, um zu bestellen, das Lernen war unterbrochen worden, um zu essen. Während des Essens hatten sie über *American Idol* geplaudert. Wer war besser, dieser oder jener? Wer würde wohl gewinnen? Wer würde ganz sicher nicht gewinnen? Eine geschlagene Stunde hatte es gedauert, bis das Gespräch auf den anstehenden Test zurückgekommen war. Gut möglich, dass der Verlust von einer Stunde Lernzeit für die anderen keine große Sache war. Für sie hingegen schon.

Gegen halb vier machte sie sich eine zweite Tasse Kaffee. Beim zweiten Mal war es nicht so schlimm, als sie die Dose öffnete, aber das lösliche Kaffeepulver war trotzdem übel riechendes Zeug, da würde sie keiner vom Gegenteil überzeugen können.

Sie setzte sich wieder in die Essecke und trank einen Schluck, stützte den Kopf in die rechte Hand, schloss die Augen und atmete tief aus. Sie hielt die Augen wenige Minuten geschlossen und starrte in der Dunkelheit auf die Abermillionen grell flackernden Lichtpunkte. Wie schön wäre es, wenn sie länger in dieser Stille verharren könnte, dachte sie; ohne etwas tun zu müssen, irgendwohin zu müssen. Aber ihre Gedanken kreisten unaufhörlich, so schien es – was war noch zu tun, bis wann, wie lange würde sie dafür brauchen? Selbst wenn sie bei der Erledigung aller Haushaltspflichten sang, dachte sie immer schon an die nächste Aufgabe. Und an die übernächste. Durch das Leben in Amerika war sie zu jemandem geworden, der immer vorausdachte und plante.

Sie öffnete die Augen.

Für heute hatte sie genug gebüffelt. Der Mathetest war erst in zwei Wochen. Sie lag gut im Zeitplan. Am Sonntag und am Abend vor dem Test würde sie noch mal Übungsaufgaben machen, dann konnte der Test kommen, sie würde vorbereitet sein.

9.

Ihm war klar, dass schlechte Nachrichten selbst an den glücklichsten Tagen kommen konnten. Ihm war klar, dass sie selbst dann eintreffen konnten, wenn das Gefühl der Traurigkeit gerade so weit von einem entfernt war wie Ras Ben Sakka von Kap Agulhas.

Ihm war klar, dass jeder beliebige Tag so verlaufen konnte wie der Tag, an dem sein Bruder ihn per SMS gebeten hatte, schnellstmöglich zurückzurufen. Das war ein guter Tag gewesen, ein warmer sonniger Samstag. Er hatte mit Neni und Liomi bei Red Lobster gesessen und mit seinen Lieblingsmenschen sein Lieblingsessen gegessen. Er hatte seinen Bruder sofort zurückgerufen und ihn völlig panisch sagen hören, ihr Vater hätte eine schwere Form von Malaria und könnte kaum reden. Wie Jende erfuhr, waren Pa Jongas Augen nach hinten gerollt und er redete bereits mit seinem längst verstorbenen Vater. Er musste dringend in eine Privatklinik nach Douala gebracht werden; Geld konnten sie sich von einem Geschäftsmann in Sokolo leihen, wenn Jende mit dem Kreditgeber redete und ihm versprach, so bald wie möglich das Geld für die Rückzahlung zu schicken. Jende, bitte so, hatte sein Bruder gesagt, mach Versprechen für jetzt-jetzt Geld schicken, oder Papa bis morgen früh tot.

Nach dem Anruf hatte Jende keinen Bissen mehr essen können. Während Neni den Kellner bat, die gebratenen Shrimps einzupacken, war Jende schon losgerannt, zuerst zum Geldautomaten und dann zu einem Spätshop mit dem Logo der Western Union am Fenster, um von dort das Geld nach Kamerun zu schicken. Wie ein Irrer war er die Eighth Avenue entlanggehetzt und hatte völlig verdatterte Touristen zur Seite geschubst, um das Geld so schnell wie möglich zu überweisen, auch wenn die eingesparte Zeit gar nichts nutzte, da sein Bruder das Geld ohnehin nicht vor Montag abholen konnte.

Sein Vater hatte überlebt, und Jende war daran erinnert worden, dass schlechte Neuigkeiten sich auf ihre Art in gute Tage schlichen und Zufriedenheit und Freude ad absurdum führten. Der Tag aber, an dem Bubakar anrief, dieser Dienstag im April 2008, war ein ganz normaler Tag. Jende arbeitete, draußen war es kalt und der Verkehr in den Straßen von Manhattan war genauso gnadenlos wie an jedem anderen Tag auch.

Er hatte an einer Straßenecke geparkt und las Clarks liegen gelassenes *Wall Street Journal*, als Bubakars Name auf seinem Handydisplay aufleuchtete. Zögerlich ging er ran, in dem Wissen, dass es etwas Wichtiges sein musste, gut oder schlecht. Denn mit Anwälten für Asylrecht war es wie mit Ärzten: Die riefen nicht eben mal an, um Hallo zu sagen.

Bubakar sagte Hallo, fragte Jende nach seinem Tag. Seine Stimme klang betrübt und ernst, es fehlten die »ehs« und »abis«, die er sonst oft an Satzenden anhängte, woran Jende merkte, dass irgendetwas nicht in Ordnung war. Auch als sich Bubakar nach Neni und Liomi erkundigte und versuchte, mit Jende über das Dasein als Chauffeur zu plaudern, spürte Jende, dass dieser Mann eigentlich versuchte, eine Stelle seines Herzens zu sterilisieren, weil er ihm gleich schmerzhafte Wörter injizieren würde.

»Der Brief ist endlich gekommen«, sagte Bubakar.

»Was schreiben sie?«

Sein Asylantrag war abgelehnt worden. Man hatte seinen Fall an einen Richter der Einwanderungsbehörde übergeben. Sobald sie das Ausweisungsverfahren gegen ihn eröffneten, würde er vor Gericht erscheinen müssen. »Brother, ich habe mein Bestes getan«, sagte er. »Hab ich wirklich. Es tut mir leid.«

Jende sagte keinen Ton. Sein Herz klopfte viel zu schnell, als dass er den Mund hätte öffnen können.

»Brother, ich weiß, das sind keine gute Neuigkeiten, aber keine

Angst«, sagte er dann, »wir kämpfen weiter. Wir können immer noch viel machen, damit du im Land bleiben kannst.«

Jende brachte trotzdem kein Wort heraus.

»Ich weiß, das ist jetzt sehr hart, aber wir müssen versuchen, stark zu sein, okay?«

Es blieb still.

»Bleib stark, mein Bruder. Du musst jetzt sehr stark sein. Das ist ein gewaltiger Schock, ich weiß. Ich bin im Moment auch geschockt von der Ablehnung. Aber was soll man machen? Wir können jetzt nur weiterkämpfen.«

Schließlich stammelte Jende kaum hörbar etwas vor sich hin.

»Was?«

»Ich habe gefragt, ob ich Amerika jetzt verlassen muss?«

»Ja, so steht es hier. Sie nehmen dir nicht ab, dass Nenis Familie dich umbringt, wenn du nach Kamerun zurückgehst.«

»Aber Mr Bubakar, du hast gesagt, das ist eine gute Geschichte. Du hast gesagt, diese Geschichte glauben sie mir auf jeden Fall! Wir waren glücklich nach der Befragung. Du hast gesagt, meine Antworten auf die Fragen waren sehr gut, und die Frau von der Ausländerbehörde hat ausgesehen, als wenn sie mir geglaubt hat!«

»Ja, aber ich hab dir schon beim letzten Mal gesagt, dass es kein gutes Zeichen war, als sie uns nach Hause geschickt und gesagt hat, dass sie uns den Bescheid dann per Post zustellen lassen, und uns nicht gebeten hat, in ein paar Wochen zurückzukommen, um ihn abzuholen. Ich wollte nicht zu viel hineininterpretieren –«

»Du hast gesagt, ich soll mir nicht zu große Sorgen machen, als sie so lange gebraucht haben, um uns den Bescheid zu schicken, weil die Ausländerbehörde sehr langsam arbeitet. Das hast du gesagt!«

»Sie haben noch nicht mal genug Anstand, sich zu entschuldigen und zu erklären, warum sie eine halbe Ewigkeit gebraucht haben, um eine einzige Entscheidung –«

»Für mich hast du nicht so schlimm geklungen, Mr Bubakar!

Du hast gesagt, die Dame war sehr zufrieden mit meinen Antworten!«

»Das dachte ich auch, Brother. So hat sie gewirkt. Aber wer weiß schon, was diese Geier bei der Ausländerbehörde wirklich denken? Wir legen denen eine Geschichte vor und hoffen, dass sie uns glauben. Aber manche von denen sind übel, richtig übel. Manche Leute in diesem Land wollen Leute wie dich und mich nicht hierhaben.«

»Was passiert jetzt mit mir?«, fragte Jende. »Nehmen die mich jetzt fest und setzen mich ins nächste Flugzeug? Darf ich mich noch verabschieden …«

»Jesses! So weit wird es hoffentlich nie kommen. Nein, erst mal bekommst du einen Termin, und zu dem musst du dann vor dem Richter der Ausländerbehörde erscheinen. Ein Anwalt von der Einwanderungs- und Ausländerbehörde USCIS wird da sein. Ich werde da sein. An deiner Seite. Wir werden den Richter überzeugen, dass die Leute von der USCIS falschliegen und sie dir eine Chance geben müssen, im Land zu bleiben. Natürlich wird der Anwalt der USCIS versuchen, dem Richter Argumente zu liefern, damit er dich ausweist, aber ich bringe dann einfach Gegenargumente.«

»Das heißt, du trittst gegen den Anwalt von der Regierung an?«

»Ja, genau. Ich gegen deren Anwalt. Und dann heißt es, wer besser ist, gewinnt.

»Oh, Papa Gott!«

»Ich weiß, mein Brother, ich weiß, glaub mir. Aber du musst mir vertrauen. Du musst, okay? Wir stehen das zusammen durch. Haben wir es denn zusammen nicht auch schon bis hierher geschafft?«

Jende holte tief Luft. Der Autositz hatte sich in ein Nadelkissen verwandelt.

»Hey, ich habe dir geholfen, überhaupt so weit zu kommen, oder etwa nicht?«, fragte Bubakar. »Ich hab die Einwanderungsbehörde gebeten, dir eine Arbeitserlaubnis auszustellen, weil sie eine Ewigkeit gebraucht haben, um deinen Fall zu bearbeiten, richtig? Oder etwa nicht? Und durch die Arbeitserlaubnis hast du deinen Führerschein bekommen und damit einen viel besseren Job.«

»Was mache ich jetzt?«

»Du musst mir vertrauen.«

»Ich vertraue dir, aber –«

»Ich hab dir mit dem Studentenvisum für deine Frau geholfen, damit sie hier herkommen konnte, um zu studieren. Brother, ich habe deine ganze Familie nach New York geholt. Und jetzt sind wir so nah dran. Du musst mir jetzt einfach vertrauen, dass wir dieses Verfahren gewinnen und du eine Greencard bekommst.«

Jende hatte einen trockenen Mund.

Bubakar fragte, ob Jende noch irgendwelche Fragen hätte.

»Wann muss ich vor Gericht?«, fragte er vorsichtig und voller Angst vor der Antwort.

Bubakar sagte, das wüsste er nicht – er hätte heute nur die Begründung des Bescheids vorliegen, aber Jende müsste die Vorladung mit dem Gerichtstermin bald bekommen.

»Hast du sonst noch Fragen, Brother?«

Nein, sagte Jende; ihm fiel nichts ein, was er hätte sagen oder fragen können.

»Wenn du Fragen hast, kannst du mich jederzeit anrufen, okay? Auch wenn du einfach nur reden willst.«

Jende legte auf.

Er ließ das Telefon in den Schoß fallen.

Rührte sich nicht.

Konnte sich nicht rühren.

Auch in seinem Kopf war nichts, nicht die leiseste Rührung; er war unfähig, nur einen einzigen Gedanken zu formen.

Wovor er drei Jahre lang Angst gehabt hatte, war eingetreten, und das Gefühl der Ohnmacht war stärker als erwartet. Wäre da nicht sein Stolz gewesen, hätte er losgeweint, aber natürlich waren Tränen nutzlos. Seine Tage in Amerika waren gezählt, und salziges Wasser, das ihm aus den Augen lief, konnte auch nichts daran ändern.

Typische New Yorker von der Upper West Side schlenderten vorbei. MTA-Stadtbusse hielten kurz. Ein wilder Haufen Kinder sauste auf Rollern vorbei, gefolgt von drei Frauen – ihren Müttern oder Großmüttern, Tanten oder Nannys –, die sie ermahnten, nicht so schnell zu fahren und aufzupassen. Mightys Klavierunterricht war gleich zu Ende. Die Nanny würde in circa zwölf Minuten anrufen und Jende bitten, vorzufahren. Was sollte er in diesen zwölf Minuten tun? Neni anrufen? Nein. Wahrscheinlich war sie gerade unterwegs und holte Liomi aus dem Hort ab. Winston anrufen? Nein. Der musste arbeiten. Es wäre falsch, ihn während der Arbeit mit schlechten Nachrichten zu überfallen; außerdem konnte er ohnehin nichts tun. Keiner konnte irgendwas tun. Keiner konnte ihn vor der amerikanischen Ausländerbehörde retten. Er würde nach Hause zurückgehen müssen. Er würde in ein Land zurückgehen müssen, wo die Vision von einem besseren Leben nur das Geburtsrecht einiger weniger war, zurück in eine Kleinstadt, aus der Träumer wie er jeden Tag flohen. Seine Familie und er würden mit leeren Händen nach New Town zurückgehen müssen, im Gepäck einzig und allein Geschichten von all dem, was sie in Amerika gesehen und getan hatten, und wenn andere sie dann fragen würden, warum sie denn wieder in die verfallene Hütte seiner Eltern gezogen waren, würden sie ihnen eine Lüge auftischen müssen, eine sehr gute Lüge, denn nur so würden sie der Schande und Demütigung entgehen können, die ihnen bevorstand. Die Schande konnte er ertragen, aber das Versagen als Ehemann und Vater …

Er schaute nach draußen auf die Menschen auf der Amsterdam Avenue. Keiner von ihnen schien sich darüber Sorgen machen zu müssen, dass der heutige Tag vielleicht einer seiner letzten hier in Amerika sein könnte. Manche von ihnen lachten sogar.

Als er Neni an diesem Abend alles erzählt hatte, sah er sie die ersten Tränen weinen, die sie in Amerika je aus Traurigkeit vergossen hatte.

»Was machen wir jetzt?«, fragte sie ihn. »Was sollen wir jetzt machen?«

»Ich weiß es nicht«, sagte er. »Bitte wisch dir die Tränen weg, Neni, sie helfen uns jetzt nicht.«

»O Papa Gott, was sollen wir jetzt nur machen?«, schluchzte sie trotz seiner Bitte. »Wie können wir weiterkämpfen? Was müssen wir zusätzlich ausgeben, wenn es jetzt vor Gericht geht?«

»Ich weiß es nicht«, sagte er noch einmal. »Ich rufe Bubakar bald an und frage ihn das alles. Die Nachricht hat mich gelähmt … es war, als ob mir jemand ein Kissen aufs Gesicht drückt.«

Sie würden das angesparte Geld antasten müssen, da waren sie sich einig. Alles davon: Die paar tausend Dollar, die sie durch Einhaltung eines strengen monatlichen Budgets zur Seite gelegt und von denen sie gehofft hatten, damit irgendwann das Haus seiner Eltern sanieren, eine Eigentumswohnung in Westchester County anzahlen und Liomis Collegeausbildung bestreiten zu können. Wenn sie das Kabelfernsehen und Internet abmelden und sich Zweitjobs besorgen mussten, würden sie das tun. Und wenn sie hungrig zu Bett gehen mussten, würden sie auch das tun. Sie würden alles in ihrer Macht Stehende tun, um in Amerika bleiben zu können. Und Liomi die Möglichkeit zu geben, in Amerika aufzuwachsen.

»Sollten wir jetzt schon mit Liomi darüber sprechen, damit er vorbereitet ist, falls wir gehen müssen?«, fragte Neni.

»Nein«, sagte Jende entschieden. »Nein, er soll weiter glücklich sein.«

10.

Weil sie weitermachen musste, als wäre nichts geschehen, und nicht zeigen durfte, dass es ihr den Boden unter den Füßen weggezogen hatte, schleppte sie sich durch die Stadt und von der Arbeit zur Schule und von dort zurück nach Hause. Sie brachte kein Lächeln zustande und kein Lied über die Lippen, konnte keine zwei Gedanken aneinanderreihen, ohne dass sich das Wort »Abschiebung« dazwischenschob. Und trotzdem zwang sie sich am Morgen nach der Hiobsbotschaft vorwärts und für einen langen anstrengenden Tag in die rosa Arbeitskleidung und die weißen Turnschuhe, schulterte den Rucksack voller Bücher, damit sie lernen konnte, während die Person, die sie zu pflegen hatte, schlief. Erschöpft, aber nicht gebrochen machte sie sich jeden Tag dieser Woche auf den Weg von Harlem nach Park Slope und von dort in die Chambers Street, obwohl sie so höllische Kopfschmerzen hatte, dass sie beim Kreischen der einfahrenden U-Bahn jedes Mal laut aufstöhnte. Einmal überlegte sie, auf dem Weg zur Arbeit früher auszusteigen, um ihren Tränen auf der Toilette bei Starbucks endlich einmal freien Lauf lassen zu können, verkniff es sich dann aber, weil es ja doch nichts genützt hätte. Sie musste endlich wieder richtig schlafen, musste aufhören, Nacht für Nacht wach zu liegen und sich die schlimmsten Dinge auszumalen, die noch gar nicht passiert waren. Wir nehmen es, wie es kommt, sagte Jende jeden Tag zu ihr, aber sie wollte es nicht nehmen, wie es kam. Sie wollte ihr Leben selbst bestimmen, und genau das war ihr jetzt unmöglich, und nur bei dem Gedanken daran, dass jemand anders über ihre Zukunft entschied, wurde aus ihren Kopfschmerzen ein pulsierendes, anschwellendes Pochen wie von tausend kleinen Hämmerchen unter der Schädeldecke. Die Hilflosigkeit zermarterte sie, der Umstand, dass man sie nun auch in Amerika daran erinnerte, wie machtlos sie war und wie ungerecht das Leben sein konnte.

Am sechsten Tag nach der Hiobsbotschaft klangen die Kopfschmerzen ab – nicht weil sich ihre Ängste gelegt hätten, sondern weil Zeit diese mildernde Wirkung hat –, und neue Symptome tauchten auf: Appetitverlust, starker Harndrang, Übelkeit. Die Symptome konnten nur eines bedeuten, das wusste sie, und es war nichts, worüber man weinte. Aber als sie Jende davon erzählte, brach sie trotzdem in Tränen aus, Freude und Verzweiflung waren so stark verwoben, dass es sich anfühlte, als strömten aus einem Auge Freudentränen und aus dem anderen Tränen der Verzweiflung. Sie konnte nicht mit Jende lachen, der baff war, dass es gerade jetzt endlich geklappt hatte, als sie nach zwei Jahren aufgehört hatten, sich Gedanken darüber zu machen, ob es je passieren würde. Sie konnte nicht beglückt darüber staunen, welch ein Wunder es doch war, in Zeiten wie diesen mit guten Neuigkeiten beschenkt zu werden, hoffte aber, sie würde sich bald genauso freuen können wie er, spätestens dann, wenn sie sich nicht mehr nach jedem Essen übergeben musste, und durch die Tage kam, ohne sich wie ein einziges großes Hormon auf Beinen zu fühlen.

»Mama«, sagte Liomi morgens zu ihr, als sie ihm gerade sein Mittag einpackte, »denkst du an das Elterngespräch mit meiner Lehrerin heute?«

Sie hätte am liebsten gesagt, richte deiner Lehrerin aus, dass ich nicht kommen kann, aber als sie ihn anschaute, wie er da am Tisch in der Essecke saß und so friedlich und unbeschwert seine Cornflakes aß, wie nur Kinder es können, war ihr klar, dass es wichtig war, dass sie zu dem Termin ging. Jende hatte recht, sie mussten alles tun, damit Liomi weiter glücklich sein konnte.

»Liomi ist ein guter Schüler«, sagte die Lehrerin zu Beginn des Gesprächs, als Neni, die direkt von der Arbeit kam, mit einer Viertelstunde Verspätung eintraf. Neni nickte abwesend. Ja, Liomi war ein guter Schüler, das wusste sie – fast jeden Abend setzte sie sich mit ihm hin, damit er seine Hausaufgaben machte. Sie musste nicht eigens in die Schule kommen, damit man ihr das sagte, nicht nachdem sie sich zehn Stunden um einen bettlägerigen Mann gekümmert hatte, und das mit knurrendem Magen, weil sie aus mangelndem Appetit nichts zu Mittag gegessen hatte. Der Tag war genauso schrecklich gewesen wie jeder andere Tag, an dem sie als Hilfskraft Privatpersonen pflegte – jedes Mal, wenn der Mann gehustet und nach seinem Spuckbecher gefragt und dann gelbe Schleimklumpen darin versenkt hatte, war der Brechreiz zurückgekommen, und sie war ins Bad gerannt und hatte das Wasser und die zum Frühstück gegessenen Cracker erbrochen.

»Sorgen macht mir nur«, sagte die Lehrerin dann, »dass er –«

»Was macht Ihnen Sorgen?«, unterbrach sie Neni, die mit einem Schlag wach war.

»Es ist nichts wirklich Schlimmes«, sagte die Lehrerin mit einem kurzen Lachen, und ihre warme Stimme verriet einen leichten Akzent (Spanisch? Italienisch?), woraufhin Neni sich fragte, ob sie eine Migrantin oder das Kind von Migranten war. Wenn sie eine Migrantin war, so schien sie nicht zu den armen zu gehören, nicht mit dem protzigen Diamantring am Finger und der Coach-Handtasche auf dem Tisch. Sie war neu an der Schule und sicher nicht älter als vierundzwanzig, arbeitete wahrscheinlich erst seit einem oder zwei Jahren als Lehrerin, und für Neni war durch das gut gelaunte Auftreten und das unbeschwerte Lächeln der jungen Frau klar, dass sie ihren Job gern ausübte, überzeugt war von dem, was sie tat, davon, dass sie im Leben ihrer Schüler etwas bewirkte. Man sah sofort, dass sie nicht annähernd so desillusioniert war wie die Lehrerin, die Liomi im Jahr zuvor gehabt und die während der Elterngespräche immer wieder den Kopf geschüttelt und mindestens zehnmal geseufzt hatte.

»Liomi ist ein guter Schüler, Mrs Jonga«, sagte sie, »aber er könnte im Unterricht noch etwas aufmerksamer sein.«

»Aufmerksamer, sagen Sie?«

Die Lehrerin nickte. »Ja, nur ein klein wenig mehr. Das würde einen großen Unterschied machen.«

»Und was genau meinen Sie damit? Schläft er im Unterricht?«

»Nein, nein, überhaupt nicht«, sagte die Lehrerin und lächelte wieder, offensichtlich, um Neni zu besänftigen. Ihr Make-up und der pinkfarbene Lippenstift waren frisch, als hätte sie beides nach dem Unterricht und vor den Elterngesprächen aufgetragen; jede Haarsträhne endete in einem sorgfältig gezwirbelten Haarknoten an ihrem Hinterkopf. Für Neni sah sie aus, als hätte sie sich zurechtgemacht, um mit ihrem Verlobten essen zu gehen oder in eine dieser Bars, in denen junge Frauen ohne familiären Verpflichtungen nach der Arbeit noch etwas tranken und sich amüsierten.

»Ich habe nicht gesagt, dass er unaufmerksam ist«, sagte sie. »Er ist aufmerksam. Er hört gut zu. Aber ab und zu lässt er sich im Unterricht ablenken. Er und sein Freund Billy –«

»Machen was?«, fragte Neni. Sie merkte selbst, wie verärgert sie klang, machte aber keine Anstalten, der Lehrerin zu sagen, dass der Ärger nicht ihr galt.

»Billy ist der Clown von den beiden, aber Liomi lacht eben über jede Dummheit, die Billy sagt oder macht. Liomi ist ein großartiger Junge, Mrs Jonga. Er hört auf das, was man ihm sagt, er ist schlau, er ist ein in jeder Hinsicht guter Junge. Das muss ich Ihnen sicher nicht sagen; ich sehe an seinen Leistungen, wie sehr Sie seine schulische Ausbildung unterstützen.«

»Aber er ist laut im Unterricht?«

»Er lacht schrecklich gern. Was natürlich völlig in Ordnung ist. Es ist schön, fröhlich zu sein, bitte verstehen Sie mich nicht falsch, aber im Unterricht würde es helfen, wenn er nicht ganz so … albern wäre.«

»Sie haben mit ihm geredet? Und er hört nicht auf Sie?«

»Manchmal hört er darauf. Ich habe ihn und Billy so weit wie möglich auseinandergesetzt. Es ist nicht nur Liomi. Auch andere Kinder haben ihren Spaß an Billy und seinen kleinen Comedyeinlagen – wir sind schon an Billy dran. Aber bis sich da etwas tut, wäre es gut, wenn wir Liomi helfen könnten, damit er nicht weiter –«

»Oh, keine Sorge, dass irgendwas weitergeht«, sagte Neni und riss die Augen auf, als sie aufstand, um sich die Jacke zuzuknöpfen. »Nichts von dem Unsinn im Unterricht geht weiter nach unserem Gespräch heute.«

Die Lehrerin nickte und wollte eigentlich noch etwas sagen, aber da war Neni schon zur Tür herausgestürmt. Sie befahl Liomi, sich seine Sachen zu schnappen, der daraufhin sofort von der Bank auf dem Gang aufsprang und seinen Rucksack aufsetzte. Sonst sagte sie nichts, bis sie zu Hause waren, hielt ihn den Frederick Douglass Boulevard hinunter aber fest an der Hand und verstärkte den Griff noch, als sie ihn an einem Block mit Sozialwohnungen vorbeizerrte, wo in der Woche zuvor zwei junge Männer erschossen worden waren.

Zu Hause stellte sie ihm Cracker und Orangensaft hin. Er hatte Angst, das sah sie daran, wie vorsichtig er sich den Cracker in den Mund schob.

»Lio«, sagte sie sanft zu ihm, als er seine kleine Zwischenmahlzeit beendet und sie ihn gebeten hatte, sich neben ihr aufs Sofa zu setzen. Sie hatte sich nicht vorstellen können, so sanft mit ihm zu reden, als sie aus dem Elterngespräch gestürmt war, aber an einem Ort vorbeigelaufen zu sein, wo junge Männer gestorben waren, und ihn dann so bedrückt seine Cracker essen zu sehen, hatte ihr Herz erweicht.

»Lio, weißt du, warum wir dich zur Schule schicken?«, fragte sie.

Er nickte und schaute zu Boden.

»Schicken wir dich zum Spielen in die Schule, Liomi?«

Er schüttelte den Kopf.

»Sag mir, warum wir dich zur Schule schicken.«

»Damit ich viel lernen kann«, sagte er langsam, fast schon beschämt.

»Damit du lernst und was weiter?«

»Ihr schickt mich zur Schule, damit ich … nichts weiter, Mama. Nur zum Lernen.«

»Und warum spielst du dann im Unterricht? Hä? Warum hörst du nicht auf deine Lehrerin?«

Er schaute zu ihr, dann zu Boden, dann zur Wand, sagte aber nichts.

»Antworte mir!«, sagte sie. »Wer ist Billy?«

»Das ist mein Freund.«

»Dein Freund, ach ja?«

Er nickte, schaute sie aber auch weiterhin nicht an.

»Und weil er dein Freund ist, darf er dich ablenken? Habe ich dir nicht gesagt, dass du dich nicht ablenken lassen darfst, wenn es um die Schule geht?«

»Aber Mama, ich hab gar nichts –«

»Hör zu, Liomi! Sperr deine Ohren auf und hör zu, ich sage das nur ein Mal und nie wieder. Du gehst nicht zum Spielen in die Schule. Du gehst nicht in die Schule, um Freunde zu finden. Du gehst in die Schule, weil wir wollen, dass du still im Unterricht sitzt, deine Ohren so groß aufsperrst wie Gongoblätter und deinem Lehrer zuhörst. Hast du mich gehört?«

Der Junge nickte.

»Mach den Mund auf und sag ›Ja, Mama‹!«

»Ja, Mama.«

»Glaubst du, Papa geht jeden Tag zur Arbeit, damit du in der Schule spielen kannst? Ohne Schule wird nie was aus dir. Du wirst nie jemand sein. Papa und ich, wir stehen jeden Morgen auf und machen alles, was wir können, damit du irgendwann mal ein gutes Leben hast und jemand Großes bist, und dein Dank dafür ist, dass du zur Schule gehst und im Unterricht spielst? Du weißt, was passiert, wenn ich Papa erzähle, was deine Lehrerin mir erzählt hat? Glaubst du, er freut sich, wenn er hört, dass du die Schule für einen Spielplatz hältst?«

»Mama, nicht, bitte …«

»Warum sollte ich es ihm nicht erzählen?«

»Ich mach es nicht –«

»Wisch die Tränen weg«, sagte sie. »Ich erzähl's ihm nicht. Aber wenn ich erfahre, dass du im Unterricht noch eine dumme Sache machst …«

Er nickte und wischte sich mit dem Handrücken über die Augen.

»Das hoffe ich, denn du weißt nicht, wie weh mir getan hat, was deine Lehrerin heute gesagt hat.«

Seine Lippen zitterten, und als sie das sah und sein verweintes Gesicht dazu, wurde sie wieder ganz weich. Sie rückte näher an ihn heran und wischte ihm die Tränen weg.

»Liomi, ich will, dass du dich in der Schule anstrengst«, sagte sie und trocknete sich die Hände an ihrer Arbeitskleidung ab. »Ich will, dass du die Highschool mit Bestnoten abschließt und aufs College gehst, damit du Arzt oder Anwalt werden kannst. Du willst doch Anwalt sein, so wie Onkel Winston, oder ein Arzt wie Doktor Tobias, oder?«

Liomi schüttelte den Kopf.

»Was soll das, warum schüttelst du den Kopf? Willst du nicht Anwalt oder Arzt sein?«

»Ich möchte Chauffeur werden.«

»Chauffeur?«, schrie Neni auf. »Du willst Chauffeur werden?«

Liomi nickte und schaute sie verwirrt an, die Augenbraue hochgezogen und den Mund leicht geöffnet.

»Oh, Lio«, sagte sie lachend und freute sich über den ersten heiteren Augenblick an diesem Tag. »Glaubst du, Papa würde sich Chauffeur als Beruf aussuchen, wenn er unter allen Berufen der Welt wählen könnte? Papa ist nicht Chauffeur, weil er glaubt, dass das der beste Beruf ist. Papa ist Chauffeur, weil er keinen Schulabschluss hat. Und er kann auch keinen Schulabschluss mehr nachholen, weil er arbeiten muss, damit du und ich einen Schulabschluss haben können. Der Job als Chauffeur ist ein guter Job für Papa, aber nicht für dich.«

Er schaute seine Mutter an und zwang sich zu einem Lächeln.

»Du weißt das, aber ich sage es dir immer und immer wieder: Für Leute wie uns ist Bildung alles. Ohne guten Schulabschluss haben wir keine Chance in dieser Welt. Das weißt du, oder?«

Er nickte.

»Papa und ich wollen nicht, dass du irgendwann Chauffeur bist. Niemals. Wir wollen, dass du selbst einen Chauffeur hast. Vielleicht wirst du ja ein großer Mann an der Wall Street. Das würde uns glücklich machen. Aber zuerst musst du dir in der Schule Mühe geben, okay?«

Liomi nickte wieder, und sie lächelte ihn an, dann strich sie ihm über den Kopf. Zum ersten Mal, seit Bubakar Jende von der drohenden Ausweisung erzählt hatte, verspürte sie etwas Hoffnung. Bis zu dem Tag, da sie das Land verlassen mussten, würde sie fest glauben, dass sie und ihre Familie eine Chance hatten.

Als Jende abends schon gegen sechs nach Hause kam (dank Mr Edwards, der auf Dienstreise war, und dank Mrs Edwards, die ihre Abendverabredung wegen einer Erkältung abgesagt hatte), stellte sie ihm das Abendessen auf den Tisch und ging zu ihrem Acht-Uhr-Kurs in Mathe, ohne ihm zu erzählen, was Liomis Lehrerin gesagt hatte. Im Unterricht saß sie wie in allen Kursen in der ersten Reihe, da sie glaubte, die räumliche Nähe zum Lehrer stünde in direktem Zusammenhang zu ihren Noten. Nur dass ihre Theorie an diesem Abend einmal mehr widerlegt wurde: Als der Lehrer die Tests der vergangenen Woche austeilte, stand auf ihrem ein B–.

»Ich … also … ich verstehe die Note nicht«, sagte sie zu ihrem Lehrer, nachdem sie so lange getrödelt hatte, bis alle anderen Schüler den Raum verlassen hatten.

»Sie sind also nicht einverstanden mit der Note?«, fragte der Lehrer, während er eine Mappe in seiner burgunderfarbenen Herrentasche verstaute.

»Nein, das ist es nicht«, sagte sie. »Ich glaube … also, ich habe die ganze Nacht vor dem Test gelernt. Ich habe viele Übungsaufgaben gelöst.«

»Ich weiß nicht genau, was Sie mir damit sagen wollen.«

»Ich lerne und lerne und dann … es ärgert mich, wenn ich mich sehr anstrenge und so ein Ergebnis bekomme. Es ärgert mich so! Egal, was ich mache, meine Noten in Mathe sind einfach nicht gut, und das verschlechtert jetzt meinen Gesamtdurchschnitt …«

»Das tut mir leid«, sagte der Lehrer, als sie schon auf dem Weg zur Tür war.

»Schon okay«, sagte sie, nachdem sie sich noch mal umgedreht hatte. »Es ist nicht Ihre Schuld.«

»Schreiben Sie mir doch eine E-Mail. Wir können uns gern zusammensetzen und herausfinden, wo Ihre Schwierigkeiten liegen.«

Sie seufzte und nickte, in dieser Mischung aus Frust und Erschöpfung fiel es ihr schwer, etwas zu sagen.

»Und sehen Sie es mal positiv«, sagte der Lehrer. »Viele Schüler wären froh über ein B–.«

11.

Er war umgeben von Touristen und New Yorkern, die sich unterhielten oder einander ignorierten, vollkommen beschäftigt mit ihren eigenen Freuden und Sorgen und Gleichgültigkeiten. Irgendwo hinten im U-Bahn-Wagen ertönte ein herzhaftes Lachen, nach dem er sich an jedem anderen Tag umgedreht hätte, weil er es herrlich fand, in die Gesichter von Menschen zu sehen, die fröhliche Laute von sich gaben. Heute nicht – er konnte sich nicht für die Fröhlichkeit anderer begeistern. Tief in sein Elend versunken saß er da, den Kopf gesenkt. Das war nun also das Ergebnis, dachte er. Dafür hatte er all das Leid auf sich genommen. Was hatte er falsch gemacht? Er rieb sich die Wangen. Wie würde es in Limbe für ihn weitergehen, wenn er zurückkehrte? Vielleicht könnte er bei der Stadt einen Job bekommen, aber das wäre dann ein Knochenjob. Nichts auf der Welt würde ihn dazu bringen, wieder die Straßen zu kehren und tote Hunde und Katzen aufzusammeln. Vielleicht könnte er nach Yaoundé oder Douala ziehen und dort als Chauffeur für irgendein hohes Tier arbeiten. Das könnte klappen ... aber an so einen Job würde er nur über Beziehungen rankommen, und er kannte überhaupt niemanden mit einer guten Verbindung zu einem Minister oder CEO oder irgendeinem von den großen Männern, die das Land regierten und immer Chauffeure und Bodyguards brauchten, die sie von morgens bis abends eskortierten, Besorgungen für ihre Frauen und Geliebten erledigten und ihren Kindern das Gefühl gaben, kleine Prinzen und Prinzessinnen zu sein. Wenn er irgendwie an einen solchen Job rankäme, könnte er sich vielleicht ein neues Leben aufbauen, wenn er zurück... Nein, er sollte jetzt nicht darüber nachdenken, was er in

Kamerun tun würde. Er würde nicht zurückgehen. Das war nie Teil des Plans gewesen. Und bisher war alles so gelaufen, wie er es geplant hatte. Er war in Amerika. Neni war bei ihm. Liomi war jetzt ein amerikanisches Kind. Sie würden nicht nach Limbe zurückgehen. Lieber Gott, bitte hilf mir, damit sie mich nicht ausweisen, betete er. Bitte, Papa Gott. Bitte.

»Ist da noch frei?«, fragte eine freundliche Stimme. Er hob den Kopf und sah einen jungen schwarzen Mann, der auf den Platz neben Jende zeigte, wo sein Rucksack stand.

»Ja klar«, sagte er, nahm den Rucksack vom Sitz und stellte ihn zwischen seine Füße. »Entschuldigung.«

Dann senkte er wieder den Kopf. Atmete tief aus. Was gab es für Möglichkeiten? Was konnte er tun, damit man ihn in Amerika bleiben ließ? Nichts. Er konnte den Richter nur bitten, Gnade walten zu lassen, hatte Bubakar gesagt. Oder vielleicht mit Mr Edwards sprechen. Ja, er könnte Mr Edwards ehrlich von seiner Situation erzählen. Vielleicht würde Mr Edwards ihm helfen. Vielleicht würde er ihm Geld für einen besseren Anwalt geben. Winston hatte aber gesagt, es wäre besser, er würde bei Bubakar bleiben. Bubakar mochte laut Winston zwar ein nutzloser *mbutuku* sein, er war aber derjenige, der den Schlachtplan für seinen Fall ausgearbeitet hatte und am besten wusste, wie man ihn vor dem Richter vertreten musste. Winston war sich sicher, der Richter würde Jende nicht ausweisen; er hatte herausgefunden, dass die New Yorker Asylrichter als sehr milde galten.

Aber das war kein Trost.

Jende hörte, wie die automatische Ansage die Fahrgäste bat, von den Türen zurückzutreten. Er hob den Kopf. Die Weißen waren fast alle schon ausgestiegen. Übrig waren überwiegend Schwarze. Und es stiegen noch mehr Schwarze ein. Daran erkannte er, dass sie in Harlem angekommen waren, die 125. Straße. Er nahm seinen Rucksack und stellte sich an die Tür. Als er an der 135. Straße ausstieg, ging er in den Spätshop an der Ecke des Malcolm X Boulevards und kaufte sich eine Coca-Cola light, um sich etwas aufzuputschen und zu einem Lächeln durchringen zu können, wenn er gleich die Wohnung betrat und Neni ihn mit dem traurigen Blick eines Bassets empfing.

Am Abend darauf rief er Bubakar an, als er im Wagen auf Cindy wartete, die ihre Freundin June zu einem gemeinsamen Beauty-abend auf der Prince Street eingeladen hatte. Bubakars Anruf war jetzt eine Woche her, und die ganze Zeit über hatte Jende ihn noch mal anrufen wollen, um die Lage besser zu verstehen, aber jedes Mal, wenn er zum Telefon gegriffen hatte, war es ihm unmöglich gewesen, die Nummer zu wählen, denn … Was, wenn Bubakar ihm mit noch mehr schlechten Neuigkeiten kam?

»Hör zu, Brother«, sagte Bubakar. »Diese Dinge brauchen Zeit, okay? Die für Einwanderungsverfahren zuständigen Gerichte sind zurzeit dermaßen überlastet, das hab ich noch nie erlebt – es gibt einfach zu viele Leute, die ausgewiesen werden sollen, und nicht genug Richter, die scharf darauf sind, sie auszuweisen. Sie hätten dich schon vor langer Zeit vorladen müssen, aber so wie dein Fall bisher bearbeitet wurde, bin ich mir gar nicht sicher, wann du die Vorladung bekommst, ich hab nämlich auf der Ausländerbehörde angerufen und da konnte mir keiner Auskunft geben. Es kann also sein, dass du erst in sechs Monaten vor dem Richter erscheinen musst oder erst in einem Jahr. Und dann wird der Richter dich noch ein zweites Mal sehen wollen, und bis zu dem Gerichtstermin kann es wieder wer weiß wie lange dauern. Und selbst wenn der Richter deinen Asylantrag ablehnt, können wir immer noch in Widerspruch gehen. Wir können sogar mehrmals Widerspruch einlegen.«

»Was?«, sagte Jende. »Ich muss also nicht heute oder morgen zum Gericht und mir anhören, dass ich so schnell wie möglich das Land zu verlassen habe?«

»Nein, so schlimm ist es definitiv nicht! Das Ganze ist immer noch ein langwieriges Verfahren.«

»Also habe ich vielleicht noch ein paar Jahre hier im Land?«

»Ein paar?«, fragte Bubakar mit gespielter Entrüstung. »Warum nicht dreißig? Ich kenne Leute, die haben ihr ganzes Leben gegen die Einwanderungsbehörde gekämpft. Und in der Zwischenzeit haben sie geheiratet, Kinder bekommen, Unternehmen gegründet, Geld verdient und das Leben genossen. Sie können eben nur das Land nicht verlassen. Aber was gibt es außerhalb von Amerika schon zu sehen, wenn man einmal in Amerika ist, *abi*?«

Jende lachte. Stimmt, dachte er, außerhalb von Amerika gab es wahrlich wenig zu sehen. Alles, was der Mensch sehen wollte – Berge, Täler, beeindruckende Städte –, konnte er hier sehen, und sobald er etwas Geld gespart hätte, würde er seiner Familie auch andere Teile des Landes zeigen. Vielleicht würde er mit ihnen an den Pazifik fahren. Vince Edwards hatte erzählt, dass er dort einen Sonnenuntergang erlebt hatte, der so beeindruckend gewesen war, dass es ihm Tränen in die Augen getrieben hatte und er angesichts der Schönheit des Universums, des überwältigenden Geschenks, auf der Welt sein zu dürfen, und des Egoismus, irgendetwas anderes als Wahrheit und Liebe anzustreben, ganz demütig geworden war.

Jende fühlte sich spürbar leichter, wie ein Blatt, das man unter einem Stein hervorgerettet hatte. Seine Situation war nicht halb so schlimm wie befürchtet. Wie viel es kosten würde, wenn sie bis zum Ende kämpften, fragte er Bubakar. Mehrere Tausend Dollar, bekam er von seinem Anwalt zu hören. Aber darüber brauchte er sich jetzt noch keine Gedanken zu machen. »Du und dein Cousin, ihr habt schon reichlich Geld ausgegeben, damit du es bis hierher schaffst. Jetzt machst du eine Pause und sparst für den bevorstehenden Kampf. Sobald das Gericht die Vorladung schickt, arbeiten wir einen Finanzplan aus.«

»Deine Position ist besser als die von vielen anderen«, fügte Bubakar noch hinzu. »Du hast eine Frau, die einen Job hat, obwohl ihr die Arbeitserlaubnis fehlt. Die Ausländerbehörde hat deinen Antrag nicht innerhalb von einhundertfünfzig Tagen bearbeitet, sodass ich eine vorübergehende Arbeitserlaubnis für dich erwirken konnte. Du hast wenigstens legal arbeiten können. Und ihr seid zu zweit, mein Brother. Ihr könnt beide arbeiten und damit eure Rechnungen bezahlen. In anderen Familien hat nicht mal einer Arbeit.«

»Aber was ist mit meiner Arbeitserlaubnis?«, fragte Jende. »Kann ich sie verlängern lassen, jetzt, wo mich die Ausländerbehörde abschieben will?«

»Hat dein Arbeitgeber nach deiner Arbeitserlaubnis gefragt, als er dich eingestellt hat?«, fragte Bubakar.

»Nein.«

»Gut. Dann bleib da.«

»Aber was, wenn ich sie nicht verlängern kann und mich die Polizei anhält und –«

»Mach dir keine Gedanken über Sachen, die vielleicht nie anstehen, Brother.«

»Ich bekomme also keinen Ärger, wenn meine Arbeitserlaubnis ausläuft, ich keine neue bekomme und mich dann die Polizei anhält?«

»Hör zu«, sagte Bubakar leicht genervt. »Was die Einwanderungsbehörde angeht, gibt es vieles, das illegal ist, und vieles, das sich in einer Grauzone bewegt, und mit ›grau‹ meine ich das, was illegal ist, aber womit der Staat keine Zeit verschwenden will. Verstehst du mich, *abi*? Ich rate dir also, dich in der Grauzone zu bewegen und auf dich und deine Familie aufzupassen. Halte dich von Orten fern, wo du der Polizei über den Weg laufen könntest. Das ist ein Rat, den ich dir, aber auch allen anderen jungen schwarzen Männern in diesem Land gebe. Die Polizei ist zum Schutz der Weißen da, Brother. Manchmal vielleicht auch für schwarze Frauen und Kinder, aber nicht für schwarze Männer. Nie für schwarze Männer. Schwarze Männer und die Polizei, das ist wie Palmöl und Wasser. Hast du mich verstanden?«

Jende sagte, das hätte er.

»Dann mach keine Dummheiten und spar so viel Geld, wie du kannst«, sagte Bubakar. »Vielleicht kommt im Kongress eines Tages so ein Gesetz durch wie das, für das Kennedy und McCain gekämpft haben, und dann gibt die Regierung allen Papiere. Dann hat dein *wahala* ein Ende.«

»Aber Mr Bubakar, seit dieses Ding nicht durchgekommen ist, habe ich alle Hoffnung verloren.«

»Nein, nicht die Hoffnung verlieren«, sagte Bubakar. »Vielleicht wird ja irgendwann Obama Präsident oder Hillary, und dann bekommen alle Papiere. Man kann nie wissen. Hillary hat ein Herz für Migranten. Und Obama, der kennt sicher ein paar Kenianer ohne Papiere, denen er gern helfen würde.«

»Aber glaubst du, das kann wirklich passieren?«

»O ja. Ist es schon mal, 1983, glaube ich. Es kann auf jeden Fall wieder passieren, aber wir können nicht darauf setzen. Wir versuchen es weiter auf unsere Art, und du behältst im Schlaf ein Auge offen, okay? Denn bis zu dem Tag, an dem du die amerikanische Staatsbürgerschaft bekommst, klebt dir die Einwanderungsbehörde am Hintern, verfolgt dich überallhin, jeden einzelnen Tag, und du brauchst Geld, wenn sie beschließt, dass sie deinen Furzgeruch eklig findet. Aber irgendwann bekommst du die Staatsbürgerschaft, und wenn es erst mal so weit ist, kann dir keiner mehr was anhaben, *nie* mehr. Dann können deine Familie und du endlich entspannen. Dann wirst du endlich gut schlafen und dein Leben in diesem Land richtig genießen können. Das wird großartig, was, mein Brother?«

12.

Sie traf ihn in einem Café gegenüber der städtischen Bibliothek an der 42. Straße, wie auch die beiden Male zuvor. An dem Morgen, als er ihr angeboten hatte, sich mit ihr zusammenzusetzen und darüber zu sprechen, wie sie ihre Note in Mathematik verbessern könnte, hatte sie ihm eine E-Mail geschrieben und eine Stunde später schon eine Antwort bekommen, in der er vorschlug, sich in diesem Café zu treffen, weil er kein eigenes Büro habe, da er kein richtiger Professor sei, sondern nur ein Doktorand am Graduate Center, der unterrichte, um sich etwas dazuzuverdienen und Erfahrung zu sammeln. Bei ihrem ersten Treffen hatte er ihr erzählt, dass er jeden Sonntag zum Lernen in dieses Café ging und sich gern mit Schülern dort traf, auch wenn er nicht verstand, warum nicht mehr Schüler sein Hilfsangebot annahmen. Ich danke Ihnen sehr für Ihr Angebot, Herr Professor, hatte sie zu ihm gesagt, und er hatte sie gebeten, ihn doch bitte nicht mit »Professor« anzusprechen. Sag Jerry zu mir wie alle anderen im Kurs auch, bat er sie, aber sie konnte nicht, weil er ihr Lehrer war und sie ihn korrekt ansprechen musste, so wie man es ihr in der Grundschule beigebracht hatte.

»Herr Professor, das ist mein Sohn, Liomi«, sagte sie, als sie zu ihrem dritten Treffen ins Café kam, und zog einen Stuhl vom Nachbartisch heran. »Es tut mir leid, dass ich ihn mitbringen muss, aber mein Mann arbeitet, und später sind wir mit einer Freundin von mir verabredet.«

»Das muss Ihnen nicht leidtun. Hi, Lomein, wie geht's?«

Liomi grinste und nickte.

»Mach den Mund auf und antworte dem Herrn Professor«, sagte sie.

»Gut«, sagte Liomi.

»Wie alt bist du?«, hörte sie den Lehrer fragen, als sie in Richtung Tresen ging, um zwei Tassen heiße Schokolade zu bestellen. Sie hörte Liomi antworten, fast sieben, und ihn dann über etwas kichern, das der Lehrer gesagt hatte. Als sie es in der langen Schlange endlich bis ganz nach vorn geschafft hatte, plauderten Liomi und ihr Lehrer so munter miteinander, als würden sie sich schon ewig kennen, und der Lehrer malte unterdessen irgendwas auf einen Notizblock und machte verrückte Verrenkungen mit seiner Hand, die Liomi reichlich amüsierten.

»Herr Professor, haben Sie Kinder?«, fragte sie, als sie die Tassen auf dem Tisch abstellte.

»Ich wünschte, ich hätte welche«, sagte er und lachte kurz auf.

»Sie können sich meins ausleihen, wenn Sie wollen.«

»Oh, super, ich nehm ihn«, sagte er. »Aber wundern Sie sich nicht, wenn ich ihn dann nicht zurückgeben will.«

»In dem Fall einigen wir uns schon über den Preis«, sagte sie und zog grinsend ihr Mathematikbuch aus der Tasche. Sie war froh, im Umgang mit ihrem Lehrer mittlerweile so locker zu sein, dass sie auch mal einen Witz machen konnte. Bei ihrem ersten Treffen hatte sie sich schrecklich unwohl gefühlt, allein mit einem Mann, den sie kaum kannte: Die ganze Stunde über hatte sie nur genickt und ihm das Wort überlassen, und aus Angst, ihre Fragen könnten dumm sein und sie könnte sich blamieren, hatte sie nur ganz selten mal eine Frage gestellt. Vor dem zweiten Treffen hatte sie sich gesagt, dass es sinnlos war, bis ins Zentrum zu fahren, wenn sie das Angebot des Lehrers, ihre Note zu verbessern, gar nicht richtig nutzte. Also hatte sie sich trotz aller Nervosität dazu angehalten, mehr Fragen zu stellen, und der Lehrer hatte selbst die dümmsten davon beantwortet. Bei diesem dritten Treffen jetzt fühlte sie sich schon sehr viel wohler – auch wenn sie noch immer so verunsichert war, dass sie aus Angst, der Professor könnte sich von einem Kind gestört fühlen und gehen,

Liomi vor Betreten des Cafés eingeimpft hatte, den Professor nicht von allein anzusprechen – so wohl, dass sie und ihr Lehrer sich gegen Ende der Stunde darüber unterhielten, wo sie beide aufgewachsen waren. Der Vater ihres Lehrers war beim Militär gewesen, erfuhr sie so, weshalb er an vielen Orten in Amerika und Europa gelebt hatte. In Deutschland hatte es ihrem Lehrer am besten gefallen, denn bereits als Kind hatte er gespürt, wie toll die Deutschen die Amerikaner fanden, und es hatte sich wunderbar angefühlt, für seine Nationalität gemocht zu werden. Sie wollte mehr darüber wissen, wie es gewesen war, ein solches Leben zu führen, wie wunderbar oder furchtbar es wohl gewesen sein musste, nicht die ganze Kindheit über dieselben Freunde gehabt zu haben, aber sie wusste nicht, welche Fragen sie einem Lehrer stellen durfte und welche nicht, darum erzählte sie ihm stattdessen von ihrem Leben in Limbe, dass sie es nie weiter als zwanzig Kilometer aus Limbe heraus geschafft hatte, und musste lachen, weil das jetzt so pathetisch klang. Er fragte neugierig nach ihrem Traum, Apothekerin zu werden, aber da – früher als verabredet – kam schon Fatou mit ihren zwei jüngsten Kindern im Schlepptau.

»Wir bringen Kinder für Spiele spielen«, verkündete Fatou dem Lehrer, als sie sich auf Liomis Platz setzte, nachdem Neni sie einander vorgestellt und die Kinder losgeschickt hatte, sich Cookies zu holen. »Dann machen wir Augenbrauen und machen Nägel und gehen ins Chinarestaurant mit Buffet, weil heute Tag für alle Mütter, und da gehören wir wichtig-wichtig.«

»Mist«, sagte der Lehrer. »Muttertag hab ich völlig vergessen. Ich sollte meine Mutter anrufen und ihr eine Freude machen, oder?«

»Und für Frau dazu«, sagte Fatou.

»Ich bin nicht verheiratet.«

»Freundin?«

Neni trat Fatou unterm Tisch ans Schienbein.

»Freund«, sagte der Lehrer.

»Freund?«, fragten die Frauen im Chor.

Der Lehrer lachte. »Die Damen kennen wohl nicht viele Männer mit Freund?«

Fatou schüttelte den Kopf. Neni blieb der Mund offen stehen.

»Bei mir aus Land kenn ich kein Mann mit schwul«, sagte Fatou. »Aber bei mir aus Dorf gibt es Mann, der geht wie Frau. Hängt immer Hand in Luft und wenn er tanzt, bewegt sein *derriére* hübsch hier und da.«

»Klingt lustig.«

»Alle sagen, innen fühlt er wie Frau, aber keiner sagt schwul, weil er mit Frau und mit Kinder. Und für schwul gehört uns kein Wort. So, schön, Sie kennenzulernen!«

»Aber ich dachte, Sie mögen Kinder, Professor«, sagte Neni, die noch immer geschockt klang.

»Na und ob. Ich liebe Kinder.«

»Aber wie können Sie ... ich dachte ...«

»Ich habe mir immer Kinder gewünscht. Mein Freund und ich hoffen, dass wir welche adoptieren können, sobald ich die Promotion in der Tasche habe.«

»Dann nehmen Sie von mir«, sagte Fatou und kicherte. »Ich habe sieben.«

»Sieben?«

Fatou nickte.

»Wow.«

»Ja, genau, wow. Sage ich auch für jeden Tag. Wow, ich hab sieben Kinder? *Un, deux, trois, quatre, cinq, six, sept, mon Dieu!*«

»Wie viele wollen Sie?«, fragte Neni.

»Eins oder zwei«, sagte er, »aber ganz bestimmt nicht sieben.«

Fatou und der Lehrer prusteten los, aber Neni war noch immer fassungslos. Wie konnte er schwul sein? Warum war er schwul? Ich kann nicht glauben, dass er schwul ist, sagte sie immer wieder zu Fatou, als sie mit den Kindern zur U-Bahn gingen.

»Oh, musst du nicht sagen«, meinte Fatou. »Ich seh dein Gesicht, wenn er das sagt.«

»Das war nur –«

»Nur weil du Puerto Ricaner groß und mit Haare lang magst. Ich sehe deine Augen, wie du ihn magst.«

»Warum ist jeder Latino bei dir ein Puerto Ricaner?«

»Er mag dich, du magst ihn.«

»So ein Quatsch. Was redest du da?«

»Wieso jetzt, so ein Quatsch? Ich sehe dein Blick, wenn ich reinkomme ins Café. Du lachst über alles, haha, sehr witzig. *Oh, oui, Professeur, vraiment, Professeur.*«

»Hab ich nie gesagt!«

»Und warum machst du Lügen?«

»Was meinst du?«

»Warum sprichst du Jende nicht über Treffen mit *Professeur* im Café?«

»Das hab ich dir schon gesagt. Ich will nicht, dass er sich Sorgen macht.«

»Sorgen für was?«

»Sorgen über das, worüber Männer sich Sorgen machen, wenn ihre Frau eine Verabredung mit einem Professor hat. Würde dir das gefallen?«

»Ich find keine Sorgen, ob Ousmane mit wem trifft ... aber was, wenn Liomi Jende erzählt?«

»Liomi soll sagen, dass ich zum Lernen weggegangen bin, denn das stimmt. Wo ist der Unterschied, ob ich Jende sage, ich gehe lernen, oder sage, ich treffe meinen Professor, der mir bei meinen Aufgaben hilft? Hat alles mit dem College zu tun.«

»Ach so«, sagte Fatou, als sie die Stufen zur Linie D nach unten stiegen.

»Was, ach so?«

»Für das gibt Ehemann Cousine zu Hause Schläge.«

»Weil sie sich mit ihrem Professor getroffen hat?«

»Nein, nein«, sagte Fatou, schüttelte den Kopf und fuchtelte mit erhobenem Zeigefinger vor Neni herum. »Weil sie macht wie du. Ehemann glaubt sie irgendwo, geht woanders und sieht sie Bier trinken mit Mann. Ehemann schleift sie nach Haus und gibt Cousine Schläge überall. Er sagt, warum blamierst du mich, lügst mich und sitzt und trinkst Bier mit Mann? Sie sagt, oh, nein, nur Freund, aber Ehemann sagt, warum lügst du mich dann?«

»Und was hat deine Cousine gemacht?«

»Was sie gemacht hat? Hat dumme Sache gemacht, Ehemann schlägt sie. Das alles. Sie lernt Lektion, Ehe geht weiter, alle glücklich.«

13.

Auch wenn er New York großartig fand, nahm er sich jeden Winter vor, es gegen eine andere amerikanische Stadt einzutauschen, sobald er seine Papiere hatte. Er lebte gern in New York, aber warum sollte man vier Monate im Jahr bibbern wie ein nasses Huhn? Warum sollte man mit tausend Klamottenschichten herumlaufen wie die Verrückten, die in New Town, Limbe, umherstreunten? Hätte Bubakar ihm nicht geraten, in der Stadt zu bleiben (er hatte gesagt, es könnte Probleme geben, wenn sie versuchen müssten, seinen Fall an einem anderen Gericht weiterzuverhandeln), wäre Jende längst weg gewesen, schließlich gab es einfach keinen Grund, warum ein Mann freiwillig so viele Tage seines Lebens an einem übermäßig kalten, überteuerten und überlaufenen Ort verbringen sollte. Seine Freunde Arkamo in Phoenix und Sapeur in Houston waren da ganz seiner Meinung. Sie flehten ihn regelrecht an, er solle in ihre warmen und nicht allzu teuren Städte ziehen. Wenn du herkommst, fängst du endlich mal an, Amerika zu genießen, hatte Arkamo zu ihm gesagt. Sapeur meinte, das Leben in Houston wäre süßer als Zuckerrohrsaft. Jeden Winter sagten sie ihm mindestens ein halbes Dutzend Mal, wenn er erst mal am Flughafen ihrer Städte ankommen und durch die sauberen Straßen flanieren würde und sich mitten im Februar frei und ohne Winterjacke bewegen könnte, würde er das *worwor* New York ganz schnell vergessen. Sie waren so überzeugend, dass Neni und er an den kältesten Tagen im Winter Phoenix und Houston googelten, um mehr über die Städte zu erfahren. Sie sahen sich die Fotos an, die Arkamo und Sapeur von ihren geräumigen Häusern und riesigen SUVs geschickt hatten, und auch wenn

Jende sich die allergrößte Mühe gab, war es unmöglich, nicht neidisch auf sie zu sein. Diese Jungs und auch andere, die er in diesen Städten kannte, waren ungefähr zur selben Zeit wie er aus Limbe gekommen. Sie verdienten ungefähr genauso viel Geld wie er (oder weniger, arbeiteten als Pflegehilfskräfte oder als Lagerarbeiter für Warenhausketten), konnten sich aber trotzdem Häuser kaufen – Häuser im Ranch-Style mit drei Schlafzimmern, Stadthäuser mit vier Schlafzimmern und einem Garten, in dem ihre Kinder spielten und in den sie am vierten Juli zum Barbecue mit Unmengen gegrilltem Mais und *soya* einluden. Arkamo erzählte Jende, wie einfach es derzeit wäre, eine Hypothek zu bekommen, und versprach ihm, sobald er so weit war, würde er ihn an einen Kreditberater verweisen, der Jende ganz ohne Anzahlung eine Hypothek für ein süßes kleines Schloss verschaffen würde. Für Jende klang das alles herrlich (einer der vielen Punkte, die Amerika zu einem wahrlich großartigen Land machten), aber er wusste, dass es erst infrage kam, wenn er Papiere hatte. Arkamo und Sapeur hatten schon Papiere – Arkamo über seine Schwester, die die Staatsbürgerschaft bekommen und dann auch für ihn beantragt hatte; Sapeur über die Heirat mit einer alleinerziehenden Amerikanerin, die er kennengelernt hatte, als er mit einem orangefarbenen Dreiteiler und einem roten Fedora auf dem Kopf in einem Nachtclub aufgetaucht war. Sie konnten es sich leisten, hochverzinste Kredite aufzunehmen, die sie über dreißig oder vierzig Jahre abzahlen mussten; sie hatten eine Greencard. Jende hätte sich auch ein schönes Haus in einer dieser Städte gekauft, wenn er Papiere gehabt hätte. Sobald er konnte, würde er sehr wahrscheinlich nach Phoenix ziehen, wo Arkamo ein Haus in einem geschlossenen Wohnkomplex besaß. Dann wären die eiskalten Tage endlich gezählt, die Morgen, an denen er weiße Atemwolken ausstieß, als wäre er ein kochender Wasserkessel. Neni träumte stattdessen von einer Eigentumswohnung in Yonkers oder New Rochelle, weil sie nicht wegwollte von ihren Freundinnen und einfach so verliebt war in New York, ob nun warm oder kalt, aber er wusste genau, wenn er nicht in dieser

Einwandererhölle festsitzen würde, hätte er die Stadt längst verlassen.

Da war er sich ganz sicher, jeden Winter aufs Neue.

Aber wenn der Frühling kam, lösten sich diese Träume genauso in Luft auf wie der Tau im Marcus Garvey Park. Dann konnte er sich zum Leben keine schönere, reizvollere und passendere Stadt vorstellen als New York. Kaum stiegen die Temperaturen in den zweistelligen Bereich, war es, als würde die Stadt aus einem tiefen Schlaf erwachen und die Gebäude, Bäume und Statuen ein gemeinsames Lied anstimmen. Dicke schwarze Winterjacken wurden gegen farbenfrohe Sachen eingetauscht. Überall in Manhattan schien es, als würden die Menschen jeden Moment lossingen oder tanzen. Jetzt, wo die Kälte sie nicht länger zu eingezogenen Schultern und Köpfen verdammte, konnten sie wieder aufrecht gehen und die Arme locker baumeln lassen, und ihr Lächeln strahlte gut sichtbar, weil es nicht mehr hinter Schals verschwand, die bis zur Nasenspitze hochgezogen waren. Schon traurig, dachte Jende oft, wie der Winter dem Leben so viele kleine Freuden nimmt.

Am dritten Donnerstag im Mai, als er Cindy gerade die 57. Straße entlang zum Nougatine chauffierte, wo sie ihre besten Freundinnen Cheri und June zum Mittag traf, bemerkte er, dass sprichwörtlich jeder auf der Straße glücklich wirkte. Vielleicht waren die Menschen nicht wirklich glücklich, aber sie sahen glücklich aus, manche von ihnen sprinteten regelrecht durch die Wärme des Tages, einfach froh, nicht mehr frieren zu müssen. Auch er war glücklich. Es waren fast einundzwanzig Grad, und sobald er Cindy abgesetzt hatte, würde er in ein Parkhaus fahren, mit seinem eigenen Geld bezahlen und in den Central Park sausen, um die frische Luft einzuatmen. Er würde auf der Wiese sitzen, Zeitung lesen, sein Mittag an einem See oder Teich essen und –

Sein Handy klingelte.

»Madam, es tut mir … es tut mir schrecklich leid, Madam«, sagte er zu Cindy, weil er vergessen hatte, das Handy auszuschalten. Hektisch fischte er in seiner Jackentasche und rechtfertigte sich. »Madam, ich schwöre, ich habe es heute Morgen ausgeschaltet. Ich war ganz sicher, es ausgeschaltet zu haben, bevor –«

»Gehen Sie ruhig ran«, sagte Cindy.

»Ist schon in Ordnung, Madam«, sagte er, schaute aufs Display und drückte schnell den seitlichen Knopf, um es lautlos zu stellen. »Das ist nur mein Bruder aus Kamerun.«

»Kein Problem, gehen Sie ran.«

»Ist gut, danke, Madam, danke«, sagte er und klappte ungeschickt das Handy auf, um den Anruf anzunehmen, bevor sein Bruder auflegte.

»Tanga«, sagte er zu seinem Bruder, der aus Kamerun anrief, »bitte, Tanga, jetzt nicht, schlecht jetzt … Madam hier im Auto … Was gibt's? … Was? Nein, Geld geht nicht … wie vorher auch, alles knapp für mich … ich habe nichts … bitte, machen wir reden später weiter … Madam hier im Auto. Bitte, ich muss jetzt.«

Nachdem er aufgelegt hatte, seufzte er tief und schüttelte den Kopf.

»Es ist doch hoffentlich alles okay?«, fragte Cindy, nahm ihr Handy in die Hand und tippte drauflos.

»Ja, Madam, alles okay. Es tut mir leid, dass ich Sie gestört habe. Das kommt nicht wieder vor, das verspreche ich Ihnen. Das war nur mein Bruder mit seinen Sorgen.«

»Sie wirken unruhig. Ist alles in Ordnung mit ihm?«

»Ja, Madam, nichts sehr Schlimmes. Sie haben seine Kinder aus der Schule gejagt, weil er die Schulgebühr nicht bezahlt hat. Jetzt gehen sie seit einer Woche nicht in die Schule. Darum ruft er an. Weil ich ihm das Geld schicken soll. Er ruft immer wieder an, jeden Tag.«

Cindy sagte nichts. Jende hatte so verzweifelt geklungen, dass sie es wohl für das Beste hielt, ihm keine weiteren Fragen zu stellen und ihn in Ruhe überlegen zu lassen, wie er seinem Bruder helfen konnte. Sie schrieb die angefangene SMS zu Ende, legte das Handy weg und schaute ihn an.

»Das ist schade«, sagte sie.

Jende nickte. »Nicht schade, sondern eine Schande, Madam. Mein Bruder hat einfach fünf Kinder gemacht, obwohl er kein Geld hat. Jetzt muss ich mir Gedanken machen und ihm Geld schicken, dabei habe ich selbst keins, um …«

Er bog rechts ab, und sie stellte ihm keine weiteren Fragen. Die folgenden zwei Minuten fuhren sie schweigend weiter wie auch sonst den Großteil der Zeit, in der sie nicht gerade mit einem Kunden oder einer ihrer Freundinnen telefonierte.

»Aber das ist nicht richtig«, sagte sie und ihre Stimme klang plötzlich dumpf. »Kinder sollten nicht wegen ihrer Eltern leiden.«

»Das stimmt, Madam.«

»Kinder sind immer unschuldig.«

»Immer, Madam.«

Als sie dem Central Park West näher kamen, schwieg sie wieder. Er hörte, wie sie ihre Handtasche öffnete und den Reißverschluss mindestens eines Fachs der Tasche aufzog und wieder zuzog, bevor sie ihr Puder und einen Lippenstift herausnahm.

»Es geht sicher gut aus für die Kinder«, sagte sie, als er vor dem Restaurant parkte und sie sich im Handspiegel die Lippen nachzog und sie frisch geschminkt spitzte. »Irgendwie wird sich schon eine Lösung finden.«

»Danke, Madam«, sagte er und zwang sich zu einem Lächeln. »Ich gebe mein Bestes.«

»Natürlich«, sagte sie, als würde sie stark anzweifeln, dass es bei ihm so etwas wie »ein Bestes« gab.

Als er um den Wagen herumgelaufen kam und ihr die Tür aufhielt, erinnerte sie ihn daran, dass er sie in zwei Stunden abholen sollte, und zog dann überraschend einen Scheck aus dem vorderen Fach ihren Handtasche.

»Das bleibt unter uns, okay?«, sagte sie leise und dicht an seinem Ohr. »Ich möchte nicht, dass andere Leute denken, ich hätte die Angewohnheit, Hilfsgelder an bedürftige Familien zu verteilen.«

»Oh, Papa Gott, Madam!«

»Sie können den Scheck einlösen und Ihrem Bruder das Geld

schicken, während ich zu Mittag esse. Ich fände es schrecklich, wenn diese armen Kinder wegen so wenig Geld nicht zur Schule gehen könnten.«

»Ich … ich weiß gar nicht, was ich sagen soll, Madam! Ich danke Ihnen so sehr! Ich bin so … ich will Ihnen nur … Ich möchte Ihnen nur so sehr … Mein Bruder und meine ganze Familie, wir sind Ihnen sehr dankbar, Madam!«

Sie lächelte und ging, ließ ihn mit halb geöffnetem Mund auf dem Bürgersteig stehen. Als sie die Stufen hinaufgestiegen war und das Restaurant betreten hatte, faltete er den Scheck auseinander und schaute auf die Summe. Fünfhundert Dollar. Er stieg wieder in den Wagen und schaute erneut auf den ausgestellten Betrag. Fünfhundert Dollar? Mrs Edwards war seine Rettung! Aber sein Bruder hatte ihn um dreihundert Dollar gebeten. Sollte er ihm das ganze Geld schicken, weil Mrs Edwards es ihm so aufgetragen hatte? Er rief Neni an, um ihr die Geschichte zu erzählen und ihre Meinung zu hören, aber sie ging nicht ran; wahrscheinlich war sie in der Bibliothek und hatte das Telefon stumm gestellt, weil sie für ihre Abschlussprüfungen lernte. Er wollte nicht bis zum Abend warten und es erst dann mit ihr besprechen, schließlich hatte Mrs Edwards ihn gebeten, das Geld noch heute zu verschicken, und er musste tun, was sie ihm aufgetragen hatte. Sein Leben auf dieser Erde hatte ihn gelehrt, dass denen Gutes widerfährt, die die Gutherzigkeit anderer auch würdigten. Also rannte er, nachdem er den Wagen geparkt hatte, nicht in den Central Park, sondern zu einer Filiale der Chase Manhattan Bank gegenüber dem Lincoln Center, löste den Scheck ein und lief dann auf dem Broadway Richtung Norden. Er hielt sich auf der rechten Seite, hetzte und schwitzte unter dem makellos blauen Himmel und war so konzentriert darauf, eine Western-Union-Filiale zu finden und wieder pünktlich bei Mrs Edwards zu sein, dass er ganz vergaß, das herrliche Wetter zu genießen. Irgendwo in der Nähe der 75. Straße fand er eine und schickte seinem Bruder die dreihundert Dollar, die er für seine Kinder brauchte. Auf keinen Fall konnte er seinem Bruder mit gutem Gewissen den vollen Betrag schicken, dafür kannte er ihn zu gut – Tanga würde mit dem Geld entweder ein Geschenk für eine seiner neuen Freundinnen kaufen oder sich selbst ein Paar Lederschuhe, während seine eigenen Kinder mit dürftig zusammengehaltenen Gummischlappen zur Schule gehen mussten. Außerdem war es besser für Jende, die zweihundert Dollar zu sparen, schon bald würde ihn ein anderer Bruder oder Cousin oder Schwager oder Freund anrufen und sagen, dass er Geld für Krankenhausrechnungen oder neue Schuluniformen oder Taufkleider oder privaten Französischunterricht brauche, denn seit die Regierung verkündet hatte, dass die nächste Generation von Kamerunern fließend Französisch und Englisch zu sprechen habe, mussten alle Kinder in Kamerun zweisprachig sein. Irgendjemand von zu Hause brauchte immer irgendwas von ihm; es verging kein Monat, in dem er nicht angerufen und um Geld gebeten wurde.

Als er mit den zweihundert Dollar in der Hosentasche im Wagen saß und auf Cindy wartete, hoffte er inständig, dass sie nicht nachfragen würde, ob er das ganze Geld geschickt hätte, denn dann würde er entweder nur die halbe Wahrheit sagen können oder ihr lang und breit erklären müssen, wie das lief, wenn man Verwandten zu Hause Geld schickte, und dass manche von ihnen überhaupt nicht an die dachten, die ihnen das Geld schickten, weil sie glaubten, in Amerika liege das Geld auf der Straße.

Zwanzig Minuten später stieg Cindy in den Wagen und griff sofort zum Telefon.

»Ich bin immer noch sprachlos, Cheri«, sagte sie. »Vollkommen sprachlos ... Verdammt noch mal! Mike? Ausgerechnet er? ... O Gott, es tut mir so leid für sie ... Natürlich steht sie völlig unter Schock. Als ich reinkam, dachte ich gleich, dass sie leicht mitgenommen aussieht, aber das ... Das hat sie nicht verdient! ... Nein! ... Sie hat immer alles für ihn getan. Dreißig Jahre Ehe und dann beschließt dein Mann eines Tages, dass er eine andere liebt? Ich würde tot umfallen ... Na und ob ich tot umfallen würde ... Okay, vielleicht würde ich nicht tot umfallen, aber ich würde es am nächsten Tag ganz sicher nicht aus dem Bett schaffen, um euch zum Mittag zu treffen … O Gott! Ja, natürlich! Oje, das hätte auch ich sein können … ich habe das Gefühl, dass es mir irgendwann genauso ergehen wird, Cher. Eines Tages werde ich aufwachen, und Clark wird sagen, dass er eine andere hat, die jünger und schöner ist, schrecklich! … Ja, ja, weg mit der Alten, her mit der Neuen … Ist mir egal, ob sie fünfundvierzig ist, sie kann nicht viel besser aussehen als June … ich auch nicht. Keine von all diesen Schlampen hat in meinen Augen je groß was hergemacht … Ich meine, manche von denen … Es geht doch nie ums Aussehen. Gestern Abend waren wir mit den Steins essen, und die Kellnerin, die war ganz bestimmt nicht umwerfend hübsch, mal abgesehen von einem niedlichen irgendwie osteuropäischen Akzent, aber du hättest mal sehen sollen, wie Clark sie mit den Augen verschlungen hat … Vielleicht Anfang dreißig … Jedes Mal, wenn sie an unseren Tisch gekommen ist, Cher … Nein, das ist kein Witz … Natürlich macht er das immer noch, direkt vor meiner Nase … Unauffällig? … Letzte Nacht nicht; ich musste auf die Toilette gehen, um mich zu beruhigen … Ja, so heftig war es. Demütigend … Vielleicht war das auch alles nur in meinem Kopf, weil ich gar nicht dort sein wollte, aber wie er mit ihr gesprochen und sie angelächelt hat, neugierig nach ihrem Tattoo gefragt hat … Na und ob es das war! Das hat mir noch mal ein paar Dinge klargemacht, weißt du … Ich weiß einfach nicht, ob …«

14.

Es war Neni unbegreiflich, was Leute an Bars fanden. Warum würde irgendwer, um sich mit seinen Freunden zu unterhalten, stundenlang an einem überfüllten Ort herumstehen wollen und sich die Lunge aus dem Leib schreien, wenn man doch gemütlich zu Hause sitzen und in Ruhe miteinander reden konnte? Warum saßen da Leute in einem dunklen Raum und nahmen Getränke zu sich, die viermal so viel kosteten wie im Supermarkt? Sie fand es sonderbar, Zeit und Geld auf diese Weise zu verschwenden, und die Entscheidung von Winston fand sie noch sonderbarer. Er wohnte allein in einer sechsundfünfzig Quadratmeter großen Zweizimmerwohnung in einem Apartmenthaus mit Portier, und trotzdem feierte er mit ein paar Freunden in der Bar des Hudson Hotels gegenüber.

»Aber in deine Wohnung passen mindestens dreißig Leute«, hatte Neni zu ihm gesagt, als er vorbeischaute und Jende und sie einlud. »Ich kann zu dir kommen und das Essen für die Party kochen.«

»Und wer räumt am nächsten Tag auf?«, hatte Winston sie gefragt.

»Du hast eine Putzfrau!«

»Nein, danke, das ist mir alles viel zu viel Stress«, sagte er. »Und warum machst du wegen einem Barbesuch so ein *sisa*? In Limbe bist du doch auch gern zu Drinking Spots gegangen!«

»Ja, Drinking Spots, die mag ich. Und?«

»Und das ist genau dasselbe.«

»Dasselbe? Warte mal, willst du amerikanische Bars mit Drinking Spots in Limbe vergleichen?«

»Warum nicht? Du gehst hin, bestellst dir was zu trinken, machst es dir irgendwo bequem, genießt –«

»Ach komm, Winston, das ist ein Witz«, sagte Neni und lachte. »Das lässt sich überhaupt nicht vergleichen, okay? In Limbe sitzt man draußen, es ist warm und die Sonne scheint. Man genießt die kühle Brise, im Hintergrund läuft Makossa und man beobachtet die vorbeilaufenden Leute. Das ist herrlich. Nicht wie hier, wo man –«

»Wie viele amerikanische Bars hast du schon von innen gesehen?«

»Warum muss ich da rein? Ich sehe sie im Fernsehen – das reicht. Alle tun so, als ob in Amerika alles besser ist als irgendwo anders. Amerika hat nicht immer das Beste von allem, und wenn man irgendwo nett was trinken gehen will, kann es niemals mit Kamerun mithalten. Selbst wenn jemand –«

»Neni, bitte, Schluss jetzt, das reicht«, unterbrach Jende sie. »Wir gehen einfach hin, okay?«

»Vielleicht«, sagte sie und machte einen Schmollmund.

»Du wirst Spaß haben und ich trinke diesen Cocktail, der hier so beliebt ist, Sex on the Beach«, sagte Jende mit einem Augenzwinkern, worauf Neni augenrollend aus dem Wohnzimmer ging.

Am Partyabend kamen sie eine Stunde zu spät, weil Neni sich nicht hatte entscheiden können, welche Bluse sie tragen sollte, um sexy, aber auch seriös auszusehen. Als sie Händchen haltend die Bar betraten, Neni dicht hinter Jende, stand Winston umgeben von Freunden in der Nähe des Tresens. Neben Winston und seinen Freunden saßen zwei Männer auf Barhockern, die sich lächelnd so dicht zueinander beugten, dass Neni überzeugt war, gleich ihren ersten Männer-Kuss mitzuerleben. Beim Anblick der beiden dachte sie an ihren Lehrer – dem sie schließlich ein A als Abschlussnote in Mathe zu verdanken gehabt hatte und damit einen Semesterdurchschnitt von 3,7 –, und sie fragte sich, wie sein Freund wohl aussah und wie weit die beiden mit ihrem Adoptionsverfahren waren, das sie, wie ihr Lehrer ihr am letzten Schultag erzählt hatte, schon jetzt anstrebten, weil er auf die vierzig zuging und nicht mehr bis zum Ende seiner Promotion warten wollte.

»Was machen wir jetzt?«, flüsterte ihr Jende ins Ohr, als sie unsicher an der Tür standen und überlegten, wie sie sich am besten einen Weg durch die vielen Bier trinkenden und mit Cocktails umherwirbelnden Gäste bahnen sollten. Sie zuckte mit den Achseln; woher sollte sie wissen, wie man sich an einem Ort wie diesem verhielt? Da sie keine andere Wahl hatten, als auf die Rettung durch Winston zu warten, blieben sie an der Tür stehen, winkten ihm immer wieder mal zu und hofften, er würde sie sehen, was er erst tat, als einer seiner Freunde ihnen zurückwinkte. Winston hob einen Finger in die Luft und formte etwas mit den Lippen, schien sich aber nicht von seinen Freunden losreißen zu können, also blieben Jende und Neni am Eingang stehen, die Hände fest verbunden wie benachbarte Bäume mit verwobenen Ästen, verlagerten unbeholfen ihr Gewicht von einem Fuß auf den andern und schauten in die ausgelassene Menge, obwohl sie wussten, dass sie in diesem Raum voller gut aussehender junger Weißer kein einziges bekanntes Gesicht entdecken würden.

»Ich geh zur Toilette«, flüsterte Neni Jende ins Ohr und hastete los, bevor er irgendetwas darauf sagen konnte. Beim Blick in den Spiegel merkte sie, dass ihre Wangen glühten, und das lag in dem klimatisierten Raum ganz sicher nicht an der Hitze. Was würde sie jetzt zwei Stunden lang da draußen machen, was sollte sie zu den Leuten sagen? Sie war noch nie zu einer Party mit überwiegend Weißen eingeladen gewesen, und selbst wenn, wäre sie nicht hingegangen. Sie machte das hier nur für Winston, aber vielleicht hätte sie zu Hause bleiben und ihm *fufu* und *eru* als Geburtstagsgeschenk kochen sollen. Dieser Ort hier war nichts für sie; die Leute waren nichts für sie. Winston hatte Freunde jeder Hautfarbe, das wusste sie, aber sie hatte keine Ahnung gehabt, dass er so viele weiße Freunde hatte – sie selbst hatte keine einzige nicht afrikanische Freundin und hatte sich nie auch nur ansatzweise mit einer weißen Person angefreundet. Mit ihnen in einer Klasse zu sein, für sie zu arbeiten oder sie ihm Bus anzulächeln, war eine Sache, aber stundenlang mit ihnen zu lachen und zu plaudern und dafür zu sorgen, dass sie auch jedes Wort so aussprach, dass ihr nicht gesagt wurde, ihr Akzent sei schwer zu verstehen, war etwas vollkommen anderes. Undenkbar, dass sie Zeit mit einer Weißen verbrachte und sich ihr gegenüber so natürlich verhielt, als wäre sie mit Betty und Fatou zusammen. Worüber sollten sie reden? Worüber lachen? Außerdem konnte sie es nicht ausstehen, wenn sie etwas sagte und die Weißen sie dann anlächelten und nickten, sie ihnen aber genau anmerkte, dass sie überhaupt nicht wussten, was sie gerade gesagt hatte. Und die Leute in der Bar, die sahen aus, als wären sie genau so drauf – fast alle arbeiteten in derselben Wirtschaftskanzlei wie Winston, also musste sie vorsichtig sein, damit er nicht blöd dastand. Nichts war in ihren Augen so peinlich wie Schwarze, die sich vor Weißen blamierten, weil sie sich genauso aufführten, wie Weiße es von ihnen erwarteten. Das war der Hauptgrund, warum sie sich mit Afroamerikanern so schwertat: Sie blamierten sich ständig vor Weißen, und es schien ihnen völlig egal zu sein.

Sie tupfte sich mit einem Taschentuch den Schweiß ab. Sie zog ihren dunkellila Lippenstift nach, der gar keine Auffrischung brauchte. Das hier war eine gute Übung, dachte sie, als sie zurück in den Barraum ging und ihre rote Neckholder-Bluse über die Jeans nach unten zog, die lästigerweise immer wieder hochrutschte und sich unterhalb des Gürtels zusammenschob und Falten schlug. Sie war froh, dass Jende ihr die High Heels ausgeredet hatte, sie fühlte sich auf den fünf Zentimeter hohen Cowgirlstiefeln mit den hineingesteckten Jeans schon wacklig genug. Aber sie musste sich jetzt locker machen und so tun, als würde sie sich jeden Abend in Bars wie dieser vergnügen. War sie erst einmal Apothekerin, würde sie ständig auf irgendwelche Partys mit Weißen gehen müssen. Hoffentlich war ihr Akzent dann nicht mehr so stark, wie von einem ihrer Professoren behauptet; vielleicht hatte sie bis dahin gelernt, langsamer zu sprechen. Aber heute Abend wollte sie versuchen, so langsam zu sprechen wie nur möglich und dann zu lächeln. Solange sie lächelte, würde keiner sie bitten, alles dreimal zu wiederholen.

Zurück im Getümmel der Bar, konnte sie kurz weder Jende noch Winston entdecken und stand deshalb alleine herum, schaute sich im Raum um und lächelte unbestimmt in die Runde. Dann sah sie Jende, der sich in Türnähe mit jemandem unterhielt, wahrscheinlich einem von Winstons Freunden, den er in der ersten Zeit nach seiner Ankunft in Amerika kennengelernt hatte, als er einen Monat lang bei Winston einquartiert war.

Sie überlegte gerade, ob sie sich zu Jende gesellen oder sich auf Winstons Rechnung ein Glas Mineralwasser bestellen sollte, als plötzlich eine Weiße mit lockigen dunklen Haaren und einem Cocktail vor ihr stand und sie anlächelte, als hätte sie gerade einen einzigartigen Fund gemacht.

»Oh, wie schön«, sagte die junge Frau strahlend. »Du musst Neni sein!«

Neni nickte und versuchte, möglichst breit zu lächeln.

»Ich bin Jenny. Winstons Freundin.«

»Winstons Freundin?«

»Ich freue mich so, dich endlich mal kennenzulernen!«, sagte Jenny und umarmte Neni.

»Ich freue mich auch«, sagte Neni, die Probleme hatte, die Hip-Hop-Musik, die ihr aus allen Richtungen ins Ohr dröhnte, wohlartikuliert zu überschreien.

»Amüsierst du dich?«, brüllte Jenny und kam näher. »Möchtest du was trinken?«

Neni schüttelte den Kopf.

»Ich bin so froh, dich endlich mal kennenzulernen!«, brüllte Jenny noch einmal. »Ich hab schon so viel von dir gehört.«

»Danke. Ich freue mich auch, dich kennenzulernen.«

»Ich hab schon zu Winston gesagt, dass wir mal etwas zusammen machen sollten, wir vier, aber bei vier Leuten mit unterschiedlichen Arbeitszeiten ist es so schwer, einen passenden Tag zu finden. Aber das müssen wir mal hinkriegen. Ist Jende hier?«

Neni nickte und dachte immer noch grinsend: Winstons Freundin?

»Wie gefällt dir New York? Winston hat mir erzählt, dass du erst seit zwei Jahren hier bist.«

»Ich liebe New York. Ich liebe es sehr. Ich bin sehr glücklich, dass ich hier bin.«

»Ich würde so gern mal nach Kamerun fliegen!«, sagte Jenny mit seltsam verklärtem Blick. »Winston scheint es mit einem Besuch nicht so eilig zu haben, aber ich bin dabei, ihn zu überreden, dass wir irgendwann nächstes Jahr hinfliegen.«

Neni schaute Jenny an, die übers ganze Gesicht strahlte und an ihrem Cocktail nippte, und wusste nicht, ob sie lachen oder Mitleid mit ihr haben sollte. Was glaubte sie denn? Winston würde nie im Leben eine Weiße heiraten. Er machte sich gar nicht erst die Mühe, seiner Familie die Frauen vorzustellen, mit denen er schlief, weil er sie wechselte wie andere Leute ihre Unterwäsche. Neni und Jende wussten im Moment nur, dass er etwas mit einer der Mitarbeiterinnen in der Kanzlei hatte: und das war offensichtlich Jenny. Die Arme. Wie ihre Augen leuchteten, immer wenn sie seinen Namen sagte. Sie schien zwar kaum älter als sechsundzwanzig zu sein, war aber damit doch alt genug, um zu wissen, dass erfolgreiche Männer aus Kamerun wie Winston eigentlich nie Frauen heirateten, die nicht auch aus Kamerun kamen. So lange wie möglich erfreuten sie sich an jedem nur erdenklichen Frauentyp: an Weißen, Asiatinnen, Latinas oder fernöstlichen Schönheiten, an allen möglichen Frauen mit allen möglichen Hautfarben, die sich mit ihnen einließen, weil sie vernarrt waren oder ernsthaft verliebt oder schlichtweg neugierig. Aber wie viele von ihnen heirateten eine von diesen Frauen, wenn es an der Zeit war, sich eine Ehefrau zu suchen? Nur sehr wenige. Und Winston gehörte sicher nicht dazu. Wenn er keine gute Bakwiri-Frau fand, würde er jemanden aus einem Stamm aus der südwestlichen oder nordwestlichen Provinz heiraten (aber definitiv keine Bangwa, weil seine Mutter Bangwas aus irgendeinem Grund hasste). Er würde eine Frau aus seinen eigenen Reihen heiraten, weil ein Mann wie er auf Dauer nur mit einer Frau zusammen sein konnte, die sein Herz verstand, seine Werte und Interessen teilte, die es verstand, ihm alles zu geben, was er brauchte, die akzeptierte, dass seine Kinder so erzogen werden mussten, wie seine Eltern ihn erzogen hatten, und all das würde nur einer Frau aus seinem eigenen Land gelingen.

»Da bist du ja«, sagte eine Stimme hinter ihr. Neni drehte sich um und vor ihr stand noch eine junge Frau mit einem Cocktail in der Hand, wahrscheinlich eine Freundin von Jenny. Auch Jenny drehte sich um, umarmte die andere Frau und stellte Neni als Winstons Cousine vor, die gerade erst aus Afrika gekommen war. Gerade erst gekommen?, dachte Neni. Sie war nicht *gerade erst aus Afrika gekommen*. Sie überlegte kurz, Jenny zu korrigieren, aber da sie nicht wusste, ob das unhöflich war, zwang sie sich dazu, die Freundin anzulächeln, die nickte, aber sonst kaum Notiz von ihr nahm. Die Freundin fing an, Jenny irgendetwas zu erzählen, und kurz darauf waren die beiden in ein Gespräch vertieft, an dem Neni nur in der Rolle der lächelnden Zuschauerin teilhatte. Nach zehn Minuten, in denen sie nichts anderes tun konnte, als sich selbst zu beweisen, dass sie sich völlig locker in einer Bar aufhalten konnte, entschuldigte sie sich und ergriff die Flucht; die beiden Frauen unterbrachen kaum ihr Gespräch, um sich zu verabschieden. Sie drängte sich durch die Menge, die sich verdreifacht zu haben schien, seit Jende und sie gekommen waren, und stieß aus Versehen gegen das Getränk eines jungen Mannes. Es ging zwar nichts daneben, aber der Mann sah sie mit einem Blick an, der ganz definitiv bedeutete: Was zum Teufel machst du hier, du dumme afrikanische Pute?

Jende stand jetzt allein dort, wo sie ihn zuletzt gesehen hatte, sog an seinem Strohhalm und bewegte sich in seinem gelben Madibahemd langsam zur Hip-Hop-Musik.

»Von mir aus können wir gehen«, sagte sie ihm ins Ohr.

»Warum?«, fragte er. »Ich habe mich schon gefragt, wo du bist. Hast du was getrunken?«

»Ich möchte nichts.«

»Ist dir wieder schlecht? Könnte dir eine Cola vielleicht –?«

»Hab ich gesagt, dass mir schlecht ist? Ich will gehen.«

»Ach komm schon, Neni. Nur noch eine halbe Stunde. Ich hatte erst zwei Sex on the Beach.«

»Dann bleib. Ich gehe.«

»Willst du Winston nicht Hallo sagen und zum Geburtstag gratulieren?«

»Ich rufe ihn morgen an.«

Draußen auf der 58. Straße war die Luft angenehm frisch und kühl, der Geräuschpegel bis auf zwei vorbeirasende Krankenwagen auf dem Weg zum Roosevelt Hospital, das einen Block entfernt lag, erträglich. Im Versuch, die Erinnerung an das auszublenden, was sich dort vor einem Jahr ereignet hatte, als sie nachmittags mit ihrer Freundin Betty auf die Entbindungsstation gerast war, weil Betty schreckliche Krämpfe gehabt hatte, drehte sie den Kopf weg. Betty hatte einen Notkaiserschnitt über sich ergehen lassen müssen, doch das Baby war tot geboren worden.

»Komm, wir setzen uns noch ein bisschen an den Columbus Circle«, sagte Jende, und sie stimmte gleich zu und schob das Bild des leblosen Neugeborenen weg, von dem sie wünschte, sie hätte es nie gesehen. Jende erzählte, wie gut er sich mit einem von Winstons Freunden unterhalten hätte, aber sie hörte gar nicht richtig zu. Zum ersten Mal fiel ihr etwas auf: Die meisten Leute waren mit jemandem unterwegs, der aussah wie sie. Auf beiden Straßenseiten sah sie Leute mit ihresgleichen: ein Weißer, der mit einer weißen Frau Händchen hielt, ein Schwarzer im Teenageralter, der mit anderen Schwarzen (oder Latinos) herumalberte; eine Weiße mit einem Kinderwagen neben einer anderen Weißen mit Kinderwagen, eine Schwarze, die mit einer Schwarzen redete. Sie sah vier Asiaten im Smoking und eine Gruppe von Freunden mit unterschiedlichen Hautfarben, aber alle ähnlich schick angezogen. Die meisten Leute waren mit jemandem ihresgleichen zusammen. Selbst in New York, in diesem Schmelztiegel der verschiedensten Nationen und Kulturen, umgaben Männer und Frauen, Junge wie Alte, Arme und Reiche sich am liebsten mit Menschen, die waren wie sie, wenn es um die ging, die ihnen am nächsten standen. Und warum sollte es auch anders sein? Es war viel einfacher so, als seine begrenzte Kraft dafür zu verschwenden, sich in eine Welt einzufügen, in die man einfach nicht gehörte. Genau das war an New York so großartig: Es hielt für jeden eine Welt bereit. Neni hatte ihre Welt in Harlem, nie wieder würde sie versuchen, sich in eine Welt in Midtown hineinzudrängen, nicht mal für eine Stunde.

Als sie am Columbus Circle ankamen, rief sie Fatou an, die sagte, Liomi würde es gut gehen, sie könnten so lange wegbleiben, wie sie wollten. Also setzten sie sich Händchen haltend nebeneinander auf die Stufen des Columbus-Denkmals, um sie herum Skateboarder, junge Pärchen und Obdachlose, und schauten in Richtung Norden auf die im Kreisverkehr fahrenden Autos, die dann die Central Park West hochfuhren. Die Frühlingsluft war kälter, als ihr lieb war, aber nicht so schlimm, dass es sie zur U-Bahn getrieben hätte. Und selbst wenn es so kalt gewesen wäre, wäre sie geblieben, schließlich konnte sie nicht jeden Abend den Geräuschen der Stadt lauschen und die Millionen aufblitzender Lichter genießen, was sie daran erinnerte, dass sie noch immer ihren Traum lebte. Bubakar hatte ihnen versichert, dass sie noch viele Jahre im Land bleiben würden, was für sie noch viele Jahre in New York bedeutete. Bei dem Gedanken musste sie unwillkürlich grinsen, rückte näher an Jende heran und kuschelte sich an ihn.

»Das ist der beste Platz in der ganzen Stadt«, sagte er. Sie fragte nicht nach, denn sie wusste, warum.

Während der ersten Wochen in Amerika war Jende jeden Abend an diesen Ort gekommen, um die Stadt aufzusaugen. Hier hatte er oft gesessen und sie angerufen, wenn er so einsam und voller Heimweh gewesen war, dass nur ihre Stimme ihn hatte trösten können. In diesen Telefonaten hatte er sie gefragt, wie es Liomi ging, was sie gerade trug, was sie am Wochenende vorhatte, und sie hatte ihm alles erzählt und seine Sehnsucht nach ihrem strahlenden Lächeln war nur noch größer geworden, die Sehnsucht nach der Feuerstelle in der Küche seiner Mutter, der sanften Brise am Down Beach, Liomis fester Umarmung, den derben Scherzen und dem Gelächter seiner Freunde, wenn er bei einem Guinness mit ihnen am Drinking Spot gesessen hatte; und er sehnte sich nach all dem, was er am liebsten niemals zurückgelassen hätte. Wenn er in dieser Stimmung war, hatte er ihr dann erzählt, kamen ihm oft Zweifel, ob es sich überhaupt lohnte, sein Zuhause für die Suche nach etwas so Flüchtigem wie Glück zu verlassen.

»Weißt du, was mir jetzt klar wird?«, sagte er zu ihr.

»Was denn?«, fragte sie und sah ihn liebevoll an.

»Wir sitzen am Mittelpunkt der Welt.«

Sie lachte. »Du bist zu komisch«, sagte sie.

»Nein, überleg mal«, sagte er, »der Columbus Circle ist der Mittelpunkt von Manhattan. Manhattan ist der Mittelpunkt von New York. New York ist der Mittelpunkt von Amerika. Und Amerika ist der Mittelpunkt der Welt. Also sitzen wir am Mittelpunkt der Welt, richtig?«

15.

Auf dem Weg zum Golfplatz in Westchester klagte Clark über Nackenschmerzen, grummelte vor sich hin, weil Phil noch eine ganze Reihe anderer Leute eingeladen hatte, weshalb er jetzt nicht einfach einen Rückzieher machen konnte, und beschwerte sich, dass er seinen Nachmittag für eine Unternehmung hergeben musste, an der ihm gar nichts lag, wo er doch im Büro sein könnte. Jende hörte ihm zu und nickte, gab Clark wie immer recht mit allem.

»Golf ist einfach nicht mein Ding«, sagte Clark. »Viele Leute tun so, als ob es voll ihr Ding wäre, aber ich könnte kaum weniger Lust haben, da hinzugehen, wenn es nicht so wichtig wäre, auch mal außerhalb des Büros Zeit mit den Jungs zu verbringen.«

»Es sieht schwer aus, Sir.«

»Das ist es absolut nicht. Sie sollten es irgendwann mal ausprobieren.«

»Das mache ich, Sir«, sagte Jende, obwohl er keine Ahnung hatte, wie und wo er je zum Golfen kommen sollte.

Auf halber Strecke zum Golfplatz in Rye rief Clarks Mutter an, die sich nach ihm erkundigen wollte, und er stellte den Lautsprecher an, was er ihr gegenüber damit begründete, dass er die Verspannung im Nacken nicht noch schlimmer machen wolle. Seine Mutter dankte ihm für das Geburtstagsgeschenk und erzählte gerade die lustige Geschichte, wie sie zufällig einem früheren Nachbarn aus Evanston in die Arme gestolpert sei, als ein zweiter Anruf reinkam. Clark sagte, er müsse Schluss machen, und versprach, zurückzurufen, sobald er mit seinem Boss auf der anderen Leitung gesprochen habe.

»Na, grad auf dem Weg zu Phil und den anderen?«, fragte Tom. Die Stimme aus dem Lautsprecher klang bei Weitem nicht so eindrucksvoll, wie Jende sich die Stimme eines Firmenbosses vorgestellt hatte. Sie klang angenehm, aber es fehlte ihr an Clarks Autorität.

»Ja, du kommst doch auch, oder?«

»Kann leider nicht. Michelle fühlt sich nicht gut.«

»Das tut mir leid.«

»Wie geht es Cindy?«, fragte Tom nach einer kurzen Pause. »Sie sah umwerfend aus am Donnerstag.«

»Ja, sie achtet gut auf sich.«

»Ich hab mitbekommen, dass ein paar Typen in der Bar sich gefragt haben, wer sich die wohl geangelt hat.«

Clark lachte. »Zurzeit freut mich jedes Kompliment«, sagte er.

Jende räusperte sich, nicht weil es ihm im Hals kratzte, sondern weil er merkte, dass Tom gleich etwas Wichtiges sagen würde, und er Clark daran erinnern wollte, dass er gerade mithörte, und es besser war, den Freisprechmodus auszustellen. Jende wusste auch so schon genug über Lehman und wollte lieber nichts weiter mitkriegen, vor allem nichts, was er dann versucht wäre, an Leah weiterzugeben, die über ihn ständig an Details herankommen wollte, um den Ernst der Lage besser einschätzen zu können. Er sagte jedes Mal, er würde nichts wissen, aber die Frau ließ einfach nicht locker.

»Also«, sagte Tom schließlich und kam endlich zur Sache, »du weißt wahrscheinlich, warum ich anrufe.«

»Ich nehme an, du hast mit Donald gesprochen«, sagte Clark. »Ich hatte gehofft, ich könnte –«

»Clark, es steht dir nicht zu, hinter meinem Rücken zu einem Aufsichtsratsmitglied zu gehen.«

»Das war auch nicht meine Absicht. Wir sind uns zufällig über den Weg gelaufen, als ich gerade zu Mightys Hockeyspiel wollte, da hab ich ihm kurz gesagt, dass ich gerade versuche, einen Termin mit dir zu vereinbaren, für ein Gespräch über –«

»Über was?«, fragte Tom und seine Stimme wurde lauter. »Über diese Schwachsinnsidee von dir, mit der Wahrheit an die Öffentlichkeit zu gehen? Die Strategie zu ändern? Was glaubst du eigentlich, was wir hier machen? Kindergartenspielchen?«

»Tom, ich finde, wir müssen unsere Langzeitstrategie ändern«, sagte Clark, der ebenfalls lauter wurde. »Ich rede schon die ganze Zeit davon und ich bleibe dabei. Wir sitzen hier und tun so, als hätten wir es mit Kräften zu tun, die außerhalb unseres Kontrollbereichs liegen, dabei stimmt das nicht. Es ist einfach eine Frage anderer Betrachtungsweisen und Modelle. Im August, als glasklar war, dass die ABS sich nicht erholen würden und sich der Schaden bald über die Subprime-Hypotheken hinaus bis auf die Kredite im Alt-A-Segment ausweiten würde, da war ich bei dir. Erinnerst du dich noch an unser Gespräch und dass ich gesagt habe, wir müssten das Steuer rumreißen?«

»Worauf willst du hinaus?«

»Als Danny und du, als ihr die Chinesen ausgelacht habt, habe ich darauf gedrängt, jede Geldspritze anzunehmen, die wir kriegen können, um rauszukommen aus dieser beschissenen –«

»Und der Welt sagen, dass wir am Arsch sind? Super Idee! Machen wir uns zum Gespött der Nation!«

»Bear Stearns wollte sich auch nicht zum Gespött machen!«

»Wir sind nicht BS! Wir sind Lehman, und wenn du das nicht weißt, wenn du nicht weißt, dass wir *The Brothers* sind und immer gewinnen, dann kann ich dir echt nicht helfen, Clark! Wenn du nicht an das glaubst, was wir hier machen, dann verschwendest du seit zweiundzwanzig Jahren deine Zeit.«

Jende hörte Clark verächtliches Schnauben und stellte sich vor, dass er auch den Kopf schüttelte.

»Was gibt's da zu lachen?«, fragte Tom.

»Ich sage doch lediglich, dass wir unsere Strategie etwas ändern müssen, bei der Geldbeschaffung vielleicht etwas aggressiver vorgehen sollten. Alle anderen an der Street sammeln Gelder ein, und wir sitzen hier und gaukeln den Aktionären vor, wir wären auch weiterhin finanzstark. Wenn wir doch wenigstens –«

»Du wirst mich nicht noch mal übergehen und einfach so mit einem Mitglied vom Aufsichtsrat sprechen, ist das klar?«

Clark atmete tief ein und dann wieder aus, antwortete aber nicht.

»Sind wir uns einig?«, fragte Tom.

Clark reagierte wieder nicht.

»Und was dein Wahrheitsgefasel angeht –«

»Was glaubst du, wie lange es dauert, bis die Welt von unserer Schuldenquote erfährt?«, sagte Clark. »Willst du dich etwa vor die Presse stellen und sagen, du hättest nichts von den ›Repo 105‹ gewusst? Weil wir das nur noch für eine gewisse Zeit aufrechterhalten können und irgendwann müssen wir dann –«

»Und du glaubst ernsthaft, dass es uns wieder auf Kurs bringt, wenn wir allen zeigen, dass wir Dreck am Stecken haben? Du denkst also, wir sollten auf dich hören, nur weil du beschlossen hast, dir ein verfluchtes Gewissen zuzulegen?«

»Hier geht es nicht um Gewissensfragen! Du weißt, dass ich ein Spieler bin. Du weißt, dass ich genauso gern gewinne wie alle anderen und alles mittrage, was es braucht, damit wir gewinnen. Aber ab einem bestimmten Punkt müssen wir uns eingestehen, dass wir zu weit gegangen sind, und wenn wir mit diesem Tempo weitermachen, dann …«

»Ach, wirklich?«, sagte Tom spöttisch. »Und wie viel langsamer sollten wir deiner Meinung nach werden, ohne dass wir uns allzu sehr von der Spitzenposition entfernen? So langsam wie in den Siebzigern? Warum springen wir nicht in einen 75er Buick, während uns alle anderen in einem 08er-Modell überholen? Genau das willst du doch, oder? Dass alle versuchen, lieb und nett zu sein, weil wir viel zu skrupellos geworden sind.«

»Das habe ich mit keiner Silbe –«

»Ich kann dir schlichtweg nicht helfen«, sagte Tom fast schon einfühlsam. »Ganz egal, in welcher Krise du gerade steckst, ich kann nichts für dich tun, und offen gesagt ist das jetzt auch nicht unbedingt der beste Zeitpunkt dafür.«

»Tom, ich sage doch nur, dass wir zeigen sollten, dass wir für etwas Besseres stehen als alle anderen. Das könnte unsere Rettung sein. Wenn wir mit den Tricksereien aufhören, die Schuld wenn nötig auf andere abzuwälzen – Wirtschaftsprüfer, eigenmächtig handelnde Trader, wen auch immer –, und uns selbst eine Chance geben, alles in Ordnung zu bringen, bevor es noch schlimmer wird. Denn im Moment setzen wir alle auf diese Täuschungsmanöver und die SEC macht einen auf dumm, aber du weißt genauso gut wie ich, dass die uns, wenn diese ganze Scheiße auffliegt und das Chaos losgeht, öffentlich an den Pranger stellen und behaupten werden, sie hätten von nichts gewusst, obwohl wir alle wissen, dass das nicht stimmt.«

»Und du glaubst, der Aufsichtsrat bricht in Jubel aus, wenn er deinen Vorschlag hört?«

»Donald war nicht direkt dagegen.«

»Wie kommst du denn darauf? Donald glaubt, du bist völlig verrückt geworden!«

»Verrückt ist, wenn wir glauben, dass wir mit dieser Art von Geschäften schon irgendwie durchkommen!«, brüllte Clark, der anscheinend nicht merkte, wie laut er geworden war. »Wir haben schon haufenweise Fehler gemacht. Wir stecken in der Scheiße, weil wir alles andere als Weitsicht bewiesen haben! Wir müssen auch über Lehman hinaus denken. An die Generation, die die Street übernimmt, wenn es uns nicht mehr gibt. Daran, wie sie über uns urteilen werden. Wie die Geschichte über uns urteilen wird!«

Bei Tom, wo auch immer er gerade war, klingelte noch ein Telefon. Er ging ran, sprach liebevoll mit jemandem, den er »Liebling« nannte, und versprach dieser Person, er würde auf jeden Fall da sein, um nichts auf der Welt würde er es verpassen.

»Ich möchte dich jetzt nur ungern verlieren«, sagte er zu Clark, nachdem er das andere Gespräch beendet hatte, seine Stimme aber noch genauso weich klang. »Wir haben jetzt achtzehn Jahre lang zusammen Höhen und Tiefen durchgestanden, und ich weiß, nein, ich bin absolut sicher, dass wir auch diese Krise überstehen. Aber wenn du der Meinung bist, das ist alles zu viel für dich, dann akzeptiere ich deine Kündigung, wenn auch nur ungern.«

»Von einer Kündigung kann keine Rede sein«, sagte Clark. »Wir befinden uns gerade mitten in einer Schlacht, und ich werde ganz sicher für Lehman kämpfen.«

»Dann ist ja gut.«

»Ja, alles gut.«

»Na, dann mach dich wieder an die Arbeit und kämpfe so, wie ich es für richtig halte. Und wenn sich mein Vorgehen irgendwann als falsch herausstellt, kannst du an diesen Moment zurückdenken und verdammt stolz auf dich sein.«

16.

Er wartete seit fünfunddreißig Minuten am Straßenrand, als Vince endlich aus seinem Apartmentgebäude kam und sich mit einem Kaffee auf die Rückbank plumpsen ließ.

»Jende, mein Freund«, sagte Vince und klopfte ihm auf die Schulter.

»Guten Morgen, Vince.«

»Tut mir echt leid, dass du warten musstest. Ich wünschte, ich hätte eine gute Entschuldigung.«

»Kein Problem. Ich werde versuchen, etwas schneller zu fahren, damit wir nicht zu spät zu deinem Termin kommen.«

»Nein, mach ganz in Ruhe. Ich bin nicht besonders scharf darauf, pünktlich beim Zahnarzt zu sein. Wenn meine Mutter nicht darauf bestehen würde, dass Dr. Mariano der beste Zahnarzt der Welt ist, würde ich niemals den weiten Weg bis Long Island fahren.«

»Es ist gut, wenn man einen Zahnarzt hat«, sagte Jende und stellte sich vor, wie herrlich es sich anfühlen musste, wenn jemand anderes einem die Zähne reinigte. Er bog rechts auf den Broadway, überquerte die 90er-Straßen und fuhr weiter Richtung Süden. In den 50er-Straßen bog er Richtung Osten ab und fuhr schließlich auf die I-495. »Willst du ein bisschen Radio hören?«, fragte er Vince.

»Nein, das passt schon«, sagte Vince leicht abwesend. Er rutschte unruhig hin und her und suchte irgendwas. »Muss mein Handy zu Hause liegen lassen haben«, sagte er dann.

»Ich kann umdrehen«, sagte Jende.

»Nein, ist schon gut.«

»Das ist überhaupt kein Problem, Vince.«

»Nein, alles gut«, sagte Vince, lehnte sich zurück und nahm einen Schluck Kaffee. »Es ist eine gute Übung, um sich mal von der Welt abzukoppeln. Außerdem kann ich mich so ungestört mit dir unterhalten und weiter versuchen, dich zu entdoktrinieren und dir die ganzen Lügen über Amerika auszureden.«

Jende lachte. »Keine Chance, Vince. Es gibt nichts, was du oder irgendwer sagen kann, um mir auszureden, dass Amerika das beste Land auf der ganzen Welt ist und Obama die Wahl gewinnt und einer der besten Präsidenten in der Geschichte von Amerika sein wird.«

»Das ist cool. Darüber will ich gar nicht groß streiten. Aber was, wenn ich dir sage, dass Amerika den afrikanischen Revolutionär Patrice Lumumba umgebracht hat, um die Ausbreitung des Kommunismus zu verhindern und die eigene Machtposition in der Welt weiter auszubauen?«

»Ah, Lumumba! Früher in Limbe hatte ich ein T-Shirt mit seinem Gesicht drauf. Immer wenn ich es anhatte, haben mich Leute auf der Straße angehalten, weil sie sich sein Gesicht ansehen wollten, und sie haben gesagt, oh, was für ein großartiger Mann.«

»Was also, wenn ich dir sage, dass Amerika diesen großartigen Mann umgebracht hat?«

»Dann sage ich, was mit ihm passiert ist, das tut mir sehr leid, aber ich kenne nicht die ganze Geschichte.«

»Ich erzähle dir die ganze Geschichte.«

Jende lachte. »Ach Vince, du bist so lustig«, sagte er. »Ich mag, wie du mir helfen willst, viele Sachen ein bisschen anders zu sehen, aber vielleicht ist es gut für mich, wie ich Amerika sehe.«

»Genau das ist das Problem! Die Menschen wollen die Wahrheit gar nicht sehen, lieber verschließen sie die Augen, weil ihnen das Trugbild viel besser in den Kram passt. Solange man sie nur immer wieder mit den Lügen versorgt, die sie hören wollen, sind sie glücklich. Ich meine, schau dir meine Eltern an – die brechen unter der Last dieser ganzen sinnlosen Zwänge fast zusammen, obwohl sie wahres Glück finden könnten, wenn sie sich nur von ihren selbst gewählten Fesseln befreien würden. Aber stattdessen folgen sie einem Weg, auf dem nur Leistungen und Erfolge und materielle Errungenschaften zählen und lauter unwichtiger Scheiß, weil es in Amerika immer nur darum geht, und jetzt sitzen sie in der Falle. Und sie schnallen das gar nicht!«

»Deine Eltern sind gute Leute, Vince.«

»Ja, auf ihre eigene Art.«

»Dein Vater arbeitet so hart. Manchmal sieht er so müde aus, da tut er mir leid, aber wenn man Kinder hat, dann macht man das.«

»Ich stelle ja gar nicht infrage, dass er auch Opfer bringt.«

»Ich finde, auch wenn du Amerika nicht so sehr magst, solltest du Gott dafür danken, dass du eine Mutter und einen Vater hast, die dir ein gutes Leben bieten. Und jetzt kannst du Jura studieren und wirst Anwalt und kannst deinen Kindern auch ein gutes Leben bieten.«

»Wer sagt hier, dass ich Anwalt werde?«

Jende antwortete nicht. Er dachte, er musste sich wohl geirrt haben; vielleicht war das Jurastudium nicht nur für Leute, die Anwälte werden wollten.

»Das ist mein letztes Semester«, sagte Vince. »Ich gehe im Herbst nicht zurück an die Uni.«

»Du machst dein Studium nicht zu Ende?«

»Ich gehe nach Indien.«

»Du gehst nach Indien!«

»Mir wäre lieber, wenn du meinen Eltern noch nichts davon sagst.«

»Nein, ich würde niemals –«

»Ich habe es dir nur erzählt, weil ich mich gern mit dir unterhalte. Und als Vater kannst du mir vielleicht einen Rat geben, wie ich es meinen Eltern am besten beibringe.«

Jende nickte und schwieg eine Weile. Der Highway war größtenteils leer und bis auf die Sirene eines Krankenwagens in der Ferne ruhig. Am Rand der Fahrspur gen Westen zeigten Anschlagtafeln Werbung für Hotels und Krankenhäuser mit Bildern gut aussehender Menschen; die Menschen im Krankenhaus sahen genauso gesund und glücklich aus wie die im Hotel.

»Ich weiß nicht, was ich sagen soll, Vince«, sagte Jende schließlich. »Ich finde, du solltest bitte zu Ende studieren und Anwalt werden. Dann kannst du vielleicht mal Urlaub in Indien machen.«

»Ich möchte kein Anwalt werden. Das wollte ich nie.«

»Warum nicht?«

»Viele Anwälte sind unglücklich«, sagte Vince. »Ich will nicht unglücklich sein.«

»Mein Cousin ist Anwalt.«

»Ist er glücklich?«

»Manchmal ja, manchmal nein. Gibt es irgendwen, der immer glücklich ist? Ein Mann kann mit jeder Art von Arbeit glücklich sein.«

»Klar.«

»Warum kannst du dann nicht glauben, dass du ein glücklicher Mann wirst, egal mit welcher Arbeit?«

»Weil ich das ganze Jurastudium schon total furchtbar finde. Ich sehe meine Kommilitonen an und fühle mich schrecklich – es macht mich traurig, dass sie wertvolle Lebenszeit damit verbringen, sich lauter Lügen eintrichtern zu lassen, um dann in die Welt zu ziehen und diese Lügen zu zementieren. Sie wissen nicht, dass sie dabei sind, Teile einer skrupellosen Maschinerie zu werden, die darauf spezialisiert ist, unschuldigen Menschen das Innerste herauszureißen. Das ganze System ist ein Witz! All diese Leute, die ein völlig sinnentleertes Leben führen, weil man ihnen eingeredet hat, dass das gut für sie ist. Die völlig abgestumpft sind, wenn es darum geht, dass sie in einer Gesellschaft leben, die von einem kaltblütigen Klüngel regiert wird. Wie lange lassen wir uns das noch gefallen? Ich meine, jetzt mal im Ernst, wie lange noch?«

Jende schüttelte den Kopf. Diese Schimpftirade, die da aus Vince heraussprudelte, ergab für ihn überhaupt keinen Sinn, aber allein an der Lautstärke und Härte seiner Stimme erkannte Jende, dass Vince das ganze Jurastudium und alles, was mit Anwälten zu tun hatte, wirklich hasste. Und er spürte, dass es hier gar nicht um

Jura oder Anwälte oder Amerika ging, sondern vor allem darum, dass Vince aus seiner Welt ausbrechen wollte und aus allem, was seine Eltern für ihn wollten, es ging darum, dass Vince ein ganz neuer Mensch werden wollte.

»Es tut mir so leid, Vince«, sagte er.

»Du musst kein Mitleid mit mir haben. Ich lebe meine Wahrheit.«

»Es tut mir aber leid ... also nicht du ... mir tut leid, wie du dich fühlst.«

Vince lachte.

»Ich werde dich nicht belügen«, sagte Jende. »Wenn mein Sohn mir sagen würde, dass er sein Jurastudium abbricht, weil er nach Indien gehen will, dann würde ich meinen *molongo* rausholen und ihm ordentlich auf den Hintern hauen, das kannst du glauben.«

»Was ist ein *molongo*?«

»Der Stock, mit dem unsere Eltern uns zu Hause geschlagen haben, wenn wir uns schlecht benommen haben. Ich habe einen für meinen Sohn, aber er hat Glück – ich kann ihn hier nicht benutzen; ich will hier keinen Ärger wegen irgendwas.«

Vince lachte wieder.

»Ich kann ihn nur anschreien –«

»Und in deinem Land würdest du ihn sogar in meinem Alter noch verprügeln?«

»Nein, Kumpel«, sagte Jende kichernd. »Ich hab grad nur einen Spaß mit dir gemacht. Unsere Eltern hören auf, uns auf den Hintern zu hauen, wenn wir so um die neunzehn sind.«

»Neunzehn!«

»Manchmal auch zwanzig. Aber eigentlich versuche ich, dir zu sagen, dass ich hoffe, dass du deine Eltern verstehst, falls sie wütend werden, wenn du ihnen diese Neuigkeit erzählst.«

Vince sagte nichts und starrte eine Minute lang aus dem Fenster. »Ich weiß, dass es nicht leicht für sie sein wird, das zu verstehen«, sagte er, »vor allem, wenn man bedenkt, dass wir so völlig unterschiedlich sind. Andererseits, ich meine, die vielen Tausend

Dollar, die sie für Dalton und Sommercamps und die NYU und Columbia ausgegeben haben, das war doch nur dafür, dass ich so werde, wie sie mich haben wollen. Damit meine Mom ihren Freundinnen von der neuen Anstellung ihres Sohnes bei Richter Soundso erzählen kann. Totaler Bullshit.«

»O Vince, irgendwann, wenn du Kinder hast, redest du nicht mehr so.«

»Das finde ich wirklich erstaunlich, du bist ganz anders, und trotzdem bist du meinen Eltern in vielem recht ähnlich.«

»Vielleicht verstehen wir uns darum so gut, dein Vater und ich. Ich glaube, wenn du nicht so streng wärst mit deinem Vater, könntest du auch eine andere Seite an ihm sehen und merken, dass er ein sehr netter Mann ist.«

»Ja, wer weiß, vielleicht sehe ich irgendwann diese supernette Seite an ihm, die du siehst«, sagte Vince. »Wir waren uns nie sehr nah als Familie, also habe ich ihn nie als etwas anderes als den abwesenden Versorger sehen können, der diesen ganzen Trott mitmacht und vorgibt, es wäre nur zum Wohl der Familie.«

»Es ist nicht leicht«, sagte Jende und schüttelte den Kopf, als er auf die Elm Street bog, wo sich die Zahnarztpraxis befand.

»Für wen ist es nicht leicht?«

»Für dich, für deinen Vater, für jedes Kind, für alle Eltern, für jeden. Es ist nicht leicht, das Leben hier in der Welt.«

»Das stimmt«, sagte Vince. »Und darum gibt es nur einen Ausweg, wir müssen das Leid annehmen und uns der Wahrheit ergeben.«

»Das Leid annehmen?« Jende lachte. »Du erzählst ganz schön lustiges Zeug, was?«

»Wir können ja auf dem Rückweg darüber reden, was das heißt«, sagte Vince grinsend und setzte sich aufrecht hin, als Jende in eine Parklücke fuhr. »Aber alles, was wir jetzt über das Jurastudium und Indien besprochen haben, bleibt bitte erst mal nur unter uns, okay?«

Jende nickte, drehte sich um und streckte Vince die Hand entgegen, der einschlug, bevor er aus dem Wagen stieg. Als Vince eine Stunde später zurückkam, war seine Zunge von der Betäubung für die Weisheitszahn-OP noch ganz taub, sodass er kaum reden konnte. Kurz darauf war er, das Kühlkissen mit der rechten Hand auf die leicht geschwollene Wange gedrückt, eingeschlafen. In regelmäßigen Abständen warf Jende im Rückspiegel einen Blick auf Vince und sah dabei jedes Mal Liomi in achtzehn Jahren vor sich. Er würde niemals zulassen, dass Liomi die Chance auf eine erfolgreiche Karriere und ein gutes Leben wegschmiss, um durch Indien zu reisen und den Leuten was von Leid und Wahrheit zu erzählen, so viel war klar, aber er konnte auch nicht verurteilen, was Vince da tat. Wie er den jungen Mann so im Schlaf beobachtete, war er stolz auf ihn, auch wenn er sich seinetwegen Sorgen machte.

17.

Hitze und Durst bedrängten in diesem Sommer die Stadt; die Menschen warteten keuchend auf die U-Bahn, trotzten der Sonne mit großen Hüten und leichter Kleidung, flüchteten in den Schatten von Baugerüsten und stürmten die Kaufhäuser nicht wegen der Rabattschilder in den Schaufenstern, sondern wegen der Klimaanlagen. Diejenigen, die sich nicht an den Strand oder in die Berge retten konnten, scharten sich dort zusammen, wo man die drückende Schwüle kurz vergaß: auf Konzerten mit Weltmusik aus fernen Ländern wie Kasachstan und Burkina Faso, Rooftop-Partys, wo jeder von seinem guten Aussehen und seinem Intellekt absolut überzeugt schien, Straßenfesten mit zu viel Grillhähnchen und zu wenig Luftbewegung oder bei Bootsfahrten im Sonnenuntergang mit mittelmäßigen Cocktails. Man konnte allerhand machen in der Stadt, und trotzdem wollten viele verzweifelt raus und irgendwo sein, wo die Mission nicht »Durchhalten«, sondern »Abschalten« hieß, irgendwo sitzen, wo ganz von Zauberhand ein angenehmes Lüftchen wehte und meilenweit nichts als Wasser zu sehen war, so wie in den Hamptons.

Jende könne in den ersten zwei Augustwochen bezahlten Urlaub nehmen, verkündete Clark, als sie irgendwann Anfang Juni morgens die Lexington entlangfuhren. Die Familie (vor allem Cindy und die Jungs) würde die letzten Julitage und so ziemlich den gesamten August in Southampton verbringen, für Jende dürfte der Sommer also nicht allzu stressig werden.

»Ich bin sehr dankbar, Sir«, sagte Jende, ohne die Miene zu verziehen, auch wenn sein inneres Grinsen breiter war als der große afrikanische Grabenbruch. Das wäre das erste Mal, dass man ihn in Amerika fürs Nichtstun bezahlte, auch wenn er wusste, dass er nicht zwei Wochen lang faul herumsitzen, sondern die Livery-Cab-Firma anrufen würde, für die er zuvor gearbeitet hatte, um sich Schichten geben zu lassen und auf diese Weise etwas zu dem Geld hinzuzufügen, das Neni und er für sein Asylverfahren sparten.

»Sie sollten Cindy fragen, ob sie für die letzte Juliwoche und die ersten drei Augustwochen, in denen Anna ihren Urlaub nimmt, eine Haushälterin braucht«, sagte Clark ein paar Minuten später. »Normalerweise bekommt sie jemanden von der Agentur, aber vielleicht würde Ihre Frau das gerne machen und sich etwas Geld dazuverdienen?«

»O ja, Sir. Meine Frau … sie wäre … wir wären sehr dankbar, Sir.«

Cindy brauchte tatsächlich jemanden, und Neni brauchte eine Pause von der oft so tristen Aufgabe, Rentner zu füttern und zu waschen, die dazu nicht mehr in der Lage waren, aber der eigentliche Grund dafür, dass Jende und sie sich nach weniger als fünf Minuten einig waren, dass Neni die zweite Hälfte des Sommersemesters würde ausfallen lassen (was das Studentenvisum erlaubte), um nach Southampton zu gehen, war die Aussicht, in vier Wochen so viel Geld zu verdienen wie sonst in drei Monaten. Noch am selben Abend rief sie Cindy Edwards an – nachdem Jende mit ihr geübt hatte, was sie sagen durfte, was sie nicht sagen durfte und wie sie das Richtige richtig gut sagte –, stellte sich ihr vor und sagte, dass sie den Job gerne hätte. Cindy sagte ihr zu, allerdings erst, nachdem sie ihr sämtliche damit verbundene Aufgaben aufgezählt hatte: ein Haus mit fünf Schlafzimmern tadellos sauber halten, ganz bestimmte Lebensmittel einkaufen, und zwar exakt so wie gewünscht, sich um die täglich anfallende Schmutzwäsche kümmern, spezielle Gerichte kochen, Gäste angemessen bewirten, bei Bedarf auf einen Zehnjährigen aufpassen, zwölf Stunden Arbeit pro Tag mit vielen Pausen.

»Ich werde das alles sehr gut machen, Madam«, sagte Neni und presste das Telefon fest ans Ohr.

»Das glaube ich gern. Jende arbeitet sehr hart, und ich nehme an, das gilt auch für Sie.«

»Madam, da ist nur noch eine Sache«, sagte sie.

»Was denn?«

»Ich bin im vierten Monat schwanger, Madam. Für mich ist das kein Problem, aber –«

»Dann ist es für mich auch keins«, sagte Cindy, womit das Thema geklärt war und sie Neni noch wissen ließ, dass sie in der ersten Juniwoche zusammen mit Anna per Long Island Rail Road in die Hamptons zu kommen habe, um sich mit Cindys Vorstellungen und Wünschen vertraut zu machen.

»Pass auf, dass du wirklich nur das machst, was sie von dir gemacht haben wollen, und mach es genauso, wie sie es gemacht haben wollen«, sagte Jende noch zu Neni, bevor sie die Stufen zur U-Bahn hinabstieg, um für vier Wochen in die Hamptons zu fahren und dort zu arbeiten. »Nicht mehr und nicht weniger.«

»Ach was, du mich auch«, sagte sie lachend. »Was glaubst du, was ich da drüben mache, hm?«

»Das ist nicht witzig, Neni. Mach deine Arbeit bitte gut. Mehr sage ich nicht. Bitte mach und sag nichts, das dich nichts angeht. Diese Leute sind unser Geld und Brot.«

»Keine Angst«, sagte sie und lachte noch immer über sein ernstes Getue, das sie süß, aber auch unnötig fand. »Ich blamiere dich nicht. Ist ja nicht so, als wäre ich zum ersten Mal unter reichen Leuten.«

Und das stimmte – ihre Familie war in den Achtzigern und Anfang der Neunziger reich gewesen. Damals hatte ihr Vater als Zollbeamter am Hafen von Douala gearbeitet, und dank der vielen Zuwendungen (keine Bestechungsgelder, ihr Vater schwor, er sei nie in schmutzige Geschäfte verwickelt gewesen), die er und seine Kollegen von den Händlern, die Waren ins Land brachten, zugesteckt bekommen hatte, konnte er sein staatliches Jahresgehalt verzehnfachen und sicherstellen, dass seine Familie größtmöglichen Komfort genoss. Sie wohnten in einem aus Ziegelsteinen gebauten Haus, hatten fließendes Wasser, besaßen einen funktionierenden Kühlschrank und ihr Vater hatte sogar einen Wagen (einen schrottreifen blauen Peugeot, Baujahr 1970, aber dennoch einen Wagen, in Limbe ein Symbol für Wohlstand). Sie waren in der Nachbarschaft die erste Familie mit einem eigenen Fernseher. Neni erinnerte sich noch gut an diese ersten Tage des Fernsehens in den späten Achtzigern, als CRTV nur abends von sechs bis zehn ausgestrahlt wurde. Punkt Viertel vor sechs saßen die Kinder aus der Nachbarschaft bei ihnen im Wohnzimmer auf dem Fußboden und warteten, dass das »Telleh« endlich losging. Wenn das Fernsehstandbild, das die Kinder »Reis« nannten, sich ganz langsam in die Kameruner Flagge verwandelte, kicherten die Kinder vorfreudig, und die Erwachsenen, die sich auf dem Sofa und den Stühlen überall im Wohnzimmer drängten, befahlen ihnen, still zu sein. Das Fernsehen lief. Und wenn das Fernsehen lief, durfte man keinen Mucks von sich geben. Die Kinder hatten leise zu sein, wenn die Nachrichten kamen, während die Erwachsenen bei jeder Einblendung eines Fotos von Nelson Mandela über die Gräueltaten in Südafrika debattierten und sich fragten, wann die bösen Weißen diesen guten Mann endlich freilassen würden. Die Kinder hatten leise zu sein, wenn Dokumentationen kamen; auch bei den rasanten Trickfilmen, die sie »porkou-porkou« nannten, hatten sie leise zu sein. Sie hatten bei jeder englischen, französischen oder amerikanischen Serie, die CRTV ausstrahlte, den Mund zu halten, auch bei Seifenopern und Sitcoms, die sie zwar kaum verstanden, aber bei jeder Kussszene trotzdem kichern mussten oder aufstöhnten, wenn jemand geschlagen wurde. Kinder durften nur reden, wenn ein Musikvideo lief. Dann animierten die Erwachsenen sie, aufzustehen und zu Prince Eyango oder Charlotte Mbango oder Tom Yoms zu tanzen. Und sie standen auch jedes Mal auf und packten ihre besten Makossa-Moves aus, wackelten mit ihren kleinen Hintern, schwenkten die erhobenen Fäuste energisch von rechts nach links und strahlten, als gäbe es kein Morgen. Was für ein Privileg, ihre Lieblingsmusiker in diesem schwarzen Kasten singen sehen zu können.

Neni saß im Zug und schmunzelte beim Gedanken daran. Sie war damals ein Teenager gewesen, aber als mittleres Kind war es ihr nicht erlaubt, den Fernseher anzufassen – das Recht, ihn an- und auszuschalten, gebührte nur ihrem Vater und ihrem ältesten Bruder. Heutzutage konnten in Limbe selbst Dreijährige einen Fernseher an- und ausschalten. Jedes dritte Haus in der Stadt empfing CNN, das Haus ihrer Eltern ironischerweise nicht.

Ihr Vater hörte '93 auf mit der Arbeit am Hafen, wurde rausgedrängt von einem Bamileke-Boss, der wollte, dass einer von seinen eigenen Männern den Job bekam. Man hatte ihn ohne jegliche Ankündigung auf einen weitaus weniger lukrativen Posten im Schatzamt vom Limbe versetzt, und sechs Monate darauf war seine verwitwete Schwester verstorben und hatte drei Kinder hinterlassen, die er aufnehmen und zusätzlich zu seinen eigenen fünf Kindern durchbringen musste. Als er seine prestigeträchtige Arbeit verlor, verlor er auch einen Teil der Macht und des Respekts, die er als reicher Mann genossen hatte. Die Leute begrüßten ihn auch weiterhin mit beiden Händen, aber weil sie wussten, dass sie beim Abschied keine fünf oder zehntausend CFA-Francs »fürs Taxi« mehr erhielten, blieben ihre Besuche von nun an aus. Inzwischen war er pensioniert und lebte von einer kläglichen Rente, und außer seinem Namen hatte er bis auf einen uralten blauen Peugeot in der Garage seines mit Ziegeln gebauten Hauses nichts groß vorzuweisen.

18.

Das Sommerhaus der Edwards war nicht aus Ziegelsteinen gebaut, aber das brauchte es auch nicht zu sein; alle Ziegelsteinhäuser von New Town, Limbe, zusammengenommen hätten mit keinem einzelnen Zimmer in diesem Haus mithalten können. Als Neni das erste Mal mit Anna nach Southampton gefahren war, um sich mit ihren Aufgaben dort vertraut zu machen, hatte sie versucht, nicht zu zeigen, wie überwältigt sie war, aber Anna musste es in ihrem Gesicht gelesen haben: Nenis Blick war ungläubig umhergewandert, seit sie vor dem zweigeschossigen Haus mit seiner Holz- und Steinverkleidung in warmen Grautönen und den perfekt gepflegten Buchsbaumsträuchern zu beiden Seiten des viersäuligen Vorbaus aus dem Taxi gestiegen waren. Sprachlos machte sie nicht nur die Größe (Wozu brauchten die Edwards für wenige Wochen im Jahr ein so riesiges Haus? Wozu fünf Schlafzimmer, wenn sie doch nur zwei Kinder hatten? Begriffen sie denn nicht, dass kein Mensch in mehreren Betten gleichzeitig schlafen konnte, ganz egal, wie viel Geld er hatte?), sondern auch die prunkvolle Eleganz. Selbst an ihrem dritten Tag war sie von all dem Luxus um sie herum noch immer ganz geplättet, besonders von dem überwiegend in Weiß gehaltenen Wohnzimmer mit den riesigen Fenstern, durch die man den Himmel nie aus den Augen verlor. Sie staunte über den makellosen Glanz des Wohnzimmers, woraufhin Anna ihr erklärte, dass Cindy Schmutz noch mehr verabscheute als billige Sachen, staunte über die flauschigen weißen Teppiche und Läufer, um die sie lieber einen weiten Bogen gemacht hätte, und über den schwarzen Kristallkronleuchter, den sie aus Angst, einen Abdruck zu hinterlassen, immer ganz vorsichtig abstaubte.

An dem Nachmittag ihrer Ankunft hatte Vince sie mit einer Umarmung begrüßt und gesagt, sie solle es sich bequem machen, auch wenn sie keine Ahnung hatte, wie, wo sie doch permanent fürchtete, etwas zu ruinieren. Den ganzen ersten Abend verbrachte sie mit Mighty in der Küche, zu eingeschüchtert, als dass sie sich im Haus irgendwo anders hingetraut hätte als in ihr Zimmer, nachdem Vince sich auf den Weg in die Stadt gemacht hatte (wo er im Unity meditieren wollte; Jende hatte nicht übertrieben) und Cindy zu einem Abendessen mit Freunden ausgegangen war. Schon in diesen ersten Stunden in Southampton war ihr klar geworden, dass Mighty der einzige wirkliche Lichtblick für sie sein würde – mit seinen endlos langen Wimpern und dem ausgelassenen Lachen erinnerte er sie an Liomi.

»Wohnst du gern in Harlem?«, fragte er sie, als sie gerade das Abendessen zubereitete, überraschend direkt, was sie von Kindern aus Limbe nicht gewohnt war.

»Es ist gut da«, sagte sie.

»Jende sagt, ihm gefällt es nicht so besonders.«

»Das sagt er?«, fragte Neni und drehte sich vom Herd weg. »Warum sagt er so was?«

»Weil er ehrlich ist«, sagte Mighty und lachte, »und ehrlich währt am längsten, stimmt's?«

Auch wenn ihr etwas weniger Neugierde lieber gewesen wäre, musste sie doch zugeben, dass Mighty der lebende Beweis dafür war, wie normal reiche Kinder sein konnten. Während ihrer ersten gemeinsamen Tage amüsierte er sie mit seinen Fragen über afrikanische Löwen und Leoparden und die Tiere, die sie in Limbe gesehen hatte; Fragen, die er bestimmt auch Jende schon tausendmal gestellt hatte, aber die sie so heiter stimmten, dass sie sich lauter Geschichten für ihn ausdachte, zum Beispiel, wie ihr einmal Affen in der Schule das Mittagessen geklaut hätten oder wie ein Mitschüler auf einem Elefanten in die Schule geritten wäre. Das glaub ich dir nicht, sagte Mighty dann, und Neni dachte sich etwas noch Verrückteres aus. Auf ihn aufzupassen war mit Abstand der schönste Teil ihrer Arbeit und auch der Teil, mit dem sie

Cindy am meisten beeindrucken konnte. Jedes Mal, wenn Cindy in eins der Zimmer kam, in dem Neni und Mighty gerade zusammen lachten oder spielten, spürte sie, welchen Anklang das bei Cindy fand, denn der Madam schien nichts wichtiger zu sein, als dass es ihren Kindern gut ging und sie rund um die Uhr alles hatten, was das Leben ihnen an Gutem bieten konnte. Wenn Mighty laut lachte und Vince lächelte, konnte es auf der ganzen Welt keine glücklichere Frau als Cindy Edwards geben. Ähnlich stark wie der drängende Wunsch, ihre Kinder glücklich zu wissen (sie ständig zu fragen, ob sie etwas brauchten; Neni immerzu daran zu erinnern, das Essen und die Snacks für die beiden so zuzubereiten, wie sie es am liebsten mochten; Mighty jedes Mal drei Küsse zu geben, wenn sie oder er aus dem Haus gingen), war nur ihr spürbares Bedürfnis nach Zugehörigkeit, ein zutiefst verzweifeltes Bedürfnis, das sich offenbar nie wirklich stillen ließ.

Diese Sehnsucht erstaunte Neni, denn bei ihrer ersten Begegnung hatte Cindy Edwards auf sie nicht wie eine stark bedürftige Frau gewirkt. Die ganze Zeit über, von der Begrüßung unter dem Vorbau des Hauses bis zu dem Zeitpunkt, als Cindy abends zum Essen ausgegangen war, hatte sie Überlegenheit ausgestrahlt, war aufrecht und mit gestrafften Schultern durchs Haus geschritten und hatte jedes Wort so langsam und deutlich ausgesprochen, als wäre es ihr gestattet, sich von der Zeit ihres Gegenübers so viel zu nehmen, wie sie nur wollte. Als sie Neni durchs Haus führte, um sie freundlich, aber bestimmt anzuweisen, was sie jeden Morgen zu tun und wie sie es zu tun hatte, zeigte sie mit ihren schlanken, gepflegten Fingern, an denen ein einzelner Smaragdring steckte, hierhin und dorthin und nickte dazu wie eine allmächtige Kaiserin; so gab sie sich auch, als sie Neni Dinge sagte, die Anna ihr sicher schon gesagt hatte, denen sie aber noch einmal Nachdruck verleihen wollte, wie beispielsweise all das, was sie in jedem Fall von einer Haushälterin erwartete: Ehrlichkeit, das Einhalten von Absprachen und ein sicheres Auftreten gegenüber ihren Gästen.

Aber auch wenn sie nach außen absolut selbstsicher wirkte, schien Cindy nahezu besessen davon, dort zu sein, wo alle anderen waren, und das zu tun, was alle andere taten. Schon nach wenigen Tagen hatte Neni verstanden, dass Cindy mindestens einmal am Tag mit einer Freundin telefonierte und nachfragte, ob diese Freundin eine Einladung zur Cocktailparty von Soundso erhalten hatte oder zu dieser oder jener Dinnerparty oder irgendeiner anstehenden Gala oder Hochzeit. Die wenigen Male, wenn Freundinnen ihr anscheinend sagten, sie hätten eine Einladung bekommen, sie selbst aber hatte noch keine, schien sie regelrecht körperliche Schmerzen zu erleiden; an dem tiefen Seufzen, den plötzlich hängenden Schultern und der traurigen Stimme erkannte Neni, dass es Cindy nicht gut ging, auch wenn sie ihren Freundinnen gegenüber das Gegenteil behauptete, und sie sich sicher fragte, warum man sie nicht eingeladen hatte, was sie getan hatte, dass man sie nicht einlud, und ob ihr sozialer Status vielleicht nicht mehr ausreichend war. Dieser verzweifelte Wunsch, immer dazugehören und von anderen als einzigartig bestätigt werden zu wollen, machte Neni verrückt, aber sie rief Jende gar nicht erst an, um mit ihm darüber zu reden, weil er ohnehin nur sagen würde, was er immer sagte, wenn sie sagte, dass sie nicht verstand, warum die Menschen sich über dummes Zeug wie die Anerkennung von anderen Gedanken machten: Verschiedene Menschen schätzen verschiedene Dinge.

Am fünften Tag in Southampton rief sie ihn doch verängstigt an, um über Cindy zu sprechen.

»Ich glaube, Mrs Edwards ist sehr krank«, flüsterte sie in ihrem Zimmer im Kellergeschoss ins Telefon.

»Was ist mit ihr?«, fragte er.

Sie erzählte ihm, dass außer ihr keiner im Haus wäre und Mrs Edwards sehr krank aussehen würde.

»Neni, wie meinst du das, krank? Fieber? Kopfschmerzen? Bauchschmerzen?«

»Nein, nicht die Art von krank«, flüsterte sie wieder.

Wo sind denn alle?, wollte er wissen. Sie sagte, Mr Edwards wäre in der Stadt und Mighty und Vince am Strand. Aber nachdem sie ihm geantwortet hatte, fragte sie verärgert, wozu das jetzt wichtig war. Mrs Edwards hätte gar nicht gut ausgesehen, und sie wüsste nicht, was sie tun sollte. Die Madam würde aussehen, als ob sie sehr krank wäre, aber vielleicht war sie das gar nicht. Sie bräuchte jetzt einen Rat von ihrem Mann und nicht diese ganzen Fragen.

»Aber du sagst fünfzig verschiedene Sachen«, sagte er. »Sag was, das Sinn macht.«

Mrs Edwards hatte zu ihr gesagt, dass sie sich in ihrem Zimmer hinlegen würde und nicht gestört werden wollte. Neni war im Kellergeschoss geblieben und hatte sich um die Wäsche gekümmert, da war ihr eingefallen, dass die Bettbezüge im Gästezimmer gewaschen werden mussten. Sie war, ohne anzuklopfen, ins Gästezimmer im ersten Stock gegangen, weil sie ja dachte, Mrs Edwards würde im Schlafzimmer im Erdgeschoss schlafen. Bei Betreten des Zimmers hatte sich ihr ein Schreckensbild geboten. Die sonst immer beherrschte und elegante Madam lehnte zusammengesackt am hohen Kopfende des Bettes, einzelne Strähnen über dem verschwitzten Gesicht, die Hände schlaff an den Seiten, den Mund weit geöffnet und eine Spur Speichel mitten auf dem Kinn.

»Ich habe Angst«, sagte sie voller Panik und war kurz davor, in Tränen auszubrechen. »Heute Morgen ging es ihr gut. Vor einer Stunde hat sie gesagt, dass sie sich hinlegt, und dann gehe ich ins Gästezimmer und sehe das.«

»Sieht sie tot aus?«, fragte Jende.

»Nein, sie atmet, das hab ich gesehen«, flüsterte sie. »Oh, Papa Gott, was soll ich machen?«

Jende blieb kurz still. »Mach gar nichts«, sagte er zu seiner Frau. »Tu so, als ob du nichts gesehen hast. Wenn ihr etwas passiert, kannst du sagen, du hast nichts davon gewusst. Du kannst sagen, du bist nie im Zimmer gewesen.«

»Und wenn was nicht stimmt und ich ihr helfen sollte?«

»Neni, Neni, hör mir zu«, sagte Jende im Befehlston. »Warte, bis ihr Mann und ihre Söhne sie finden und entscheiden, was zu tun ist. Fass sie nicht an, hörst du? Geh nicht noch mal zurück ins

Zimmer. Misch dich nicht in ihre Angelegenheiten ein, ich flehe dich an.«

»Aber ich muss was –«

»Du musst überhaupt nichts!«

Sie legte auf und rief ihre Freundin Betty an. Betty war im siebten Hochschuljahr ihrer Krankenschwesterausbildung – sie würde wissen, was zu tun war.

»Also ich denke, das kommt von Drogen«, brüllte Betty in den Hörer, um das Geschrei ihre Kinder im Hintergrund zu übertönen. »Nur von Drogen sieht man so aus.«

»Betty, bitte mach jetzt keine Witze. Ich rede hier von was Ernstem, das –«

»Was heißt hier Witze? Ich sage dir, sie nimmt Drogen.«

»Nein … nicht Mrs Edwards.«

»Warum streitest du mit mir? Reiche Leute wie die, die mögen Drogen.«

»Nicht Mrs Edwards! Sie ist nicht so eine, Betty, ich schwör's dir.«

»Woher willst du das wissen? Du glaubst, weil sie schicke Kleider anhat –«

»Warum sollte sie Drogen nehmen?«

»Neni, wenn du mir nicht glaubst, dann müssen wir nicht weitersprechen.«

»Oh, Papa Gott!«, schrie Neni und schlug sich auf den Oberschenkel, als ihr Handy piepte und ihr Display einen eingehenden Anruf von Jende anzeigte. Sie ignorierte ihn, denn sie wusste, dass er das vorher Gesagte nur noch einmal bekräftigen wollte.

»Hör mir zu«, sagte Betty. »Pass auf. Du weckst sie jetzt. Du darfst nur ganz leicht an ihr rütteln, okay?«

»Und wenn sie nicht aufwacht?«

»Wenn ihr das Ding noch einmal anfasst«, brüllte Betty und hielt den Hörer ein Stück weg, »dann komm ich rüber und dann tut's weh.«

»Betty, ich weiß nicht –«

»Bleib dran«, sagte Betty, und eine ganze Weile hörte Neni nur das Schreien eines kleinen Kindes. »Wenn man diesen Kindern nicht beibringt, dass sie zu hören haben, verhalten sie sich ab morgen wie amerikanische Kinder«, sagte Betty, als sie wieder am Telefon war.

»Meinst du wirklich, ich soll sie wecken?«

»Ja, du weckst sie jetzt.«

»*Chai!* Das überleb ich nicht!«

»Du bist mit deinen süßen Füßen so richtig in die Scheiße getreten.«

Neni lachte das freudlose Lachen, das sie früher immer von ihrer Mutter gehört hatte, wenn das Leben mal wieder so sonderbar war, dass man es nur mit einem Lachen ertragen konnte.

»Wenn sie tot ist«, fügte Betty hinzu, »rufst du ihren Mann an, nicht die Polizei.«

»Okay, okay, tschüss jetzt.«

»Und Neni«, sagte Betty gerade noch, bevor Neni auflegte, »bitte sag der Polizei nicht, dass du mich zuerst angerufen hast. Ich bitte dich, egal worum es geht, du darfst auf keinen Fall meinen Namen erwähnen. Ich habe Angst vor denen.«

Neni legte auf und rannte die Treppe nach oben, das Handy fest umklammert. Cindy schlief noch immer in derselben Position. Einen Augenblick lang stand Neni am Bett und starrte auf das Fläschchen der verschreibungspflichtigen Tabletten neben dem leeren Glas und der halb vollen Flasche Rotwein auf dem Nachttisch, bevor sie näher herantrat.

»Mrs Edwards«, flüsterte sie und berührte Cindy leicht am Arm. Jende würde sie dafür umbringen, aber sie konnte die Frau in diesem Zustand nicht einfach alleinlassen.

Cindy reagierte nicht.

Neni steckte ihr Handy in die Tasche ihres *kaba*, beugte sich dicht über Cindy und sprach ihr direkt ins Ohr. »Mrs Edwards?«

Cindy schloss sofort den Mund und schmatzte leise.

»Mrs Edwards, alles okay?«

Cindy öffnete ganz leicht die Augen. »Was ist?«, fragte sie mit stark verzerrter Stimme.

»Nichts, Madam, ich wollte nur sichergehen, dass es Ihnen gut geht.«

Cindy richtete sich auf, strich sich die Strähnen aus dem Gesicht und wischte sich übers Kinn. Dann erst machte sie die Augen richtig auf und schaute Neni an. »Wie spät ist es?«, fragte sie.

Neni zog das Handy wieder aus der Tasche. »Fünf Uhr, Madam«, sagte sie.

»Mist«, sagte Cindy und drehte sich zur Bettkante, um aufzustehen. Ihre ersten Schritte waren so wacklig, dass Neni sie stützte. »Es geht schon«, sagte Cindy und zog den Arm weg. »Mir geht's gut.«

Noch immer damit beschäftigt, sich die Haare aus dem Gesicht zu streichen, saß sie im Sessel neben dem Kleiderschrank und bat Neni um ein Glas Wasser und einen Teller Salat – einfach nur Kopfsalat mit Essig und Öl –, was Neni ihr auf einem Tablett brachte. Neni half Cindy dabei, die Beine vorsichtig auf einen Hocker zu legen, sodass sie ihr das Tablett problemlos auf den Schoß stellen konnte.

»Möchten Sie vielleicht, dass ich Ihnen ein Bad einlasse, Madam?«, fragte Neni.

Cindy nickte.

Neni ging ins Badezimmer, schrubbte sich die Hände und drehte den Wasserhahn auf. Vor der Wanne kniend – ihren größer werdenden Bauch an die kalte Außenwand gedrückt –, gab sie zehn Tropfen Schaumbad ins Wasser und verteilte es mit langsamen kreisenden Bewegungen, wie Anna es ihr gezeigt hatte. Als die Wanne voll war, ging sie zurück ins Schlafzimmer und nahm Cindy das Tablett ab.

»Clark kommt heute Abend nicht nach Hause«, sagte Cindy, als Neni gerade aus dem Bad gehen wollte. »Vince fährt los, sobald Mighty und er zurück sind. Er will die nächsten Tage mit einem Freund auf Martha's Vineyard verbringen. Mighty kann also zu Abend essen, wann er möchte.«

»Ja, Madam«, sagte Neni und eilte die Treppe hinunter.

Gegen sieben hörte sie, wie der Jaguar aus der Einfahrt rollte und Cindy sich auf den Weg zu irgendeiner ihrer sozialen Verpflichtungen machte.

19.

Eine ganze Weile stand Neni vor der Tür und klopfte sanft, aber beharrlich an, um sie zu wecken.

»Was ist denn?«, hörte sie Cindy stöhnen.

»Ich bin es, Madam«, antwortete Neni.

»Was gibt's?«

»Ich wollte nur fragen, was mit Ihrem Frühstück ist. Ob ich es zu Ihnen hineinbringen oder draußen am Pool hinstellen soll?«

»Wie spät ist es?«

»Elf Uhr, Madam.«

»Am Pool«, sagte sie nach einem Seufzer. »In einer Stunde.«

Als Cindy eine Stunde später aus ihrem Schlafzimmer kam, geduscht und in einem Neckholder-Kleid mit lila Streifen, stand Neni an der Küchenanrichte und schnitt Ananas. »Ich bin fast fertig, Madam«, sagte sie. »Guten Morgen.«

Cindy nickte und ging zum Tisch am Pool. Neni sah durchs Fenster, wie sie auf das Wasser starrte, das bis auf ein vereinzeltes Blatt in der Mitte und die zarten ringsherum entstehenden Wellen blau und still vor ihr lag. Neni schnappte sich das Tablett und eilte hinaus.

»Es tut mir leid, dass Sie warten mussten, Madam«, sagte sie und stellte das Tablett auf den Tisch. »Haben Sie noch einen Wunsch?«

»Wo ist Mighty?«

»Er ist zum Strand gegangen, Madam, mit dem Jungen von nebenan und dem Vater von dem Jungen. Er hat gesagt, Sie haben sicher nichts dagegen. Ich habe ihm ein Sandwich und eine Banane mitgegeben.«

Cindy goss sich Milch aus dem Glaskännchen in den Kaffee.

»Neni?«, rief sie, als Neni schon auf dem Weg zurück ins Haus war.

»Madam.«

»Ziehen Sie sich einen Stuhl heran und setzen Sie sich zu mir.«

Neni sah Cindy verblüfft an, kam dann aber wie gebeten zurück.

Cindy aß ein wenig von ihrem Eiweißomelett, der geschnittenen Ananas und den Blaubeeren. Ihr gegenüber saß Neni und starrte zu Boden.

»Danke, dass Sie mir gestern geholfen haben«, sagte Cindy, stellte ihre Kaffeetasse beiseite und tupfte sich den Mund ab. Dann setzte sie trotz Wolkendecke ihre Sonnenbrille auf.

Neni beobachtete sie und lächelte, man sah ihr an, wie angespannt und unwohl sie sich fühlte. »Das war nichts, Madam«, sagte sie langsam und deutlich, wie sie es sich für Gespräche mit Nicht-Afrikanern antrainiert hatte. »Sie waren etwas krank, Madam. Ich bin froh, dass ich reingekommen bin und Ihnen helfen konnte.«

»Aber ich war nicht krank«, sagte Cindy. »Ich weiß, dass Sie das wissen.«

»Ich dachte nur –«

»Schon gut«, unterbrach Cindy sie und hob die Arme, um Neni zum Schweigen zu bringen. »Sie sind eine erwachsene Frau. Es gibt keinen Grund zu lügen. Ich weiß, dass Sie alles auf dem Nachttisch gesehen und nicht geglaubt haben, ich hätte mich nur kurz schlafen gelegt. Sie sind klug genug, Sie können eins und eins zusammenzählen. Ich habe Ihnen angesehen, wie verängstigt Sie waren.«

»Madam, ich habe nichts gesehen.«

»Doch, das haben Sie. Und es wäre mir lieber, wenn Sie nicht versuchen, mich für dumm zu verkaufen.«

Neni legte die Hände in den Schoß und rieb sie aneinander. Ihr Blick wanderte von Cindys Gesicht hinunter zu ihren eigenen stark anschwellenden Füßen, die zu den Seiten ihrer blauen Flipflops herausquollen, und wieder zurück zu Cindy. »Das habe ich nicht, Madam, ich schwöre es … Ich dachte nur, Sie sind krank, darum bin ich heute Morgen gekommen, um Sie zu wecken, als Sie nicht zur normalen Zeit aufgestanden sind.«

Cindy lachte auf und schüttelte den Kopf.

»Es tut mir sehr leid, Madam«, sprach Neni weiter und schaute Cindy flehend an. »Es war nicht meine Absicht, etwas herauszufinden.«

Cindy rührte mit einem Silberlöffel in ihrem Kaffee und stellte die Tasse ab. Die Meeresbrise, die Neni am Morgen noch genossen hatte, war keine Wohltat mehr; jetzt, wo der Wind immer stärker wurde und ihr die geflochtenen Zöpfe ins Gesicht wehte, empfand sie sie eher als störend.

Nahezu in Zeitlupe setzte Cindy die Brille ab und schaute Neni in die Augen. »Wahrscheinlich sehen Sie mich an«, sagte sie, »und denken, ich komme aus einem Leben wie diesem hier. Sie denken wahrscheinlich, ich bin schon so reich geboren, oder?«

Neni antwortete nicht.

»Nun, das bin ich nicht«, fuhr Cindy fort. »Ich komme aus einer sehr armen Familie. Einer sehr, sehr armen Familie.«

»Ich auch, Madam –«

Cindy schüttelte den Kopf. »Nein, das verstehen Sie nicht«, sagte sie. »In Afrika, da ist es okay, wenn man arm ist. Die meisten da sind arm. Dann fühlt es sich nicht so schlimm an.«

Neni schloss die Augen und nickte, als würde sie sie vollkommen verstehen und ihr zustimmen.

»Hier ist es peinlich, entwürdigend und sehr schmerzhaft«, sprach Cindy weiter und schaute zwischen den Bäumen hindurch in die Ferne. Eine einzelne Träne lief ihr über die Wange. »Zusammen mit Obdachlosen bei Wohlfahrtsorganisationen nach Essen anstehen zu müssen. Im Winter in einem spärlich beheizten Haus zu wohnen. So gut wie jeden Abend Reis und Dosenfleisch essen zu müssen. Den Hänseleien in der Schule ausgesetzt zu sein. Von den Leuten behandelt zu werden, als wäre man eine Art …« Mit dem Zeigefinger wischte sie sich eine Träne weg. »Sie haben keine Ahnung, was ich durchgemacht habe.«

»Nein, Madam.«

»Ich vergesse nie, wie ich einmal abends zu meiner Mutter gesagt habe, dass ich mir Shrimps und Gemüse zum Abendessen wünsche. Solche Luxusartikel, was mir einfallen würde, sie um so was zu bitten? Sie hat mir eine Ohrfeige verpasst und mich hungrig ins Bett geschickt. Das war genau ihre Art. Eine Ohrfeige oder eine Erinnerung daran, dass ich für sie nur ein Stück Scheiße war.«

Sie räusperte sich.

Neni schaute hinunter auf ihre Hände, dann sah sie Cindy an.

»Aber wie Sie sehen, habe ich es da rausgeschafft. Ich habe gearbeitet, um aufs College gehen zu können, einen Job gefunden und eine eigene Wohnung, habe gelernt, wie ich mich geben muss, um mühelos Teil dieser neuen Welt zu werden, sodass keiner je wieder auf mich herabschauen oder mich als ein Stück Scheiße betrachten würde. Weil ich weiß, wer ich bin, und keiner mir je nehmen kann, was ich aus eigener Kraft erreicht habe.«

»Das stimmt, Madam.«

Cindy griff nach dem Teelöffel, rührte erneut in ihrem Kaffee und legte ihn dann wieder ab. Sie schaute Neni an, die jetzt ihren Blick senkte.

»Warum erzähle ich Ihnen das alles, Neni?«, fragte sie.

»Ich weiß nicht … ich weiß nicht, Madam«, antwortete Neni leise und ängstlich.

»Ich erzähle es Ihnen, weil ich möchte, dass Sie wissen, wo ich herkomme und warum ich jeden Tag hart dafür kämpfe, mir das hier zu erhalten. Meine Familie zusammenzuhalten. Das alles zu haben.« Sie breitete die Arme aus und deutete in Richtung Haus, Pool und Garten. »Ich erzähle es Ihnen«, sagte sie und fixierte Neni dabei, »weil ich möchte, dass niemand je erfährt, was gestern passiert ist.«

»Madam, ich schwöre Ihnen beim Grab meiner Mutter, dass ich es niemandem erzähle.«

»Sie sind eine Frau, Neni. Eine Ehefrau und Mutter wie ich. Ich bitte Sie, mir dieses Versprechen nicht als Angestellte gegenüber ihrer Arbeitgeberin zu geben, sondern von Frau zu Frau, als jemand, der weiß, wie wichtig es ist, die Familie zu schützen.«

»Ich schwöre es Ihnen, Madam. Ich verspreche es Ihnen von Frau zu Frau.«

Cindy legte ihre rechte Hand auffordernd auf den Tisch, und Neni legte ihre darauf.

»Danke«, sagte Cindy und lächelte zum ersten Mal an diesem Tag, während sie Nenis Hand drückte.

Neni lächelte zurück.

»Sie sind eine gute Frau.«

Neni senkte den Kopf und nickte. Cindy ließ los. Neni erhob sich und machte sich auf den Weg zurück in die Küche.

»Ach so«, sagte Cindy, »welche Kleidergröße tragen Sie eigentlich? Ich meine, wenn Sie nicht schwanger sind.«

Neni ging ein paar Schritte zurück auf Cindy zu. »Größe sechsunddreißig, Madam«, antwortete sie.

»Ich habe eine Nummer kleiner«, sagte Cindy, noch immer ein Lächeln auf dem Gesicht, »aber ich denke, Sie wissen sich da schon zu helfen. Ich habe ein paar Sachen, die ich eigentlich einem gemeinnützigen Secondhandladen zukommen lassen wollte.«

»Oh, Madam, sehr gern, danke. Ich nehme sie. Ich weiß, wie man Kleider umnäht. Danke –«

»Es sind echte Designerstücke«, sagte Cindy, schlug die Beine übereinander und griff nach ihrem iPhone. »Ich weiß nicht, ob es Ihr Stil ist, aber Sie können gern alles haben.«

»Vielen Dank, Madam. Ich nehme alles sehr gern. Ich mache meinen Stil daraus. Haben Sie vielen Dank.«

»Ich habe auch was für Ihren Sohn. Gebrauchte Sachen und Spielzeug von Mighty. Sie können alles mitnehmen, wenn Sie am Ende abfahren.«

»Oh, Madam, ich freue mich so. Ich weiß gar nicht, wie ich Ihnen danken soll.«

»Und erinnern Sie mich an Ihren Bonus, bevor Sie gehen. Sie

brauchen ein wenig Extrageld, um alles für das Baby vorzubereiten.«

»Das machen wir, Madam, das mache ich!« Neni trällerte fast, legte die Hand über die Brust und dann auf den Bauch. »Haben Sie vielen, vielen Dank, Madam. Ich bin Ihnen so dankbar.«

Cindy schaute Neni an, die ganz beseelt war, und lächelte wieder.

Neni lächelte zurück.

Sie hatten eine Lösung gefunden, die für beide Seiten ein Gewinn war.

20.

Liomi saß neben ihm auf dem Beifahrersitz, bei jedem Polizeiauto rutschte er runter auf den Boden. Als eine weiße Frau sie eines Morgens darauf hinwies, dass es Kindern in Liomis Alter nicht gestattet war, vorn zu sitzen, antwortete Jende nachsichtig, ja, da hätte sie recht, das wüsste er, vielen Dank, Madam.

Vater und Sohn schliefen jeden Abend zusammen ein, manchmal begleitet von Schimpftiraden und Raufereien aus der Menge der Trauergäste in der Aufbahrungshalle gegenüber. Morgens wachten sie völlig verschwitzt auf, weil ihnen der kleine Ventilator in der Augusthitze kaum wirklich Abhilfe verschaffte. Nach dem Duschen gab es frittierte Kochbananen und Eier zum Frühstück, und Jende bestand darauf, dass Liomi mindestens eine ganze Banane und zwei Eier aß und ein Glas Orangensaft trank. Dann machten sie sich fertig für den Tag, zogen Jeans und T-Shirt an, und Liomi achtete darauf, dieselben Farben zu tragen wie sein Vater. Die Bäuche gut gefüllt und das Mittagessen gut verpackt, liefen sie Hand in Hand zur U-Bahn-Station und fuhren von dort in Richtung Uptown, um in der Bronx das Taxi abzuholen. In der U-Bahn saßen sie dicht nebeneinander, Liomis Hand immer in Jendes. Wenn sie dann vier Stunden lang Fahrgäste eingesammelt und wieder abgesetzt hatten, aßen sie ihr Mittagessen – Essen, das Neni gekocht und eingefroren hatte – auf der Rückbank. Zum Abendessen gingen sie jeden zweiten Tag in eins der afrikanischen Restaurants auf der 116. Straße, wo sie *attiéké* mit gegrilltem Lamm bestellten, ihr Lieblingsgericht in allen Restaurants dort. Manchmal kauften sie nach dem Essen noch Eis in einem Laden auf der 115. Straße und liefen damit den Malcolm X

Boulevard entlang, Liomi an Jendes Hand. Für Jende waren diese Tage perfekt, fast schon himmlisch, und auch wenn seine Frau ihm fehlte, fand er es schön, mal allein Zeit mit seinem Sohn zu verbringen.

»Papa?«, sagte Liomi zu ihm, als sie in einem Restaurant in der Nähe der U-Bahn auf der 116. Straße zu Abend aßen.

»Ja?«

»Gehen wir wirklich wieder nach Kamerun?«

Jende hörte auf zu kauen. Er legte die Kugel *attiéké* auf den Teller. »Wer sagt, dass wir wieder nach Kamerun gehen?«, fragte er Liomi leise, damit sie nicht zu viel Aufmerksamkeit erregten, riss aber die Augen weit auf, um Liomi zu signalisieren, wie verärgert er war.

»Keiner, Papa«, antwortete Liomi und senkte den Blick.

»Warum fragst du mich dann?«

»Nur so, Papa«, sagte er. »Ich hab nur gehört, wie Mama das am Telefon zu jemandem gesagt hat.«

»Mama hat das also gesagt? Zu wem?«

»Ich weiß nicht, Papa.«

»Wann hat sie das gesagt?«

»Papa, ich –«

»Was? Warum hast du das Gespräch deiner Mutter belauscht?«

Der Junge verstummte, sein Mund war voll mit weißen *attiéké*-Krümeln. Der glatzköpfige Mann neben ihnen, der *thiebou djeun* aß, hörte auf zu essen und beobachtete den Vater mit der geballten Faust und den siebenjährigen Jungen, der aussah, als würde er aus Angst jeden Moment davonlaufen.

»Wir gehen nicht zurück nach Kamerun, hörst du?«

»Ja, Papa.«

»Du wirst nie zurück nach Kamerun gehen, hast du mich gehört?«

»Ja, Papa, hab ich.«

»Und jetzt iss auf.«

Kaum in der Wohnung angekommen, rief Jende Neni an und stauchte sie ohne irgendwelches Nachfragen gnadenlos zusammen, wie sie Liomi nur solche Angst hatte machen können. »Verdammt, warum redest du vor ihm darüber?«

»Ich wusste nicht, dass er mithört.«

»Du musst überhaupt nichts wissen, Neni. Du musst nicht wissen, ob jemand mithört, was du erzählst. Du musst lernen, mal den Mund zu halten.«

»Warum ist es so schlimm, dass er es weiß? Wenn der Richter irgendwann beschließt, uns alle zurück nach Hause zu schicken, was machst du dann? Ihm die Augen zuhalten, damit er nicht weiß, dass wir ihn zurück nach Kamerun bringen?«

Jende schlug fest auf das Bettgestell und sprang auf, fassungslos, dass seine Frau so mit ihm redete. »Neni!«, brüllte er. »So denkst du also? Du glaubst, wir sollen einem Kind erzählen, dass sie seinen Vater vielleicht abschieben? Du willst, dass Liomi weiß, was die mit mir machen?«

Neni verstummte. Das war das erste Mal, dass er sie so laut angeschrien hatte, das erste Mal in den fast zwanzig Jahren seit ihrer Zeit als Teenager an der National Comprehensive.

»Bubakar hat uns versprochen, dass wir noch Jahre hier bleiben, selbst wenn das Ende dann nicht so ist, wie wir es wollen. Das weißt du! Du weißt, dass wir noch viele Jahre in diesem Land haben. Oder nicht?«

»Ich weiß, was er gesagt hat.«

»Und warum läufst du dann rum und tust so, als würden wir nächsten Monat zurückgehen?«

»Die Zukunft kennt keiner. Es kann alles passieren.«

Jende setzte sich hin und schüttelte den Kopf, die Augen fest geschlossen. Einen Augenblick lang wusste er nicht, was er zu seiner Frau sagen sollte. »Sagst du das, weil du glaubst, dass ich abgeschoben werde?«, fragte er – leise, schmerzerfüllt und gequält. »Ja, Neni? Ist es okay?«

»Nein, *bébé*, bitte«, sagte Neni, der man auf einmal anhörte, wie leid es ihr tat, ihn gedankenlos so verletzt zu haben. »Das sage ich nicht.«

»Was sagst du dann?«

»Nichts, *bébé*, es tut mir leid. Ich weiß nicht mal, was genau ich eigentlich sagen wollte.«

»Warum machst du das?«

»Es tut mir wirklich sehr leid, *bébé*. Du weißt, was das Beste für uns ist. Ich rede nicht mehr darüber, wenn Liomi zu Hause ist.«

»Hör ganz auf damit! Es gibt nichts zu reden. Ich bekomme eine Greencard!«

»Ja, *bébé*«, sagte Neni und kurz brach ihr die Stimme weg. »Manchmal hab ich einfach so viel Angst, und dann will ich mit meiner Schwester reden. Ich will nicht zurück nach Limbe, *bébé*. Ich will nicht daran denken, was passiert, wenn –«

»Ich hab auch Angst, Neni. Glaubst du, ich habe keine Angst? Aber hat Angst schon irgendwem geholfen? Wir müssen stark sein und Liomi beschützen.«

»Du hast recht.«

»Wir können uns nicht den ganzen Tag Sorgen machen, was der Richter entscheiden wird. Wir müssen weiterleben.«

»Ja. Und das machen wir auch, oder?«

»Was ist dann dein Problem?«

»Nichts … nichts. Ich merke mir, nichts mehr darüber zu sagen. Es wird alles gut. *Bébé*, es tut mir leid, dass ich dich wütend gemacht habe. Bitte komm wieder runter und ruh dich aus. Und bitte lass uns nicht am Telefon darüber reden. Du weißt, was Bubakar über die Regierung gesagt hat und wie sie mithört.«

Trotz Nenis Entschuldigungen ging Jende an diesem Abend verärgert ins Bett, wütend auf sie, weil sie Liomi leichtsinnig diesen Unwahrheiten ausgesetzt hatte, und wütend auf sich selbst für alles in seinem Leben, wo er versagt hatte. An diesem Abend musste Liomi allein in seinem Kinderbett schlafen, Jende wollte nicht mit einem Kind kuscheln, das er vielleicht irgendwann enttäuschen würde. Aber als er am nächsten Morgen aufwachte, lag Liomi neben ihm, die kleine Hand auf dem Bauch seines Vaters. Jende schaute in das runde schweißbedeckte Gesicht und wusste, dass er gar nicht anders konnte, als sich dicht an sein Kind zu kuscheln und den Rest ihres gemeinsamen Vater-Sohn-Sommers zu genießen.

An diesem Abend gingen sie zu einem klassischen Konzert im St. Nicholas Park und hörten einem Violinenquartett zu, das eine so traurige Melodie spielte, dass Jende kurzzeitig Tränen in den Augen standen. Am Tag darauf hatte er sich vorgenommen, herauszufinden, was New York all denen zu bieten hatte, die die Stadt im Sommer nicht verlassen konnten oder wollten, verzichtete auf das Geld, dass er in der Bronx hätte verdienen können, und ging mit seinem Sohn in ein Freibad in East Harlem.

»Papa, zeig noch mal, wie du mit Onkel Winston immer am Down Beach geschwommen bist«, sagte Liomi, und das machte Jende, er ahmte nach, wie er und sein Cousin an einer Stelle hinter dem botanischen Garten immer auf dem Rücken geschwommen waren. Nach zwei Bahnen, die ein kichernder Liomi von der Seite aus beobachtete, hob Jende den Jungen ins Wasser hinein und legte ihn auf den Rücken, um ihm die Armbewegungen beizubringen. Als er seinem Sohn dabei zusah, wie er lachte und die Arme ins Wasser tauchte, sah Jende in ihm vielleicht zum ersten Mal nicht nur das Kind, sondern auch den heranwachsenden Mann, einen jungen Mann, der seinen Vater beobachtete und von ihm lernte, einen Jungen, der in die Fußstapfen seines Vaters treten wollte, der wie er werden würde, wenn auch mit mehr Wohlstand. An diesem Abend schliefen sie wieder wie sonst auch zusammen in einem Bett, Liomi mit dem Arm um seinen Vater und dem Kopf auf dessen Brust. Jende, der nie besonders gläubig gewesen war, sprach ein Gebet für seinen Jungen, in dem er um ein langes glückliches Leben für Liomi bat.

21.

Ungefähr nach der ersten Hälfte ihrer Zeit in Southampton kam Vince Edwards in sein Zimmer gestürmt, sprang auf das frisch gemachte Bett, während Neni dort gerade die Kissen aufschüttelte, und sagte: »Rate mal.«

»Was soll ich raten?«, fragte sie.

»Heute ist es so weit«, sagte er strahlend.

»Heute ist …?«

»Heute sage ich es ihnen.«

Neni schaute verwirrt in sein vor Freude sprühendes Gesicht. »Wem willst du was sagen?«, fragte sie und wunderte sich, dass Vince glaubte, sie wüsste Bescheid.

»Hat Jende dir nicht erzählt, dass …?«, setzte Vince an, bevor er es sich aus irgendeinem Grund anders überlegte.

»Was hat Jende mir nicht erzählt?«

»Ach nichts«, sagte er, stand auf und ging aus dem Zimmer.

Stunden später, so gegen fünf Uhr abends, fuhren Vince und Cindy los, um sich mit Clark zum Abendessen in einem Restaurant in Montauk zu treffen. Am nächsten Morgen sah sie Vince überhaupt nicht und Cindy nur ganz kurz, sie wollte weder zum Frühstück noch zu Mittag etwas essen und verbrachte den größten Teil des Nachmittags am Telefon und flehte jemanden an, doch vernünftig zu sein und an die Konsequenzen seines oder ihres Handelns zu denken. Als Neni Jende später am Abend anrief, um herauszufinden, was seiner Meinung nach los war, bat er sie, sich aus den Angelegenheiten anderer Leute herauszuhalten.

»Aber wenn du was weißt, warum erzählst du's mir dann nicht?«

»Wenn ich es dir erzähle, was machst du dann damit, außer mit deinen Freundinnen darüber zu tratschen?«

Entschlossen, selbst herauszufinden, was los war, legte sie auf. Da Cindy gerade einen Strandspaziergang machte, konnte Neni sie nicht weiter belauschen, Mighty wusste nur, dass Vince und seine Eltern sich gestritten hatten – worüber, hatte seine Mutter ihm nicht gesagt, und Vince war zurück in die Stadt gefahren. Als Mighty Vince angerufen und nachgefragt hatte, warum ihre Mutter so sauer war, hatte Vince gesagt, er würde mit ihm darüber reden, wenn Mighty wieder in der Stadt sei, weil sich manche Dinge nicht so gut am Telefon erklären ließen.

Zwei Abende später erhielt Neni die Antwort auf ihre Frage: Nachdem sie Mighty gedünsteten Lachs und Ofenpommes zum Abendessen gemacht hatte – außerdem noch frittierte *puff-puff*-Bällchen, die Mighty sich gewünscht hatte, nachdem sie ihm erzählt hatte, dass ihre Geschwister und sie diese morgens immer auf dem Weg zur Schule gegessen hatten –, Videospiele mit ihm gespielt und ihn ins Bett gebracht hatte, war sie in ihr Zimmer gegangen, um ein Kapitel in ihrem Lehrbuch für Sozialpsychologie zu lesen, da sie sich fürs Herbstsemester in diesem Fach eingeschrieben hatte. Sie war so vertieft in ein Kapitel zum Thema »Überzeugung«, dass sie die lauter werdenden Stimmen aus der Küche zunächst nicht hörte. Erst als das Flehen und die Vorwürfe ein paar Minuten später zu einem Crescendo angeschwollen waren, begriff sie, dass es Mr und Mrs Edwards waren, die sich nach der Rückkehr von einer Hochzeit in der Küche anschrien.

Sie schlüpfte aus dem Bett, ging auf Zehenspitzen die Kellertreppe hinauf und presste das Ohr fest an die Tür.

»Nein!«, hörte sie Clark brüllen. »Von mir aus kannst du gern wieder zu ihr gehen und an deiner langen Themenliste arbeiten, wenn du unbedingt willst, aber ich gehe nirgendwohin.«

»Du nimmst also lieber in Kauf, dass deine Familie zerbricht?«, brüllte auch Cindy und ihre Stimme zitterte. »Das ist dir lieber, als zu einer Therapeutin zu gehen und zuzugeben, dass du Probleme hast, die deine Familie zerstören?«

»Ja, genau, stürzen wir uns auf meine Probleme, du hast ja zum Glück keine.«

»Ich bin nicht schuld, dass unser Sohn nach Indien auswandern will!«, schrie Cindy.

»Du glaubst, Vince geht meinetwegen nach Indien?«

»Er will nach Indien, weil es ihm hier nicht gut geht, Clark! Er ist unglücklich –«

»Und das ist meine Schuld?«

»Wir haben es nicht geschafft, ihm ein glückliches Leben zu schenken! Er will sich in seiner Familie doch nur gut fühlen, aber nicht mal das haben wir hinbekommen. Siehst du das denn nicht?«

»Schwachsinn.«

»Was ist Schwachsinn?«

»Dieser ganze Mist, dass wir für das Glück von Vince verantwortlich sind, das ist Schwachsinn«, schrie Clark, und man hörte die Kühlschranktür aufgehen und wieder zuknallen. »Er ist ein erwachsener Mann. Er ist selbst verantwortlich für sein Glück. Wenn er sich wie ein Idiot verhalten und ein absolut sorgenfreies Leben wegschmeißen will, kann ich auch nichts machen. Und zwar überhaupt nichts!«

Sekundenlang waren beide still. Neni schloss die Augen und schüttelte den Kopf; sie wusste nicht, wer ihr mehr leidtat. Sie stellte sich vor, dass Clark jetzt wahrscheinlich wütend Wein oder Bier direkt aus der Flasche trank, während Cindy leise schluchzte.

»Ist es dir egal?«, hörte sie Cindy fragen, die noch immer zitternde Stimme leiser, aber viel trauriger. »Ist dir völlig egal, wie sehr du uns damit verletzt?«

»Ja klar! Hart zu arbeiten, um meiner Familie dieses Leben zu ermöglichen. Wirklich furchtbar von mir. Alles dafür zu tun, dass es euch –«

»Alles tun? Dass ich nicht lache! Das hast du nie! Bevor du begreifst, dass die Familie immer an erster Stelle kommt –«

»Manchmal muss die Karriere oberste Priorität haben.«

»Unsere Ehe hatte nie oberste Priorität für dich! Unsere Familie hatte nie oberste Priorität für dich! Kein einziges Mal! Darum willst du nicht, dass wir wieder zur Paartherapie gehen … du willst nicht wahrhaben, wie egoistisch und abgestumpft du bist!«

»Was willst du von mir, Cindy?«, schrie Clark so laut, dass Neni das Gefühl hatte, die Wände würden wackeln. »Was willst du?«

»Ich will doch nur … ich will«, schluchzte Cindy, »ich will dich … ich will uns … ich will, dass die Jungs glücklich sind, Clark … Das ist alles … ich will, dass wir … dass meine Familie …«

Dann hörte Neni Schritte und wusste, dass es Clark Edwards war, der aus der Küche ging und seine weinende Frau sich selbst überließ. Sie hörte ein Plumpsen und ein lautes Schluchzen und sah Cindy vor sich, die an der Küchenzeile hinab zu Boden gerutscht war. Sie sah sie weinend auf dem kalten Fliesenboden vor sich.

Neni trat von der Tür zurück und lehnte sich ans Treppengeländer. Sollte sie etwas machen? Wäre das angebracht? Was könnte sie noch tun, außer in der Küche nachzusehen, wie sie Cindy helfen konnte?

Zaghaft öffnete sie die Tür und ging lautlos in die Küche, um Cindy nicht zu erschrecken, die genau dort saß, wo Neni sie sich zuvor vorgestellt hatte. Leise wimmernd, den Kopf gesenkt, saß sie da, so versunken in ihr Leid, dass sie gar nicht bemerkte, wie Neni auf sie zukam. Erst als Neni dicht vor ihr stehen blieb und sich hinabbeugte, schaute sie, tränenüberströmt und mit geröteten Wangen, zu Neni auf und fing wieder heftig an zu schluchzen.

»Entschuldigen Sie, Madam«, flüsterte Neni. »Ich wollte nur … Ich möchte nur sehen, ob ich etwas für Sie tun kann.«

Cindy, den Kopf wieder gesenkt, nickte schniefend. Neni stand auf, die Hand stützend unter den Bauch gelegt, und griff nach der Kleenexbox auf der Küchenablage. Dann setzte sie sich wieder neben Cindy und bot ihr ein Taschentuch an. Sie putzte sich die Nase damit und weinte hinein.

»Ich hoffe, Sie und Mr Edwards finden bald eine Lösung für alles, Madam.«

»Er glaubt … er glaubt, er hat das Recht dazu«, wimmerte Cindy kaum hörbar. »Alle … alle glauben, sie können mich behandeln, wie es ihnen passt.«

Neni nickte, es fiel ihr schwer, den Alkoholgeruch auszublenden, der mit Cindys Worten aus ihrem Mund strömte. Ihre Stimme klang trocken, die Wörter verzerrt, für Neni der Beweis, dass die Madam sehr viel mehr Wein getrunken hatte, als sie vertragen konnte.

»Kann ich Ihnen ein Glas Wasser bringen?«

Cindy schüttelte den Kopf und bat um ein Glas Wein, das Neni ihr rasch holte und sich dann wieder neben sie auf den Boden setzte.

»Jeder Einzelne … jeder glaubt, mich behandeln zu können wie … wie auch immer … irgendwie …«

Neni nickte wieder, die Taschentuchbox in der Hand.

»Zuerst war es mein Vater, wissen Sie … er dachte, er hätte das Recht dazu«, sagte Cindy. »Meine Mutter in das verlassene Haus zu schleifen … sie zu zwingen … sie sich mit Gewalt zu nehmen … sich einen Scheiß darum zu kümmern … ohne auch nur eine Sekunde daran zu denken, was dann mit dem Kind passieren würde …«

Sie schniefte, trank noch einen Schluck Wein und weinte.

»Und die Regierung … unsere Regierung«, schimpfte sie schluchzend, während ihr Tränen über die Wangen liefen und Rotz aus der Nase. »Sie hatten auch das Recht dazu, meine Mutter zu zwingen, das Kind eines Fremden auszutragen. Sie zu zwingen, das Kind zur Welt zu bringen, weil … weil … keine Ahnung, warum!«

Neni spürte einen dicken Kloß im Hals, als sie diese verzweifelte perlenbehangene Frau vor sich sah, auch wenn sie verwirrt war, von welchem Kind Cindy sprach.

»Ich habe sie gehasst … aber kann man es ihr verübeln? Sie dachte, sie hätte auch das Recht dazu … es sei ihr Recht. Mich zu schlagen, mich zu beschimpfen, mich ›fett‹ zu nennen … denn jedes Mal, wenn sie mich ansah, erinnerte ich sie an … ich war eine permanente Erinnerung an das, was er ihr angetan hatte …

aber warum? Was habe ich getan? Kinder sind immer unschuldig … sie können nie etwas dafür …«

Neni drehte den Kopf zur Seite, als Cindy nach dem Weinglas am Boden griff und einen großen Schluck nahm. Die Erkenntnis, wer mit diesem Kind gemeint war, hatte sie so überrumpelt, dass sie unwillkürlich die Augenbrauen hochgezogen und die Augen aufgerissen hatte und sich beherrschen musste, nicht die Hände vors Gesicht zu schlagen. In der Hoffnung, Cindy sei der Ausdruck auf ihrem Gesicht entgangen, hielt sie den Kopf weiter leicht zur Seite gedreht, auch weil sie nicht zu sehr auf das bemitleidenswerte nasse Häufchen Elend starren wollte, zu dem die Madam geworden war. Was sollte sie jetzt zu Cindy sagen? Sie konnte sie nicht umarmen und damit ausdrücken, was sie gern wortlos gesagt hätte, also musste sie es doch mit Worten tun. Aber was konnte sie zu dem unter Alkohol gemachten Geständnis von der unerträglichen Bürde einer Kindheit und Jugend voller Gewalt schon sagen? Was konnte sie über Dinge sagen, über die sie noch nie nachgedacht hatte?

»Und jetzt hat auch Clark das Recht dazu«, fuhr Cindy fort und starrte ausdruckslos vor sich hin, während ihre Stimme zitterte. »Er hat jedes nur erdenkliche Recht, seine Arbeit mehr zu lieben als mich. Mich abzulegen wie ein altes Kleidungsstück und sich wieder an mich zu erinnern, wenn es ihm passt … Und Vince …« Sie zog noch ein Taschentuch aus der Kleenexbox, vergrub ihr Gesicht darin und fing hysterisch an zu weinen. »Und jetzt auch noch Vince! Er glaubt, er hat alles Recht der Welt, mich einfach allein zu lassen … dabei habe ich als Mutter doch wirklich alles getan … selbst meine eigene Mutter nie einfach allein gelassen … und das trotz der langen Jahre der …«

Cindys Schultern bebten, und Neni, noch immer ratlos, was jetzt das Beste wäre, stellte die Kleenexbox auf den Boden, streckte vorsichtig die Hand nach Cindy aus und berührte sie zaghaft. Während Neni ihr behutsam die Schulter rieb und überlegte, was sie noch tun könnte, um der Madam zu helfen, weinte Cindy nur umso heftiger. Neni musste irgendwen anrufen, irgendwer musste so bald wie möglich kommen. Aber wer? Clark schon mal nicht. Vince auch nicht. Vielleicht Cheri oder June – die Nummern der beiden hingen am Kühlschrank. Aber was würde sie als Grund nennen, mitten in der Nacht anzurufen? Ihnen sagen, dass eine stockbetrunkene Cindy nicht aufhörte zu weinen? Ihnen sagen, dass sie nicht wusste, was sie sagen oder tun sollte, damit es Cindy besser ging?

»Es tut mir so leid, Madam«, sagte Neni ganz leise. »Es tut mir so leid, was Ihr Vater getan hat.«

Cindy weinte weiter, bei jedem Schluchzen zuckten ihre Schultern.

»Hat die Polizei ihn geschnappt, Madam?«

Cindy schüttelte den Kopf.

»Vielleicht … vielleicht könnten Sie ihn suchen, Madam? Vielleicht würde es Ihnen –«

»Ich halte Ausschau … jeden Tag … schaue jeden Mann an, der mir ähnlich sieht … und frage mich, ist er das vielleicht? Meine Mutter hat gesagt, ich müsste viel von seiner widerlichen Visage haben, denn ihr würde ich nicht ähnlich sehen … und mit diesem Gesicht laufe ich herum, mit dem Gesicht eines Monsters … und keiner weiß es. Keiner weiß, wie schwer das ist! Vince hat keine Ahnung, wie weh das tut!«

»Das mit Vince tut mir auch sehr leid, Madam«, sagte Neni.

Cindy nahm ihr Glas Wein und kippte auch den Rest hinunter. Neni rieb ihr weiter die Schulter, während sie schweigend dasaßen und die einzigen Geräusche in der Küche von hochwertigen elektronischen Haushaltsgeräten kamen. Der Küchenboden hatte sich unter ihnen erwärmt.

»Ich will nicht, dass er nach Indien geht«, sagte Cindy, und ihre Stimme klang plötzlich wieder gefestigter. »Aber nicht, weil es mir schwerfällt, ihn zu unterstützen. Ich kann die Kraft aufbringen, mein Kind bei etwas zu unterstützen, das ich selbst eigentlich nicht will. Aber dass er mir gegenüber so hart ist … glaubt, auf einmal zu den Gerechten zu gehören, nur weil er den Weg zur Spiritualität gefunden hat, das tut mir am meisten weh. Ich habe zu ihm gesagt, wenn du den Menschen helfen willst, die Welt verändern willst, warum suchst du dir dann nicht eine Anstellung bei der Lehman Brothers Foundation? Clark könnte ihm dabei helfen, aber, o nein, was für eine absurde Idee! Er hat mich gefragt, ob ich ernsthaft glauben würde, dass die Lehman Foundation vorhätte, die Welt zu verbessern? Ob ich eine Ahnung davon hätte, was Lehman Brothers eigentlich macht? Ob es mich überhaupt interessieren würde, wie Konzerne die Welt zerstören? Ich habe versucht, zu verstehen, warum er so wütend ist … Warum findet er es so abscheulich, reich zu sein? Warum sollten sich gute und hart arbeitende Leute schlecht fühlen, Geld zu haben, nur weil andere nicht so viel haben? Wir waren mal Freunde … mein Sohn und ich, gute Freunde. Er hat die Wahrheit gefunden, und jetzt bin ich naiv, kleingeistig, materialistisch und verloren. Das Licht kann ich angeblich nur sehen, wenn ich mein Ego aufgebe.«

Cindy seufzte und neigte den Kopf zur Seite, als würde sie durch Dehnen unerträgliche Nackenschmerzen loswerden wollen. »Ich habe gesagt, okay, dann geh … geh und such nach der Wahrheit und dem Einssein … ich möchte, dass du glücklich bist. Aber wie wäre es mit einem Zentrum hier in Amerika statt so weit weg in Indien … vielleicht eins in New Mexico, von dem ich mal gehört habe. Es muss die Wahrheit doch auch hier in Amerika geben. Oder du machst deinen Abschluss irgendwo in der Nähe von einem spirituellen Zentrum? Es ist nur … ich ertrage es nicht, ihn so weit weg zu wissen. Wenn ihm irgendwas passiert, das würde … das würde mich umbringen.«

22.

Sie kam mit weit mehr Designerkleidung aus den Hamptons zurück, als sie sich je erträumt hätte, dazu noch Schuhe und Accessoires. Cindy hatte gesagt, sie solle so viel von dem Zeug auf dem Dachboden mitnehmen, wie sie wolle, den Rest würde sie an Wohltätigkeitsorganisationen spenden, also hatte Neni ihr diesen Gefallen mit großer Freude getan, sich einen alten Rollkoffer mit kaputtem Reißverschluss von Louis Vuitton geschnappt, ihn randvoll gepackt und mit einer ihrer Blusen zugebunden. Beim Durchqueren der Penn Station und anschließend auf ihrem Weg durch die Straßen von Harlem hatte sie mindestens ein Dutzend Mal stehen bleiben müssen, so schwer waren die Louis-Vuitton-Tasche über ihrer rechten Schulter, die große braune Papiertüte mit Sachen und Spielzeug für Liomi über der linken Schulter, der Rollkoffer in der einen und noch mehr Sachen und Spielzeug für Liomi in der anderen Hand.

»Musstest du dich für ein paar kostenlose Sachen so quälen?«, fragte Jende lachend später am Abend, als sie ihm erzählt hatte, wie schwierig es gewesen war, all das Gepäck zu bugsieren, während das Baby sie ununterbrochen getreten hatte.

»Was heißt hier ›für ein paar kostenlose Sachen‹?«, sagte sie. »Das sind nicht nur irgendwelche kostenlosen Sachen, *bébé*. Weißt du, wie viel diese Sachen kosten?«

Jende lachte sie trotzdem aus und sagte, das wäre ihm egal. Sachen sind Sachen, sagte er, ganz egal, wie teuer oder mit welchen Namen bedruckt. Aber Betty lachte sie nicht aus – Betty verstand, dass es in Stil und Aura von Gucci und Tommy Hilfiger einen nicht zu leugnenden Unterschied gab. Im Gegensatz zu Jende wusste sie, dass Markensachen nicht alle gleich beschaffen waren, selbst wenn sie aus dem gleichen Material und von der gleichen Maschine hergestellt worden waren.

»Und mit dieser Valentino-Bluse läufst du dann die Straße entlang!«, rief Betty, als sie bei ihrem Besuch ein paar Tage nach Nenis Rückkehr auf das Label einer weißen Seidenbluse schaute.

»Kannst du dir das vorstellen?«, fragte Neni.

»Aber die kannst du nicht einfach draußen auf der Straße anziehen.«

»Nie im Leben. So was Kostbares! Ich weiß gar nicht, wo ich sie anziehen soll. Vielleicht bei einer Hochzeit. Oder vielleicht hebe ich sie auf und sie beerdigen mich darin, wenn ich sterbe.«

»Dann gib sie mir bis dahin, ja?«, sagte Betty lachend und hielt sich die Bluse an. »Ich peppe sie mit einem Lederrock und hochhackigen Stiefeln auf, und wenn ich höre, dass du tot bist, bringe ich sie zurück, dann kannst du –«

»Du verrücktes Huhn, los, gib mir meine Bluse zurück!«, sagte Neni, lachte ebenfalls und riss Betty die Bluse aus der Hand. Sie stand vor dem großen Spiegel im Schlafzimmer, hielt sich die Bluse an und spürte die zarte Seide und die zierlichen Knöpfe.

»Die Frau muss dich echt gernhaben, was?«, sagte Betty.

»Mich gernhaben, warum?«

»Na weil sie dir diese ganze Sachen geschenkt hat.«

Neni zuckte die Achseln und kniete sich neben den Louis-Vuitton-Koffer, um die Klamotten, die sie herausgenommen und sich eben angesehen hatten, wieder einzupacken. »Was heißt gernhaben?«, sagte sie, während sie die Kleider und Blusen wieder zusammenlegte. »Ich hab gemacht, was sie wollte, und sie hat mich mit Geld und Sachen dafür bezahlt.«

»Aber trotzdem …«

»Sie würde sie sowieso nicht mehr anziehen. Du hättest ihre Kleiderschränke sehen sollen. Ich wusste nicht mal, dass man so viele Sachen und Schuhe in einem Haus unterbringen kann.«

»Ich hätte ein oder zwei Paar Schuhe mitgehen lassen.«

»Nein, hättest du nicht«, konterte Neni auf Bettys Bluff hin.

»O doch«, beharrte Betty, riss die Augen auf und lachte. »Vielleicht auch noch ein paar Jeans von Calvin Klein und DKNY, wenn ich diese prallen Prachtbacken hineinzwängen könnte. Wie soll sie merken, dass ihr was fehlt, wenn sie so viele Sachen hat?«

»Sie würde es nie merken. Wie soll einer merken, dass eins von seinen fünfzig Paar Schuhen plötzlich fehlt? Und fünfzig sage ich nicht einfach so. Ich schwöre dir, Betty, ich stand im Schuhschrank und habe gezählt. Fünfzig!«

»Plus weitere fünfzig oder hundert in ihrer Wohnung in Manhattan.«

»Da bin ich mir sicher.«

»Und sie ist trotzdem so unglücklich«, sagte Betty mit einem Seufzen. »Geld bedeutet wirklich nichts.«

»Sie hat ihre eigenen Sorgen, die wir nicht verstehen können«, sagte Neni, als sie aufstand, um sich neben Betty aufs Bett zu setzen. »Und sie versucht ihr Bestes, es zu verstecken, was nicht leicht ist –«

»Wenn dein Vater ein Vergewaltiger ist, du seinen Namen nicht kennst, sein Gesicht nicht kennst, wie kann Geld dir dann helfen? Wenn du nicht mal weißt, ob er schwarz oder weiß oder Latino ist?«

»Ach, Betty, übertreib nicht. Ihr Vater muss ein Weißer sein.«

»Sagst du, weil du den Mann kennst?«

»Die Frau ist weiß!«

»Das glaubst du, ja? Ich kann jetzt sofort mit dir ins Internet gehen und es dir bei Google zeigen. Diese ganzen Weißen, die alle dachten, dass sie weiß sind, und dann finden sie irgendwann heraus, dass irgendwer schwarz war, ihr Vater, ihr Großvater –«

»Na egal. Aber das ist bestimmt nicht das, was ihr am meisten zu schaffen macht.«

»Aber mir würde es zu schaffen machen. Wenn ich irgendwann rausfinde, dass ich nicht hundertprozentig schwarz bin, dann …«, sagte Betty, machte einen Schmollmund und schüttelte den Kopf; Neni lachte.

»Das passiert dir sicher nicht«, sagte Neni. »Mit der kohlefarbenen Haut und dem Prachtarsch – du kannst nur afrikanisches Blut in dir haben.«

»Dein Neid wird dich noch umbringen«, schoss Betty zurück und lachte, als sie sich zur Seite drehte und sich auf die Pobacken schlug, um zu betonen, wie herrlich groß sie waren. »Aber mal im Ernst«, sagte sie, »ich weiß nicht, was ich machen würde, wenn mein Vater –«

»Ich wüsste auch nicht, was ich machen würde. Ich hätte Angst, verflucht zu sein, weil, ich meine, das ist doch ein Fluch, oder? Da bist du ein Bastard, und als ob das nicht genug ist, weiß jeder, dass dein Vater ein Vergewaltiger war.«

»*Kai!* Kein Wunder, dass die Frau trinkt. Hast du sie noch mal so gesehen?«

»Du meinst, wie an dem einen Tag? Nein, zum Glück nicht. Aber ich habe im Gästebad eine leere Medizinflasche im Mülleimer gefunden. Die gleiche wie an dem Tag damals.«

»Ein Schmerzmittel, oder?«

Neni zuckte die Achseln. »Keine Ahnung.«

»Das muss irgendein Schmerzmittel gewesen sein. Ich hab in meinem Pharmaziebuch darüber ge–«

»Soso, gestern machst du einen Mini-Pharmaziekurs und heute weißt du alles über Medikamente. Warum machst du nicht gleich eine Apotheke auf?«

»Ach komm, lass das Abhaten«, sagte Betty mit ihrem gekünstelten amerikanischen Akzent.

»Du kannst den Kurs auch machen, wenn du so weit bist. Aber ich schwöre dir, es muss so was gewesen sein, irgendein Schmerzmittel.«

»Weil?«

»Was soll das heißen, ›weil‹? Hast du mir nicht beschrieben, wie sie aussah, als du sie mit den Tabletten und dem Wein gefunden hast? Ich habe selbst Schmerzmittel genommen, ich weiß, wie das Zeug dich –«

»Nein«, sagte Neni und schüttelte den Kopf. »Das habe ich auch gedacht, dass es vielleicht starke Medikamente waren, aber –«

»Aber was?«

»Aber was, wenn sie krank war?«

»Krank gemacht von was? Wenn sie nur krank war, warum hat sie dich dann angebettelt, keinem was zu erzählen?«

Neni seufzte. »Ich weiß nicht; die ganze Sache mit dieser Frau ist nur verwirrend.«

»Warum streitest du dann mit mir? Ich kann dir das Kapitel in meinem Lehrbuch zeigen. Sie nimmt die Schmerzmittel, trinkt dann den Wein dazu … Solche Frauen, die nehmen die Tabletten zuerst wegen irgendwelchen Schmerzen, damit fühlen sie sich richtig gut, also nehmen sie mehr, und dann noch mehr, –«

»Aber ich hab auch schon mal Tylenol genommen«, sagte Neni und lachte auf, »und ich hab nichts Besonderes gemerkt.«

»Tylenol ist nicht das Gleiche, du Dorfkind«, sagte Betty und musste lachen, verfiel aber gleich darauf wieder in einen ernsten Ton. »Ich rede von verschreibungspflichtigen Schmerzmitteln gegen richtig starke Schmerzen, so wie ich sie hatte, als … Letztes Jahr im Roosevelt haben sie mir welche gegeben. Vicodin und –«

»Das stand auf der Flasche! Vicodin. Warte, ich bin nicht sicher, ob es –«

»Das wird es gewesen sein«, sagte Betty und legte den Kaschmirschal von Burberry und das Maxikleid von Ralph Lauren zusammen, die Neni ihr von Cindys Sachen geschenkt hatte. »Ich habe mich jedes Mal besser gefühlt, wenn ich's genommen hab. Auch mit allem, was ich damals gefühlt habe …«

»Aber du hättest es nicht wie Bonbons in dich reingestopft, so wie Mrs Edwards das Zeug anscheinend schluckt.«

»Glaubst du das wirklich? Sei dir nicht zu sicher. Im Krankenhaus haben sie mir nur Pillen für zehn Tage gegeben, aber wenn ich gekonnt hätte, hätte ich mir mehr besorgt. Vielleicht für eine Woche mehr. Ich habe mich von dem Zeug so viel besser gefühlt, aber in diesem Land … die Ärzte hier haben zu viel Angst, dass die Leute abhängig werden. Mrs Edwards muss jemanden kennen, der es ihr gibt, vielleicht ein Freund, der Arzt ist oder Apotheker.

Manchmal kaufen sie es auch von anderen Leuten … ich frag mich nur, wie viele davon sie pro Tag nimmt.«

23.

Immer wenn Clark im Wagen saß – morgens, mittags oder abends –, schrie er irgendwen an, stritt über irgendetwas, gab Anweisungen, dass dieses oder jenes schnellstmöglich getan werden müsse. Er wirkte wütend, frustriert, konfus, resigniert. Der Laden ist das reinste Chaos, sagte Leah jedes Mal, wenn Jende und sie miteinander telefonierten. Clark dreht grad völlig durch, brüllt mich ständig an, was mich dann auch durchdrehen lässt, und überhaupt sind alle hier am Durchdrehen, ich schwöre dir, es ist, als würde irgendein abgedrehtes Zeug alle von innen auffressen. Jende sagte, es würde ihm wirklich leidtun, zu hören, wie schlimm alles für sie wäre, und versicherte ihr immer wieder, dass er auch nichts weiter wüsste als das, was sie schon von den Memos wusste, die Tom intern an die Lehman-Mitarbeiter geschickt hatte und in denen stand, dass das Unternehmen gerade eine schwerere Phase durchmache, sie aber in null Komma nichts zurück an der Spitze sein dürften. Leahs Situation beschäftigte Jende: dieses Festhalten an einem Job, in dem sie unglücklich war, weil ihr noch immer fünf Jahre fehlten, um im staatlichen Sozialhilfesystem abgesichert zu sein. Es machte ihm zu schaffen, dass sie nicht kündigen konnte, obwohl ihr Blutdruck beängstigend hoch war, sie Haarausfall hatte und jede Nacht nur drei Stunden Schlaf bekam, aber es war nicht an ihm, ihr zu erzählen, was Clark sagte. Oder machte. Er konnte ihr nicht erzählen, dass Clark manchmal im Büro schlief oder an manchen Abenden Termine im Chelsea Hotel hatte, die nie länger dauerten als eine Stunde. Er konnte ihr nicht sagen, dass er seinen Chef nach diesen Terminen meistens zurück ins Büro fuhr, wo Clark dann wahrscheinlich noch mehrere Stunden weiterarbeitete, nachdem er sich etwas entspannt hatte. Er sagte sich immer wieder, dass er verpflichtet war, Clark zu beschützen, nicht Leah.

»Wohin fahren wir jetzt, Sir?«, fragte Jende am letzten Donnerstag im August, als er Clark vor dem Chelsea Hotel die Wagentür aufhielt. Clarks Termin hatte diesmal genau eine Stunde gedauert, aber er war genauso matt zum Auto zurückgekommen, wie er gegangen war, sein Gesicht deutlich gezeichnet von anhaltender Überarbeitung. Sein Termin schien nicht so effektiv gewesen zu sein wie sonst.

»Hudson River Park« , sagte Clark.

»Hudson River Park, Sir?« , fragte Jende nach, überrascht, dass Clark nicht mit »Büro« geantwortet hatte.

»Ja.«

»Irgendwo im Park, Sir?«

»Irgendwo bei der 10. und 11. Straße. Oder in der Nähe der Piers dort.«

»Ja, Sir.«

Jende setzte Clark ganz vorn an der Christopher Street ab und schaute ihm nach, als er über den West Side Highway zum Pier lief und Sonne und Hitze seine ohnehin schmalen Schultern noch weiter nach unten zu drücken schienen.

»Wo stehen Sie?«, fragte er Jende zehn Minuten später per Handy.

»Ungefähr dort, wo ich Sie rausgelassen hab, Sir«, antwortete Jende. »Hinter mir ist eine gute Lücke frei geworden, da bin ich reingefahren.«

»Warum kommen Sie nicht her und leisten mir Gesellschaft? Sie müssen nicht da im Auto sitzen.«

»Ich soll zum Pier kommen, Sir?«

»Ja, ich sitze auf einer Bank ganz vorn am Wasser. Ich warte hier auf Sie.«

Jende schloss den Wagen ab und spurtete über den Highway auf den Pier zu, wo er Clark in der Ferne auf einer Bank ausmachte, das Jackett ausgezogen und das Gesicht nach oben in den Himmel gereckt. Als Jende näher kam, sah er, dass Clark die Augen geschlossen hatte. Die erfrischende Brise schien Clark aufleben zu lassen; wie er so dasaß und der Wind ihm die Haare zerzauste und über die Stirn strich, machte er zum ersten Mal seit Monaten einen entspannten Eindruck. Jende schaute hinauf in den klaren Himmel, der so gar nicht zu der stickigen Stadtluft hier unten passen wollte. Der August war so gut wie vorbei, und trotzdem war die Luftfeuchte noch sehr hoch, auch wenn er die schwüle Luft angenehm fand, die sich mit dem Wind vermischte und dann über den in den Atlantik mündenden Fluss wehte.

Clark saß auf der Bank und atmete ein. Und aus. Ein. Aus. Wieder und wieder. Fünf Minuten lang. Jende stand neben ihm und wartete, rührte sich nicht, um Clark nicht zu stören.

»Sie sind schon da«, sagte Clark, als er schließlich die Augen aufmachte. »Setzen Sie sich.«

Jende setzte sich neben ihn und zog auch das Jackett aus.

»Herrlich, oder?«, sagte Clark, als sie auf den Hudson River schauten, der zwar keiner vergleichbaren Strecke folgte wie der Nil, der Niger, der Limpopo und der Sambesi, der aber doch genauso entschlossen und unbeirrbar dahinfloss.

Jende nickte, wenn auch verwirrt, warum er hier auf einer Bank am Pier saß und mit seinem Boss auf den Fluss starrte. »Ja, Sir, es ist sehr schön.«

»Ich dachte, Sie sollten das vielleicht genießen, anstatt nur im Auto zu warten.«

»Danke, Sir, ja, ich genieße die frische Brise. Ich wusste nicht mal, dass es in New York so einen Ort gibt.«

»Es ist ein toller Park. Wenn ich könnte, würde ich öfter herkommen, um mir den Sonnenuntergang anzusehen.«

»Sie sehen sich Sonnenuntergänge an, Sir?«

»Es gibt nichts Entspannenderes für mich.«

Jende nickte und sagte nichts, dachte aber, wie seltsam es doch war, dass beide, Clark und Vince, Sonnenuntergänge liebten – die einzigen beiden Menschen, die er je kennengelernt hatte, die ihren Tagesablauf unterbrachen, um am Wasser zu sitzen und auf den Horizont zu starren. Er fragte sich, ob Vince das von seinem Vater wusste; ob er anders für seinen Vater empfinden würde, wenn ihm klar wäre, dass sie beide eine große Liebe für etwas teilten, für dessen Anblick die meisten Menschen wohl keine große Mühe auf sich nehmen würden.

Ein paar Minuten lang saßen die beiden Männer schweigend da und schauten auf den Hudson River, der es auf seinem Weg zum Meer nicht eilig hatte.

»Ich bin sicher, dass Sie inzwischen wissen, dass Vince in zwei Wochen nach Indien geht«, sagte Clark.

»Nein, Sir, das wusste ich nicht. Indien?«

Clark nickte. »Er hängt das Jurastudium an den Nagel. Er will die Welt bereisen.« Er schüttelte den Kopf.

»Er ist ein guter Junge, Sir. Wenn er so weit ist, wird er gesund wieder nach Amerika kommen.«

»Oder auch nicht, zumindest nicht in nächster Zeit. Es ist okay. Ich bin nicht der erste Vater, dessen Sohn rebelliert und beschließt, auf unorthodoxe Weise leben zu wollen.«

»Ich hoffe, Sie sind nicht zu wütend auf ihn, Sir.«

»Genau genommen findet Cindy mich nicht wütend genug. Und das macht sie wütend, weil sie glaubt, ich würde ihn nicht genug lieben und hätte ihn irgendwie aufgegeben. Dabei bewundere ich ihn regelrecht.«

»Vince hat keine Angst.«

»Ja, aber das ist nicht alles. Als ich so alt war wie er jetzt, wollte ich genau dieses Leben, das ich heute führe. Genau dieses Leben habe ich gewollt.«

»Es ist ein gutes Leben, Sir. Ein sehr gutes Leben.«

»Manchmal. Aber ich verstehe, warum Vince es nicht will. Denn in diesen Tagen jetzt will ich es auch nicht. Dieser ganze Scheiß, der bei Lehman passiert, die ganzen Sachen, die wir vor zwanzig Jahren niemals gemacht hätten, weil wir für etwas Großes standen, und jetzt wird dieser dreckige Scheiß zur Normalität. Überall an der Börse. Aber versuchen Sie mal, denen mit vernünftigen Argumenten zu kommen, mit den Konsequenzen und einem

Ausblick auf die langfristigen Auswirkungen, dann schauen die einen an, als hätte man nicht mehr alle Tassen im Schrank.«

Jende nickte.

»Und ich weiß, dass Vince recht hat, aber nicht irgendein System ist das Problem. Wir sind es. Jeder Einzelne von uns. Wir müssen erst mal unsere eigenen Sachen in Ordnung bringen, bevor wir ein ganzes verdammtes Land in Ordnung bringen können. Aber so läuft es nicht an der Börse. Auch in Washington nicht. Überhaupt nirgendwo! Das ist alles nichts Neues, aber es wird immer schlimmer, und einer allein oder zwei oder drei können das nicht in Ordnung bringen.«

»Das stimmt, Sir.«

»Aber für das, was ich habe, habe ich hart gearbeitet, und ich bin stolz darauf, und ich kämpfe bis zum Schluss, um es zu erhalten. Denn immer dann, wenn dieses Leben hier gut ist, dann ist es richtig gut, und der Preis, den ich zahle, der gehört einfach dazu.«

»Da haben Sie sehr recht, Sir«, sagte Jende nickend. »Wenn man Ehemann und Vater wird, muss man viele Preise zahlen.«

»Es geht um mehr als nur die Verpflichtungen, die man als Ehemann und Vater hat. Da sind auch die Verpflichtungen den eigenen Eltern gegenüber. Und den Geschwistern. Als ich nach Stanford gegangen bin, wollte ich Physik studieren und Professor werden wie mein Dad. Dann habe ich gesehen, was mit dem Gehalt eines Professors möglich ist und was mit dem Gehalt eines Investmentbankers, und da habe ich diesen Weg eingeschlagen. Ich werde nicht hier sitzen und einen auf selbstgerecht machen, denn der eigentliche Grund für meine Berufswahl war nie besonders edel. Natürlich habe ich damals von Sportwagen und Privatjets geträumt. Aber heute ist es anders. Alles was zählt, ist, dass ich durch den Job meine Familie gut versorgen kann. Ganz egal, wie schlimm es im Büro zugeht, letztlich weiß ich immer, dass ich meine Eltern auf Reisen schicken kann, damit sie die Welt sehen können, jede anfallende Arztrechnung bezahlen kann, absichern kann, dass es meiner Schwester nach dem Tod ihres Mannes an nichts fehlt, absichern kann, dass meine Frau und meine

Söhne viel mehr haben, als sie brauchen. Und das versteht Vince nicht. Dass man nicht nur das tut, was einen selbst glücklich macht. Sondern dass man auch an seine Eltern denkt.«

»Diese Seite von Ihnen sieht Vince nicht, Sir. Er sieht einen Vater, der bei der Bank arbeitet und viel Geld verdient, aber ich habe ihm gesagt, deine Eltern haben auch andere Seiten, die du nicht siehst, weil du ihr Kind bist. Ich kann erst jetzt, wo ich alt bin, auf manches schauen, was mein Vater gemacht hat, und ihn verstehen.«

»Ich habe mit ihm darüber gesprochen. Ich habe gesagt, ich bitte dich nicht, dein Jurastudium zu Ende zu machen und Anwalt zu werden, damit du wirst wie ich. Ich bitte dich darum, weil ich weiß, was es braucht, um in diesem Land erfolgreich zu sein. Man muss sich mit einer guten Ausbildung und einem gut bezahlten Beruf von der Masse abheben. Ich lese von Leuten, die in jungen Jahren geglaubt haben, es wäre alles Spaß und Spiel, und schau sie dir heute an, sie kommen gerade so über die Runden, denn wenn man nicht jeden Monat einen ordentlichen Batzen Geld verdient, kann das Leben in diesem Land sehr grausam sein. Und ich möchte nicht, dass mein Sohn genau das je am eigenen Leib erfahren muss.«

Jende nickte und schaute in die Ferne.

Für einen Moment schwiegen die Männer, gerade als etwa ein Drittel der Sonne hinter den Mehrfamilienhäusern auf der New-Jersey-Seite verschwunden war. Sie schauten zu, wie sie ganz allmählich versank und sich von ihnen und der Stadt verabschiedete, um hinter dem East River wieder aufzugehen und einen neuen Tag voller Verheißungen und Enttäuschungen mit sich zu bringen.

»Wow«, sagte Jende, fasziniert von dem, was er sah. »Ich wusste, dass die Sonne aufgeht und untergeht, aber ich wusste nicht, dass sie das so schön macht.«

»Unglaublich, oder?«

»Sir«, sagte Jende nach kurzem Schweigen. »Ich glaube, Vince wird ein paar Monate in Indien bleiben und dann zurück an die Uni rennen.«

»Würde mich nicht überraschen«, sagte Clark mit einem Lachen.

»Ich hab keine Ahnung, wie es in Indien ist, aber wenn es dort so heiß ist wie in Kamerun und es auch so viele Mücken gibt, dann hole ich ihn noch vor Jahresende am Flughafen ab.«

Die Männer lachten gemeinsam.

»Ich mache mir keine Sorgen um Vince, Sir, nicht eine Minute. Selbst wenn er bleibt, wird er glücklich werden. Schauen Sie mich an, Sir. Ich bin in einem fremden Land und glücklich.«

»So kann man es auch sehen.«

»Ein Mann kann überall ein Zuhause finden, Sir.«

»Komisch, als ich heute über Vince nachgedacht habe, habe ich ein Gedicht geschrieben, in dem es darum geht, sein Zuhause zu verlassen.«

»Sie schreiben Gedichte, Sir?«

»Ja, aber ich bin kein Shakespeare oder Frost.«

Jende kratzte sich am Kopf. »Es tut mir leid, Sir«, sagte er. »Von Shakespeare habe ich ein bisschen was gehört, aber den anderen Mann kenne ich nicht. Ich war nicht lange genug in der Schule.«

»Sie waren beide große Dichter. Ich wollte nur sagen, dass meine Gedichte ziemlich amateurhaft sind, aber an vielen Tagen helfen sie mir, weitermachen zu können.«

Jende nickte, und er wusste, dass Clark ihm ansah, dass er den letzten Teil auch nicht so ganz verstanden hatte. »Sir, haben Sie in der Schule gelernt, wie man Gedichte schreibt?«, fragte er.

»Nein, genau genommen habe ich erst vor ein paar Jahren damit angefangen. Ein Kollege hat mir so ein Büchlein mit Gedichten in die Hand gedrückt, was ich im ersten Moment ziemlich seltsam fand – wieso kommt jemand auf die Idee, dass ich ein Buch mit Gedichten brauchen könnte? Ich hab es für eins von diesen Last-Minute-Geschenken gehalten, wo Leute irgendwas aus ihrem Regal ziehen.«

»Ein Weihnachtsgeschenk, Sir?«

»Ja, aber das ist nicht so wichtig, auf jeden Fall habe ich es dann eben auf meinem Schreibtisch liegen lassen, es irgendwann in die

Hand genommen und die Gedichte so großartig gefunden, dass ich selbst mal versuchen wollte, eins zu schreiben. Fühlt sich richtig gut an, wissen Sie, einfach Zeilen über die eigenen Gefühle zu schreiben. Sollten Sie irgendwann mal ausprobieren.«

»Klingt sehr gut, Sir.«

»Ich hab eins für Cindy geschrieben, aber es hat ihr nicht besonders gut gefallen, also schreibe ich jetzt nur noch für mich.«

»Ich würde sehr gern eins lesen, Sir.«

»Wirklich? Ich kann Ihnen ... O verdammt«, sagte Clark, als er auf seine Uhr schaute. »Ich habe gar nicht gemerkt, dass es schon so spät ist.«

»Oh, das tut mir leid, Sir, ich hätte wachsam sein sollen. Ich habe einfach erzählt und erzählt, ohne auf die Zeit zu achten.«

»Nein, nein, ich bin froh über unser Gespräch. Danke für Ihre Gesellschaft, ich bin Ihnen wirklich dankbar. Ich hoffe, ich habe Sie nicht in eine unangenehme Situation gebracht, indem ich Sie mit meinen Gedanken über die Arbeit und den Mist überfallen habe.«

»Nein, Sir, ich bitte Sie, ich danke Ihnen sehr, Mr Edwards, dass Sie mich hier zu sich geholt haben.«

»Danke fürs Zuhören«, sagte Clark mit einem Grinsen. »Und das Gedicht trage ich Ihnen gern vor. Es heißt ›Zuhause‹, und wenn es Ihnen nicht gefällt, sagen Sie am besten gar nichts dazu.«

»Ja, Sir,« sagte Jende und grinste auch. »Ich sage einfach nichts, egal wie.«

»Okay, also, es geht so:

Dein Zuhause wird immer bleiben
Dein Zuhause erwartet dich bei deiner Wiederkehr
Vielleicht gehst du, um mit Vermögen heimzukehren
Vielleicht gehst du, um dem Unvermögen zu entfliehen
Vielleicht auch nur, weil du gehen willst
Aber wenn du heimkehrst
Und wir hoffen, dass du heimkehrst
Erwartet dich dein Zuhause«

24.

Was sie (abgesehen von den Jungs, vor allem Mighty) aus ihrer Zeit in den Hamptons wirklich vermisste, war das Essen – die köstlichen Cateringspeisen, die bei den Cocktailpartys der Edwards gereicht wurden. Sie hatte ihr Leben lang geglaubt, nirgendwo auf der Welt sei das Essen so gut wie in Kamerun – aber sie hatte sich geirrt: Reiche Amerikaner verstanden auch was von gutem Essen. Obwohl sie an den Tagen von Cindys Poolpartys fünfzehn Stunden arbeiten musste, freute sie sich immer darauf, weil das Essen einfach zu gut war, so unfassbar gut, dass sie an einem der Abende Fatou anrief und sagte, sie müsste ganz sicher gestorben und jetzt im Himmel sein, woraufhin Fatou antwortete, wie willst du wissen, ob nicht Piss von Koch das Essen gut lecker macht. Neni war sicher, dass der Koch überhaupt nichts mit dem Essen gemacht hatte, da die drei Köche, die Cindy immer für die Partys engagierte, fast alles in der Küche zubereiteten, und die drei Kellner, die sie mitbrachten, es dann mit Nenis Hilfe direkt aus der Küche in den Garten trugen. Da gab es alle möglichen Speisen, lauter Dinge, die sie in Zeitschriften gesehen und von denen sie sich gewünscht hatte, sie könnte sie allein durchs Anschauen schmecken, unerlaubt köstliche Kreationen wie Thunfisch mit Sesamkruste und einer Zitronen-Wasabi-Vinaigrette; Rinderfilet und Oliven auf Knoblauchcrostini mit Meerrettichcreme; kalifornischer Kaviar und Schnittlauch auf Melbatoast; gefüllte Champignons mit riesigen Stücken Krabbenfleisch; Tatarbeefsteak mit Ingwer und Schalotten, was ihr am allerbesten schmeckte und was sie mit Genuss aß, obwohl sie sich nie hätte träumen lassen, dass sie irgendwann mal wie die wilden Tiere im Wald rohes Fleisch essen würde.

Sie hatte das Gefühl, dank der vielen Reste nach den drei Partys schon ihren verdienten Anteil bekommen zu haben, war aber trotzdem froh, als Anna anrief und fragte, ob sie bei einem Brunch, den Cindy und ihre Freundinnen in Manhattan ausrichteten, aushelfen könnte.

»Nehmen sie wieder die Köche aus den Hamptons?«, fragte sie Anna.

»Nein«, sagte Anna. »Das jetzt ist nur Brunch. Zwei Köche aus der Stadt und keine Kellner. Also bedienen wir, du und ich, und räumen ab. Das andere Mädchen, das für Cindys Freundin gearbeitet hat, hat das immer mit mir gemacht, aber sie hat letzte Woche gekündigt, also hat Cindy gesagt, ruf Neni an.«

»So viele Leute und nur wir beide bedienen und räumen ab?«

»Keine Sorge, es sind nicht sehr viele. Nur sie und fünf Freundinnen mit Ehemännern und Kindern. Cindy sagt, es dauert nur drei Stunden und du kriegst einhundert Dollar. Fair, oder?«

Neni gab zu, dass das mehr als fair war, und machte sich am folgenden Sonntagnachmittag auf den Weg zu Junes Wohnung auf der West End Avenue. Dort waren lediglich sechs Kinder, und Mighty war zum Glück eines von ihnen. Als er sie in die Wohnung kommen sah, rannte er auf sie zu und umarmte sie so fest, dass Neni ihn daran erinnern musste, dass er nicht ihr einziges Baby war, sondern dass in ihr noch ein anderes Baby heranwuchs.

»Wie waren deine letzten Tage in den Hamptons?«, fragte sie ihn in der Küche, während Anna und sie dort darauf warteten, dass die Köche ihnen die ersten Platten mit kleinen Häppchen reichten.

»Langweilig«, sagte Mighty.

»Hattest du gar keinen Spaß mehr, als ich weg war?«

»Eigentlich nicht.«

»Jetzt fühl ich mich schlecht, Mighty«, sagte Neni und machte ein trauriges Quatschgesicht mit aufgeblasenen Backen. »Deine

Mom wollte gern, dass ich die letzten beiden Tage freinehme, aber nächstes Mal bleibe ich, wenn Mr Mighty es verlangt.«

»Ich verlange es!«, sagte Mighty.

»Aye, aye, Sir. Oder vielleicht kommst du stattdessen mit mir nach Harlem. Dann können wir wieder *puff-puff* zum Frühstück machen und abends am Strand Fußball spielen. Wollen wir das machen, Mr Mighty?«

»Echt? Nach Harlem? Das wäre so cool ... aber warte mal, in Harlem ist doch gar kein Strand.«

»Na, dann machen wir ... Ich mache –«

»Dann schauen wir uns alberne Filme an, und ich schlage dich jedes Mal beim Playstationspielen und Armdrücken!«, sagte Mighty lachend und seine haselnussbraunen Augen strahlten vor Freude.

»Du solltest nie stolz sein, wenn du eine Frau geschlagen hast«, sagte Neni und tat ganz entrüstet, als sie ein Tablett mit Häppchen hochnahm. »Komm, die anderen essen jetzt.«

Als sie mit den Häppchen im Zimmer umherging und das Tablett schließlich auf den Tisch stellte, nickte sie lächelnd Cindys Freundinnen zu, die sie alle in den Hamptons kennengelernt hatte. Sie waren freundlich und nett zu ihr gewesen: Sie hatten ihr die Vorzüge von pränatalem Yoga und dazu die besten Yogastudios in der Stadt aufgezählt (Vielen Dank für die Informationen, Madam, hatte sie immer gesagt), immer wieder betont, dass es in Ordnung sei, wenn Neni sie mit dem Vornamen anspräche (etwas, das sie nie tun könnte, weil es in Limbe ein Zeichen von mangelndem Respekt war), hatten ihr Komplimente für ihre zarte Haut und ihr bezauberndes Lächeln gemacht (Ihre Haut ist so weich und wunderschön, Madam; Sie haben aber auch ein bezauberndes Lächeln, Madam) und sie gefragt, wie lange sie für ihre Flechtfrisur bräuchte (Nur acht Stunden, Madam). Die Freundlichkeit der Frauen hatte Neni erstaunt – sie hatte eher Desinteresse von ihnen erwartet, von diesen Frauen mit ihren Gucci- und Versace-Handtaschen, die über Wellness, Reisen und Opernbesuche redeten. Wegen der Filme, die sie gesehen hatte, in denen reiche Weiße lachend bei Tisch saßen, ohne die Diener und Hausangestellten um sie herum auch nur eines Blickes zu würdigen, hatte sie sich vorgestellt, dass Frauen mit Sommerhäusern in den Hamptons allenfalls mit ihr sprechen würden, um sie herumzukommandieren. Nachdem sie mindestens vier von ihnen kennengelernt hatte, von denen sie alle angelächelt und gefragt hatten, in der wievielten Schwangerschaftswoche sie sei, hatte sie mit Betty über die unerwartete Herzlichkeit gesprochen, und sie und Betty waren sich einig gewesen, dass sich das Verhalten der Frauen wohl damit erklären ließ, dass sie nicht jeden Tag eine schöne schwangere Kamerunerin aus Harlem kennenlernten. Solche Frauen waren ganz sicher nicht zu jedem Hausmädchen so nett und freundlich. An diesem Sonntagnachmittag war Cindy die Netteste und Freundlichste von allen, ermahnte Neni immer wieder, nur die leichten Aufgaben auszuführen und darauf zu achten, dass sie sich nicht übernahm. Als sie sah, wie Cindy jetzt mit ihren Freundinnen schwatzte, lachte und dabei den Kopf in den Nacken warf, konnte Neni kaum noch glauben, dass die seltsamen Dinge in den Hamptons wirklich passiert waren.

»Wir müssen über Cindy sprechen«, flüsterte Anna ihr in der Küche ins Ohr.

»Was?«, fragte Neni schnell. »Was ist mit ihr?«

Anna zog sie am Arm in die hinterste Ecke der Küche, in sichere Entfernung von den Köchen und den Gästen, die hereinkamen und mit Eiweißomeletts und Smoothies wieder hinausgingen.

»Sie hat Probleme«, flüsterte Anna.

»Probleme?«

»Hast du in den Hamptons keine Probleme gesehen?«

Neni öffnete den Mund, sagte aber nichts.

»Aber du hast in den Hamptons etwas gesehen, richtig?«, fragte Anna und nickte schnell. »Ich weiß nicht …«, sagte Neni, verwirrt von der Richtung, die das Gespräch nahm.

»Ich komme morgens zur Arbeit, und sie riecht nach Alkohol«, flüsterte Anna und wedelte mit der Hand vor ihrem Mund, als wolle sie einen schlechten Geruch vertreiben.

»Ja«, sagte Neni, »sie mag Wein.«

Die Haushälterin schüttelte den Kopf. »Das hat nichts mit mögen zu tun. Sie hat ein Problem.«

»Aber –«

»Letzte Woche habe ich drei leere Flaschen Wein im Müll gefunden. Mighty trinkt keinen Wein. Clark ist nicht zu Hause. Ich sehe ihn nur ein- oder zweimal in der Woche.«

»Vielleicht –«

»Kann bitte eine von euch den Punsch für die Kinder nachschenken und noch Servietten holen?«, rief einer der Köche zu ihnen rüber. Anna gab Neni ein Zeichen, dass sie das übernehmen würde und Neni sich nicht von der Stelle rühren sollte.

»Um ehrlich zu sein«, sagte Neni leise, als Anna zurückkam, »ich habe es in den Hamptons auch gesehen.«

»Siehst du! Ich wusste, ich bin nicht verrückt.«

»Ich wusste nicht, dass eine Frau so trinken kann.«

»Diese Familie hat Probleme. Große Probleme.«

»Vorher war sie nicht so?«

»Nein. Vorher hat sie normal viel getrunken – hier ein bisschen, da ein bisschen. Ich arbeite seit zweiundzwanzig Jahren für sie und es gab nie diese Probleme. Aber es gab immer andere Probleme: selten Gespräche beim Abendessen. Darum selten Streit, aber auch selten glückliche Zeiten.«

»Glaubst du, er weiß es?«, fragte Neni und warf einen kurzen Blick über die Schulter.

Anna schüttelte den Kopf. »Nein, keiner weiß was. Schau dir nur an, wie sie aussieht. Wie kann es jemand wissen?«

Neni seufzte. Sie wollte Anna von den Tabletten erzählen, sie aber andererseits nicht noch mehr aufregen. Der Alkohol war schlimm genug.

»Vielleicht hört sie irgendwann einfach auf?«, sagte sie.

»Die Leute hören nicht einfach irgendwann auf zu trinken«, erwiderte Anna.

»Aber wir können nichts machen.«

»Sag das nicht«, antwortete Anna und schüttelte so energisch den Kopf, dass die zwei Büschel, die ihren Pony darstellen sollten, hin- und herwedelten. »Wir dürfen nicht sagen, wir können nichts machen. Was ist mit uns, wenn ihr was passiert? In meiner Stadt hat sich ein Mann totgetrunken. Wer gibt mir meinen Scheck, wenn sie stirbt? Oder deinem Mann?«

Neni hätte fast laut losgelacht, einerseits wegen Annas Gedankengang, andererseits wegen ihrer übertriebenen und unnötigen Angst. In Limbe tranken viele Leute an sieben Tagen die Woche, und sie hatte noch nie gehört, dass Alkohol irgendeinen von ihnen getötet hätte. Einer ihrer Onkel war sogar als einer der größten Säufer von ganz Bonjo bekannt – an seinen besten Tagen im Suff brachte er der ganzen Nachbarschaft ein Ständchen zur Musik von Eboa Lotin –, und er lebte in Limbe trotzdem munter weiter.

»Du denkst, es ist eine kleine Sache«, sagte Anna, »aber ich kenne Leute, die haben die Arbeit verloren, weil die Familie große Probleme hatte. Meine Freundin hat bei einer Familie in Tribeca gearbeitet, die hat sie letzten Monat entlassen –«

»O nein«, japste Neni und legte sich die Hand auf die Brust. »Jetzt machst du mir Angst.«

»Ich kenne Cindy seit vielen Jahren«, sprach Anna weiter. »Und seit ihre Mutter gestorben ist vor vier Jahren –«

»Du kanntest ihre Mutter?«

»Ja. Vier- oder fünfmal war sie hier. Böse Frau. Böse, böse Frau. Wie sie mit Cindy geredet hat, sie war immer wütend auf sie, nie zufrieden mit dem, was die Tochter gemacht hat.«

»Kein Wunder …«, sagte Neni.

»Aber Cindys Schwester, die Tochter vom Mann ihrer Mutter, der schon lange tot ist, zu ihr war die Mutter immer nett. Wenn sie zusammen hier waren, hat die böse Frau zu Cindys Schwester immer ›Liebling‹ gesagt. Aber Cindy …« Anna schüttelte den Kopf.

»Zu so jemandem hätte ich längst den Kontakt abgebrochen.«

»Nicht Cindy. Sie ist jedes Jahr zum Muttertag da hoch, bis die Mutter gestorben ist.«

»Warum?«

»Wie kann ich das wissen? Ich weiß nicht, warum. Und dieses Jahr hat Mighty zu mir gesagt, er ist traurig, weil die Familie nicht nach Virginia fährt am Muttertag. Er will seine Cousins sehen. Ich wollte ihn anschreien und sagen, warum willst du nach Virginia? Seit die Mutter tot ist, war Cindys Schwester nie hier. Cindy hat jetzt keine Familie mehr, nur die Jungs und Clark.«

»Aber sie hat viele Freundinnen.«

Anna schüttelte den Kopf. »Sind Freunde Familie?«, fragte sie.

Draußen im Wohnzimmer hörte man Cindy lachen, vielleicht über etwas, das eine ihrer Freundinnen erzählt hatte. Wie konnte jemand so geschickt derart viel Unglück mit so viel Glück kaschieren?, fragte sich Neni.

»Wir müssen Clark das mit dem Alkohol erzählen«, sagte Anna.

»Nein, auf keinen Fall!«

»Das Dessert kann serviert werden«, rief ihnen der zweite Koch zu. Neni brachte rasch das Dessert ins Wohnzimmer, während Anna den Hauptgang abräumte.

»Das muss ihm jemand anders erzählen«, sagte Neni, als sie wieder in der hintersten Ecke der Küche zusammenstanden. »Er wird es rausfinden. Vielleicht kannst du die leeren Weinflaschen für ihn auf dem Tisch stehen lassen.«

»*Er* würde sie nicht sehen, er kommt nie nach Hause. Und wenn ich Flaschen aus dem Müll hole und auf den Tisch stelle, weiß sie, warum. Du musst erst mit ihm reden.«

»Ich?«

»Lass uns das zusammen machen. Wenn nur ich was sage, glaubt er, das Problem ist nicht ernst. Aber wenn du auch was sagst, weiß er, dass es ernst ist. Sag ihm, in den Hamptons hat jemand sehr viel Wein getrunken. Du weißt nicht, wer. Er versteht, was du meinst.«

»Und er wird es ihr sagen, und sie wird wissen, dass ich es war!«

»Kein Mann ist so dumm. Du redest mit ihm, und nächste Woche sage ich zu ihm, dass der Wein alle ist. Dann weiß er, dass es

ırklich stimmt. Dann kann er machen, was er will. Aber wir wis-
,en, wir haben saubere Hände.«

Neni ging zur Küchenzeile, nahm sich eine Flasche Wasser und stürzte die Hälfte hinunter. Vielleicht hatte Anna recht, dachte sie. Vielleicht mussten sie wirklich das Richtige tun und Clark warnen. Aber sie fand, es war nie richtig, sich in die Ehe anderer einzumischen, eine Ehe war auch so schon kompliziert genug. Aber Anna hatte einen wichtigen Punkt erwähnt: Clark arbeitete die ganze Zeit und würde das Ausmaß der Katastrophe, auf die seine Frau zusteuerte, nie mitbekommen. Während ihrer ganzen Zeit in den Hamptons hatte Neni ihn nur an den Tagen der Cocktailpartys gesehen, bei denen Cindy und er so getan hatten, als würden sie sich jeden Abend das Bett teilen. Auf der ersten Cocktailparty zu Cindys Fünfzigstem waren sie Händchen haltend und strahlend um den Pool herumgelaufen und hatten an dem warmen Abend zum Schein von Kerzen und dem Klang eines Streichquartetts Gäste begrüßt. Mit ihrem orangefarbenen rückenfreien Kleid und der aufwendig geföhnten Frisur sah Cindy an diesem Abend aus wie Gwyneth Paltrow, vielleicht sogar noch schöner, und tatsächlich kaum älter. Gegen Ende des Abends, als Cindys Freunde auf sie anstießen und sagten, was für eine wundervolle und selbstlose Freundin sie sei, standen Cindy und Clark Arm in Arm da, zu beiden Seiten flankiert von ihren gut aussehenden Söhnen. Unter Tränen erzählte Cheri von dem Abend, als sie Cindy weinend angerufen hatte, weil ihre Mutter im Pflegeheim zu Hause in Stamford gestürzt war und am nächsten Tag hatte operiert werden müssen. Cheri hatte nicht bei ihr sein können, weil sie beruflich in San Francisco festgesessen hatte. Als einziges Kind sei das schwer gewesen, erzählte Cheri den Gästen, sehr schwer, aber Cindy habe sie an diesem Tag gerettet. Cindy habe angeboten, für Cheris Mutter da zu sein, und war morgens um fünf an der Grand Central in einen Zug nach Stamford gestiegen. Sie sei im Krankenhaus geblieben, bis die dreistündige Operation vorbei und ihre Mutter wieder stabil und gut versorgt auf ihrem Zimmer gelegen hatte. Cindy sei nicht nur ihre beste Freundin, sagte Cheri, während sie die Tränen hinunterschluckte, sondern vielmehr ihre Schwester. Die Gäste, gebräunt und in Designerkleidung, lächelten und klatschten, als Cheri auf Cindy zuging und die beiden Freundinnen sich lange in den Armen lagen. Clark bat alle, das Glas zu erheben. Dem Gesagten ließe sich kaum noch etwas hinzufügen, sagte er, aber er könne alles bestätigen, Cindy sei ein wahrer Schatz, und verdammt noch mal, war sie denn nicht auch die heißeste Fünfunddreißigjährige überhaupt? Alle lachten, selbst Vince, der den ganzen Abend kaum gelächelt hatte. Auf Cindy, toasteten sie. Auf Cindy!

Neni wusste nicht, ob Clark die Nacht über geblieben war, aber am nächsten Morgen war er verschwunden, genauso wie Cindys Dauerlächeln vom Vorabend. Als Neni Mighty beim Mittagessen fragte, wo sein Vater wäre, sagte er, ohne vom Teller aufzuschauen, nur ein Wort: arbeiten. Er aß stillschweigend weiter, und als Neni seinen Teller abräumte, murmelte er »Hoffentlich verliert er den Job«. Neni schüttelte den Kopf, denn Clark Edwards blieb ihr ein Rätsel. Warum arbeitete er immerzu? Wie konnte jemand nur so vernarrt in seine Arbeit sein? Ununterbrochen zu arbeiten, ergab überhaupt keinen Sinn, vor allem, wenn ein Mann eine so schöne Familie zu Hause hatte. Clark musste doch wissen, was das mit seiner Familie machte und warum er das machte ... aber trotzdem, es wäre sicher gut, wenn er erfahren würde, wie unglücklich seine Frau war, denn das musste der Grund sein, warum sie so exzessiv trank. Nenis Mutter hatte immer gesagt, dass Menschen nur aus einem einzigen Grund so viel tranken: weil sie unglücklich waren. Und dass das auch der Grund war, weshalb ihr Onkel zu viel trank, auch wenn keiner nachvollziehen konnte, wie er mit zwei Frauen und elf Kindern so unglücklich sein konnte.

»Du musst jetzt mit ihm reden«, flüsterte Anna Neni zu. »Nach dem Dessert gehen alle.«

Neni nickte und ging in Richtung Wohnzimmer. Sie würde Mr Edwards gegenüber kein Wort über die Tabletten verlieren. Das musste Cindys großes Geheimnis bleiben, und sie musste ihr Versprechen halten. Sie würde nur das sagen, was Anna ihr aufgetragen hatte. Erzähl Mr Edwards von dem Wein. Nicht mehr und nicht weniger.

Aber als sie schon mit einem Fuß im Wohnzimmer stand, fiel ihr etwas ein: Jende. Sie drehte sich um und ging zurück zu Anna. »Jende bringt mich um«, sagte sie.

»Warum?«

»Weil ich mich in ihre Angelegenheiten einmische. Er ermahnt mich ständig, ich soll nur meine Arbeit machen und dann gehen und nie etwas sagen, das mich nichts angeht.«

»Dann erzähl es ihm nicht. Das geht nur dich und mich was an. Los.«

Clark stand am Fenster, zum Glück allein, und schaute entweder raus auf den Verkehr auf der West End oder auf die Kajakfahrer auf dem Hudson River.

Neni schnappte sich ein Tablett mit Scones und ging auf ihn zu. »Hallo, Mr Edwards«, sagte sie. »Entschuldigung, ich habe Ihnen noch gar nicht Guten Morgen gesagt.«

»Hallo, Neni«, sagte Clark und lächelte. »Danke fürs Aushelfen.« Dann schaute er auf die Scones. »Bei denen passe ich lieber, danke.«

»Soll ich Ihnen einen anderen Nachtisch bringen?«

Er schüttelte den Kopf. Es war zwei Wochen her, seit sie ihn das letzte Mal gesehen hatte, aber er schien ein ganz anderer Mann zu sein. Er hatte schütteres Haar bekommen, war unrasiert und sah aus, als könnte er eine Umarmung gebrauchen, ein gemütliches Bett und mindestens fünfzehn Stunden ungestörten Schlaf. Er drehte sich wieder zum Fenster und schaute weiter hinaus.

Neni stand da, das Tablett in der Hand, starrte auf die blanke weiße Wand links vom Fenster und war unsicher, wie sie am besten sagen sollte, was sie sagen wollte. Cindy saß am anderen Ende des Raumes mit zwei ihrer Freundinnen auf dem Sofa und schwatzte, die Ehemänner klickten sich durch ihre Blackberrys und iPhones, die Kinder waren in einem anderen Zimmer – das war *die* Gelegenheit.

»Ähm … Mr Edwards, ich, ähm …«, setzte sie an.

»Ja«, sagte Clark, der noch immer aus dem Fenster schaute.

»Ich wollte … ich wollte Sie nur was fragen.«

»Schießen Sie los«, sagte er, ohne sich zu ihr umzudrehen.

»Es ist nur … also … ich wollte nur wissen … sind Sie mit John Edwards verwandt?«

Clark drehte sich lachend zu ihr um. »Nein, nicht, dass ich wüsste. Aber das ist lustig. Sie sind die Erste, die mich das fragt.«

»Ich finde, er sieht Ihnen ein bisschen ähnlich«, sagte Neni und rieb sich mit dem Ellbogen über die Stelle, wo ihr Baby sie vielleicht trat, weil sie sich so dumm anstellte.

»Das ist lustig«, sagte Clark, bevor er ihr vorschlug, doch den anderen den Nachtisch anzubieten, vielleicht wollten sie ja davon probieren. Neni nickte und eilte dann zurück in die Küche.

»Wie ist es gelaufen?«, fragte Anna.

Neni schüttelte den Kopf.

»Du hast nichts gesagt?«

Sie seufzte und schüttelte erneut den Kopf.

»Okay«, sagte Anna, »wir haben es versucht.«

25.

Sie verbrachte den Tag damit, die Wohnung aufzuräumen, einzukaufen und ein Fünf-Gänge-Abschiedsmenü für Vince vorzubereiten. Den ganzen Nachmittag stand sie in der Küche, kochte *Egusi*-Eintopf mit geräucherter Putenbrust, *Garri* und *Okra-Suppe*, bereitete frittierte Kochbananen und Bohnen zu, *Jollof*-Reis mit Hühnermagen und außerdem *Ekwang*, wofür sie zwei Stunden brauchte, weil sie die Kolokasie erst schälen und raspeln und dann teelöffelgroße Portionen davon fest und akribisch in Spinatblätter einwickeln und diese fünfundvierzig Minuten lang in einem Topf mit Palmöl, Trockenfisch, Flusskrebsen, Salz, Pfeffer, Brühwürfeln und Lauchzwiebeln köcheln lassen musste. Ihr wäre lieber gewesen, Jende hätte ihr mehr Zeit für die Vorbereitungen gegeben, aber er hatte ihr erst am Abend zuvor angekündigt, dass Vince zum Abendessen kommen würde. Jende hatte Clark zu Hause abgesetzt und ihn gefragt, ob es okay wäre, wenn Neni und er Vince zu einem kleinen Essen einladen würden, nur um ihm alles Gute zu wünschen und ihn mit ein paar Speisen aus Kamerun zu bewirten, die er gern mal probieren wollte, und Clark hatte gesagt, wenn Vince sich das wünsche, habe er nichts dagegen. Er und Cindy hätten vor, am Sonntag mit Mighty und Vince essen zu gehen, aber das werde sicher kein fröhliches Abschiedsessen, also sollte Vince ruhig irgendwo hingehen, wo er mehr Spaß haben würde. Auf Jendes telefonische Einladung hin hatte Vince gesagt, das passe gut, am Abend habe er tatsächlich ein paar Stunden frei, also würde er gern zu leckerem kamerunischem Essen vorbeikommen, danke, Mann.

Nachmittags um drei, zwei Stunden bevor Vince kommen sollte, klingelte Jendes Telefon. Vince war dran.

»Ich weiß nicht, Vince«, hörte Neni Jende im Wohnzimmer sagen.

»Ich will erst mal fragen, was meine Frau denkt.«

Die Hand aufs Telefon gepresst, kam Jende zu Neni in die Küche.

»Vince will wissen, ob es okay ist, wenn er Mighty mitbringt«, sagte er.

»Nein!«

»Das habe ich ihm auch gesagt.«

»Um Himmels willen! Willst du, dass Mrs Edwards uns umbringt? Ihr Kleiner in Harlem? Am Abend? Auf keinen Fall, ohne mich. Nein, nein, nein. Ich will keinen Ärger.«

Jende ging zurück ins Wohnzimmer, sprach kurz mit Vince und kam erneut in die Küche. »Er sagt, seine Eltern müssen nichts davon wissen. Mr Edwards ist im Büro und Mrs Edwards ist bei irgendeinem Abendessen, sie werden es nicht merken. Er sagt, ein Freund von Mighty sollte zum Spielen kommen, aber der Junge hat abgesagt, also würde er den ganzen Abend nur mit der Babysitterin zu Hause rumsitzen.«

»Dann soll er das machen.«

Jende wollte sich schon umdrehen, zögerte aber. »Lass den Jungen kommen, Neni!«, sagte er.

»Ich habe Nein gesagt.«

»Er ist noch nie mit der U-Bahn gefahren, er ist noch nie in Harlem gewesen. Lass ihn zusammen mit seinem Bruder kommen. Vince fliegt nächste Woche, und wer weiß, wie lange die beiden sich nicht sehen. Es ist nur eine Stunde.«

»Und du glaubst, in einer Stunde kann nichts Schlimmes passieren?«, fragte Neni, die nach dem Kochen und Frittieren schwitzend den Herd schrubbte.

»Wenn was passiert, muss Vince das klären«, erwiderte Jende. »Das sag ich ihm.«

»Das sagst du denen also, wenn sie versuchen, uns ins Gefängnis zu stecken?«

»Keine Angst, ich gehe dann alleine für uns beide ins Gefängnis«, sagte er und zwinkerte ihr zu.

Neni drehte sich weg und traktierte den Herd jetzt regelrecht. Das sah ihm ähnlich, dass er glaubte, die Antworten zu kennen. Sie hörte ihn zu Vince sagen, es würde in Ordnung gehen und sie sich freuen, die beiden um fünf zu sehen, und sie hörte ihn später zu Liomi sagen, der besondere Gast, über den sie gesprochen hätten, würde einen weiteren Gast mitbringen und er sollte sich lieber noch bessere Sachen anziehen. Als Vince und Mighty dann klingelten, war auch Neni frisch geduscht und umgezogen, und trotz aller Bedenken überwogen Aufregung und Freude.

»Neni!«, sagte Mighty und umarmte sie stürmisch, als sie ihm die Tür öffnete.

»Was macht ihr Jungs in meiner Wohnung?«, sagte sie scherzhaft, als Vince sie umarmte und sich hinabbeugte, um Liomi mit einem High five zu begrüßen.

»Krass, ich bin in Harlem!«, sagte Mighty. »Hast du *puff-puff* gemacht?«

Neni und Jende lachten. »Das isst man zum Frühstück«, sagte Jende. »Heute Abend gibt es Sachen zu essen, von denen dein Bauch so voll wird, dass er explodiert.«

»Cool!«

Wenn die Edwards-Jungen beim Anblick der offensichtlichen Zeichen von Armut in der Wohnung kurz aus der Fassung gerieten (der verschlissene braune Teppich, der uralte Fernseher auf einem Beistelltisch gegenüber dem Sofa, der Ventilator in der Ecke, der Mühe hatte, die Arbeit einer Klimaanlage zu erledigen, die Kunstblumen an der Wand, die das Wohnzimmer auch nicht schöner machten), so ließen sie es sich nicht anmerken. Sie taten, als sähe es hier genauso aus wie in jeder anderen Wohnung auf der Park oder Madison, die sie schon besucht hatten, als wäre die Wohnung nur auf andere Art schön und halt in einer anderen Wohngegend, wo es auch schön war. Mighty rannte mit Liomi ins Schlafzimmer, um sich die Spielsachen anzusehen, und rief seinem Bruder zu, wow, hier schlafen alle in einem Zimmer, das ist ja cool! Vince und Jende saßen auf dem verblichenen grünen Sofa, tranken Malta, aßen gesalzene Erdnüsse und unterhielten sich über das gute Land Amerika, das schlechte Land Amerika und über das Amerika, das zweifelsohne das mächtigste Land der Welt war.

Als Neni die Speisen in Schüsseln gefüllt und auf den Tisch gestellt hatte, sagte Jende, es würde jetzt Essen geben.

»Wir essen wie in Kamerun«, sagte er zu Vince und Mighty. »In Kamerun sitzen wir normalerweise nicht an einem Tisch wie ihr in Amerika. Jeder nimmt sein Essen und setzt sich hin, wo er will, auf einen Stuhl oder auf den Boden. Man isst, wie man will, mit einem Löffel oder einer Gabel oder mit den Händen –«

»Ich möchte auf dem Boden sitzen und mit den Händen essen!«, sagte Mighty, und Liomi schickte sofort hinterher, er auch. Also breitete Neni eine Tischdecke auf dem Boden aus, stellte das Essen vom Tisch darauf und sie alle setzten sich im Kreis auf den Boden, aßen und lachten mit vollem Mund immer wieder laut auf, weil Jende ihnen Geschichten aus seiner Kindheit erzählte, zum Beispiel wie Winston und er mit elf immer umhergezogen waren und Mangos geklaut hatten und wie er dabei einmal in eine Tierfalle getreten war und den ganzen Heimweg mit der Falle am Fuß zurückrennen musste, nur um dann bei der Ankunft zu Hause von seinem Vater verprügelt zu werden, bevor der den Besitzer der Falle holte, damit er sie ihm abnahm. Vince gluckste, und Mighty und Liomi lachten so heftig, dass sie sich fast verschluckten, Neni aber verdrehte die Augen, weil sie die Geschichte schon etliche Male gehört hatte und sie jedes Mal anders ausging.

»Papa kennt die besten Geschichten!«, stieß Liomi hervor.

»Ich will noch mehr hören!«, sagte Mighty.

Vince schaute zuerst auf die Uhr und dann mit einem Kopfschütteln zu Jende und Neni. »Es tut mir leid, aber wir müssen jetzt gehen.«

»Warum?«

»Es tut mir leid, aber ich hab noch was vor. Ich muss dich jetzt zurück nach Hause zu Stacy bringen.«

»Aber Neni!«, schrie Mighty und blickte zu Neni, die seinem Blick auswich. Vince stand auf und ging in die Küche, um sich die Hände zu waschen.

»Ich will noch nicht zurück«, sagte Mighty zu Jende und Neni und schaute flehend von einem zum anderen. »Bitte, kann ich noch ein bisschen bleiben?«

»Deine Eltern wären nicht sehr glücklich, Mighty«, sagte Jende.

»Aber die kommen doch erst nach Mitternacht nach Hause. Dad kommt vielleicht sogar erst morgen, und Mom hat gesagt, vor nachts um zwei ist sie wahrscheinlich nicht zurück. Ich habe gehört, wie sie's zu Stacy gesagt hat. Also kann ich bis um zehn oder um elf bleiben, das merken die gar nicht.«

»Tut mir leid, Kumpel«, sagte Vince, der aus der Küche kam. »Ich hab noch was vor. Das war ein lustiger Abend, stimmt's? Ich hol dich Montagabend ab und dann machen wir wieder was Lustiges, okay?«

Mighty antwortete nicht. Er schmollte, drehte den Kopf zur Seite und rieb die Hände aneinander, die komplett mit dem Palmöl vom *Ekwang* beschmiert waren.

»Vielleicht kann ich mal zum Spielen zu dir kommen«, sagte Liomi zu Mighty, offensichtlich bemüht, ihn aufzuheitern, vielleicht aber auch, weil Mighty erwähnt hatte, die neueren und cooleren Modelle von manchen der Spielsachen zu haben, die Liomi besaß und von denen Neni das meiste von Cindy bekommen hatte. Aber warum auch immer er es gesagt hatte, er klang dabei so süß und ernst, dass Neni fast losgelacht hätte, aber da Mighty ohnehin so aufgebracht war, hielt sie es für besser, nicht darüber zu lachen, dass ihr Kind in seiner Unschuld glaubte, es würde irgendwann eine Einladung zum Spielen bei den Edwards bekommen. Andererseits, dachte sie, konnte sie gar nicht so sicher sein, dass Cindy Liomi nicht doch mal zum Spielen einlud. Ohne Liomi je begegnet zu sein, hatte sie Neni Sachen und Spielzeug für ihn mitgegeben, manche noch nagelneu. Als Liomi einen Monat nach Jendes Arbeitsantritt bei den Edwards eine Lungenentzündung bekommen hatte, hatte Cindy Jende eines Abends mit einem Korb voller Früchte und Tees und gesunder Snacks nach Hause geschickt. Als Antwort auf die von Liomi gebastelte und beschriebene Dankeskarte hatte sie ihm einen Brief geschrieben und überschwänglich seine Handschrift gelobt und gesagt, Jende müsse ein toller Vater sein.

»Warum kann Jende mich denn nicht nachher nach Hause bringen?«, fragte Mighty, der noch immer schmollte und Vince' Bitte, aufzustehen und sich die Hände waschen zu gehen, ignorierte. »Jetzt fahr ich nach Hause und langweile mich vorm –«

»Aber du hast mir erzählt, dass du viel Spaß mit Stacy hast«, sagte Neni.

»Ja, aber nicht so wie hier. Bitte, Neni. Wir haben noch gar kein *puff-puff* gemacht.«

»Vielleicht komme ich nächstes Jahr im Sommer zurück in die Hamptons«, sagte Neni. »Dann machen wir das alles wieder, okay?«

»Ja, ja.«

Jende stand auf und reichte Mighty die Hand, um ihm beim Aufstehen zu helfen. »Es gibt ganz sicher ein nächstes Mal«, sagte er zu dem Jungen. »Und wenn wir Glück haben, gibt es noch viele weitere Male.«

Mighty stand auf und ging hinter Jende her zur Spüle, wo er sich die Hände wusch.

Nach anderthalb Stunden Spaß umarmten die Jongas die Edwards-Jungs zum Abschied und wünschten Vince eine gute Zeit in Indien, und die Jungs dankten den Jongas für ein richtig cooles Abendessen.

Als sie gerade gehen wollten, fiel Mighty noch etwas ein.

»Aber wie soll es ein nächstes Mal geben, wenn Vince jetzt weggeht?«, fragte er Neni. »Meine Mom und mein Dad kommen niemals mit mir hier her.«

Mit einem Lächeln sagte Neni, dass er dann eben allein mit der U-Bahn kommen müsste, worauf Mighty grinste – die Vorstellung, allein mit der U-Bahn von der Upper East Side bis nach

Harlem zu fahren, um kamerunisches Essen zu bekommen, schien für ihn das Coolste überhaupt zu sein.

26.

Es passierte Mitte September, um die Zeit, wenn die Nachtluft schonungslos die Erinnerung an den Sommer vertreibt und das eben noch fröhliche Geläut des Eiswagens zunehmend nach einem Klagelied klingt.

Zwei Wochen bevor es passierte, hatte er einen sehr real wirkenden Traum, die Art von Traum, an die er sich auch noch Monate später bis ins kleinste Detail erinnern würde. Er war wieder zurück in Limbe und stromerte über den Markt, wobei er von seinem Freund Bosco begleitet wurde, der seltsamerweise groß und schlank aussah und so gar nicht wie der stämmige Typ, der er eigentlich war. Es war Markttag, ein Dienstag oder Freitag, das erkannte Jende am Gedränge und daran, wie langsam sich die Autos durch das Treiben voranschoben, wobei die Fahrer ungeduldig hupten und die Köpfe aus den Fenstern steckten, um sich gegenseitig zu beschimpfen und anzuschreien, *Scheuch dich, sonst putz ich dir die Schnauze, du Motherfucker, du, kranker mami pima*!

Als sie an dem Laden vorbeikamen, in dem man Schokoladenaufstrich, Cookies und andere exklusive Artikel kaufen konnte, fiel Bosco auf, dass an diesem Abend überhaupt keine singenden Trickspieler zu sehen waren. Jende schaute zu der Stelle, wo die Geldverdoppler normalerweise standen, dort neben der Frau, die *jaburu*, scharfe *kanda*bällchen und verschiedene Sorten Räucherfisch verkaufte. Da war keiner. Keiner der Männer unbekannter Herkunft in *agbadas*, die Djembe spielten und perfekt im Chor sangen, um Vorbeigehende zu ködern, damit sie für kleines Geld ein Spielchen wagten, mit dem sie großes Geld gewinnen konnten.

»Ich glaube, die haben sich einen anderen Platz gesucht«, sagte Jende. »Heute ist Markttag – die verpassen sicher nicht den Tag, an dem alle mit dicken Brieftaschen rumlaufen.«

»Ich konnte die singenden Spieler noch nie leiden«, sagte Bosco, »aber immerhin sind sie nicht halb so schlimm wie die Geldverdoppler. Ich hasse Geldverdoppler.«

»Du solltest niemanden hassen.«

»Aber ich hasse sie! Ganz im Ernst, ich hasse die Geldverdoppler!«, schrie Bosco und verzog dabei das Gesicht wie ein Kind, das kurz vor einem Tobsuchtsanfall stand. »Meine Mutter hat denen mein Schulgeld zum Verdoppeln gegeben, um dann mit der zweiten Hälfte die Schulgebühren für meine Schwester zu zahlen, aber die haben das Geld nie zurückgebracht. Die haben mein Schulgeld geklaut!«

»Aber es ist die Schuld deiner Mutter, dass sie ihnen das Geld gegeben hat.«

»Nein, es ist nicht ihre Schuld! Die Geldverdoppler sind schuld. Sie haben versprochen, das Geld zu verdoppeln. Sie haben es nicht verdoppelt! Sie haben es genommen und ausgegeben und wir hatten nichts.«

Bosco setzte sich auf den Bordstein und schluchzte. Jende versuchte, ihn zu beruhigen, indem er ihm über die Schultern strich, Bosco aber wollte sich nicht trösten lassen, stieß Jende weg, weinte hysterisch und verfluchte immer wieder die Geldverdoppler. Um ihn herum bildete sich eine Menschentraube, alle fragten, was los sei. Geldverdoppler, Geldverdoppler, schluchzte er. Die Leute fingen an zu lachen. Dumm, der Mann, sitzt da und weint wie ein Baby, sagten sie. Geldverdoppler wissen, was sie wie sagen müssen. Wenn sie Geld wollen von uns, geben wir es ihnen.

»Nein«, flehte Bosco. »Macht das nicht, ihr dürft den Geldverdopplern nicht euer Geld geben. Das sind schlechte Menschen. Gott wird sie bestrafen! Für das, was sie meiner Mutter angetan haben, werden sie ihr Leben lang Durchfall haben! Sie werden nachts nie mehr schlafen. Ihre Kinder werden alle schreckliche Tode sterben!«

Beschämt und unsicher, wie er die umstehenden Menschen dazu bringen sollte, seinen Freund in Ruhe zu lassen, rannte Jende los. Er rannte über den Markt und drängte ein Mädchen mit einer Schale gelber Chilis auf dem Kopf und einen kräftigen Mann mit Bergen von Stoffen auf den Schultern zur Seite. Der Wind stemmte sich ihm entgegen, als wollte er ihn aufhalten, als wollte er verhindern, dass er seinen Freund sich selbst und der spöttischen Meute zum Fraß überließ, aber er kämpfte gegen ihn an, rannte schneller als einer, der vor gefräßigen Raubtieren flieht, rannte wie einer, der hofft, es bis zum Meer zu schaffen, und es schließlich erleichtert erblickt. Völlig aus der Puste erreichte er den Strand. Aber wo das Wasser hätte sein sollen, war nur ein riesiger Berg Müll, der sich übel riechend bis zum Horizont erstreckte.

Schweißgebadet wachte er auf.

Während er morgens unter der Dusche stand, dachte er über den Traum nach, den er sich damit erklärte, dass er sein Versprechen Bosco gegenüber nicht eingehalten hatte. Bosco hatte ihn zwei Monate zuvor angerufen und um Geld gebeten, damit er seine Frau wegen der Schmerzen und der Schwellung in der rechten Brust zu einem Spezialisten ins Bingo Baptist Hospital bringen konnte. Der Arzt im öffentlichen Krankenhaus in Mile One hatte ihnen nicht erklären können, was mit der Brust nicht stimmte, und Boscos Frau, die ihre rechte Hand nicht bewegen konnte, hatte tagelang ununterbrochen geweint. *Die Brust ist hart wie ein Stein, fault innen dabei,* hatte Bosco gesagt, und ihm war die Stimme weggebrochen, als seine Frau im Hintergrund schrie. Jende hatte versprochen, zu sehen, was er tun konnte. Und hatte nichts getan. In der Nacht vor dem Traum hatte er mit Sapeur gesprochen und erfahren, dass Boscos Frau im Sterben lag, es jederzeit so weit sein konnte. Der Traum, glaubte er, stand symbolisch für seine Schuldgefühle. Er überlegte, Bosco anzurufen und sich zu erkundigen, ob er noch irgendetwas tun konnte, aber das Guthaben auf seiner Telefonkarte war aufgebraucht. Außerdem hatte er nicht annähernd genug Geld, um Boscos Frau das Leben zu retten. Und er musste rasch zur Arbeit.

Als er Mighty und Stacy zu einer Verabredung zum Spielen fuhr, dachte er weiter über den Traum nach und was er sonst noch bedeuten konnte. Vielleicht hatte einer seiner Freunde zu Hause irgendwelchen Geldverdopplern Geld gegeben. Das würde ihn nicht überraschen. Die Leute waren unbelehrbar, auch nach all den in Limbe kursierenden Geschichten von Geldverdopplern, die den Vater von X oder die Mutter von Y übers Ohr gehauen hatten. *Warum lernten die Menschen nichts daraus?*, fragte er sich. Nach allem, was man hörte, hatte noch nie irgendwer in Limbe Geld an einen Geldverdoppler gegeben und das Geld verdoppelt bekommen. Noch nie hatte irgendwer Geld rausgegeben und überhaupt Geld zurückbekommen. Und trotzdem gaben die Leute weiter ihr Geld raus und gingen den cleveren jungen Männern in die Falle, die sie auf der Straße ansprachen oder sie zu Hause besuchten und ihnen schnelle und große Gewinne durch undurchsichtige Methoden versprachen. Als Jende an dem Tag des Lehman-Kollapses erwachte, hatte er Bosco und den Traum schon wieder verdrängt. Er dachte nicht mehr an Geldverdoppler und ihre nicht zu begreifenden Opfer, sondern war einfach froh, an diesem Montag nicht arbeiten zu müssen. Cindy hatte ihm freigegeben, da Clark im Büro so viel zu tun hatte, dass er ohnehin nirgendwohin gehen würde, und ihm versichert, Mighty und sie könnten problemlos ein Taxi nehmen, wo sie selbst ohnehin nur einen einzigen Termin habe und Mightys Klavierlehrerin verreist sei.

Jende nahm Cindys Geschenk dankbar an, denn unter der Woche freizuhaben, war wunderbar. Da Liomi zur Schule musste, würde er etwas Zeit allein mit Neni verbringen und ihr im Haushalt helfen können: das Bad putzen, die Wäsche machen, und wenn er genug Zeit hätte, könnte er kochen und ein paar Mahlzeiten einfrieren, dann müsste Neni sich zumindest bis Ende nächster Woche nicht um das Essen kümmern.

Seit sie aus den Hamptons zurück war, hatte sie ständig Rückenschmerzen, und er hatte sie gebeten, mit dem Arbeiten aufzuhören und wirklich nur die verlangte Mindestanzahl an Kursen zu besuchen, damit ihr Studentenvisum nicht ablief. Schwangere Frauen sollten in den letzten Monaten keine anstrengenden Arbeiten verrichten, hatte er zu ihr gesagt, obwohl seine eigene Mutter bei jedem ihrer fünf Kinder bis zum Tag der Geburt auf dem Feld gestanden und seinen jüngsten Bruder sogar unter einem Guavenbaum auf ihrer Farm hinter dem Mawohviertel zur Welt gebracht hatte.

»Aber ich arbeite gern«, hatte Neni protestiert, noch tagelang wütend auf sich selbst, nachdem sie die Agentur angerufen und gesagt hatte, sie würde ein paar Monate lang ausfallen. Wenn sie wieder so weit war, würde es genug Arbeit geben, hatte Jende ihr versichert. Und er nahm sie jedes Mal in den Arm, wenn sie zu einer ausgiebigen und herzerweichenden Tirade darüber ansetzte, dass sie sich fett und faul und wertlos fühlte, wenn sie nicht arbeitete, und erinnerte sie daran, wie sehr sie ihre Arbeit manchmal verflucht hatte, und versicherte ihr, dass es so die beste Entscheidung war, weil ihre Gesundheit wichtiger war als alles andere. Lieber nehme ich vier Jobs an, als dich mit Schmerzen arbeiten gehen zu lassen, versprach er.

Eine Woche nachdem sie ihren Job gekündigt hatte, ging er in seiner Fürsorge noch einen Schritt weiter und teilte ihr mit, dass sie das kommende Frühlings- und Sommersemester aussetzen und nach der Geburt im Dezember mit dem Baby zu Hause bleiben würde.

»Nein!«, platzte es aus ihr heraus und sie stand vom Sofa auf, wo sie gerade miteinander geschmust hatten. »Ich werde kein Semester aussetzen.«

»Ich habe gut darüber nachgedacht und es so entschieden«, sagte er in ruhigem Ton, lehnte sich zurück und schlug die Beine übereinander.

»Du hast das entschieden, ja?«, sagte sie und funkelte ihn an, die Hände in die Seiten gestemmt, während er nach der Fernbedienung griff und den Fernseher einschaltete. »Was soll das heißen, du hast das entschieden? Wann hast du das entschieden? Du weißt, dass ich das nicht leiden kann. Ich finde es nicht gut, wenn du etwas einfach so für mich entscheidest. Ich bin nicht dein Kind!«

»Aber du bist meine Frau und du bekommst mein Kind«, sagte er, ohne sie anzuschauen, wobei er in aller Seelenruhe von einem Sender zum nächsten schaltete, als würden seine Frau und er gerade darüber reden, was es zum Abendessen geben sollte. »Ich will, dass meine Frau mit dem neuen Baby eine Weile zu Hause bleibt.«

»Warum?«

»Weil ich glaube, dass es für dich und das Baby das Beste ist.«

»Und was ist mit dem, was ich für das Beste halte?«, erwiderte sie scharf, wütend, weil er eine Entscheidung für sie getroffen hatte, ohne sie auch nur nach ihrer Meinung zu fragen, und sie, was viel schlimmer war, dazu zwang, an die lange Ausbildung zur Apothekerin noch ein Jahr dranzuhängen. »Wie kannst du entscheiden, dass ich zwei Semester aussetze, ohne mich zu fragen, ob ich damit glücklich bin?«

»Du wirst mit dem Baby ein paar Monate zu Hause bleiben«, sagte er noch einmal, und sein Ton zeigte unmissverständlich, dass seine Entscheidung feststand. »Babys müssen in den Händen ihrer Mütter ins Leben starten. Und ich möchte, dass du die Zeit, in der du dich von der Schwangerschaft erholst, mit dem Baby genießt.«

»Von einer Schwangerschaft muss man sich nicht erholen! Und ich kann nicht zwei volle Semester aussetzen!«

»Meine Entscheidung steht fest.«

»Aber ich will nicht! Du weißt, dass ich das nicht kann!«

»Doch, das kannst du.«

»Kann ich nicht! Du weißt, dass ich dann meinen Studentenstatus verliere und mein Visum, und was dann?«

Sie würde ihren Status nicht verlieren, sagte er. Er hätte das Ganze schon mit Bubakar besprochen, der ihnen helfen würde, damit ihr das internationale Studentensekretariat am College eine Beurlaubung für die Babypause ausstellte.

»Ich fasse nicht, dass du mir das antust«, sagte sie weinend, während er weiter mit der Fernbedienung herumhantierte, ohne etwas Sehenswertes zu finden oder sich von ihren Tränen beeinflussen zu lassen. »Warum kann ich nicht wenigstens wie jetzt ein paar Kurse besuchen? Warum führst du dich auf, als wäre ich dein Eigentum?«

Weil er ihre Reaktion schon vorausgesehen hatte, ignorierte er sie, und machte deutlich, dass er lange über alles nachgedacht hatte und nicht umzustimmen war. Sie verstummte schließlich, und weil sie nichts tun konnte, gab sie sich geschlagen und ging zu Bett. Er hatte sie nach Amerika geholt. Er zahlte ihre Ausbildung. Er war ihr Beschützer und ihr Fürsprecher. Er traf die Entscheidungen für die Familie. Manchmal besprach er sich vor seinen Entscheidungen mit ihr. Meistens tat er, was er für das Beste hielt. Sie hatte sich zu fügen. So erwartete er es von ihr.

Je breiter ihre Füße wurden und je runder ihr Bauch, umso öfter beklagte sie sich bei ihren Freundinnen über Jende, weil es einfach zu viele Dinge gab, die sie laut ihm zum Wohl des Kindes und ihrem eigenen Wohl tun oder unterlassen sollte. Sie sagte, er würde darauf bestehen, dass sie den Lachs und die Sardinen aß, die er ihr zum Abendessen machte, weil er in einer der von Mr Edwards aussortierten Zeitschriften gelesen hatte, dass das gut für Schwangere war und dass Föten, deren Mütter ölige Fische aßen, zu intelligenten Menschen heranwachsen würden. Er wollte, dass sie den Salat gründlich wusch, denn was, wenn er voller schädlicher Keime war? Sie konnte ihre hochhackigen Schuhe nicht mehr anziehen, weil er ihr sonst endlose Vorhaltungen machte, dass sie sich und das Baby damit in Gefahr brachte, und ob sie denn wirklich das Leben ihres ungeborenen Kindes riskieren wollte, nur um gut auszusehen? Er behandelte sie wie ein rohes Ei. Und warum machst du Problem damit?, fragte Fatou. Betty und Olu, eine andere Freundin von der Schule, und ihr Mann, reagierten genauso. Warum regst du dich so darüber auf, dass er sich Sorgen um dich macht?, sagten sie. Du hast gesagt, bei den letzten beiden Schwangerschaften und Geburten im Haus deines Vaters hast du eine schlimme Zeit durchgemacht«, erinnerte sie Betty. »Und jetzt, wo dein Mann dich wie eine Königin behandelt, ist es dir auch nicht recht und du maulst rum? Wenn du so scharf auf ein schweres Leben bist, dann tauschen wir für die nächsten Monate, du nimmst meins, ich nehm deins.«

Letztendlich entschied sie kläglich, sich der Klugheit ihres Mannes zu beugen, denn sie wusste, dass wenige Frauen (reiche Frauen eingeschlossen) das Privileg hatten, mit einem überfürsorglichen Mann verheiratet zu sein, der sich nicht nur um das Wohl seiner Frau sorgte, sondern auch Stunden damit verbrachte, die Wände von Staub und Spinnweben zu befreien und die Kakerlaken auszurotten, die sehr geübt von einer Zimmerecke des Wohnzimmers zur anderen sprinteten wie Leichtathleten, und das alles nur, um für die Gesundheit und Sicherheit seines ungeborenen Kindes zu sorgen. Obwohl sie seine Entscheidung, zwei Semester auszusetzen, weder verstand noch gut fand, gestattete sie sich zunehmend, sich in einer Stadt voller unabhängiger Frauen nicht schuldig zu fühlen, weil sie ein Hausfrauendasein fristete und zumindest vorläufig noch keine erfolgreiche Karrierefrau wie Oprah Winfrey oder Martha Stewart war. Sie beschloss, das ungewollte Privileg zu genießen, dass sie den ganzen Tag zu Hause sitzen und stundenlang Talkshows, Sitcoms und Nachrichten schauen konnte, was sie auch an dem Montag tat, als die Nachricht auf CNN verkündet wurde.

»Jende«, rief sie aus dem Wohnzimmer. »O Gott, Jende!«

»Was denn?«, fragte er, als er aus dem Schlafzimmer gerannt kam, wo er die saubere Wäsche zusammenlegte, die er eben aus dem Waschsalon mitgebracht hatte. Die Panik in ihrer Stimme hatte ihn aufgeschreckt; immer wenn sie ihn auf diese Art rief, hatte er Angst, es sei etwas mit dem Baby.

»Da«, sagte sie und zeigte auf den Fernseher. »Irgendwas mit Lehman Brothers. Dort arbeitet Mr Edwards, oder?«

Ja, sagte er, noch einigermaßen ruhig, weil er nicht wahrhaben wollte, dass die Nachricht irgendetwas mit Leahs Befürchtungen zu tun haben könnte. Er hörte einen Journalisten sagen, dass der Zusammenbruch einem gewaltigen Erdbeben gleiche, dessen Erschütterungen die ganze Welt noch monatelang spüren werde. Er hörte einen anderen Journalisten über den katastrophalen Absturz der Börsenkurse und die Möglichkeit einer Rezession sprechen. Eine ehemalige Mitarbeiterin von Lehman Brothers wurde interviewt. Das habe sie nicht kommen sehen, sagte sie. Alle hätten etwas geahnt, aber dass es wirklich so weit kommen würde, habe keiner geglaubt. Sie hätten erst heute erfahren, dass es vorbei sei. Sie habe keine Ahnung, wie es weitergehe. Keiner wüsste, wie es weitergehe.

Neni legte sich die Hand auf die Brust. »Heißt das, Mr Edwards hat jetzt keine Arbeit mehr?«, fragte sie.

Keiner von beiden stellte die daran anknüpfende Frage, ob das hieß, dass auch Jende seine Arbeit verlieren würde. Die Angst, die sie beherrschte, lähmte sie. In den kommenden Wochen würden sich in New York sehr viele Menschen mit ähnlichen Fragen den Kopf zermartern. Viele waren überzeugt, dass die Katastrophe, die jetzt die Familien ehemaliger Mitarbeiter von Lehman Brothers heimsuchte, bald auch ihre Familien ereilen würde. Gastronomen, Künstler, Privatlehrer, Zeitschriftenherausgeber, Stiftungsdirektoren, Chauffeure, Kindermädchen, Hausangestellte, Jobagenturen, nahezu jeder, der von dem Geld lebte, das zur Street und wieder zurückfloss, war an diesem Tag panisch. Bei einigen war die Angst gerechtfertigt: Was ihnen einen üppigen Verdienst beschert hatte, ging an dem Tag, an dem Lehman Brothers starb, zusammen mit Milliarden von Dollars in Luft auf.

»Ich muss Mr Edwards anrufen«, sagte Jende und griff sofort nach seinem Handy, das auf dem Wohnzimmertisch lag.

Clark ging nicht an sein Handy, aber Cindy nahm ab, als er es auf dem Festnetz versuchte. »Sie behalten Ihren Job«, sagte sie zu ihm.

»Oh, danke, Madam, ich danke Ihnen so sehr.«

»Nichts wird sich ändern«, sagte sie. »Clark wird sich bei Ihnen melden und Ihnen sagen, wann Sie wieder zur Arbeit kommen sollen«, sagte sie noch, bevor sie das Gespräch schnell beendete, um einen weiteren Anruf entgegenzunehmen.

Jende legte das Handy zurück auf den Tisch und setzte sich neben Neni. Er zitterte, dankbar, aber bestürzt. Erst jetzt war ihm bewusst geworden, wie eng sein eigenes Schicksal mit dem eines anderen Menschen verknüpft war. Was, wenn Mr Edwards etwas zustieß? Im März würde seine Arbeitserlaubnis ablaufen, und je nachdem, wie sein Verfahren ausging, würde er sie vielleicht nicht verlängern können. Ohne Arbeitserlaubnis könnte er niemals einen anderen Job finden, in dem er genauso viel verdiente. Wie würde er seine Frau und zwei Kinder versorgen? Wie viele Tellerwäscherjobs würde er annehmen müssen, um schwarz Geld zu verdienen?

»Bitte lass uns nicht so denken«, sagte Neni. »Im Moment hast du einen Job, ja? Solange wir Mr Edwards haben, haben wir einen Job. Meinst du nicht, es geht uns heute besser als den vielen Menschen, die aus dem Lehman-Gebäude herauskommen? Schau sie dir an. Sie tun mir so leid. Andererseits wissen wir auch nicht, was uns noch bevorsteht. Wir wissen es einfach nicht. Also lass uns einfach glücklich sein, dass wir heute verschont geblieben sind.«

27.

Sie sprachen nicht viel miteinander an ihrem ersten gemeinsamen Tag nach dem Zusammenbruch von Lehman Brothers. Es gab nicht viel zu sagen, und selbst für das wenige blieb kaum Zeit, da Clark immerzu seufzte und auf seinen Laptop einhämmerte, als müsste er gegen störrische Tasten ankämpfen. Clark sah aus, als wäre er in den sieben Tagen um zehn Jahre gealtert, auf seiner Stirn prangte plötzlich eine tiefe Furche, und Jende fragte sich unweigerlich, warum dieser Mann sich das antat, warum er das viele Geld, das er verdient hatte, nicht nahm und irgendwo weit weg von New York ein ruhiges, stressfreies Leben lebte. Genau das würde Jende tun, wenn er an seiner Stelle wäre. Sobald er die erste Million zusammenhätte, würde er sich mit einem festen Händedruck von allen Qualen verabschieden. Warum sollte ein Mann sein Leben bewusst so gestalten, dass eine Form von Stress die andere jagte? Aber Männer wie Clark tickten da wohl anders. Ihnen ging es nicht mehr um Geld. Auch wenn das Leben an der Wall Street Clark erstickte, so schien es doch die Luft zu sein, die er zum Atmen brauchte.

»Es tut mir sehr leid, Sir«, brachte Jende schließlich heraus, nachdem sie bereits zehn Minuten im Auto gesessen und zu Clarks neuem Arbeitsplatz bei Barclays fuhren, dem britischen Riesen, der sich Lehman einverleibt hatte, nachdem das Unternehmen von Rechts wegen für tot erklärt worden war.

»Danke«, sagte Clark, ohne von seinem Laptop aufzuschauen.

»Ich hoffe, dass es für alle gut ausgeht.«

»Auf lange Sicht bestimmt.«

Jende wusste, was die knappe Antwort bedeutete: Mund halten.

Also tat er genau das. Er heftete die Augen auf die Straße und schwieg den Rest der Woche während der Fahrten: Er fuhr vom Sapphire auf der Upper East Side zu Barclays in Midtown East, von einer Besprechung mit Ex-Lehman-Führungskräften zu einer Besprechung mit Barclay-Führungskräften, von einem Mittagessen mit Beamten des Finanzministeriums in Washington zu einem Abendessen mit Anwälten in einem Steakhaus auf Long Island. Clark sprach wenig mit ihm, außer wenn er ihn begrüßte oder anwies, schneller zu fahren, oder ihn daran erinnerte, dass er, nachdem er Cindy abgeholt oder Mighty abgesetzt hatte, zu einer bestimmten Uhrzeit zurück zu sein habe. Einmal schnauzte er Jende an, er solle einen anderen Wagen überholen, aber an den meisten Tagen saß er gestresst auf der Rückbank, und wenn er nicht gerade am Telefon war, murmelte er vor sich hin, rutschte von einer Seite der Rückbank auf die andere, sprach mit diversen Leuten, immer ängstlich und gehetzt, blätterte durch Berge von Akten, klappte seinen Laptop auf und zu, schlug das *Wall Street Journal* auf und zu und kritzelte etwas auf seinen Notizblock. Jende verstand kein Wort von dem, was Clark sagte. Nachdem er sich monatelang durch das Journal gekämpft hatte, um die Dinge besser zu begreifen, verstand er das Konzept, niedrig zu kaufen und hoch zu verkaufen, aber worüber Clark in diesen Tagen redete, Sachen wie Derivate und Handelsvorschriften, Ratings und überbewertete Junkbonds, war für ihn völlig unverständlich. Jende verstand lediglich, wie gequält und erschöpft Clark klang.

»Du hättest ihn an dem Abend sehen sollen, als es passiert ist«, sagte Cindy zu Cheri, als Jende die beiden nach Stamford zu Cheris Mutter fuhr. »Ich habe ihn noch nie so niedergeschlagen gesehen.«

»Das ist doch verständlich«, sagte Cheri. »Alles, wofür er gearbeitet hat, ist futsch. Ausgerechnet Lehman? Ich war sprachlos!«

»Ja, das waren wir alle – du, ich und der Rest der Welt.«

»Irgendwie passieren solche Dinge immer, wenn ich im Ausland bin. 9/11 und ich war nicht da. Oklahoma City und ich war nicht da. Das jetzt – und ich war wieder nicht da.«

»Vielleicht ist das nicht das Schlechteste«, sagte Cindy. »Manchmal ist es besser, wenn man möglichst weit weg ist vom Epizentrum des Wahnsinns.«

»Nein«, entgegnete Cheri. »Ich wäre lieber zu Hause gewesen. Ich weiß wirklich nicht, was gut daran sein soll, quer durch Florenz zum Hotel zu hetzen, um dann im Zimmer auf den Fernseher zu starren und zu sehen, was im eigenen Land los ist. Da wäre ich schon lieber zu Hause gewesen und hätte in meinem eigenen Bett eine schlaflose Nacht verbracht.«

»Wahrscheinlich hast du recht.«

»Ich habe sofort versucht, dich anzurufen, als ich gestern Abend gelandet bin.«

»Ich weiß, tut mir leid, mir war nicht nach Reden zumute. Aber ich hab dir eine Nachricht geschrieben. Hast du die nicht bekommen?«

»Nein, habe ich nicht. Hättest du heute Morgen nicht angerufen, hätte ich mich in den Zug gesetzt und wäre allein hingefahren. Ich dachte, du hättest es dir anders überlegt bei allem, was gerade los ist.«

»O nein, ich brauche das«, sagte Cindy. »Ich muss raus aus der Stadt. Es ist einfach zu viel.«

»Das versteh ich.«

»Ich wäre gestern gern allein für ein langes Wochenende weggefahren, aber ich hatte Mighty für Samstag schon einen Filmabend mit gemeinsamem Abendessen versprochen, und ich muss ihm helfen, für das Vorspielen beim Jugendorchester zu üben. Außerdem habe ich deiner Mutter versprochen, dass ich sie noch mal besuche. Etwas Ablenkung tut mir gut. Es war einfach schrecklich. Es war zuletzt so schwierig mit Clark.«

»Er muss wie ein Häufchen Elend ausgesehen haben, als es passiert ist«, sagte Cheri, und Cindy nickte.

Vor zwei Tagen war Clark abends früher nach Hause gekommen, gegen neun. Er hatte sein Hemd ausgezogen und sich mit gesenktem Kopf auf die Bettkante gesetzt, den Rücken dabei so krumm, als würde er darauf warten, eine schwere Last aufgeladen zu bekommen. Er hatte sich nicht gerührt und kein Wort gesagt, nicht einmal, als sie ins Zimmer gekommen war, Hallo gesagt und sich ins Bett gelegt hatte. Wegen eines frühen Mammografietermins hatte sie am nächsten Morgen ausgeruht sein wollen, war also nicht in der Stimmung für Small Talk gewesen, weshalb sie ihn nicht gefragt hatte, weshalb er so trübsinnig und stumm und reglos dagesessen habe. Stattdessen hatte sie sich den *New Yorker* geschnappt und aufgeschlagen, um endlich das Porträt von Obama zu lesen.

Lehman ist insolvent, hatte er plötzlich gesagt, den Kopf noch immer gesenkt. Sie hatte nach Luft gerungen, das Magazin fallen gelassen und die Hand vor den Mund geschlagen. Dann hatte sie sich aufgesetzt und auf seinen Hinterkopf gestarrt. Du hast richtig gehört, hatte er hinzugefügt, ohne sich zu ihr umzudrehen. Sie hätten alles versucht. Das Unternehmen sei nicht zu retten. Die Konkursmeldung würde in den nächsten Tagen rausgehen. Zwar würden sie immer noch versuchen, es aufzuhalten, nicht aufzugeben, aber ... Er hatte den Kopf geschüttelt.

»Der Arme«, sagte Cheri.

»Ich wusste gar nicht, was ich zu ihm sagen oder was ich tun sollte«, fuhr Cindy fort.

Sie hatte erneut nach Luft geschnappt, als sie es endlich ganz begriffen hatte, auf ihre Hände geschaut, die zitterten, was sie zuvor gar nicht gemerkt hatte. Ihr waren tausend Fragen durch den Kopf gegangen: Wie viel würden sie verlieren? Was machten sie, wenn es zu viel war? Was wurde jetzt aus seiner Karriere? War er so weit okay? Was ging in ihm vor? Wie konnte das sein? Würde die Fed womöglich in letzter Sekunde eingreifen und den Bankrott verhindern? Bear Stearns hatten sie doch auch gerettet. Sie hätte ihn gern in den Arm genommen, um das Gefühl der Angst mit ihm zu teilen, war sich aber nicht sicher, ob er das wollte oder brauchte, weshalb sie nur vor zur Bettkante gerutscht war und sich neben ihn gesetzt hatte.

»Hast du irgendwas davon gewusst?«, fragte Cheri. »Ich meine, dass es so schlimm steht?«

»Eigentlich nicht«, sagte Cindy. Sie habe gewusst, dass Lehman in Schwierigkeiten stecke, aber ohne Details zu kennen. Ganz sicher habe sie nicht gewusst, dass sie kurz vor dem Aus standen. Er hatte ihr nur gesagt, dass die Bank sich gerade auf gefährlich dünnem Eis bewege, und sie um Verständnis gebeten, falls er der Arbeit wegen Pläne umwerfen müsse. Als es im Sommer dann so gekommen sei, wie habe sie da wissen sollen, dass etwas Ernsteres dahintersteckte als die etlichen Male davor, als sie Abendessen abgesagt und Urlaube verschoben hatte oder alleine zu Partys gegangen war, weil er noch dringend hatte arbeiten müssen?

»Das ist das Gefährliche an Workaholics«, sagte Cheri. »Man kann ihnen nur schwer trauen.«

»Willkommen in meinem Leben«, sagte Cindy traurig. »Oder dem, was davon übrig ist.«

»Es wird alles gut, Cindy. Alles wird gut ausgehen. Sean muss mir das auch ständig sagen. Er sagt, ich muss aufhören, zwanzig Mal am Tag unsere Depots zu überprüfen, aber ich kann einfach nicht anders. In Florenz bin ich jeden Morgen mit der panischen Angst aufgewacht, alles zu verlieren. Und wenn ich Sean dann angerufen habe, hat er geschlafen. Ist mir ein echtes Rätsel, dass er noch immer so friedlich schlafen kann. Ich glaube nicht, dass ich diese Woche auch nur eine Nacht mehr als vier Stunden geschlafen habe.«

Cindy antwortete nicht sofort, sie schien kurz abgetaucht in ein Gewirr aus tausend Gedanken. »Ich wünschte, ich hätte Seans Gelassenheit«, sagte sie schließlich. »Ihn scheint einfach gar nichts aus der Bahn zu werfen.«

»Ja, aber du wirst nicht glauben, was er mir gestern vorgeschlagen hat«, sagte Cheri.

»Was denn?«

»Er meint, wir sollten uns vielleicht für ein paar Monate von Rosa trennen, um zu sparen.«

»Machst du Witze? Das meint er doch nicht ernst!«

Cheri lachte. »Unglaublich, oder?«, sagte sie. »Ich bin gar nicht erst darauf eingegangen.«

»Das hat uns jetzt gerade noch gefehlt, was?«, sagte Cindy. »Kochen, putzen und Wäsche machen, während wir Geld verlieren und schlaflose Nächte haben. Ja geht's noch?«

Die beiden Frauen lachten.

»Aber es ist beängstigend, wie schlimm das Ganze noch werden kann«, sagte Cheri und klang ernster, nachdem ihr Lachen abgeebbt war. »Wenn die Leute schon anfangen, darüber zu reden, dass sie Economy fliegen und ihre Sommerhäuser verkaufen müssen ...«

»Ja, mir macht das auch Angst, aber Anna bleibt, ganz egal, wie schlimm es kommt oder was alle anderen plötzlich machen, um über die Runden zu kommen. Ich wüsste gar nicht, wie ich ohne sie zurechtkommen sollte.«

»Rosa bleibt auch. Wir müssen wohl einfach hoffen, dass alles gut ausgeht, auch wenn es im Moment gerade finster aussieht.«

Cindy stimmte ihr zu. Genau das hatte auch Clark zu ihr gesagt. Auf ihre Frage hin, ob die bevorstehende Insolvenz die Wirtschaft schädigen würde, habe er Ja gesagt, es würde wahrscheinlich zu einer gewaltigen Wirtschaftskrise kommen; es würde sich alles ändern, so oder so, für alle im Land, zumindest eine Zeit lang. Wenn ein so mächtiges Geldinstitut wie Lehman pleiteginge, würden die Leute misstrauisch. Wie sieht es eigentlich bei den anderen Banken aus, würden sie sich fragen. An der Börse werde Panik ausbrechen, habe er gesagt. Aktienkurse würden um die Hälfte einbrechen. Lauter verrücktes Zeug könne passieren, das womöglich die Ersparnisse und die Lebensgrundlage von Abermillionen guter, unschuldiger Menschen vernichten werde. Es könnte richtig hässlich werden. Aber für sie beide würde es gut ausgehen. Leute wie sie würden kurzfristig ein wenig Geld verlieren, aber für sie würde es schon nicht so schlimm, und anders als für die armen Teufel da draußen auf der Straße ginge es für sie schon bald wieder bergauf.

»Hoffentlich behält er recht«, sagte Cheri. »Und ich hoffe wirklich sehr, dass es ihm bald wieder gut geht.«

»Keine Ahnung«, sagte Cindy nach einer Pause. »Wir haben seit dem Abend kaum miteinander gesprochen – er ist so gestresst und dünnhäutig, dass ich mich kaum getraue, etwas zu sagen. Letzte Woche habe ich ihn volle drei Tage nicht gesehen.«

»Mit dem Wechsel zu Barclays hat er sicher alle Hände voll zu tun.«

»Ich weiß … das sagt er auch. Aber … wer weiß? Ich hoffe, dass es nur deswegen ist und nicht wegen einer …«

»Ach komm schon, Cindy.«

»Es sind solche Situationen, Cher, in denen es passiert«, sagte Cindy leise. »Dann gehen sie zu diesen …« Sie unterbrach sich selbst, besorgt, dass Jende zuhören könnte – was er auch höchst aufmerksam tat.

»Du musst damit aufhören, dich so zu quälen«, erwiderte Cheri scharf. »Alles wird gut. Er ist nicht der Einzige, der mit der Krise zu kämpfen hat. Wir sind nicht die Einzigen. Das wird sicher nicht leicht, aber es wird alles gut ausgehen. Auch für Clark.«

Jende lächelte stumm, als Cheri das sagte, sprach sie ihm doch aus dem Herzen, denn auch er wünschte sich sehnlichst, dass Clark Edwards aus dem Tief herausfand, in dem er seit Monaten feststeckte.

Am Abend zuvor hatte Clark nach der Arbeit seinen Freund Frank angerufen, um mit ihm darüber zu reden, ob es für ihn selbst vielleicht an der Zeit war, sich von der Börse zu verabschieden. Das sei es einfach nicht mehr wert, hatte er gesagt, er habe den ganzen Scheiß langsam satt. Es sei ihm immer egal gewesen, was die Leute von ihm dächten, aber das habe sich mit einem Mal geändert; er habe auf MSNBC diese Arschlöcher gesehen und ihnen zugestimmt, und dass das ganze Land auf Leute wie ihn losgehe, sei absolut gerechtfertigt. Er könne nicht anders, er fühle sich irgendwie verantwortlich für den ganzen Scheiß, der gerade passiere, hatte er zu Frank gesagt. Nicht weil er persönlich irgendjemandem Schaden zugefügt habe, sondern weil er Teil des Systems sei, und ganz gleich, wie ungern er es zugebe oder wie sehr er sich wünsche, das Unternehmen hätte seine Prinzipien nicht verraten, ganz gleich, wie sehr er sich wünsche, die Börse sei nicht so skrupellos, war er doch Teil des Ganzen. Und weil er an vielem von dem Bullshit, mit dem er noch nicht mal einverstanden gewesen sei, beteiligt gewesen wäre, wenn auch nur in sehr geringem Maße, war das jetzt passiert. Er sei sich nicht sicher, was seine Zukunft bei Barclays beträfe; und das habe nichts mit der Bank zu tun, sondern mit ihm. Vielleicht werde er eben langsam alt. Vielleicht hinterfrage er auf einmal, worin der Sinn seines Lebens bestand. Warum hörte er sich auf einmal an wie Vince?

Als Vince' Name fiel, fragte sich Jende, wie es dem jungen Mann in Indien wohl erging. Jedes Mal, wenn in der Zeitung von Indien die Rede war, dachte er an Vince, aber er fand es falsch, Clark nach ihm zu fragen und die Wunden aufzureißen, die gerade erst verheilten.

In den Tagen nach der Lehman-Pleite dachte er auch an Leah, wusste aber nicht, wie er sie anders als über die Firmennummer erreichen konnte. Die Vorstellung, die Nummer dort zu wählen, hatte etwas Gespenstisches, fast so, als würde man einen verstorbenen Freund auf dem Friedhof anrufen. Aber weil er sich wegen ihres hohen Blutdrucks und der geschwollenen Füße Sorgen um sie machte, rief er sie einige Tage nachdem er wieder angefangen hatte zu arbeiten, doch im Büro an und hoffte, dass sie vielleicht ihre Kontaktdaten auf dem Anrufbeantworter hinterlassen hatte.

»Leah!«, sagte er, als sie ranging, erschrocken und erleichtert zugleich. »Was machst du … Ich dachte … Ich hatte befürchtet …«

»Ja, Herzchen«, sagte sie. »Mich haben sie auch rausgeschmissen. Morgen ist mein letzter Tag. Sie wollen, dass ich hier noch ein bisschen klar Schiff mache, bevor ich gehe. Wenn das nicht wäre, wäre ich keine Sekunde länger hier.«

»Leah, es tut mir so leid.«

»Ja, mir auch … aber was soll man machen? Manchmal ist es besser, wenn es dann endlich passiert, weißt du? Sonst kann man monatelang nicht schlafen und hat ständig Angst vor dem, was kommt. Jetzt ist es passiert und … keine Ahnung … und ich kann wenigstens wieder in Ruhe schlafen und komm endlich raus aus diesem miesen Laden.«

»Es ist die Angst, die uns umbringt, Leah«, sagte Jende. »Manchmal tritt etwas ein, und es ist nicht annähernd so schlimm, wie wir dachten. Das ist etwas, was ich im Leben gelernt habe. Es ist die Angst.«

Leah stimmte ihm zu, sagte aber, im Moment könne sie nicht lange reden. Sie gab Jende ihre Privatnummer, damit er sie später anrufen konnte, was Jende am selben Abend tat.

»Was willst du jetzt machen?«, fragte er sie.

»Irgendwas ganz Tolles«, sagte sie und klang sehr viel optimistischer als am Morgen. »Ich habe mehr als zwanzig Jahre Berufserfahrung. Ich mach mir da keine Sorgen. Jetzt nehme ich mir erst mal einen Monat frei und erhole mich, dann suche ich mir einen neuen Job.«

»Ja, mach das auf jeden Fall.«

»Mach ich, vielleicht besuche ich meine Schwester in Florida. Das ist das Gute, wenn man nicht verheiratet ist und keine Kinder hat, man muss auf niemanden Rücksicht nehmen, sich vor niemandem rechtfertigen, ich kann tun und lassen, was ich will, wann ich will und wo ich will. Jetzt lass ich es mir in Sarasota erst mal gut gehen, und wenn ich zurück bin, peppe ich meinen alten Lebenslauf auf.«

»Du findest sicher leicht einen neuen Job, wenn du wieder da bist«, sagte Jende. »Mr Edwards erzählt ganz bestimmt allen, dass du eine gute Sekretärin bist.«

»Na wehe nicht.«

»Bitte ruf mich an, wenn du zurück bist. Damit ich weiß, dass alles in Ordnung ist.«

Leah versprach, sich zu melden, und Jende wünschte ihr eine gute Zeit in Florida.

Als er am Tag darauf die Edwards hier und dort hinbrachte und dann wieder abholte, dachte Jende an Leah und die ehemaligen Lehman-Mitarbeiter. Er dachte darüber nach, in welchem Zustand sich die Stadt und das Land befanden. Er dachte darüber nach, wie seltsam und traurig es war, dass die Amerikaner von einer »Wirtschaftskrise« sprachen, einem Begriff, den die Kameruner in den späten Achtzigern buchstäblich jeden Tag im Radio und Fernsehen gehört hatten, als das Land in eine lang anhaltende Phase des ökonomischen Abschwungs geschlittert war. Nur wenige Menschen in Limbe hatten damals verstanden, was die Gründe für die Krise waren oder was die Regierung unternahm, um dagegen vorzugehen und die Situation langfristig zu stabilisieren, aber jeder wusste, dass es extrem schwer war, Essen und andere Waren des täglichen Bedarfs zu kaufen, weil enorme Geldsummen einfach so verpufften. Das Gleiche passierte jetzt in Amerika. Und es war schlimm. Sehr schlimm. Keiner konnte sagen, wie lange es dauern würde, bis das vermeidbare Chaos, das die Lehman-Brothers-Pleite ausgelöst hatte, vorbei war. Experten im Fernsehen sagten, es könne Jahre dauern. Vielleicht bis zu fünf Jahren, besonders weil die Krise die ganze Welt erfasste und überall Menschen ihr Geld, ihre Jobs, ihre Familien und den Verstand verloren.

Aber er … er hatte zum Glück noch einen Job.

Jedes Mal, wenn er den Wagen aus der Tiefgarage holte, empfand er tiefe Dankbarkeit, weil auch er jetzt arbeitslos sein könnte wie so viele überall im Land. Täglich las er im Journal, das Clark auslas und liegen ließ, von Entlassungswellen, sah nach Feierabend in den Nachrichten auf CNN Berichte über Stellenabbau.

Jeden Abend ging er mit der Hoffnung ins Bett, die Lage würde bald besser werden, aber in den kommenden Wochen sollte es noch viel schlimmer kommen.

Es gab noch mehr Entlassungen, ohne Aussicht auf eine baldige Erholung des Arbeitsmarkts. Der Dow Jones sackte ab in bis dato unbekannte Tiefen. Er stieg und fiel, stieg und fiel, immer und immer wieder, wie eine teuflische Welle. 401k-Pläne zur Altersvorsorge wurden um die Hälfte gekürzt. Menschen mussten ihren Ruhestand hinausschieben; die Aussicht auf faule Tage am Strand war dahin oder musste für bis zu zehn Jahre aufgeschoben werden. Sparfonds für die Collegeausbildung der Kinder wurden geplündert und viele Hände sollten nie erfahren, wie es ist, ein Diplom zu halten. Traumhäuser wurden nie gebaut. Traumhochzeiten wurden noch einmal überdacht. Traumurlaube nicht in die Tat umgesetzt, ganz gleich wie viele Tage im Jahr man schon gearbeitet hatte, ganz gleich, wie dringend man die Erholung brauchte.

Es sollte in vieler Hinsicht eine bisher nie gekannte Katastrophe sein, fast wie eine der Plagen, die im Alten Testament über die Ägypter gekommen waren. Der einzige Unterschied zwischen den Ägyptern damals und den Amerikanern heute bestand darin, dachte Jende, dass die Ägypter für ihre eigene Sündhaftigkeit bestraft worden waren. Sie hatten Unheil über ihr Land gebracht, weil sie Götzen verehrt und Menschen versklavt hatten, nur damit sie in Prunk und Glanz hatten leben können. Sie hatten Reichtum über Rechtschaffenheit gestellt und Habgier über Gerechtigkeit. Die Amerikaner hatten nichts dergleichen getan.

Und trotzdem trauerten überall im Land die Weiden um die vielen hinweggewehten Träume.

28.

In den ersten fünf Wochen nach dem Lehman-Kollaps fuhren sie mindestens ein Dutzend Mal zum Chelsea Hotel. Jetzt, da die Panik auf den Märkten wuchs und die Last auf seinen schmaler werdenden Schultern immer größer wurde, schien Clark diesen Besuchen so verzweifelt entgegenzufiebern, wie versengter Boden nach Wasser lechzt. Es schien, als könne er sich nur auf diese Weise kurz lebendig fühlen, als wäre es das einzige Mittel, sich in einer verrückt gewordenen Welt kurz normal zu fühlen; nur wenn er telefonierte, um diese Termine zu bestätigen, wechselte seine Tonlage von übel gelaunt zu vorfreudig. Jedes Mal bestätigte er die Rendezvous, wenn sie bereits auf dem Weg dorthin waren. Jedes Mal ließ er sich am Telefon versichern, dass das Mädchen auch genau das machte, was sie auf der Website anbot. Jedes Mal nickte er, wenn die Person am anderen Ende ihm dann garantierte, sein Geld sei gut angelegt und das Mädchen werde ihn sehr, sehr glücklich machen, und manchmal lächelte er sogar.

Jende tat, als würde er nichts mitbekommen. Er wurde fürs Fahren bezahlt, nicht fürs Zuhören. Er setzte Clark bei jedem dieser Termine vorm Hotel ab und suchte sich einen Parkplatz ganz in der Nähe. Dort wartete er, bis Clark anrief und darum bat, ihn in fünf Minuten abzuholen. Wenn Clark wieder zu ihm ins Auto stieg, sah Jende einen Mann, der entspannt aussah, sich aber sonst durch nichts von dem Mann unterschied, der zuvor ausgestiegen war. Seine Haare waren noch immer akkurat zurückgekämmt. Das blaue Hemd war knitterfrei, der Kragen ohne einen Knick. Da war nichts Schuldbewusstes in seinem Auftreten.

Jende fuhr ihn dann zu seinem nächsten Termin und stellte

keine Fragen. Er hatte kein Recht, Fragen zu stellen. Manchmal stieg Clark wieder ins Auto und machte eine Bemerkung über das Wetter, die Yankees oder die Giants. Jende antwortete immer schnell und stimmte seinem Boss in allem zu, so als wollte er sagen, es ist okay, Sir, was auch immer Sie tun, es ist völlig in Ordnung. Und er spürte, dass Clark in seiner Gegenwart genau dieses Gefühl hatte, ihm vertraute und wusste, keiner würde es je erfahren. Ohne darüber zu reden, war zwischen ihnen ein unsichtbares Band gewachsen, sie waren zwei Männer, die miteinander verbunden waren, durch dieses Geheimnis, dass sie einander brauchten, um Tag für Tag voranzukommen und sich gegenseitig dabei behilflich zu sein, die kleinen täglichen Aufgaben und die großen Lebensthemen zu meistern, und durch die Freundschaft, die in dem gemeinsamen Jahr auf dem Highway und im Feierabendverkehr zwischen ihnen entstanden war.

Ihre Verbindung war so solide, wie sie zwischen einem Mann und seinem Chauffeur nur sein konnte, aber nicht solide genug, dass Jende sich in Angelegenheiten delikaterer Natur eingemischt hätte. Und genau darum sagte Jende auch an dem Abend, als Clark ohne Krawatte zum Wagen zurückkam, nur das Nötigste.

An jedem anderen Tag hätte Jende das Fehlen der Krawatte gar nicht bemerkt, weil er sich wenig aus Krawatten machte. Winston hatte ihm eine geschenkt, nachdem Jende ihm von Clarks Kommentar beim Vorstellungsgespräch erzählt hatte, dass er sich eine echte Krawatte besorgen solle, wenn er etwas für seine Karriere tun wolle, aber als Winston Jende auch angeboten hatte, ihm zu zeigen, wie man sie band, hatte er abgelehnt, weil er glaubte, von den wenigen Malen mit Krawatte in Limbe noch zu wissen, wie man es machte. An seinem ersten Arbeitstag hatten dann aber weder Neni noch er den Knoten hinbekommen. Neni hatte vorgeschlagen, sie könnten es googeln, aber dafür hatte er keine Zeit gehabt. Er war mit einer Ansteckkrawatte zur Arbeit gegangen, und Clark hatte ihm ein Kompliment für sein »professioneller wirkendes Äußeres« gemacht, was Jende als allgemeines Okay für seine Kleidung aufgefasst hatte. Ein paar Tage später hatte

Winston sein Angebot wiederholt, aber Jende hatte es ausgeschlagen, warum brauchte ein Mann einen Strick um den Hals wie eine Ziege? Nur wenige Krawatten schienen es wert, sich so zu quälen, aber die blaue Krawatte, die Mr Edwards an diesem Morgen getragen hatte, war ihm beim Abholen gleich aufgefallen.

Auf der Krawatte waren lauter Flaggen, und an einer roten Ampel hatte Jende beim Blick in den Rückspiegel den Union Jack erkannt, die amerikanischen Stars and Stripes, die Drapeau Tricolore Frankreichs und die italienische il Tricolore, alles Fahnen, die er kannte, nachdem er jahrelang im Fernsehen die Fußballweltmeisterschaft verfolgt hatte. Er hatte nach der grün-rot-gelben Flagge Kameruns gesucht, sie aber nicht gefunden, obwohl aus irgendeinem Grund die Flagge Malis darauf zu sehen gewesen war. Während er an besagtem Abend vor dem Chelsea Hotel gewartet hatte, hatte er überlegt, vielleicht etwas über die Krawatte zu sagen, wenn der Boss wieder einstieg, um so einerseits die unangenehme Stimmung aufzulockern, die in den ersten Minuten nach Clarks Rückkehr immer herrschte, und zum anderen auch deshalb, weil er, wenn er schon Geld für eine richtige Krawatte ausgab, dann auch so einen Hingucker haben wollte und hoffte, dass Mr Edwards ihm sagen konnte, wo er günstig ein ähnliches Exemplar erstehen könnte, da seine sicher aus einem dieser Schickiläden auf der Fifth Avenue stammte.

Aber Clark war ohne die Krawatte zum Wagen zurückgekommen.

Jende hatte schon den Mund geöffnet, um etwas zu sagen, ihn dann aber sofort wieder geschlossen. Er hatte kein Recht, eine Bemerkung zum Äußeren seines Bosses zu machen. Und es war nicht seine Aufgabe, über den Verbleib der Krawatte zu spekulieren, auch wenn er die ganze Zeit über genau das tat. In Clarks Aktentasche war sie ganz sicher nicht, denn die nahm er nie mit ins Hotel. In seiner Hosentasche auch nicht, das hätte überhaupt keinen Sinn ergeben. Und er konnte sie unmöglich der Person geschenkt haben, die er gerade …

»Zurück zum Büro, Sir?«, fragte Jende, als er vom Parkplatz

direkt vorm Hotel losfuhr und sich fragte, was für eine Lust dem Mann gerade bereitet worden sein musste, wenn er danach seine Krawatte vergaß.

»Nein, nach Hause.«

»Nach Hause, Sir?«

»Ja, sagte ich doch eben.«

Jende sah sofort vor sich, wie das ausgehen würde. Clark würde die Wohnung betreten, und Cindy, neugierig wie Frauen nun mal waren, würde ihn fragen, wo seine Krawatte sei. Clark würde ins Stottern geraten und schnell irgendwas zusammenstammeln, das ihm Cindy nicht abnahm. Cindy würde einen Streit anzetteln, vielleicht der dritte an diesem Tag, und morgen würde Jende Ohrenzeuge von noch mehr schauerlichen Details ihrer Ehe werden. Und als hätte der arme Clark nicht schon genug Sorgen, würde er dann noch an einer weiteren Front kämpfen müssen.

Oder Cindy bemerkte es vielleicht doch nicht.

Es war bereits zehn Uhr, und sie war womöglich schon im Bett. Clark würde nach Hause kommen, sich ausziehen, duschen, und die arme Frau würde zum Glück nichts mitbekommen.

29.

An einem Abend Anfang November, eine Woche nach dem Verschwinden der Krawatte, bat Cindy ihn, hinaufzukommen. Das war drei Tage nachdem Barack Obama zum Präsidenten gewählt worden war und die New Yorker auf dem Times Square getanzt hatten, drei Tage nachdem Neni und er vor Freude in die Luft gesprungen waren und Freudentränen darüber vergossen hatten, dass der Sohn eines Afrikaners jetzt die Welt regierte, und einen Tag nachdem Clark gesagt hatte, dass er eine Prämie von zweitausend Dollar bekommen würde, weil er sich ein Jahr lang als ein hervorragender Angestellter bewiesen hatte.

»Bitte setzen Sie sich«, sagte Cindy und zeigte auf einen Stuhl am Küchentisch.

Jende ließ sich auf das schwarze Leder sinken. Vor ihm auf dem blanken Marmortisch stand eine Glasvase mit frischen lila Callas, daneben lag ein blaues Notizbuch. Jende schaute auf das ledergebundene Buch, dann zu Cindy. Er wusste sofort, was los war: Sie hatte das mit der Krawatte bemerkt. Sie hatte das mit der Krawatte ganz sicher bemerkt. Sie hatten sich ganz sicher deswegen gestritten, oder wegen etwas anderem. Es musste ein großer Streit gewesen sein, vielleicht wie der, von dem ihm Neni erzählt hatte, damals in den Hamptons, als Vince nach Indien gehen wollte. Man konnte immer leicht erkennen, wenn verheiratete Menschen einen schlimmen Streit mit ihrem Ehepartner gehabt hatten, denn dann sahen sie aus, wie von aller Welt verlassen, als hätten sie nichts und niemanden. Und genau so wirkte Cindy an diesem Abend.

Sie sah jetzt nicht mehr so umwerfend aus wie die Mrs Edwards aus seinen ersten Arbeitstagen. Ihre Haut war noch immer wunderschön, glatt und makellos, aber ihr Blick war leer, was auch die perfekt aufgetragene Mascara und der Eyeliner nicht kaschieren konnten, und er sah, dass etwas mit der Madam passiert war, gerade mit ihr passierte. Trotz der glänzenden erdbeerblonden Locken, die die eine Gesichtshälfte leicht verdeckten, dem perlenbehangenen Dekolleté und den rot geschminkten Lippen sah Jende ihr an, dass sie schrecklich litt und dringend etwas brauchte, das ihr Frieden schenkte.

»Wie war Ihr Tag?«, fragte sie ihn.

»Sehr gut, Madam, danke.«

Sie nickte, nahm die Kaffeetasse vom Tisch in beide Hände und trank einen Schluck. »Und Ihrer Frau und Ihrem Sohn geht es gut?«

»Es geht ihnen sehr gut, Madam. Danke, dass Sie fragen.«

Cindy nickte wieder. Dann sagte sie ungefähr zehn Sekunden lang nichts und senkte den Kopf, während sie weiter die Tasse umklammert hielt.

»Ich möchte, dass Sie mir einen Gefallen tun«, sagte sie sanft, hob den Kopf und schaute Jende in die Augen. »Einen sehr großen Gefallen. Und Sie müssen morgen damit anfangen.«

»Ich mache alles für Sie, Madam. Alles.«

»Gut, sehr schön.«

Sie zögerte wieder, nickte mit gesenktem Kopf. Er wartete, den Blick auf den Kragen ihrer gelben Baumwollbluse gerichtet, nicht auf ihr Gesicht. Da sie den Kopf weiter gesenkt hielt, schaute sich Jende verstohlen in der Küche um, warf einen Blick auf die leeren Arbeitsflächen und auf die drei frei hängenden Glaslampen über der Kücheninsel. Gerade als er glaubte, sie würde den Kopf wohl noch länger gesenkt halten, schaute sie auf, strich sich die Haare zurück und sah ihm in die Augen.

»Ich möchte, dass Sie hier reinschreiben«, sagte sie und schob ihm das blaue Notizbuch hin, »wo Sie Clark hinfahren. Und zwar detailliert. Jede Person, mit der Sie ihn sehen. Ich möchte, dass Sie das alles hier reinschreiben.«

Jende rutschte auf seinem Stuhl hin und her und setzte sich aufrecht hin.

»Er muss nicht wissen, worum ich Sie gebeten habe. Das bleibt unter uns. Machen Sie einfach, was ich sage. Es ist in Ordnung. Ihnen passiert nichts.«

Ihre Stimme klang kehlig, ihre Nasenspitze war gerötet. Sie zog ein Taschentuch aus der Kleenexbox auf dem Tisch, schnaubte, stand auf, entsorgte es im Mülleimer und setzte sich wieder hin. Jende nahm das Notizbuch und schaute es sich an. Er blätterte durch die leeren Seiten und drehte es in den Händen hin und her, als wollte er sichergehen, dass es auch wirklich ein Buch war. Behutsam legte er das Buch wieder hin, atmete tief ein, legte die Hände zusammengefaltet in den Schoß und versuchte, allen Mut zusammenzunehmen, um ihr die richtige Antwort zu geben.

»Mrs Edwards«, sagte er zögerlich, »was Sie sich da wünschen, ist … sehr schwierig.«

»Ich weiß.«

»Was Sie sich wünschen, ist … Wenn ich das mache, kann ich meinen Job bei Mr Edwards verlieren. Mr Edwards hat mir sehr deutlich gesagt, dass –«

»Sie verlieren Ihren Job nicht«, sagte sie. »Dafür sorge ich. Sie arbeiten für die ganze Familie, nicht nur für ihn. Beschaffen Sie mir, was ich haben will, und ich sorge dafür, dass Sie Ihren Job behalten.«

»Aber Madam …« Ihm versagte die Stimme. »Madam«, setzt er erneut an, »Sie wissen sicher, dass das jetzt eine sehr schwere Zeit für Mr Edwards ist. Ich sehe, wie viel er arbeitet, Madam. Ich sehe, wie schwer es gerade für ihn ist. Er sieht müde aus, er arbeitet so hart, ist immer am Handy, immer am Computer, hat ein Meeting nach dem anderen.«

»Sie müssen mir nicht erzählen, was für einen fleißigen Mann ich habe.«

»Ja, Madam. Natürlich nicht, Madam.«

»Es gibt eine andere Frau«, sagte Cindy. Sie machte eine Pause und drehte das Gesicht zur Seite, als hätte sie Angst, sich vor einem einfachen Chauffeur verletzlich zu zeigen.

»Was wissen Sie darüber?«

»Ich weiß nichts, Madam.«

»Wo haben Sie sie hingefahren?«

»Madam, ich schwöre Ihnen –«

»Lügen Sie mich nicht an!«

Ihre Hände zitterten. Seine waren kalt; er konnte sich nicht erinnern, in einem geschlossenen Raum je so eisige Hände gehabt zu haben. Zu gern hätte er über den Tisch hinweg nach ihren Händen gegriffen und sie beruhigt, ihr gesagt, sie bräuchte sich keine Sorgen zu machen und keine Angst zu haben. Aber es ging nicht, er hatte nicht das Recht dazu, die Madam zu berühren. Trotzdem musste er sie von ihrem Vorhaben abbringen.

»Madam«, sagte er. »Ich hoffe, Sie verstehen das nicht falsch, Madam. Aber machen Sie sich bitte keine Gedanken.«

Cindy schüttelte den Kopf und lachte, ein schwaches hämisches Lachen.

»Was auch immer Sie glauben, was Mr Edwards im Schilde führt oder wo er ist, ich glaube, er arbeitet nur, er arbeitet ununterbrochen und führt Gutes im Schilde. Es ist nicht leicht für eine Frau, für jede Frau, Madam. Für meine Frau ist es auch schwer, dass ich meistens sehr spät nach Hause komme und manchmal am Wochenende arbeiten muss. Aber sie versteht, dass ich das tun muss, um die Familie zu versorgen, genauso wie Mr Edwards.«

»Ihre Frau ist schwanger, nicht?«, sagte Cindy.

»Ja, Madam«, antwortete er und lächelte. »Das Baby kommt nächsten Monat.«

»Das ist schön. Wissen Sie denn jetzt, was es wird?«

»Nein, Madam, das wissen wir nicht. Das finden wir am Geburtstag von unserem Baby heraus.«

»Nun ja, Jende«, sagte sie. »Denken Sie an Ihre schwangere Frau und das neugeborene Baby. Denken Sie an Ihre Familie und Ihre Situation. Denken Sie in Ruhe nach und lassen Sie mich wissen, ob Sie auch weiter einen Job haben wollen, um sie zu versorgen.«

Sie stand auf, wünschte ihm eine gute Nacht und ging aus dem Zimmer.

30.

Als er an diesem Abend früher nach Hause kam, so gegen acht, war Winston da und aß *kwacoco* und *banga*-Suppe. Auf dem Tisch standen zwei blaue Emailleschüsseln: eine mit langen gedünsteten Rollen aus Bananenblättern mit gefülltem Cocoyam-Brei, die andere bis zum Rand gefüllt mit Palmkernsuppe und Stücken von geräuchertem Truthahnhals, die aus dem obenauf schwimmenden Öl guckten. Ein Teller mit Schnecken stand auch da, angebraten mit Tomaten, Zwiebeln, Koriander und Shiitakepilzen.

»Rate mal, mit wem ich mich nächstes Wochenende treffe. Da kommst du nie drauf«, sagte Winston, während sich Jende die Hände wusch, um sich zu ihm an den Tisch zu setzen, und Neni noch einen Teller auf den Tisch stellte.

»Maami?«, fragte Jende.

»Wie hast du das so schnell erraten?«

»Ich kenne dich nicht erst seit vorgestern. Es gibt keine andere Frau, die deine Augen so zum Leuchten bringt.«

Winston grinste. »Ich habe sie auf Facebook gefunden«, sagte er.

»Facebook? Also dieses Facebook, das ist schon so eine Sache, was?«, sagte Jende. »Sag mal Neni, hast du vor Kurzem nicht den Sohn vom Cousin deiner Mutter dort gefunden, der in die Tscheso… , Tscheches… , die Tschechoslowa… na so ein Land da drüben gezogen ist?«

Neni saß auf dem Sofa und nickte, ohne von ihrem *Oprah*-Magazin aufzuschauen. »Er ruft nicht zu Hause an, schickt seiner Mutter kein Geld«, sagte sie, »aber um auf Facebook der ganzen

Welt Fotos von seinen neuen Schuhen und Klamotten vorzuführen, dafür hat der *mbutuku* Zeit.«

»Ja, Mann, dieses Facebook-*whahala*, das ist echt ein Ding«, sagte Winston. »Ich logge mich da für eine Minute ein, entdecke einen Freund, mit dem ich auf der BHS war, akzeptiere die Freundschaftsanfrage von einem anderen Freund, und bevor ich's richtig kapiere, ist da ein Foto von Maami. Und ich sage dir, *kai!*, ihr *makandi* ist immer noch so *manyaka ma lambo* wie früher in der Highschool.« Er klatschte einmal in die Hände und beschrieb mit gespreizten Händen die Form ihrer üppigen Pobacken. »Ich hab sie an dem Abend gleich noch angerufen, und wir haben bis nachts um zwei telefoniert.«

»Ist sie nicht verheiratet?«

»Sie sagt, sie hat einen Freund, irgend so ein weißes Würstchen unten in Texas. Aber schauen wir mal, wie's damit steht, wenn sie mich sieht.«

Jende lachte mit vollem Mund. »Wenn du sie wiedersiehst«, sagte er, nachdem er geschluckt hatte, »sagst du, sie soll die Schlangen vergleichen. Wer die längere hat, die schneller rein- und rausgleitet, der gewinnt.«

»Jende!«, sagte Neni mit aufgerissenen Augen und schnalzte in Richtung Liomi.

»Onkel Winston hat eine Schlange?«, fragte Liomi, der vorm Fernseher saß und sich zu ihnen umdrehte.

»Ja«, sagte Winston und lachte, »aber du darfst sie nicht sehen.«

»Aber Onkel Winston –«

»Stell den Erwachsenen keine dummen Fragen! Geh und mach deine Hausaufgaben«, herrschte Jende ihn an.

»Schrei ihn nicht gleich an«, erwiderte Neni, nachdem Liomi ins Schlafzimmer verschwunden war. »Ihr habt angefangen.«

»Dann hätte er die Ohren hochklappen sollen.«

»Warum sollte er?«

»Weil Kinder –«

»O Mann, verheiratete Paare!«, rief Winston dazwischen und

warf seine fettigen Hände in die Luft. »Schluss mit dem Wortgeballer, ich flehe euch an, sonst lass ich das mit dem Ehekram echt sein!«

Neni warf Jende einen bösen Blick zu und widmete sich wieder ihrem Magazin.

»Was macht dein Job, Bo?«, fragte Winston Jende.

»Die Lage ist ernst«, sagte Jende und erzählte dann die Geschichte von seinem Treffen mit Cindy.

Neni legte ihr Magazin weg. »Du musst ihr sagen, was du weißt«, sagte sie, nachdem Jende alles erzählt hatte. Sie hatte die Hand auf den Bauch und die geschwollenen Füße auf einen Hocker gelegt. »Ich glaube, es ist mein Recht, alles über dich zu wissen. Sie hat auch das Recht, alles über ihren Mann zu wissen.«

Winston nickte und riss Haut und Fleisch von einem Stück Truthahnhals ab.

»Ach, ihr Frauen«, sagte Jende. »Ihr macht euch zu viele Gedanken. Warum wollt ihr alles wissen? Manches ist Männersache. Ich will nicht alles über deine Sachen wissen. Manchmal höre ich, wie du mit deinen Freundinnen telefonierst, und ich will überhaupt nicht hören, was du sagst.«

»Du vielleicht«, sagte Neni. »Aber das heißt nicht, dass alle so sind. Ich will nicht wissen, wen du jeden Tag siehst oder wo du warst und das alles, aber manche Ehefrauen wollen das. Und manche Ehemänner auch. Ich finde das okay.«

»Es stört dich also nicht, wenn ich deine Freundinnen über dich ausfrage?«

»Wenn du jetzt sofort meine Freundinnen anrufen und sie über mich ausfragen willst, ruf sie an. Ich habe nichts zu verbergen. Meine Freundinnen werden dir nichts erzählen, das nicht zu der Neni passt, für die du mich hältst.«

»Ach wirklich?«

»Was heißt hier ›ach wirklich‹?«

»Das heißt, dann erzählen mir deine Freundinnen also nicht, dass du was Schmutziges mit einem von diesen Afroamerikanern draußen von der Straße gemacht hast, denen die Hosen halb auf den Knien hängen?«, sagte er grinsend und zwinkerte ihr zu.

Winston lachte.

»New Yorker, kommt und hört!«, sagte Neni und riss die Arme in die Luft. »Warum sollte ich das je machen? Warum sollte ich mir einen arbeitslosen Typen suchen, der mit fünf Frauen ein Baby hat? Also echt! Sollte ich irgendwann was Neues ausprobieren wollen, such ich mir einen netten alten weißen Knacker mit viel Kohle und 'nem Sauerstoffgerät.«

»Keine schlechte Idee«, sagte Winston. »Dann können wir das Geld unter uns aufteilen, wenn der Typ abnippelt.« Neni und Winston gackerten und taten so, als würden sie sich in der Luft mit einem High five abklatschen.

»Im Ernst«, sagte Jende, »Frauen müssen lernen zu vertrauen. Sie müssen ihren Männern vertrauen, dass sie wissen, was sie tun.«

»Ich muss Neni recht geben, Bo«, sagte Winston. »Du musst es ihr erzählen.«

»Habt ihr beide *kwacha* getrunken? Ich kann auf keinen Fall irgendwas von dem erzählen, was er macht. Keinem! Ich muss den Mund halten. Das hab ich unterschrieben, als er mich eingestellt hat. Vergessen?«

»Nein, aber –«, sagte Neni und stand auf, um den Tisch abzuräumen, »ja und?«

»Im Vertrag stand, dass ich mit keinem über irgendwas reden darf, nicht mal mit seiner Frau.«

»Vergiss den Vertrag«, sagte Winston.

»Bo, und das von dir als Anwalt? Wie kannst du mir was raten, wenn du weißt, dass es mich vielleicht den Job kostet?«

»Aber wovor hast du Angst?«, fragte Neni, als sie aus der Küche zurückkam. »Weißt du irgendwas, das er vor ihr geheim hält?«

Jende antwortete nicht; er hatte es ihr schon so lange erzählen wollen.

Anfangs, als er das mit den Frauen herausgefunden hatte, dachte er, es wäre nett, wenn sie es auch wüsste, weil sie dann abends im Bett zusammen darüber lästern und lachen könnten, wie Mr Edwards eine Stunde bei einer dieser Frauen buchte, einer großen oder einer blonden. Und dann würde er ihr jedes Mal davon erzählen, wenn er Mr Edwards wieder am Chelsea Hotel abgesetzt hatte, und sie würden zusammen darüber lachen, und sie wäre dankbar, dass er so was nie tun würde, weil er ein guter Mann war, ein ehrbarer Mann. Aber je länger er darüber nachgedacht hatte, umso mehr war ihm klar geworden, dass es auch ganz anders laufen könnte, wenn er es ihr erzählte. Vielleicht würde sie dann misstrauisch oder sogar ängstlich werden. Vielleicht denken: was, wenn Mr Edwards ihm auch eine Prostituierte anbot, als eine Art Geschenk oder Prämie? Was, wenn Mr Edwards ihn beeinflusste und verdarb und Jende sich dann fühlte, als ob jeder Mann das von Gott gegebene Recht besaß, sich Befriedigung zu verschaffen, sooft er es eben brauchte? Er sah regelrecht vor sich, wie sie grundlos ängstlich werden würde, vor allem jetzt, wo sie im Gesicht dick geworden war, ihre Beine dick geworden waren und ihr ganzer Körper aussah, als wäre sie verdammt, für immer dick zu sein. Was ihm nichts ausmachte. Überhaupt nichts. Aber er wusste, dass sie glaubte, es würde ihm etwas ausmachen, weshalb sie sich auch die ganzen Zeitschriften mit dünnen Frauen auf dem Cover kaufte, und darauf achtete, nicht zu viel Palmöl ans Essen zu geben. Sie redete auf einmal über Diäten, Kalorien und Cholesterin, über zuckerfreies Dies und fettarmes Das und lauter dummes Zeug, über das in Limbe kein Mensch redete. Sie zerbrach sich über völligen Unsinn den Kopf, wurde zu einer ängstlichen Ehefrau.

Er liebte sie so sehr (nicht mal für einen amerikanischen Pass hätte er sie eingetauscht), aber er konnte verstehen, woher ihre Angst rührte. Er war der einzige Mann, den sie je geliebt hatte, so wie auch ihr Vater der einzige Mann war, den ihre Mutter je geliebt hatte. Tja, und was war passiert? Nach vierundzwanzig Ehejahren, ein Jahr nachdem Nenis Vater seine Anstellung am Hafen verloren hatte, fand ihre Mutter heraus, dass ihr Vater eine Jugendliche geschwängert hatte, die im Portor-Portor-Viertel wohnte. Das war eine gewaltige Demütigung für Nenis Mutter gewesen und eine noch größere Demütigung für Neni, falls das überhaupt noch möglich war. Ihre Mutter hatte sie dabei erwischt, wie sie weinte, und sie angeschrien. »Hör auf zu heulen!«, hatte sie geschrien. »Männer werden von etwas gesteuert, das sie nicht kontrollieren können.« Neni hätte gern zurückgeschrien und ihrer Mutter gesagt, dass sie das Verhalten ihres Mannes, für den immer die anderen schuld an seinem Unglück waren, nicht auch noch entschuldigen sollte. Sie hatte sie anschreien wollen, weil sie mit einem frustrierten Mann zusammenblieb, der sie vor ihren Kindern beschimpfte, aber sie wusste, dass es für ihre Mutter mit den wenigen Stunden als Sekretärin und den acht Kindern enorm schwierig gewesen wäre, ein neues Leben aufzubauen. Also hatte sie die Tränen weggewischt und an diesem Tag beschlossen, dass sie sich von einem Mann vor allem eins wünschte: Loyalität. Und von allen Männern, die sie je kennengelernt hatte, war genau das Jendes Stärke: Versprechen auch zu halten.

»Weißt du irgendwas?«, fragte sie noch einmal.

»Warum sollte er mir seine Geheimnisse verraten?«, sagte er. »Ich bin sein Fahrer, nicht sein Freund.«

»Ja dann«, sagte sie. »Erzähl's ihr. An deiner Stelle würde ich Mrs Edwards lieber nicht verärgern.«

»Da geb ich Neni recht«, sagte Winston. Er saß jetzt bei Neni auf dem Sofa, während Jende allein am Tisch saß. »Seit Neni uns von der Frau und ihren Drogen erzählt hat, habe ich gewusst, dass etwas mit ihr nicht stimmt.«

»Das heißt aber nicht –«

»Bo, das heißt, dass die Frau dafür sorgen kann, dass du deinen Job verlierst.«

»So ein Quatsch!«

»Das ist kein Quatsch, Jende.«

»Frauen können da sehr rigoros sein«, sagte Winston. »Wenn du ihr nicht gibst, was sie von dir will, kann dich das deinen Job kosten. Von ihm wirst du angeheuert, aber von ihr gefeuert, ich sag's dir.«

»Aber was mache ich jetzt deswegen?«, fragte Jende. »Warum kann sie nicht ihren eigenen Mann fragen, wenn sie sich Sorgen macht?«

»Wer weiß, was für eine Ehe die beiden haben? Die Ehen, die die Leute in diesem Land führen, Bo, sind sehr seltsam. Es ist nicht wie zu Hause, wo ein Mann macht, wie er denkt, und seine Frau sich danach richtet. Hier ist es andersherum. Die Frauen sagen ihren Männern, wie sie es wollen, und die Männer machen es, weil sie sich sagen, Ehefrau besser glücklich, weil Leben sonst schrecklich. Die Gesellschaft hier ist seltsam.«

»Was sollte ich also deiner Meinung nach tun?«, fragte Jende ihn.

Winston taxierte seinen Cousin mit wachem und finsterem Blick. »Ich hatte gerade eine Idee«, sagte er, schlug die Beine übereinander und verschränkte die Arme.

»Was für eine?«, fragte Jende.

Winston stellte die Beine wieder nebeneinander, erhob sich und knöpfte sich das Hemd auf. »Hier drinnen«, sagte er, »ist es so heiß, dass man in der Luft *puff-puff* machen könnte.« Er ging zum Fenster und öffnete es einen Spalt breit. »Ihr solltet das Fenster –«

»Vergiss das Fenster und erzähl uns was, das nützt!«, sagte Neni.

»Okay, okay, also, wenn du mich fragst –«, sagte er. Seine Wangen glühten, als er zurück zum Sofa ging, auf dem Weg dorthin seine Krawatte lockerte und sich wieder neben Neni setzte. »Du solltest Folgendes machen … aber du musst es machen, ohne dir den Kopf zu zerbrechen, ob dabei was schiefgehen könnte.«

»Was, der da?«, fragte Neni spöttisch, sagte dann aber: »Der zerbricht sich immer den Kopf. Aber jetzt erzähl. Wenn er es nicht kann, mache ich es.«

»Nein, er muss es selber machen.«

Jende nickte.

Winston setzte sich auf und beugte sich vor.

»Also pass auf, ich sage dir jetzt, was du machst«, sagte er und schaute Jende an. »Du gehst zu der Frau. Nicht gleich morgen. Vielleicht so in zwei Tagen, dann weiß sie, dass du in Ruhe darüber nachgedacht hast, okay?«

Jende nickte wieder.

»Du gehst auf sie zu und schaust ihr tief in die Augen. Und lass das *mbutuku*-Ding, wo du aus Angst wegguckst, wenn du mit ihr redest.«

»Jetzt sag, was die Idee ist!«

»Du sagst, ›Madam, ich habe nachgedacht über das, was Sie wollen, und ich verstehe es. Aber ich kann das nicht machen, Madam, es tut mir leid.‹« An der Stelle breitete Winston die Arme aus und zuckte mit den Achseln. Dann zog er die Stirn in Falten. »Sie wird sagen, ›Wie können Sie nur? Das war's, Schluss mit dem Job.‹ Und dann schaust du ihr noch tiefer in die Augen und sagst, ›Madam, ich will Ihnen nichts Böses tun, aber wenn Sie mich rausschmeißen, erzähle ich allen von den Drogen‹.«

»Was?«, stieß Jende aus.

»*Mamami eh,* Winston!«, sagte Neni und hob die Hand zu einem High five.

»Spinnt ihr?«

»Willst du deinen Job behalten oder nicht?«

»Ich will meinen Job behalten, aber –«

»Aber was?«, fragte Neni.

»Das tue ich der armen Frau nicht an; sie hat schon genug Sorgen. Ich meine, ihr sitzt da und redet, als ob sie irgendeine Fremde von der Straße für mich ist.«

»Was interessiert sie dich?!«, sagte Neni. »Glaubst du, sie weiß noch, wie du heißt, wenn du morgen deinen Job verlierst?«

»Für sie bist du nur ein Schwarzer, der sie herumfährt«, sagte Winston. »Bo, ich sage dir, wenn du die Sachen wüsstest, die ich über diese Art von weißen Leuten weiß, dann würdest du dir keine Sorgen um sie machen.«

»Ich mach mir keine Sorgen um sie!«, sagte Jende. Ein einzelner Schweißtropfen rann ihm über die rechte Wange. »Denkt ihr, ich bin blöd? Ich weiß, dass ich nur ein Chauffeur bin. Aber das heißt nicht, dass sie mir nicht leidtun kann. Ich meine, ich habe dagesessen und sie gesehen, als sie heute mit mir gesprochen hat, und mir kamen die Tränen.«

»Was?«, sagte Neni und verzog den Mund. »Du hast also Mitleid mit ihr, ja? Soll ich dir was sagen, *bébé*? Wenn sie beschließt, dich zu feuern, rate mal, wer dann Tränen in den Augen hat? Ich!«

»Mr Edwards würde mich nie wegen seiner Frau feuern.«

»Das hoffe ich für dich«, sagte Winston mit Blick auf sein Handy.

»Das würde er nie machen. So ist er nicht.«

»Bo, du solltest einem anderen Mann nicht zu sehr vertrauen. Jeder Mensch hat viele Farben.«

»Lassen wir das Thema, bitte. Ich mache das. Es passiert nichts mit meinem Job.«

Neni presste die Lippen aufeinander, murmelte etwas vor sich hin und lehnte sich mit verschränkten Armen zurück.

»Hab ich euch schon das Foto von Maami gezeigt?«, fragte Winston. Er schnappte sich sein iPhone und tippte ein paarmal auf dem Display herum, bis das Foto von seiner Highschoolfreundin angezeigt wurde: ein hübsch geschminktes Gesicht mit einer schönen Haarverlängerung und einem üppigen Dekolleté. Er zeigte es Neni, die nickte und das iPhone an Jende weiterreichte, der es unter Nenis Blick nur knapp kommentierte und sagte, Maami würde eine super Mrs Winston-Avera abgeben.

»Du solltest auf Winston hören«, sagte Neni, die die Arme immer noch verschränkt auf ihrem Bauch abstützte. »Du musst ihr den Mund stopfen, das ist die einzige Möglichkeit, wie du da rauskommst. Wenn du ihr etwas über Mr Edwards sagst, was sie nicht wissen soll, schmeißt Mr Edwards dich raus, weil du den Vertrag gebrochen hast. Und wenn sie irgendwann rausfindet, dass du was gewusst hast, ohne ihr etwas zu erzählen, schmeißt sie dich raus, weil du sie angelogen hast. Ihr ist egal, ob du eine Familie hast oder ob du –«

»Neni, bitte! Mir tut der Kopf weh, okay?«

»Mir tut auch der Kopf weh, okay? Die Situation gefällt mir überhaupt nicht. Ich kenne Mrs Edwards. Ich weiß, was für eine Frau sie ist. Sie wirkt so schwach, aber sie bekommt immer, was sie will, so oder so. Eins ist klar, du kannst dir momentan keinen Fehler erlauben. Ein kleiner Fehler, und du verlierst deinen Job in einer Zeit, in der –«

»Glaubst du, das weiß ich nicht?«

»Beruhigt euch, alle beide«, sagte Winston. »Und Bo, bitte rede nicht so mit unserer Neni. Vor allem jetzt nicht, wo sie unser schönes amerikanisches Baby im Bauch hat.«

»Vielleicht sollte eine Frau mit einem Baby im Bauch wissen, wann sie den Mund zu halten hat.«

Neni schaute ihn von Kopf bis Fuß an und man sah die Verachtung in ihrem Blick. Sie richtete sich auf und drückte sich vom Sofa hoch. Winston erhob sich und half ihr.

»Bring diesen Kokosnusskopf zur Vernunft«, sagte sie zu Winston. »Denn wenn ich noch ein Wort mit ihm reden muss, läuft mir Blut aus dem Mund wie bei einer geschlachteten Kuh, das schwöre ich.«

Jende und Winston kicherten, als Neni sich von Winston verabschiedete und ins Schlafzimmer watschelte.

»Wie konnte ich mich nur so in die Eheprobleme anderer Leute reinziehen lassen?«, sagte Jende zu Winston, nachdem Neni die Schlafzimmertür geschlossen hatte. »Das hier ist zu groß für mich.«

»Frauen haben viele Tricks drauf«, sagte Winston. »Wenn du ihr nicht lieferst, was sie haben will, geht sie sicher zu ihm und erzählt ihm irgendeine Geschichte über dich, damit er dich abserviert.«

»Dann bin ich wie Josef in Ägypten«, sagte er.

»Ja«, stimmte Winston ihm zu. »Wie Josef. Aber statt als Traumdeuter Karriere zu machen und sieben Jahre Überfluss und sieben Jahre Hungersnot vorherzusagen, wirst du sieben Jahre lang in Elend leben.«

31.

An seinem achtunddreißigsten Geburtstag stand er morgens pünktlich bereit und hielt Clark Edwards die Wagentür auf wie an jedem anderen Werktag auch. Er trug den Anzug, den Neni ihm zum Geburtstag bei Target gekauft hatte, ein Ensemble aus grauer Wolle, zu dem er ein weißes Hemd und eine rote Ansteckkrawatte trug, vervollständigt durch braune Herrenschuhe. Als er ganz früh am Morgen vor dem Spiegel gestanden und sich bewundert hatte, war Neni ins Schlafzimmer gekommen und hatte ihm gesagt, er hätte noch nie so gut ausgesehen, und er hatte ihr zugestimmt und ihr zum Dank einen langen Kuss gegeben.

»Ich habe heute Geburtstag, Sir«, sagte er zu Clark.

»Na dann, alles Gute zum Geburtstag«, antwortet Clark, ohne von seinem Laptop aufzuschauen, den er gerade hochfuhr. »Ich werde Sie nicht nach Ihrem Alter fragen.«

»Danke«, antwortete Jende mit einem Grinsen. Während sie auf der Park Avenue, Ecke 70., darauf warteten, dass die Ampel auf Grün sprang, überlegte er, wie er das Thema am besten anschneiden konnte.

»Ich weiß, dass das jetzt eine sehr stressige Zeit für Sie ist, Sir«, sagte er, »aber es gibt etwas, das ich gern mit Ihnen besprechen würde.«

»Schießen Sie los«, sagte Clark, der wieder nicht aufschaute.

»Es geht um Mrs Edwards, Sir.«

Clark stierte weiter auf seinen Laptop. »Was ist mit ihr?«

»Sir, ich glaube, sie möchte wissen, wo Sie hinfahren. Und wen Sie treffen. Und das alles, Sir. Sie möchte, dass ich ihr alles sage, was ich von Ihnen mitbekomme.«

Clarks und Jendes Blicke trafen sich im Rückspiegel. »Ach wirklich?«

Jende nickte. »Ich weiß nicht, was ich tun soll, Sir. Darum frage ich Sie.«

Er hätte sich gern zu Clark umgedreht und seine Reaktion gesehen – Wut? Enttäuschung? Frust? –, aber es ging nicht; er konnte nur kurz Clarks Blick im Rückspiegel erhaschen.

»Erzählen Sie ihr, was sie wissen will«, sagte Clark.

»Ich soll es ihr erzählen, Sir? Sie wollen, dass ich … ich soll –«

»Sie können Ihre Fragen beantworten.«

»Sie meinen, ich kann ihr alles erzählen, Sir?«

»Natürlich können Sie ihr alles erzählen. Oder fahren Sie mich irgendwohin, wovon Sie ihr nichts erzählen können? Sehen Sie mich mit irgendwem, von dem sie nichts wissen dürfte?«

»Genau das habe ich ihr gesagt, Sir. Ich habe ihr gesagt, ich fahre Sie nur zu den Bürogebäuden in Midtown und Downtown und manchmal –«

»Kein Wort über das Chelsea.«

»Ich habe kein Wort über das Chelsea gesagt, Sir. Das würde ich nie.«

Kurz war es still im Wagen, jeder wusste, dass der andere Bescheid wusste. Jende hätte gern noch mehr zu Clark gesagt; er wollte, dass Clark sich seiner Loyalität ganz sicher war, wollte ihm noch einmal versprechen, dass sein Geheimnis bei ihm immer in guten Händen sein würde. Er hätte Mr Edwards gern gesagt, dass sein Leben ein anderes geworden war, seit er ihm einen guten Job gegeben hatte, mit dem er seine Familie versorgen, seine Frau auf die Hochschule und seinem Schwiegervater alle paar Monate ein Geldgeschenk schicken, seinen Eltern das Dach und die bröckelnden Wände ersetzen und etwas für die Zukunft zur Seite legen konnte; er würde immer alles tun, um ihn zu schützen.

Auch wenn Clark Edwards nicht explizit »Danke« sagte, sagte er es trotzdem.

Der Schweiß, der Jendes Rücken hinabgelaufen war, trocknete langsam. »Ich danke Ihnen sehr für Ihr Verständnis, Sir«, sagte er. »Ich habe schlecht geschlafen. Weil ich nicht wusste, was ich tun sollte. Ich bin froh, dass ich Sie beide glücklich machen kann.«

»Natürlich.«

»Ich hatte Angst, meine Arbeit zu verlieren, wenn ich nicht das Richtige mache«, fügte er hinzu.

»Sie haben nichts zu befürchten«, sagte Clark zu ihm. »Ihr Job ist Ihnen sicher. Sie leisten ausgezeichnete Arbeit. Machen Sie so weiter und halten Sie sich an das, was ich sage, dann müssen Sie sich absolut keine Sorgen machen.«

Beide Männer schwiegen wieder, als sich der Wagen im Schneckentempo durch das Innenstadtchaos aus shoppingwütigen Touristen, gestressten Pendlern, Straßenverkäufern, Stadtbussen, Reisebussen, gelben Taxen, schwarzen Autos, Buggys mit kleinen Kindern, Fahrradkurieren und einem Zuviel von allem schob.

»Sir«, setzte Jende an, »geht es Mrs Edwards gut?«

»Ja, es geht ihr gut, warum?«

»Für mich sah sie aus, als ob sie –«

Clarks Telefon klingelte und er ging ran. »Hast du mit Cindy gesprochen?«, sagte er zu der Person, die angerufen hatte. »Wunderbar … ich glaube, sie bringt euch im Mandarin Oriental unter, weiß nicht, warum … Nein, das ist okay, wenn es allen so lieber ist.« Er hörte eine Weile zu und lachte dann. »Klingt ganz nach Mom«, sagte er. »Und was wäre ein Besuch von Dad in New York ohne seinen Spaziergang im Central Park … Ja, ich kümmere mich darum, dass Jende dann Zeit hat, um euch alle vom Flughafen abzuholen … Ich auch, ich freu mich; das wird großartig … Ich kann mich auch nicht erinnern, wann das letzte Mal war. Vielleicht in dem Jahr, in dem Mighty und Keila geboren sind und keiner in der Stimmung war, sich mit zwei Babys dem Urlaubsgewusel zu stellen? … Du musst überhaupt nichts zusätzlich vorbereiten, sag das auch Mom. Cindy und June kümmern sich um alles. Sie haben das Menü schon ausgetüftelt … Ich glaube nicht, dass sie Hilfe brauchen, sie machen das seit Jahren … Oh, okay … Dann mach das. Ich wusste nicht, dass du ihr das schon vorgeschlagen hattest. Gut, dass es für alle passt … Du, Cec, ich muss jetzt Schluss machen … Klingt gut.«

»Tut mir leid«, sagte Clark zu Jende, nachdem er aufgelegt hatte. »Wir sind alle ganz aufgeregt, dass wir uns das erste Mal seit so vielen Jahren wieder in New York treffen.«

»Das verstehe ich, Sir.«

»Sie wollten etwas wegen Cindy sagen?«

»Ja, Sir«, antwortete Jende. »Ich wollte gerade sagen, Sir, und ich weiß nicht, ob ich das sagen darf, aber ich hatte das Gefühl, sie hat abgenommen, darum wollte ich nur sichergehen, dass es ihr gut geht. Ich mache gern alles, was Ihnen helfen kann, wenn es ihr nicht gut gehen sollte, und … ich kann mich auch in der Wohnung nützlich machen, Sir.«

»Das wird nicht nötig sein, aber vielen Dank. Es geht ihr sehr gut.«

»Ich bin froh, das zu hören, Sir, denn ich war etwas besorgt, dass –«

»Die Finanzkrise nimmt uns alle mit, aber es geht ihr gut.«

»Sicher wird es uns allen bald wieder gut gehen.«

Clark griff nach dem *Wall Street Journal*, das neben ihm lag. Nachdem er ein paar Minuten darin gelesen hatte, hob er den Kopf und schaute zu Jende.

»Sie sollten ihr sagen, dass sie abgenommen hat«, sagte er. »Das wird sie freuen.«

Jende lächelte. »Vielleicht mache ich das, Sir«, antwortete er. »Mrs Edwards ist eine gute Frau.«

»Ja«, sagte Clark und wandte sich wieder seiner Zeitung zu. »Sie ist eine gute Frau.«

32.

Zweimal am Tag, einmal mittags und dann abends, bevor er den Wagen über Nacht abstellte, schrieb er alles auf, was Cindy seiner Meinung nach gern lesen würde: harmlose Informationen und gewöhnliche Zusammenfassungen. Er lieferte ihr unwichtige Details wie Uhrzeiten, Ortsangaben und Namen, die keinerlei Aussagekraft besaßen, und fügte Beschreibungen von Leuten hinzu, deren Existenz und Verhalten im Grunde keinerlei Bedeutung hatten. Es war die erste Gelegenheit seit seiner Highschoolzeit an der National Comprehensive, täglich kleine Texte zu schreiben, und so nahm er es als Chance und benutzte Phrasen und Wendungen, die in täglichen Gesprächen meist ungeeignet schienen, baute Wörter ein, die er beim Lesen des Wörterbuchs gelernt hatte, das er seit der Zeit an der weiterführenden Schule besaß, protzte mit Sentenzen und Zeitformen, die er beim Zeitunglesen aufgeschnappt hatte und die der Madam hoffentlich zeigten, dass er sich sehr viel Mühe machte.

An einem Dienstagnachmittag schrieb er:

Um 7.05 Uhr hole ich Mr Edwards ab, aber der zähe Verkehr irritiert Mr Edwards, weil sein Meeting 7.45 Uhr beginnt. 7.42 Uhr setze ich Mr Edwards vorm Büro ab. Im Vorfeld ruft er vom Wagen aus seine neue Sekretärin an (bedauerlicherweise vergesse ich immer wieder ihren Namen) und sagt ihr, er würde zu spät kommen. Als ich ihn vor dem Bürogebäude absetze, steht da eine schwarze Frau, die einen Anzug trägt. Sie sieht aus, als ob sie auch gerade aus einem Wagen gestiegen ist. Ich sehe, wie Mr Edwards und die Frau sich begrüßen und dann zusammen ins Bürogebäude gehen. Ich habe diese Frau schon einmal gesehen. Den ganzen Tag über rattert mein Hirn ununterbrochen, und dann fällt mir plötzlich ein, wo. Sie hat auch bei Lehman gearbeitet. Es ist jetzt 14.30 Uhr und ich habe Mr Edwards nicht gesehen, weil er die ganze Zeit als Bürozeit markiert hat.

An einem Freitagabend, nachdem er Clark vom Chelsea Hotel zurück ins Büro gefahren hatte, schrieb er:

Um 16 Uhr fahren Mr Edwards und ich in Washington, D.C., los. Es gehen viele Anrufe ein, aber nichts klingt verdächtig. Alles klingt nach Arbeit. Dem einen sagt er dies, dem anderen das. Verschiedene berufliche Angelegenheiten. Ich spreche den ganzen Rückweg nicht mit ihm, weil ich fürchte, ihn heillos zu stören. Als wir wieder in New York sind, ist es nach 20 Uhr. Ich fahre ihn ins Fitnessstudio. Er kommt 22 Uhr aus dem Fitnessstudio, und dann fahre ich ihn ins Büro.

So oft wie möglich ersetzte er Besuche im Chelsea Hotel durch Besuche im Fitnessstudio, aber wenn Clark in einer Woche mehr als zweimal ins Chelsea ging, dachte sich Jende andere Alibis aus, jede Woche etwas Neues. An einem Abend hatte er Angst, Cindy könnte versucht haben, Clark zu erreichen, während er im Hotel war, und schrieb deshalb, sie hätten bei mörderischem Verkehr im Holland-Tunnel festgesteckt, in dem es »defizitär schwankenden Empfang« gegeben hätte. Ein anderes Mal schrieb er, dass Clark sehr dringend zu einem Meeting gemusst hätte und darum »schnell in ein Taxi gesprungen ist, als ich gerade Mighty abgeholt habe und mit ihm auf dem Rückweg war, darum kann ich nicht mit zweifelsfreier Sicherheit wissen, wohin er gefahren ist oder wen er getroffen hat. Aber ich bin unerschütterlich in meinem Glauben, dass er zu einem äußerst wichtigen Meeting gefahren ist.«

Er hatte das blaue Notizbuch während der Arbeit immer dabei und übergab es jeden Morgen Cindy, sodass sie es lesen konnte, während er sie zur Arbeit fuhr. Manchmal schien sie jedes Detail zu lesen, nickte und glich das Geschriebene mit vorigen Seiten ab. Bevor sie ausstieg, gab sie es ihm jedes Mal kommentarlos zurück, bedankte sich kurz und erinnerte ihn daran, auch weiter alles aufzuschreiben.

»Ich schreibe weiter alles auf, Madam«, sagte er jedes Mal, wenn er ihr dann die Wagentür aufhielt. »Ich wünsche Ihnen einen wunderbaren Tag, Madam.«

Und sie schien auf einmal wirklich wunderbare Tage zu haben, ungefähr ab dem Zeitpunkt, da er mit den Einträgen anfing.

Die Telefongespräche mit ihren Freundinnen waren nicht mehr voll mit dem traurigen Flüstern darüber, »was er mir alles antut«, und dem Zweifeln daran, »wie lange ich noch so weitermachen kann«. Sie lachte etwas häufiger, und als Jende ihr die dritte Woche in Folge seine Einträge übergeben hatte, lachte sie sehr viel häufiger und sehr viel lauter. Äußerlich erholte sie sich nicht hundertprozentig (ihre Haut sah zwar immer noch geschmeidig aus, hatte aber an Frische verloren, und ihre Wangenknochen wirkten noch spitzer als zuvor) und sie hörte auch nicht auf, von Vince zu reden und sich Sorgen zu machen, wenn er nicht innerhalb von drei Tagen auf ihre E-Mails antwortete, aber es gab für sie auch Anlässe zur Freude, wie June und Mikes Versöhnung oder den mit Clark und Mighty geplanten Weihnachtsurlaub auf der Karibikinsel St. Barths. Das würde sicher herrlich werden, erzählte sie ihren Freundinnen, und Jende hoffte es inständig, nachdem er sie monatelang nur klagend und seufzend gehört und zugesehen hatte, wie sie, die Hand an die Wange gelegt, den Kopf ans Fenster gelehnt und die Glückseligkeit der anderen Menschen da draußen betrachtend, den Kopf geschüttelt und niedergeschlagen gesagt hatte, wie du meinst, Clark, mach, was du willst; nachdem er so viel von dem Schmerz mitbekommen hatte, den sie in der Gegenwart aller, die nicht zur Familie oder ihren engsten Freundinnen gehörten, sehr gut überspielte, wünschte er der Madam von ganzem Herzen eine wundervolle Zeit.

Und genau die schien sie bei der Gala im Waldorf Astoria gehabt zu haben, die Clark und sie an dem Montag nach Thanksgiving gemeinsam besucht hatten.

Clarks Eltern waren zusammen mit seiner Schwester und den Nichten und Neffen für den Feiertag nach New York gekommen, und Tage später hatte Mighty Jende erzählt, was für ein tolles Thanksgiving das doch gewesen war. Wie jedes Jahr hatten sie den Tag zusammen mit Junes Familie verbracht (die beiden Familien wechselten sich bei der Ausrichtung des Fests ab), und seine Mutter, Großmutter und Tante hatten den ganzen Tag über in der Küche gestanden und gekocht und gebacken, dabei gelacht und sich Geschichten erzählt. Es war seit einer ganzen Ewigkeit das erste Thanksgiving, das die ganze Familie seines Vaters gemeinsam verbracht hatte, denn da seine Großeltern in Kalifornien und seine Tante und Cousins in Seattle lebten, außerdem jeder berufliche Verpflichtungen hatte und sein Vater und seine Tante den Ferienreiseverkehr gleichermaßen hassten, war es immer schwierig gewesen, alle unter ein Dach zu bekommen. Aber in diesem Jahr hätten alle gesagt, dass sie es endlich mal wieder hinbekommen müssten, und dann so viel Spaß zusammen gehabt. Jende war überrascht, als er erfuhr, dass Cindy und ihre Schwiegermutter ein Herz und eine Seele waren, weil Schwiegermütter in Limbe oft der Grund waren, weshalb Ehefrauen nachts in ihre Kissen weinten, aber Mighty hatte ihm erzählt, dass es nicht so war und dass seine Mom seine Großeltern »Mom und Dad« nannte und sie zu jedem Geburtstag und Hochzeitstag anrief. Außerdem bestand sie darauf, dass Mighty und Vince das auch taten, und wenn sie es vergaßen, schimpfte sie mit ihnen und rief ihnen in Erinnerung, dass die Familie das Wichtigste sei.

Und tatsächlich erkannte Jende in Cindys neu erwachter Fröhlichkeit nach dem Thanksgivingwochenende, dass die Geborgenheit einer Familie ihre größte Quelle eigener Lebensfreude war. Dank dieses wiederentdeckten Glücks war ihre Ehe nicht länger eine, in der sich beide von einem Tag zum nächsten schleppten, sondern die sie animierte und zu Johann Strauß' »Frühlingsstimmen« von Abend zu Abend tanzen ließ.

Als Clark und Cindy am Tag der Gala im Waldorf Astoria in den Wagen stiegen, strahlten sie übers ganze Gesicht, glücklich, wie Jende sie in dem Jahr, das er für sie arbeitete, noch nie gesehen hatte, weder einzeln noch zu zweit. Vielleicht hatten die Einträge im Notizbuch Cindys Ängste zerstreut und ihr gezeigt, dass ihr Ehemann ein guter Mann war. Oder vielleicht hatte das Familientreffen sie an all das erinnert, wofür es sich zu kämpfen lohnte. Oder zwischen den beiden hatte sich etwas anderes ereignet, das sich Jendes Kenntnis entzog. Was auch immer es war, reichte aus, um die beiden in ein frisch verliebtes Pärchen zu verwandeln, das auf der Fahrt zur Gala miteinander flüsterte und kicherte – sie schillernd in einem roten schulterfreien Trompetenkleid, er jugendlich und charmant in einem perfekt sitzenden Smoking. Fünf Stunden darauf stiegen sie noch aufgekratzter wieder in den Wagen und lachten über Dinge, die sich auf der Tanzfläche ereignet hatten.

»Ich hätte nie geglaubt, dass ich Mr und Mrs Edwards irgendwann so glücklich erleben würde«, sagte Jende zu Neni, als er nach Mitternacht nach Hause kam.

»Haben sie auf der Rückbank geknutscht und alles mögliche andere gemacht?«, fragte Neni, als sie sein Abendessen auf den Tisch stellte.

»Um Himmels willen, nein. Ich hätte sofort einen Unfall gebaut, wenn ich das gesehen hätte. Sie haben sich nur beieinander angelehnt und sich gegenseitig ins Ohr geflüstert, und sie hat sehr laut über alles gelacht, was er gesagt hat. Er hat mit ihrem Haar gespielt ... Also, ich wollte auch nicht zu sehr hingucken, aber das war besonders.«

»Ich frage mich, was passiert ist. Glaubst du, sie hat ihm ein paar Tropfen Liebestrank ins Essen gemischt? Diesen ganz starken, wo ein Mann sich in dich verliebt und dich wie eine Königin behandelt?«

»Ach Neni!«, sagte Jende lachend. »Amerikanische Frauen machen nichts mit Liebeszauber.«

»Das glaubst du!«, sagte Neni, die jetzt auch lachte. »Klar machen sie was mit Liebeszauber. Sie nennen es Dessous.«

33.

Aber es sollte nur ein Aufflackern in einer lang anhaltenden Finsternis gewesen sein, ein trügerisch kurzes Nachlassen des Schmerzes einer vergifteten Verbindung. Acht Tage nach der Gala im Waldorf Astoria war in der Klatschpresse eine Geschichte zu lesen, nach deren Veröffentlichung sich der Schmetterling, zu dem ihre Ehe gerade erst geworden war, zurück in eine Raupe verwandelte.

Zu jeder anderen Zeit hätte man die Geschichte, um die es ging, als unwichtigen Schwachsinn abgetan. Ohne den starken kollektiven Drang, die vermeintlichen Urheber der Finanzkrise als Widerlinge zu entlarven, hätten sich nur wenige für die Geschichte interessiert. Und die Art und Weise, wie sie in auflagenstarken Zeitungen und angesehenen Blogs ausgeschlachtet wurde, wäre nur ein weiteres Indiz dafür, dass sich die amerikanische Gesellschaft als Ganzes nie als kultiviert würde bezeichnen können.

Aber obwohl die Geschichte zunächst in einem schäbigen Boulevardblatt erschien, wurde sie nicht einfach abgetan. Stattdessen sorgte sie für Gesprächsstoff beim Friseur und auf Spielplatzbänken, unter Nachbarn und Schülern. Es war eine qualvolle Zeit in New York, und diejenigen, die die Story auf die Titelseite brachten, wussten, in welche Richtung sie die Wut all derer lenken wollten, die unter die Räder gekommen waren.

»Hast du's schon gelesen?«, fragte Leah Jende, als er sie in seiner Mittagspause zurückrief, nachdem er den verpassten Anruf von ihr gelesen hatte.

»Was gesehen?«, fragte Jende.

»Die Geschichte von der Prostituierten. Ist ziemlich pikant!«

»Pikant?«

»Der arme Clark! Ich hoffe wirklich, er ist nicht –«

»Ich weiß nicht, wovon du sprichst, Leah.«

»Ach Herzchen, du hast es offensichtlich noch nicht gelesen«, sagte Leah aufgeregt. »Also, du wirst es nicht glauben, aber diese Frau, diese Hostess – ich finde es ätzend, wenn sie so vornehme Wörter für Nutten verwenden, aber egal –, die behauptet, dass sie viele Kunden von Barclays hat und – jetzt kommt's – dass ihre Kunden die Dienste mit dem Geld aus dem Bail-out bezahlen!«

»Geldern aus dem Bail-out?«

»Ja! Unglaublich, oder?«

Jende schüttelte den Kopf, sagte aber nichts. Über die Sache mit dem Bail-out wurde jeden Tag in den Nachrichten berichtet, aber er verstand immer noch nicht, ob es etwas Gutes war oder nicht.

»Und willst du wissen, was daran so richtig verrückt ist?«, sagte Leah dann und ihre Stimme schraubte sich vor Aufregung immer höher. »Einer der Manager, die sie als Stammkunden bezeichnet, ist Clark!«

»Nein«, platzte es aus Jende heraus. »Das stimmt nicht.«

»Aber es steht da.«

»Es stimmt nicht.«

»Woher willst du wissen, ob es stimmt oder nicht?«

»Hat sie seinen Namen gesagt?«

»Nein, sie nennt nur die Managementpositionen, die ihre Kunden innerhalb des Unternehmens haben, und ich weiß, welche Clark hat.«

Jende grinste in sich hinein. »Ach Leah«, sagte er. »Du solltest nicht alles glauben, was in der Zeitung steht. Die Leute schreiben alles Mögliche –«

»Oh, aber das hier glaube ich. Ich kenne diese Männer, weiß, wie die sind … Mir macht keiner weis, dass das nicht gut möglich ist –«

»Das kann einfach nicht stimmen. Und selbst wenn die anderen Männer bei Barclays zu dieser Prostituierten gehen, woher wollen sie wissen, aus welcher Tasche das Geld kommt? Mr Edwards hat sein eigenes Geld. Er würde das Geld von der Regierung niemals anfassen.«

»Mag sein, aber was ist mit dem Anfassen von Prostituierten? Glaubst du, er ist noch nie bei einer oder zweien oder Hunderten gewesen? Ich wette, du hast mitbekommen, wenn er –«

»Ich habe nie irgendwas mitbekommen.«

»Die arme Cindy.«

»Warum arm?«

»Weil sie durchdrehen wird, wenn sie das liest!«

»Sie wird nichts davon glauben«, sagte Jende, der langsam wütend wurde und sich fragte, ob Leah sich am Auseinanderbrechen einer Familie erfreute oder einfach nur gern tratschte. »Es ist seltsam, wie Leute in diesem Land Lügen über andere Leute verbreiten. Das ist nicht richtig. Bei uns in Kamerun reden wir auch viel über andere, aber keiner würde es aufschreiben, wie man das hier in Amerika macht.«

»Oh, Jende«, sagte Leah lachend. »Für dich ist Clark wirklich unantastbar, was?«

»Ich kann es nicht leiden, wenn Leute sich Geschichten über andere Leute ausdenken«, sagte Jende, den Leahs Schadenfreude zunehmend auf die Palme brachte. »Und woher soll diese Frau überhaupt wissen, welche Position Mr Edwards hat?«

»Tja, das ist komisch, nicht? Die Puffmütter verraten den Mädchen nicht die Namen der Kunden. Den Mädchen wird nur gesagt, wann sie wo zu sein haben und … Frag mich bloß nicht, woher ich das alles weiß.« Leah lachte über sich selbst. Jende konnte nicht mitlachen.

»Aber Cindy«, sprach Leah weiter, »sind diese ganzen Erklärungen völlig egal. Die Frau ist paranoid bis zum Abwinken, und eins kann ich dir sagen, sie wird dich mit Fragen nur so löchern. Früher hat sie mir jedes Mal tausend Fragen gestellt, wenn sie die Möglichkeit dazu hatte, und ich musste ihr jedes Mal sagen, ›Tut mir leid, aber ich arbeite nicht für Sie, Sie können nicht einfach zwanzig Minuten meiner Arbeitszeit in Anspruch nehmen –‹.«

»Was wird sie mich fragen?«

»Oh, alles Mögliche, Schätzchen«, sagte Leah, und Jende spürte, wie sie dabei lächelte, sich vielleicht an der unterhaltsamen Vorstellung des sicher bevorstehenden Dramas erfreute. »Sie wird dich fragen, ob du ihn je zu einem Hotel gefahren hast, ob du je eines dieser Flittchen gesehen hast. An deiner Stelle wäre ich sehr vorsichtig, denn –«

»Ach Leah, hör auf, dir meine Gedanken zu machen«, sagte Jende und zwang sich, lässig zu klingen. »Wenn sie irgendwelche Fragen hat, fragt sie ihren Mann.«

»Die arme Frau. Muss furchtbar sein, ich möchte nicht in ihrer Haut stecken. Auch nicht in der Haut der vielen anderen. Siehst du, darum hab ich das mit dem Heiraten lieber gelassen.«

Genau genommen, dachte Jende, bist du nicht verheiratet, weil keiner dich heiraten wollte, oder du hast keinen gefunden, den du so sehr geliebt hast, dass du ihn hättest heiraten wollen, denn keine Frau, die einigermaßen richtig tickt, würde Nein sagen, wenn ihr der Mann, den sie liebt, einen Heiratsantrag macht. Frauen machen immer viel Geschrei um ihre Unabhängigkeit, aber jede Frau, ob Amerikanerin oder nicht, weiß einen guten Mann zu schätzen. Warum sonst endeten so viele Filme mit einer Frau, die lächelte, weil sie endlich einen Mann hatte?

»Ich meine, versteh mich nicht falsch, die Ehe ist eine gute Sache«, redete Leah weiter, als Jende kaum noch hinhörte, weil er betete, dass die Zeitungsgeschichte nicht stimmte und Cindy sie damit abtun könnte, dass jemand darauf aus war, Männer wie Clark in den Dreck zu ziehen. »Sie haben viel durchgemacht, weißt du? Clark ist einmal fast gestorben – er hatte einen Blinddarmdurchbruch; er musste damals notoperiert werden. Und wenn ich mich recht erinnere, war es dasselbe Jahr, in dem Mighty als Frühchen auf die Welt gekommen ist. Cindy hatte offensichtlich nur ein Kind gewollt, Mighty war nicht geplant gewesen – zumindest hab ich's so gehört. Dabei glaube ich, dass Cindy heilfroh ist, dass sie ein zweites Kind bekommen hat, jetzt, wo Vince nach Indien abgehauen ist ... Der arme Kleine musste einen ganzen Monat im Krankenhaus bleiben. Clark und Cindy haben das zum Glück zusammen durchgestanden. Aber genau darum geht es doch in einer Ehe, oder? Mir sagt er, ich soll ihre Anrufe nicht durchstellen, aber wenn man die beiden dann zusammen bei Firmenpartys sieht, hält man sie für das glücklichste Paar der –«

»Tut mir leid, Leah, ich muss –«, sagte Jende, der nach einem Blick auf die Uhr den Wagen anließ.

»Manche Menschen sind gut darin, ihren Mist zu verbergen, aber diese Leute, die sind richtig gut darin. Wer sie nicht so oft erlebt hat wie ich, würde ihnen nie was anmerken –«

»Tut mir leid, Leah«, sagte Jende noch einmal, »ich muss jetzt los und Mighty abholen.«

»Oh, ja, klar, sorry!«, flötete Leah. »Fahr du mal, aber ruf mich auf jeden Fall an, wenn Cindy es herausfindet. Ich muss unbedingt wissen, was passiert!«

Jende versprach es ihr zähneknirschend und beendete das Gespräch. Erst Minuten später fiel ihm ein, dass er überhaupt nicht gefragt hatte, wie ihre Jobsuche lief. Bei ihrem letzten Telefonat hatte sie depressiv geklungen, weil sie nach dem Verschicken von über fünfzig Bewerbungen keinen einzigen Anruf erhalten hatte, aber heute war sie gut aufgelegt gewesen, das Elend anderer hatte sie aus ihrem Loch gerissen. Frauen und Klatsch.

Aber was, wenn das Ganze doch nicht nur irgendwelches Gerede war, das Leah sich aus den Fingern gesogen hatte? In der Hoffnung, dass Winston die Story im Internet nachlesen und ihm sagen könnte, was er tun sollte, rief Jende ihn an, als er auf dem Weg in den Norden von Manhattan Island war, erreichte ihn aber nicht. Er überlegte, Neni anzurufen, erkannte dann aber, dass ihm das kaum weiterhelfen würde: Was könnte Neni groß anderes sagen als Leah eben?

Er musste entscheiden, was er zu Cindy sagen würde, wenn er sie um fünf abholte. Er musste davon ausgehen, dass sie die Geschichte gelesen hatte. Sich darauf vorbereiten, dass sie auf dem Weg zum Lincoln Center, wo sie mit einer Freundin zum Abendessen und zu einem Opernabend verabredet war, sicher Fragen an ihn hätte. Er musste ihr immer wieder überzeugend versichern, dass er Clark nie mit einer Prostituierten gesehen hatte, was auch stimmte. Er musste darauf vorbereitet sein, dass Cindy ihm nicht trauen würde, aber er musste sich die allergrößte Mühe geben, sie davon zu überzeugen, dass er nichts von alldem gewusst hatte und dass alles, was er in dem blauen Notizbuch aufgeschrieben hatte, absolut der Wahrheit entsprach.

»Guten Abend, Madam«, sagte er, als er ihr die Wagentür aufhielt.

Sie antwortete nicht. Ihre Miene war völlig versteinert, ihre Augen verbarg sie in der einsetzenden Dunkelheit hinter einer Sonnenbrille und ihre Lippen waren so fest zusammengepresst, dass man sich nicht vorstellen konnte, dass sie jemals zu so etwas wie einem Lächeln imstande gewesen sein sollten.

»Lincoln Center, Madam?«

»Fahren Sie mich nach Hause.«

»Ja, Madam.«

Er wartete auf ihre Fragen, aber während der gesamten fünfundvierzigminütigen Fahrt kam absolut gar nichts, kein einziges Wort, nicht einmal eins am Telefon. Wahrscheinlich hatte sie ihr Handy ausgestellt, und er konnte ihr nicht verdenken, dass sie die Welt in einer Situation wie dieser zum Schweigen bringen wollte. Ihre Freundinnen versuchten sicher, sie zu erreichen, um sie wissen zu lassen, wie geschockt sie waren, wie schrecklich leid es ihnen tat, und alle möglichen Sachen zu sagen, die nichts ändern würden an dieser Demütigung. Was würde es ihr helfen, sich all das anzuhören? Und wenn sie nicht sie anriefen, dann riefen sie einander an und sagten, ist das zu fassen? Ausgerechnet Clark? Die arme Cindy muss am Boden zerstört sein! Wie konnte er nur! Meinst du, die Geschichte ist wahr? Was macht sie jetzt? Und so würde es immer weitergehen, und sie würden sich genauso anhören wie die Freundinnen seiner Mutter früher in Limbe in ihrer Küche, wenn einer der Ehemänner auf einer breitbeinig daliegenden Frau erwischt worden war. In New Town und in New York schienen sich die Frauen alle darüber einig zu sein, dass die betroffene Freundin einen Weg finden musste, um damit klarzukommen, und vergaßen, dass sich der Scherbenhaufen nach einem so vernichtenden Betrug nicht ohne Weiteres beseitigen ließ.

Als sie sich dem Sapphire näherten, warf Jende im Rückspiegel einen Blick auf Cindy und hoffte, sie würde etwas sagen, einfach irgendwas, damit er eine Chance bekam, ihr seine Unschuld zu beteuern, aber sie blieb stumm. Mit dieser Stille hatte er nicht gerechnet, und selbst wenn, hätte er nicht geahnt, dass sie sich noch bedrohlicher anfühlen würde als mögliche Fragen.

Sie waren nur noch einen Straßenzug vom Sapphire entfernt und sie schwieg noch immer, mit völlig abwesendem Blick schaute sie zum Fenster hinaus auf die dunkle Welt hinter der Fensterscheibe.

»Dann hole ich Sie morgen um 11.30 Uhr ab und fahre Sie ins Büro, Madam?«, fragte er, als er vor dem Gebäude anhielt.

Sie antwortete nicht.

»Ich habe das Notizbuch mit den ganzen Einträgen von heute hier, Madam«, sagte er, als er ihr zum Aussteigen die Wagentür aufhielt. »Ich habe alles aufgeschrieben, was er –«

»Behalten Sie's«, sagte sie, als sie ging. »Ich habe keine Verwendung mehr dafür.«

34.

Der Junge schniefte, seit sie vor dem Sapphire losgefahren waren. Jende dachte anfangs, es wäre nur eine Erkältung, und fragte deshalb nicht weiter nach. Dabei fragte Jende ihn eigentlich so gut wie jeden Morgen, wie es ihm ging und ob alles in Ordnung war, aber heute war Jende zu sehr von dem Gedanken absorbiert, dass er sich im Moment auf hauchdünnem Eis bewegte und ihm harte Zeiten bevorstanden, wenn es ihm nicht gelang, sich aus der Ehe der Edwards herauszuhalten und seinen Job zu retten. Gleich nachher, wenn er allein im Wagen saß, würde er mit Winston sprechen und ihn fragen, was er sagen oder tun sollte oder besser nicht sagen oder nicht tun sollte, wenn er Cindy später abholte.

»Hast du ein Taschentuch?«, fragte Mighty, als sie an der Ampel standen.

Jende nahm eins aus dem Handschuhfach und reichte es Mighty nach hinten.

»Mighty!«, sagte er, überrascht, weil dem Jungen eine Träne die Wange hinabkullerte. »Was ist los? Was ist passiert?«

»Nichts«, sagte Mighty leise und wischte sich über die Augen.

»Oh, nein, Mighty, bitte sag es mir. Ist alles in Ordnung?«

Mighty nickte.

Jende fuhr an den Straßenrand. Wenn er wollte, dass Mighty pünktlich kam, mussten sie in zehn Minuten an der Schule sein, aber Jende würde ein Kind niemals weinend in die Schule schicken. Sein Vater hatte das mal mit ihm gemacht, da war er acht gewesen, und sein Großvater war am Tag zuvor gestorben. Er hatte seinen Vater angebettelt, ihn doch diesen einen Tag zu Hause zu lassen, aber sein Vater hatte sich geweigert: Zu Hause rumzusitzen und nicht lesen und schreiben zu lernen, bringt euch euren *mbamba* auch nicht zurück, hatte Pa Jonga zu Jende und seinen Brüdern gesagt, bevor er zusammen mit anderen Männern aus der Familie aus dem Haus gegangen war, um das Grab auszuheben. Als sein Vater weg war, hatte Jende seine Mutter angebettelt, zu Hause bleiben zu dürfen, aber sie, die sich ihrem Mann nie widersetzt hätte, hatte ihrem Sohn die Tränen getrocknet und gesagt, er solle zur Schule gehen. Noch heute, dreißig Jahre später, erinnerte er sich an das Gefühl der Verzweiflung an diesem Tag; sah vor sich, wie er sich mit dem Ärmel seiner Schuluniform die Tränen weggewischt hatte, als er mit seinem *Mukuta*-Schulranzen die Church Street entlanggelaufen war; wie seine Freunde immer wieder mitleidig »*ashia ya*« zu ihm gesagt hatten, woraufhin sein Weinen nur noch heftiger geworden war; wie traurig er sich beim Anblick seiner Klassenkameraden gefühlt hatte, die unbeschwert die Arme in die Luft gerissen hatten, um Mathefragen zu beantworten und dem Lehrer zu sagen, wer Kamerun entdeckt hatte (»die Portugiesen!«); und wie er in der Pause unter dem Cashewbaum gesessen und in Gedanken an seinen *mbamba* versunken gewesen war, während die anderen Fußball gespielt hatten.

Er stellte den Motor ab und setzte sich zu dem Jungen auf die Rückbank.

»Was ist los, Mighty?«, sagte er. »Bitte erzähl.«

Mighty schloss die Augen, um die Tränen wegzudrücken.

»Hat irgendjemand was zu dir gesagt? Ärgert dich jemand in der Schule?«

»Wir fliegen nicht … wir fliegen nicht nach St. Barths«, sagte Mighty.

»O, Mighty, tut mir so leid, das zu hören. Hat deine Mama dir das gerade gesagt?«

Er schüttelte den Kopf. »Sie haben es mir nicht gesagt. Aber ich … ich weiß es einfach. Ich hab alles gehört gestern Abend.«

»Was hast du gehört?«

»Alles … wie sie geschrien hat … und auch geweint …« Seine

Wangen glühten und seine Nasenflügel zitterten, während er versuchte, sich zusammenzureißen und in seinem Kummer so beherrscht zu sein, wie es einem Zehnjährigen nur möglich war. »Ich hab vor ihrer Tür gestanden. Ich hab Mom weinen hören, und Dad hat gesagt … dass es vielleicht besser ist, alles zu beenden, dass er keine Spiele mehr spielen kann … und Mom hat einfach nur geweint und ganz laut geschrien …«

Jende nahm Mighty das Taschentuch aus der Hand. »Verheiratete Leute streiten sich andauernd, Mighty«, sagte er und wischte Mighty die Tränen weg, die ihm über die Wange rollten. »Das weißt du, stimmt's? Neulich haben Neni und ich uns abends gestritten, aber am nächsten Morgen haben wir uns wieder vertragen. Deine Mommy und dein Daddy werden sich auch wieder vertragen, das weißt du, stimmt's?«

Mighty schüttelte den Kopf.

»Ich würde mir an deiner Stelle nicht zu viele Sorgen machen. Die beiden vertragen sich wieder, versprochen. Ihr werdet nach St. Barths fliegen und dann erzählst du mir von dem Spaß, den ihr –«

»Das wird das schlimmste Weihnachten, das ich je hatte!«

»O, Mighty«, sagte Jende und drückte den Jungen an sich. Einen kurzen Augenblick lang hatte er Angst, dass ihn jemand sehen und die Polizei rufen könnte – ein Schwarzer, der einen weißen Jungen an sich drückte, und das in einer Luxuskarosse irgendwo am Straßenrand auf der Upper East Side –, hoffte aber, dass das nicht passierte, weil er den Kleinen, dem regelrechte Tränenbäche übers Gesicht liefen, jetzt auf keinen Fall loslassen wollte. Mighty sollte sich mal richtig ausweinen dürfen, denn manchmal war das schon alles, was ein Mensch brauchte, um sich besser zu fühlen.

»Kann ich am Wochenende mal zu euch kommen?«, fragte Mighty und wischte sich mit dem Handrücken die Nase ab, als er aufgehört hatte zu weinen und Jende ihm die Augen getrocknet hatte.

»Neni und ich würden uns sehr freuen, wenn du uns besuchst,

Mighty. Das ist eine schöne Idee. Aber deine Eltern, Mighty, wir können sie nicht anlügen –«

»Bitte, Jende, es muss auch nicht lange sein.«

»Es tut mir leid, Mighty. Ich hätte dich wirklich gern bei uns, aber so was kann ich nicht machen.«

»Nicht mal eine Stunde? Vielleicht kann Stacy ja mitkommen?«

Jende schüttelte den Kopf.

Mighty nickte traurig und wischte sich auch die restlichen Tränenspuren aus dem Gesicht.

»Aber weißt du, was wir machen können?«, sagte Jende lächelnd. »Neni könnte *puff-puff* für dich machen und frittierte Kochbananen, und ich bringe sie dir morgen mit. Vielleicht kannst du ein bisschen was davon auf dem Weg zur Schule essen und den Rest auf dem Weg nach Hause. Wäre das was?«

Der Junge schaute zu ihm hoch, nickte und lächelte.

35.

Sie nannten sie Amatimba Monyengi, denn sie hofften, dass ihre verstorbene Tochter zu ihnen zurückgekehrt war, um ihnen Glück zu bringen: Amatimba für »sie ist zurückgekehrt« und Monyengi für »Glück«, beides auf ihrer Muttersprache Bakweri. Rufen würden sie sie Timba.

Auf die Welt kam sie am zehnten Dezember im Harlem Hospital, nur zwei Blocks von ihrer Wohnung entfernt. Am zwölften Dezember gingen sie nach Hause, der Vater drückte die neugeborene Tochter in der Babytrage schützend an sich, die Mutter hielt den erstgeborenen Sohn an der Hand. In ihrer Wohnung wurden sie von ihren Freunden erwartet, die mit ihnen feiern wollten. Winston war über die Feiertage nach Houston gefahren, weiterhin bemüht, Maami zurückzugewinnen, aber neun Freunde drängten sich in dem tropisch aufgeheizten Wohnzimmer zusammen, um gemeinsam mit ihnen zu essen und zu lachen und Timba willkommen zu heißen.

»Nehmen Sie sich frei, solange Sie brauchen«, sagte Clark, als Jende anrief, um ihm von der großen Neuigkeit zu erzählen. »Mighty hat bald Winterferien, und Cindy nimmt sich gerade eine Auszeit. Es ist also kein Problem.«

»Haben Sie vielen Dank, Sir«, antwortete Jende, den die Großzügigkeit seines Chefs nicht weiter überraschte. »Frohe Weihnachten für Sie und Mrs Edwards.«

Jende rief auch Cindy an, um ihr die Neuigkeit persönlich zu erzählen. Sie reagierte nicht auf seine Mailboxnachricht, aber ein paar Tage später kam Anna mit einem Karton Windeln in Größe zwei vorbei, die Jende und Neni für ein Geschenk der Edwards hielten.

»Wie sollen wir Mr und Mrs Edwards danken?«, fragte ihn Neni, nachdem Anna Timba leise etwas zugemurmelt hatte und dann losgehastet war, um ihren Zug nach Peekskill nicht zu verpassen.

»Es geht nicht«, sagte er. »Aber wir sollten Gott Danke sagen, für die Edwards und alles, was wir jetzt haben.«

»Ja, sagen wir Danke«, sagte sie.

Am Tag darauf erhielt er ein Schreiben der Einwanderungsbehörde.

Aufgrund des Vorwurfs, im August 2004 in die USA eingereist zu sein, nur berechtigt, sich für einen Zeitraum von bis zu drei Monaten im Land aufzuhalten, aber trotz fehlender weiterführender Genehmigung doch bis nach November 2004 geblieben zu sein, werde er aus den USA ausgewiesen. Er werde zu einer Anhörung vor einem Asylrichter geladen, wo er vorbringen solle, welche Gründe gegen seine Ausweisung aus dem Land sprächen.

Der Gerichtstermin war für die zweite Februarwoche angesetzt.

»Kein Grund zur Sorge, mein Brother«, versicherte Bubakar ihm erneut, als Jende ihn wegen des Schreibens abends anrief. »Ich habe schon viele solche Fälle durchgeboxt. Ich weiß, was ich machen muss.«

»Was musst du machen?«, wollte Jende wissen.

»Bei der ersten Anhörung ist nicht viel zu tun – es ist nur eine kurze, das Ausweisungsverfahren vorbereitende Anhörung. Der Richter überprüft nur deinen Namen und deine Adresse, fragt, ob wir dem Vorwurf zustimmen oder in Widerspruch gehen, lauter solche Sachen, die gesetzlich vorgeschrieben sind. Dann wird er einen neuen Termin festlegen, zu dem du dann wiederkommen musst, keiner weiß, wann das sein wird. Wie ich dir schon gesagt habe, Bruder, dadurch, dass das Gericht überlastet ist und ich, wenn es sein muss, einen Widerspruch nach dem anderen einlege, können wir dir sehr viel Zeit in diesem Land verschaffen.«

Wie viel würde das alles kosten?, wollte Jende wissen. All diese Anträge. Einer nach dem anderen, um ihm Zeit zu verschaffen, wie viel würde einer davon kosten?

»Das kostet einen ordentlichen Haufen Geld, mein Brother. Die ganze Einwanderungssache ist nicht billig. Du musst einfach tun, was du tun musst, und es bezahlen. Ich weiß, dass ich nicht so günstig bin wie manche dieser Idioten, die da reingehen und vor Gericht irgendwas zusammenstottern, aber wenn du dich weiter für mich entscheidest, dann helf ich dir da durch, das verspreche ich dir. Wir gehen den Weg zusammen, Brother. Schritt für Schritt, zusammen, okay?«

Nach dem Gespräch mit Bubakar rief Jende Winston an. »Was soll ich nur machen? Weiter auf Bubakar setzen oder einen anderen Weg einschlagen?«, fragte er seinen Cousin.

»Ich weiß nicht, Bo«, sagte Winston. »Ich glaube, dieser Mann schickt dich in eine dunkle Gasse.«

»Aber er sagt, er hat schon viele Fälle wie meinen gehabt. Und sie haben sie alle bewilligt.«

Winston war alles andere als überzeugt. Seiner Meinung nach war Bubakar nichts anderes als ein dummer Kasper mit großer Klappe. Ein ehemaliger Kollege, der bei Dustin, Connors und Solomon aufgehört hatte, um eine auf Asylrecht spezialisierte Kanzlei zu eröffnen, hatte erst vor Kurzem zu ihm gesagt, dass man einen Asylantrag nicht mit einer absurden Geschichte über einen Mann durchbekäme, der aus Angst, dass sein Schwiegervater ihn umbringen wolle, nach Amerika abgehauen sei.

Was glaubt der denn, mit wem er's in der Einwanderungsbehörde zu tun hat?, hatte ihn der ehemalige Kollege gefragt. Okay, die Leute da seien vielleicht nicht die hellsten Kerzen auf der Torte, aber doch alles andere als Idioten; und sie hätten genug lächerliche Geschichten von angeblicher Verfolgung gehört und genug hübsche junge Frauen gesehen, die alten zahnlosen Männern für eine Greencard ewige Liebe schworen, um eine erfundene Verfolgungsgeschichte von einer realen unterscheiden zu können. Und klar, hatte der Kollege hinzugefügt, es seien auch schon Asylanträge durchgekommen, wo keine Flucht nötig gewesen war, aber verdammt noch mal eine erfundene Geschichte, die müsse doch echt besser sein als dieser läppische Mist, den Bubakar Jende da angedichtet habe. Unklar sei ihm außerdem, hatte er noch gesagt, weshalb Jendes Antragsverfahren sich so lange hinzöge. Er habe zwar schon von Asylanträgen gehört, die von schwarzen Löchern geschluckt worden seien, und von Antragstellern, die Monate oder gar Jahre auf Verhöre und Urteile gewartet hätten, aber Jendes Fall sei extrem, was nur heißen könne, dass er entweder großes Pech oder aber einen unfassbar faulen Anwalt habe.

Kann der Kollege meinen Fall übernehmen?, fragte Jende, nachdem Winston ihm all das erzählt hatte. Winston meinte, leider nicht. Er hätte sich auf Investorenvisa spezialisiert und würde ausländische Milliardäre und Multimillionäre beraten, wie sie durch Investitionen in Unternehmen und das Bereitstellen zinsloser Darlehen eine Einreisegenehmigung und einen Aufenthaltstitel für Amerika bekommen konnten – ein sehr viel lukrativeres Geschäft. Der Kollege hätte aber noch gesagt, dass es für Jendes Fall einen sehr viel gewiefteren Supermarktanwalt bräuchte als Bubakar.

»Hätte er denen nicht was von wegen politischer Verfolgung erzählen können?«, fragte Winston Jende – eine Frage, die bei ihrem ersten Treffen mit Bubakar weitaus nützlicher gewesen wäre. »Ist das nicht, was die meisten angeben, wenn sie Asyl beantragen? Der jüngere Bruder von Langaman, der in Montana, der behauptet, er hat das *pays* verlassen, weil Präsident Biya ihn sonst als Oppositionellen ins berüchtigte Kondengui-Gefängnis gesteckt hätte. Dieser *paysan* hat bei uns zu Hause noch nie eine Wahlkabine von innen gesehen, sagt jetzt aber, dass er ein Mitglied der Social Democratic Front gewesen ist. Der legt denen Beweise vor, wie seine Freunde geschlagen und monatelang eingesperrt worden sind und dass man das auch mit ihm macht, wenn er nach Kamerun zurückgeht. Jeder, der hier ins Land kommt, kann sich über das Leben in seinem Heimatland ausdenken, was er will. Du kannst sagen, du warst ein Prinz oder hast ein Waisenhaus geleitet oder warst ein politischer Aktivist, und der Durchschnitts-Ami wird sagen, oh, wow! Scheiße, Mann, Jende, ich erzähle *ngahs* ständig, dass ich in Kamerun politischer Aktivist war, wenn sie mir solche Fragen stellen wie, ›Sag mal, wie ist eigentlich die politische Situation in Kamerun?‹. Und statt sich so was für dich auszudenken, hat dir dieser hirnlose Idiot geraten, an der Geschichte festzuhalten, dass du vor deinem Schwiegervater abgehauen bist.«

»Vielleicht hat Winston recht«, sagte Neni, nachdem Jende ihr von dem Gespräch erzählt hatte, »aber wenn der Fluss die Fracht schon den halben Weg getragen hat, warum soll er sie dann nicht ganz bis zum Meer bringen?«

Jende stimmte ihr zu. Sie hatten ihr Schicksal in andere Hände gelegt – was sollte es bringen, wenn sie jetzt noch eine Meinung mehr einholten und dann eine miese Option gegen eine andere abwägten? Sie blieben jetzt bei Bubakar, es würde schon klappen. Sie bestärkten sich gegenseitig, nicht die Hoffnung zu verlieren und daran zu glauben, dass ihr Traum, Amerikaner zu werden, sich irgendwann erfüllen würde. Aber in dieser Nacht hatten beide Albträume, erzählten sich aber am nächsten Morgen nichts davon. Jende träumte von einem Klopfen an der Tür und von fremden Männern, die ihn mitnahmen, hörte seine Kinder schreien und sah Neni in Ohnmacht fallen. Neni träumte, in ein fast ausgestorbenes Limbe zurückzukehren, eine Stadt, in der es keine jungen und tatkräftigen Menschen mehr gab, sondern nur noch die wenigen Übriggebliebenen, die zu alt, zu jung oder zu schwach waren, um für die Reichtümer, die man in Limbe nicht haben konnte, in ferne Länder aufzubrechen. Im Traum sah sie sich beim jährlichen Kanuwettstreit am Down Beach, wo sie alleine tanzte, während leere Kanus auf das Ufer zufuhren. Als sie wach wurde, zog sie ihre schlafende Tochter noch fester an sich und gab ihr einen Kuss. Timba würde irgendwann als stolze Amerikanerin mit kamerunischen Wurzeln nach Limbe reisen, um das Land ihrer Vorfahren zu sehen, sagte sie sich. Und nicht als das Kind erfolgloser Asylbewerber aufwachsen, die man aus dem Land geworfen hatte wie vergammeltes Essen.

Und Liomi wäre irgendwann ein echter Amerikaner, flüsterte sie in die Dunkelheit. Er hatte sich in Amerika so gut eingewöhnt, vermisste kaum irgendwen oder irgendwas aus Limbe. Er war glücklich in New York, liebte es, die vollen Straßen entlangzulaufen und in das Meer aus Geräuschen einzutauchen. Er klang wie ein Amerikaner, kannte sich mit Baseball aus und konnte die Hauptstädte aller Bundesstaaten aufsagen; kein Mensch wäre auf die Idee gekommen, dass er kein Amerikaner, sondern das Kind von Migranten war, nicht als legal durchging, sondern eher als sehr illegal galt und seine Zukunft hier im Land davon abhing, ob ein Richter seinem Vater glaubte, dass er verfolgt wurde und darum geflohen war. Sie konnten nicht wieder zurück nach Limbe mit ihm gehen. Würden sie zurückgehen, wäre er vielleicht nicht mehr der glückliche Junge, der er jetzt war und der er gewesen war, bevor sie sich auf den Weg nach Amerika gemacht hatten. Vielleicht würde er dann ein Kind werden, das sich wütend, enttäuscht und aggressiv verhielt und seinen Eltern nie würde verzeihen können.

In der zweiten Nacht nach dem Eintreffen des Bescheids starrte Neni stundenlang in die Dunkelheit, weil ihr all diese Gedanken durch den Kopf gingen. Als sie am nächsten Morgen die Sachen ihrer Kinder bügelte, sang sie die Lieder, die die Kirchengänger in Limbe immer sangen, wenn das Leben ihnen keine Antworten auf ihre Fragen gab. Sie sang ein Lied von einem großen Gott, der immer an ihrer Seite war, und eins von Jesus, der sie nie enttäuschte, auch dann nicht, wenn die Menschen sie im Stich ließen. Beim Singen dachte sie an ihre wenigen Kirchenbesuche in Limbe und daran, wie viel besser sie sich danach immer gefühlt hatte, glücklich und unbeschwert, weil sie zwei Stunden umgeben von fröhlichen Menschen verbracht hatte, die daran glaubten, dass sich ihre Probleme bald lösen würden, weil ein allmächtiges Wesen sie leitete. Wenn Timba zwischendurch schlief, suchte sie im Internet nach Kirchen in ihrer Nähe. Die Auswahl war groß, und die meisten gaben an, Gläubige jeder Art aufzunehmen, schienen fast schon besessen darauf, ihre Kirchenbänke vollzukriegen. Sie entschied sich für eine Kirche downtown in Greenwich Village, die Judson Memorial Church hieß und deren braunes Gebäude auf den Washington Square Park zeigte, weil ihr die Straßenmusik im Village so gut gefiel und sie den Brunnen in der Parkmitte herrlich fand, an dem sie letzten Sommer oft zum Spielen mit Liomi gewesen war.

Am Sonntag vor Weihnachten ging sie mit den Kindern zum Beten in die Kirche, während Jende arbeitete. Ihre Mutter hatte gesagt, dass sie in den ersten drei Monaten keine größeren Ausflüge mit der Kleinen machen sollte, aber Neni ignorierte den Ratschlag. Sie packte Timba in die Babytrage und nahm Liomi auf dem Weg von der U-Bahn-Linie 2 zur Linie A an die Hand. An der Station West Fourth stiegen sie aus und stapften durch Greenwich Village. Sie lief schnell und stieß kleine Wölkchen in die kühle Morgenluft des Dezembertags, begierig auf diesen Ort der Gebete, der ihr eine Atempause bot.

Als sie endlich ankam, war sie enttäuscht. Statt einem Gotteshaus voll mit den verschiedensten jungen Leuten, die rockten und groovten und »Amen!« riefen, war der riesige Raum, in dem es gar keine Kirchenbänke gab, voll mit weißen New Yorkern mittleren Alters, die weder rockten noch groovten, sondern Kirchenlieder sangen, ohne die leisesten Anstalten zu machen, mit dem Körper zu wackeln und alle Sorgen und Nöte abzuwerfen, so wie es die Kirchengänger in Limbe jeden Sonntagmorgen machten. Um nicht angestarrt zu werden, setzte sich Neni auf einen Stuhl in der letzten Reihe, das Baby noch immer in der Trage, Liomi still neben sich. Die Pfarrerin, eine Frau mit langen grauen Haaren und einer roten Brille, sprach in ihrem Gebet von irgendeiner nahenden Revolution, und dann von einer Botschaft, was Neni weder verstand noch hilfreich fand in ihrer momentanen Situation.

Nach dem Gottesdienst kam die Pfarrerin auf sie zu und stellte sich als Natasha vor. Auch andere Kirchenbesucher kamen zu ihnen, um sie zu begrüßen und die schlafende Timba zu bestaunen. Ein Mann sagte, er habe vor vielen Jahren als Freiwilliger des Friedenscorps in Kamerun gedient, ganz oben in der nördlichen Region Adamawa. Neni zog die Augenbrauen hoch und lächelte, überrascht und erfreut, an so einem Ort jemanden kennenzulernen, der ihr Land besucht hatte. Auch wenn sie selbst nie in der Adamawa-Region gewesen war, fühlte es sich an, als hätte sie gerade einen verloren geglaubten Freund aus Kindheitstagen wiedergetroffen.

»Ich kann nicht glauben, dass Sie bei mir im Land waren«, sagte sie zu dem Mann, während sie einem Kirchendiener die ausgefüllte Besucherkarte reichte. »Manche Menschen hier in Amerika wissen gar nicht, dass es ein Land namens Kamerun gibt.«

Der Mann lachte. Ja, sagte er, Amerikaner seien nicht gerade für ihre Kenntnisse in afrikanischer Geografie bekannt. Er habe auch schon von Limbe gehört, sagte er dann, auch wenn er nie dort gewesen sei. Er wäre zu gern mal hingefahren und hätte an den schwarzen Sandstränden gesessen.

»Alle waren sehr freundlich zu uns«, erzählte Neni Jende an diesem Abend.

»Vielleicht wollen sie eine schwarze Familie haben«, erwiderte Jende. »Weiße wie die versuchen ihren Freunden immer zu beweisen, wie sehr sie Schwarze mögen.«

»Ist mir egal«, sagte Neni. »Mir hat es gefallen. Ich will wieder hin.«

»Wozu? In Limbe warst du auch nicht in der Kirche. Du bist nicht mal getauft.«

»Na und? Bin ich an Ostern und Weihnachten nicht mit dir in deine Mizpah Batpist Church gegangen? Und bin ich zu Hause nicht manchmal in die Full Gospel Church gleich um die Ecke gegangen?«

»Das macht dich aber noch nicht zu einer Kirchgängerin.«

»Dann bin ich jetzt eine Kirchgängerin. Es ist gut für uns, wenn wir in einer Zeit wie dieser in die Kirche gehen. Vor Kurzem hab ich in den Nachrichten einen Bericht über eine Familie gesehen, die abgeschoben werden sollte und dann zu einer Kirche geflohen ist. Die Leute von der Kirche haben sie in der Kirche bleiben lassen – dort kamen die Behörden nicht an sie ran.«

Jende schüttelte den Kopf und lachte kurz spöttisch auf. »Und du glaubst, das machen wir auch, ja?«, fragte er. »Was ist das für eine dumme Idee? Ich werde mich nicht in irgendeiner Kirche verstecken. Wie lange sind die Leute in der Kirche geblieben?«

»Woher sollte ich das wissen?«

»Weil du die Idee gut findest. Warum sollte ich so was tun? Ein erwachsener Mann wie ich, sich in einer Kirche verstecken? Für was?«

»Für was?«, sagte sie. »Du möchtest wissen, für was, Jende? Für deine Kinder! Für sie. Damit deine Kinder weiter in Amerika leben können!«

Verärgert über das, was er gesagt hatte, stand sie vom Sofa auf und setzte sich an den Esstisch, sie wollte nicht länger neben ihm sitzen. Er wirkte erstaunt über ihren plötzlichen Ärger, wütend, dass sie sich bei dem Thema mit ihm anlegte.

»Glaubst du, meine Kinder sind mir egal?«, fragte er. »Glaubst du, dass ich nichts mache, damit wir in Amerika bleiben können?«

»Nein!«, sagte sie, sprang vom Stuhl auf und richtete den Zeigefinger auf ihn. »Ich glaube, dass du nicht bis zum Ende für uns kämpfst. Ich glaube, wenn es so weit ist, gibst du auf, weil dir dein Stolz zu wichtig ist. Aber ich mache alles, was nötig ist, damit wir in Amerika bleiben können! Ich schlafe in der Kirche auf dem Boden, auch wenn ich dann …« Sie rannte ins Schlafzimmer und setzte sich aufs Bett neben Timba, die schlief.

»Warum weinst du?«, fragte er. Er war ihr hinterhergekommen, stand wütend in der Schlafzimmertür und schaute sie an. »Was sollen die dummen Tränen, Neni?«

Sie ignorierte ihn.

»Glaubst du, ich will nicht in Amerika bleiben? Glaubst du, ich bin nach Amerika gekommen, um wieder zu gehen? Ich arbeite als Diener für andere Leute, fahre sie überallhin, den ganzen Tag, manchmal die ganze Woche, sage, ja, Sir, ja, Madam, verbeuge mich sogar vor einem kleinen Kind. Wofür, Neni? Du redest von Stolz? Ich mache mich kleiner, als viele Männer es machen würden. Was glaubst du, wofür ich das mache? Ich mache das für dich. Und für mich. Weil ich will, dass wir in Amerika bleiben! Aber wenn Amerika sagt, dass es uns nicht will, glaubst du, dann bettle ich mein ganzes Leben lang? Glaubst du, ich schlafe in einer Kirche? Vergiss es. Keine einzige Nacht. Du kannst auf dem Kirchenboden schlafen, solange du willst. Wenn du es satthast, kannst du zu mir und den Kindern nach Limbe kommen. Verdammt!«

Er schlug ihr die Tür vor der Nase zu und ließ sie schluchzend im Schlafzimmer zurück.

Allein im Dunkeln weinte sie sich in den Schlaf, Timba an der Brust, Liomi im Kinderbett neben sich. Als sie am nächsten Morgen sehr früh wach wurde, lag Jende auf dem Wohnzimmersofa und schlief.

36.

In drei Tagen war Weihnachten, und das Dunkel, das die Stadt befallen hatte, schien durchbrochen zu sein, überstrahlt vom Glanz beleuchteter Weihnachtsbäume im Rockefeller und Lincoln Center und den hypnotisierend grellen Bildschirmen in den Schaufenstern auf der Fifth Avenue. Überall in der Stadt sah man beim Blick in die Wohnungen – in denen die Menschen fest daran glaubten, dass schon bald wieder gute Zeiten kämen – schwache, aber anhaltende Hoffnungsschimmer. Auch die Verzweifelten trieb es hinaus auf die Straße, weil sie etwas hören oder sehen oder an einen Ort gehen wollten, der sie daran erinnerte, dass Weihnachten war, der Frühling nicht mehr weit und es in gar nicht allzu langer Zeit schon wieder Sommer wäre in New York.

»Herzlich willkommen und Ihnen ein frohes und gesegnetes Weihnachtsfest«, schrieb Pfarrerin Natasha in einer E-Mail an Neni. »Wie schön, dass Sie mal bei uns in der Judson Church vorbeigeschaut haben. Ich würde mich freuen, Sie bei Gelegenheit etwas besser kennenzulernen. Lassen Sie sich doch bitte einen Termin geben, dann können wir uns ganz locker auf ein Gespräch in meinem Büro treffen.«

Neni vereinbarte ein Treffen für den nächsten Tag, ohne Jende davon zu erzählen.

Im Pfarrbüro lernte sie den Vikar kennen, einen rothaarigen jungen Mann mit Bart aus New Hampshire, der Amos hieß. Er erzählte Neni, dass er als buddhistischer Mönch gelebt habe, bis er zu dem Schluss gekommen sei, dass die moderne liberale Kirche eher zu seinen Glaubensvorstellungen passe. Neni hätte interessiert, was der Unterschied zwischen den beiden Glaubensrichtungen war, fand es aber klüger, nicht danach zu fragen – durch ein Nachfragen hätte sie womöglich ihr Unwissen in Bezug auf Religionen und spirituelle Angelegenheiten verraten und damit auch den eigentlichen Grund für ihren Kirchenbesuch.

Privat war Pfarrerin Natasha zurückhaltender als die leidenschaftliche Predigerin, die von der Notwendigkeit einer Revolution gesprochen hatte, die das Land in seinen Grundfesten erschüttern würde. Ihre glatten grauen Haare fielen ihr weit über die Schultern, und Neni bewunderte, dass sie den Mut hatte, die Haare lang und grau zu tragen, und das in einer Stadt mit einem Überangebot an Friseursalons, die Frauen im mittleren Alter vor genau diesem Grau bewahren wollten. Auf den Regalen in ihrem Büro standen gerahmte Fotos glücklicher Familien, unterschiedlichster Formen von Familien: zwei Väter mit einem Baby, zwei Mütter mit einem Kleinkind, ein älteres Ehepaar mit einem Hund, ein junges Pärchen mit einem Neugeborenen. Natasha erzählte Neni, dass das alles Gemeindemitglieder seien. Sie fragte Neni nach ihrer Familie und wollte wissen, was Neni in die Judson Memorial geführt habe. »Ich glaube, ich möchte Christin werden«, antwortete Neni, worauf Natasha antwortete, dass sie keine Christin werden müsse, um zur Judson-Familie zu gehören. Neni war erleichtert, obwohl sie trotzdem eine getaufte Christin werden wollte – was, wenn alles stimmte, was die Leute der Full Gospel Church in Limbe über Himmel und Hölle gesagt hatten? Sie wollte auf der sicheren Seite sein, damit sie in den Himmel kam, falls sich das Ganze als wahr herausstellen sollte. Ihre Familie war (außer für kurze Zeit, nachdem ihr Vater seine Arbeit am Hafen verloren hatte) nicht in die Kirche gegangen, aber sie glaubte daran, dass es einen Gott mit einem Sohn namens Jesus gab, auch wenn sie nicht so richtig glauben konnte, dass, wer in Zungen redete, von irgendeinem Geist besessen sein sollte. »Sie können glauben, woran Sie wollen, und wir akzeptieren Sie hier«, sagte Natasha. »Wir nehmen jeden auf. Aus jedem Land. Uns ist egal, ob Sie an Himmel, Hölle und Perlentore glauben. Uns ist egal, ob Sie an die Subway, die Metro-North oder die Long Island Rail

Road als schnellstes Transportmittel in den Himmel glauben. Wir nehmen Sie auf«, sagte sie weiter, was Neni zum Lachen brachte.

Bei einem Tee sprachen sie über Mutterschaft und Ehe. Und weil ihr Gespräch über Träume, die man opferte, wenn man Kinder großzog, und darüber, wie schnell man sich in der Ehe verlor, so offen war, ging Neni weiter, als sie gewollt hatte – und erzählte Natasha von Jendes drohender Abschiebung. Sie erzählte ihr von dem Streit am vergangenen Sonntag und von der Schande, die es für sie bedeuten würde, wenn sie nach Limbe zurückkehren müsste; dem Gefühl des Scheiterns, dem sie nie mehr entkommen würde, wenn sie es nicht schaffte, ihren Kindern ein gutes Leben zu ermöglichen, ein Leben, in dem ihnen alle Türen offenstanden, die Art von Leben, wie es in Kamerun so gut wie undenkbar war. Natasha hörte zu und nickte, was es der verzweifelten Neni möglich machte, den aufgestauten Tränen vieler Monate freien Lauf zu lassen. Natasha reichte Neni ein Taschentuch und nahm Timba, weil die Kleine – vielleicht weil sie den Kummer ihrer Mutter spürte – auch anfing zu weinen.

»Das amerikanische Einwanderungssystem kann sehr grausam sein«, sagte sie zu Neni und strich ihr übers Knie, »aber die Judson Memorial wird sich bis zum Schluss für Sie einsetzen und für Sie kämpfen.«

An diesem Nachmittag spazierte Neni Jonga aus der Judson hinaus in den Washington Square Park und fühlte sich leicht wie ein wunderschöner selbst gebastelter Drachen. Auf einer Bank saß ein Mann und spielte Flöte, und eine junge Frau in einer schwarzen Daunenjacke begleitete ihn auf der Geige. Neni lächelte, während sie durch den Park lief und den beiden zuhörte – bis eben war ihr nicht bewusst gewesen, wie göttlich klassische Musik war. Auf der anderen Seite des Parks unter dem Bogen hielt eine Gruppe junger Menschen Plakate in die Luft und demonstrierte mit Sprechchören gegen den Bail-out. Rettet uns, nicht unsere Unterdrücker! Warum zerstört ihr uns mit unseren eigenen Steuergeldern? Tod der Wall Street! Paulson, der Antichrist!

Neni stand an dem leeren Brunnen und beobachtete sie voller

Bewunderung, weil sie sich so engagiert zeigten bei dem, was in ihrem Land vor sich ging. Einer fiel ihr besonders auf, ein junger Weißer mit Dreadlocks, der stolz umherlief und die Faust gegen die unsichtbaren Feinde in die Luft reckte. Falls die Judson Memorial ihnen helfen könnte, in Amerika zu bleiben, würde sie irgendwann amerikanische Staatsbürgerin werden und dann auch demonstrieren können. Sie würde alles sagen, was sie über Leute mit Einfluss und Macht sagen wollte, und müsste keine Angst haben, dass man sie dafür ins Gefängnis steckte, so wie man es in manchen afrikanischen Staaten mit Andersdenkenden machte, die ihre Stimme gegen das autoritäre Regime erhoben. Sie wäre am liebsten durch den Park gehüpft, so viel Auftrieb und neue Hoffnung hatte ihr das Gespräch mit der Pfarrerin gegeben, aber das ging jetzt nicht – Timba erwachte von der Kälte, Liomi musste von der Schule abgeholt und das Abendessen gekocht werden.

Als Jende gegen Mitternacht nach Hause kam, stellte sie ihm sofort sein Essen hin und setzte sich an den Tisch, während er noch sein Jackett auszog, so sehr freute sie sich darauf, ihm von der unfassbaren Neuigkeit zu erzählen, dass die Leute von der Judson ihnen helfen würden, in Amerika zu bleiben.

»Ich war heute in der Kirche im Village«, sagte sie, als er schon ein paar Bissen gegessen hatte.

»Wieso?«

»Einfach so. Die Pfarrerin hat mir eine E-Mail geschrieben und mich in der Kirche begrüßt. Sie hat gesagt, ich soll sie mal besuchen kommen, also bin ich hingegangen.«

»Und du hast nicht gedacht, du solltest mir das vorher sagen?«

»Tut mir leid. Als ich das letzte Mal hingegangen bin, warst du wütend. Ich wollte nicht, dass du wieder wütend bist.«

Er funkelte sie einen Augenblick lang an, bevor er sich wieder den Kartoffeln und dem Spinat widmete. Sie ignorierte seinen bösen Blick. Zurzeit musste sie ihm leichter verzeihen, oder ihre Ehe war verloren. Sie musste einfach, denn seit der Brief mit dem Termin für die gerichtliche Anhörung im Abschiebungsverfahren gekommen war, war er nicht mehr derselbe Mann. Das Gewicht des Briefs erdrückte ihn, das konnte sie sehen; er war jetzt ein Mann, der immer kurz vor dem Zusammenbruch stand. Er streichelte ihr nicht mehr über die Haare, wenn sie das Baby stillte. Er machte sich nichts mehr daraus, Liomi scherzhaft in die Seite zu boxen. Ihr Ehemann, der sonst nur selten Wörter wie »dumm« oder »Idiot« in den Mund genommen hatte, warf jetzt in Augenblicken der Verärgerung und Frustration mit Kraftausdrücken nur so um sich, richtete sie gegen unbekannte Mitarbeiter der Einwanderungsbehörde, gegen seinen Anwalt, seine Familie in Kamerun, seinen Sohn und vor allem gegen seine Frau. Er schimpfte über seine Mutter, die ihn um Geld bat, um die Küchenwand notdürftig zu reparieren, und ranzte Liomi an, wenn das Kind ihn fragte, ob sein Vater mal mit ihm ins Kino oder in die Mall gehen würde. Er schob den Teller weg, wenn er das Essen für zu fad hielt, und ignorierte die Telefonanrufe seiner Freunde. Es war, als hätte der Brief mit dem Gerichtstermin aus einem glücklichen Mann einen aggressiven Mann gemacht, der bald sterben würde und entschlossen war, der Welt zu zeigen, wie wütend der drohende Tod ihn machte.

»Die Pfarrerin hat gesagt, dass die Kirche uns hilft, im Land zu bleiben«, fuhr Neni fort.

»Was redest du da?«

»Von der Situation mit unseren Papieren. Ich habe mit der Pfarrerin darüber ge–«

»Was hast du?«, schrie er und schlug mit der Faust auf den Tisch.

Sie sagte nichts.

Er schob sein Essen zur Seite und stand auf.

»Bist du verrückt?«, sagte er und tippte sich dabei an die Stirn. »Wie kannst du die Situation mit meinen *papiers* mit diesen Leuten besprechen, ohne mich vorher zu fragen? Drehst du jetzt völlig durch?« Er kochte vor Wut und atmete schwer. Und sie saß vor ihm wie ein Lamm vor einem brüllenden Löwen.

»Was ist zurzeit nur mit dir los? Du glaubst, du hast das Recht, so was mit anderen Leuten zu besprechen, ohne mich vorher zu fragen? Weißt du, wer diese Leute sind? Glaubst du, nur weil du ein Mal bei ihrem Gottesdienst warst, kannst du ihnen unsere Geheimnisse erzählen? Neni! Bist du verrückt?«

Sie versuchte erst gar nicht, sich zu entschuldigen. Sie wusste, dass sie zu weit gegangen war – Bubakar hatte ihnen dringend geraten, alles, was mit ihrem Asylantrag zu tun hatte, für sich zu behalten und mit keinem darüber zu reden. »Außer mir, euch, dem Allmächtigen und dem amerikanischen Staat sollte keiner wissen, wie ihr ins Land gekommen seid und was ihr versucht, um zu bleiben«, hatte er ihnen wiederholt eingetrichtert. Er wusste, welche Konsequenzen es hatte, wenn durch irgendjemanden, der auf Rache aus war, etwas von ihrem Plan zu den Behörden durchsickerte: Das wäre dann nicht nur für sie das Ende, sondern auch für ihn.

Neni hatte dem Rat des Anwalts zugestimmt; sie glaubte fest daran, dass es wichtig war, manche Dinge für sich zu behalten, um sich vor Anfeindungen und Boshaftigkeiten zu schützen. Sie hielt das nicht nur für klug, sondern es fiel ihr auch leicht – Wichtiges unter Verschluss zu halten, fand sie genauso leicht, wie ein Lied zu singen. Als sie damals mit ihrer Tochter schwanger gewesen war, die dann später starb, hatte sie keinem außer Jende davon erzählt. Selbst ihren Eltern hatte sie erst davon erzählt, als sie schon im fünften Monat war, bis dahin hatte sie den wachsenden Bauch immer diskret unter weit fallenden *kabas* und hinter Handtaschen versteckt. Es fiel ihr genauso leicht, in New York die Tortur ihres Asylverfahrens für sich zu behalten. Nur mit Betty und Fatou sprach sie darüber, sonst mit niemandem. Wenn andere Freunde nachfragten, wie es um den Aufenthaltsstatus der Familie stand, umschiffte sie die Frage und sagte gelassen, dass die Papiere bald kommen würden.

Sie hatte Natasha trotz aller Schuldgefühle von der schwierigen Lage erzählt, weil sie glaubte, dass es Amerikaner gab, die gute und hart arbeitende Migranten in Amerika haben wollten. In den Nachrichten hatte sie sie gesehen, betroffene Amerikaner, die sagten, dass die Vereinigten Staaten Menschen gegenüber, die in

Frieden kämen, gastfreundlicher sein sollten. Sie glaubte, warmherzige Menschen wie Natasha würden sie nie verraten, und das wollte sie Jende sagen, dass die Leute von der Judson Memorial Church Migranten herzlich begegneten und ihr Geheimnis bei Natasha sicher war. Aber sie wusste auch, dass es keinen Sinn hatte, mit einem wütenden Mann diskutieren zu wollen, und beschloss, seine verbalen Ausfälligkeiten über sich ergehen zu lassen, still und mit gesenktem Kopf, auch als er sie als »Idiot« und als »dumme Kuh« beschimpfte. Der Mann, der versprochen hatte, immer für sie da zu sein, übergoss sie jetzt mit Schimpfwörtern und bespritzte sie mit Gift, wie sie es ihm nie zugetraut hätte.

Zum ersten Mal in all den Jahren ihrer Beziehung hatte sie Angst, er könnte sie schlagen. Vielleicht war es jetzt so weit. Aber wenn, würde sie wissen, dass das nicht ihr Jende war, der sie da schlug, sondern das armselige Wesen, das durch das zermürbende Leben als Migrant in Amerika aus ihm geworden war.

37.

Am Weihnachtsmorgen aßen sie frittierte Kochbananen und Bohnen, schenkten einander aber nichts, weil Jende nicht wollte, dass Liomi glaubte, der Austausch materieller Geschenke hätte etwas mit Liebe zu tun. In ein Geschäft gehen und irgendwas kaufen und irgendwem schenken, das kann jeder, sagte er zu Liomi, wenn der ihn zum x-ten Mal fragte, warum er nicht wenigstens einen kleinen Spielzeuglaster bekommen könnte. Ob jemand dich wirklich liebt – so Jendes Vortrag jedes Mal –, zeigt sich an dem, was er mit seinen Händen für dich tut, welche Wörter er dir aus seinem Mund schenkt und was sein Herz über dich denkt. Liomi hatte protestiert, hatte aber am Weihnachtsmorgen wie an allen vorigen Weihnachtsmorgen seines Lebens keine Geschenke bekommen.

Am Nachmittag aßen sie Reis und Hühnerragout wie die meisten Familien in Limbe. Neni hatte auch süßes *chin-chin* frittiert und Kuchen gebacken, und zwar nach dem Rezept, auf das sie in Limbe hatte zurückgreifen müssen, als sie noch in einem mit Sand gefüllten Eisenkessel über glühendem Feuer gebacken hatte. Am Abend zuvor, als sie alle zusammen auf dem Sofa gesessen und »*Ist das Leben nicht schön?*« geschaut hatten, war Jende versucht gewesen, Leah für den Weihnachtstag zu ihnen einzuladen, weil sie sicher allein in ihrer Wohnung in Queens sitzen würde, wo sie doch keinen Mann und keine Kinder hatte und ihre Eltern bereits verstorben waren. Er fand den Gedanken schrecklich, dass Leah an einem Tag allein war, an dem jeder mit jemand anderem zusammen sein sollte, aber er wollte Neni auch nicht zu viel zumuten, denn, und da war er sich sicher, hätte Leah die Einladung angenommen, hätte Neni für den amerikanischen Gast sieben verschiedene Gerichte gekocht, und dann hätte er sich schlecht gefühlt, weil sie sich gleichzeitig auch noch um Liomi und das Baby hätte kümmern müssen. Also beließ er es dabei, Leah am Morgen anzurufen und ihr ein frohes Weihnachtsfest zu wünschen. Er erzählte ihr, dass die Arbeit gut laufe, und ließ sich dann von ihr erzählen, dass sie vorhabe, später zum Rockefeller Center zu gehen, was sie so aufgeregt sagte, als ob es nichts Schöneres gebe, als in der Kälte zu stehen und einen Weihnachtsbaum anzuschauen.

Den Rest des Tages verbrachte er damit, Liomi Geschichten zu erzählen und Timba in den Schlaf zu wiegen, wenn sie gestillt worden war. Aber keiner kam vorbei, so wie man es in Limbe machte, wo die Leute von Haus zu Haus zogen und »Happy, happy, oh!« sagten, und trotzdem war es ein glückliches Weihnachtsfest für ihn, viel glücklicher als sein erstes Weihnachtsfest in Amerika.

Da hatte er den ganzen Tag oben auf dem Doppelstockbett in der Kellerwohnung gelegen, die er sich in der Bronx mit den Puerto Ricanern geteilt hatte, das Wetter zu kalt für einen Spaziergang und die Menschen auf der Straße zu fremd, als dass er das Besondere dieses Tages mit ihnen hätte feiern können. Da Winston mit seiner damaligen Freundin Urlaub auf Aruba gemacht hatte, hatte Jende niemanden gehabt, mit dem er gemeinsam hätte essen und lachen und in Erinnerungen an die Weihnachtsfeste seiner Kindheit hätte schwelgen können, zu denen immer viel zu viel essen und trinken und noch viel mehr tanzen gehört hatte. Dort im Dunkeln auf dem Bett hatte er sich Liomi in dem roten Anzug vorgestellt, den er ihm für diesen festlichen Anlass geschickt hatte; beim Gedanken an seinen Sohn, der durch die Stadt spazierte und allen, die ihn danach fragten, stolz erzählte, dass die Sachen von seinem Papa aus Amerika waren, hatte er grinsen müssen. Er hatte sich ausgemalt, wie Neni mit Liomi nach New Town ging, um seiner Mutter frohe Weihnachten zu wünschen, die sicher Hühnerragout mit Süßkartoffeln und als Beilage *ndolé* gekocht und außerdem noch ein Gericht mit Kochbananen und *nyama ngowa* zubereitet hatte. Wie gern hätte er ihre Stimmen gehört, aber an diesem Tag war es unmöglich, mit ihnen zu sprechen – die Telefonleitungen zwischen der westlichen Welt und großen Teilen Kameruns waren heillos überlastet von den unendlich vielen, die sich wie er einsam fühlten. Frustriert hatte er seine Telefonkarte weggeschleudert und bis vier Uhr nachmittags im Bett gelegen und dann nur einen einzigen Anruf gemacht, und zwar bei seinem Freund Arkamo in Phoenix, einen Anruf, der ihm auch nicht aus dem Gefühl der Einsamkeit geholfen hatte, weil Arkamo, der in einer Stadt mit einer großen und lebendigen kamerunischen Community lebte, damals auf einer Party mit lauter Kamerunern gewesen war, auf der er sich prächtig amüsiert hatte. Nach einer Dusche und chinesischem Essen vom Vortag hatte Jende, eingewickelt in eine große Steppdecke, im Gemeinschaftsraum am Fenster gesessen und hinausgeschaut: das trübe Wetter wahrgenommen, die unscheinbar gekleideten Leute, den eigentlich so glücklichen Tag, der so schnell verging und an dem das Heimweh ihn erschlug.

Fünf Tage nach Weihnachten fing er wieder an zu arbeiten und stellte schnell fest, dass nur wenig zu tun war. Clark würde jetzt in einem Hotel wohnen, erzählte Anna, als er sie anrief, weil er wissen wollte, warum sein Chef nicht ans Telefon ging. Und die meiste Arbeit von da erledigen, sagte sie. Cindy hätte sich freigenommen (wahrscheinlich seit dem Tag mit der Geschichte in der Boulevardzeitung, vermutete Jende, denn Anna hatte ihn einen Tag danach angerufen, als Mighty gerade an der Schule ausgestiegen und Jende auf dem Rückweg war, und hatte gesagt, er bräuchte nicht zum Sapphire zu kommen, da Cindy nicht ins Büro gefahren werden müsste). Nur Mighty musste von ihm gefahren werden, zur Klavierstunde und wieder zurück. Anna sagte, Jende bräuchte heute nur Mighty zu seinem Lehrer auf der Upper West Side zu bringen, ihn Stacy zu übergeben, die da warten würde, und Stacy und Mighty dann eine Stunde später wieder zurück zum Sapphire zu fahren, außer wenn Mighty was anderes mit

Stacy machen wollte, was unwahrscheinlich war, weil Mighty die ganzen Winterferien immer nur allein in seinem Zimmer rumsaß. Danach könnte Jende wieder nach Hause gehen und der Rest der Ferien wäre auch entspannt für ihn, sagte Anna, weil – flüsterte sie jetzt ängstlich – unklar war, wie lange Clark im Hotel bleiben oder wie lange sich Cindy noch in der Wohnung abschotten würde, jetzt, wo sie nicht einmal mehr etwas mit Freundinnen unternahm und nur immer mehr trank und der arme Mighty jetzt Eltern hatte, die beide – aber da hielt sich Anna plötzlich zurück, bevor sie zu viel sagen konnte und sagte, ich muss jetzt auflegen.

»Mighty, mein Lieber«, sagte Jende, nachdem dieser sich auf die Rückbank gesetzt hatte. »Wie war dein Weihnachten?«

»Ich will nicht drüber reden.«

»Okay, okay, kein Problem. Musst du mir nicht erzählen, aber eins möchte ich wissen – hast du mit Vince geskypt?«

»Ja, Mom hat ihn angerufen.«

»Wie geht es ihm?«

Mighty zuckte mit den Schultern und antwortete nicht.

»Hat er Spaß? Hat er dir schöne Geschichten über Indien erzählt?«

»Er hat Dreadlocks.«

»Dreadlocks?«, fragte Jende, der bei der Vorstellung von Vince mit Dreadlocks fast losgelacht hätte. Ihm gefiel, wie Weiße mit Dreadlocks aussahen, aber Vince Edwards, der Sohn von Clark und Cindy Edwards, mit Dreadlocks?

»Ja«, sagte Mighty. »Das sieht total komisch aus.«

»Echt? Aber er ist sicher auch so ein hübscher junger Mann, oder?«

»Weiß nicht.«

Jende beschloss, Mighty lieber in Ruhe zu lassen. Offenbar wollte er nicht reden, und Jendes Versuche, den Jungen aufzuheitern, schienen ihn nur noch trauriger zu stimmen.

»Sie haben sich gestern Nacht in der Küche gestritten«, sagte Mighty nach minutenlanger Stille plötzlich.

»Wer? Deine Mommy und dein Daddy?«

Mighty nickte.

»Ach Mighty. Das tut mir so leid. Aber weißt du noch, was ich dir über Ehepaare gesagt habe, die streiten? Wenn sich deine Mommy und dein Daddy streiten, muss das nichts Schlimmes heißen. Manchmal streiten sich verheiratete Leute gern. Sie brüllen sich vielleicht an, aber das hat nichts zu bedeuten, okay?«

Mighty sagte nichts. Jende hörte ihn schniefen und hoffte, dass er nicht wieder weinte. Das Kind hatte genug geweint.

»Meine Mom hat geweint und Sachen an die Wand geschmissen ... Gläser und Teller, glaub ich, sie sind zerbrochen. Mein Dad hat geschrien, sie soll bitte damit aufhören ... aber sie war ...« Er nahm sich ein Taschentuch aus der Packung, die Jende ihm hinhielt, und schnäuzte sich die Nase.

»Deine Eltern sind bald wieder Freunde, Mighty«, sagte Jende und wollte nicht nur Mighty davon überzeugen, sondern auch sich selbst.

»Sie hat gesagt ›Ich will sein Gesicht nie wiedersehen‹. Sie hat zu meinem Dad gesagt, dass sie will, dass er ihn loswird, jetzt sofort loswird, weil sie sonst ...«

»Wen loswird?«

»Keine Ahnung, aber das hat sie ganz oft geschrien. Und mein Dad hat gesagt ›Das mach ich nicht‹ und meine Mom hat geschrien ›Du musst aber‹, sonst macht sie was ...«

»Es tut mir wirklich leid, das zu hören, Mighty. Aber deine Mommy, die war nur wütend, stimmt's?«

»Sie war sehr wütend. Sie hat ganz doll geweint und geschrien.«

Jende holte tief Luft.

»Ich konnte überhaupt nicht schlafen«, sagte Mighty weiter. »Ich hab meinen Kopf unterm Kissen versteckt, aber –«

»Und sie haben nicht gesagt, wie die Person heißt?«

Mighty schüttelte den Kopf. »Aber ich glaube, sie meinen Vince.«

»Vince?«

»Ja, meine Mom hat sich total über die Dreadlocks aufgeregt. Sie hat gesagt, er sieht jetzt aus wie ein Hippie.«

»Nein, Mighty«, sagte Jende und lachte leicht auf. »Deine Mommy würde deinen Daddy niemals bitten, Vince loszuwerden. Deine Mommy hat dich und Vince sehr lieb –«

»Sie lassen sich scheiden!«

»Nein, bitte sag das nicht«, sagte Jende, der mit einer Hand lenkte und die andere nach hinten zu Mighty streckte. »Sag nicht solche Sachen, die dich ganz unruhig machen. Sie sind bald wieder glücklich. So sind Erwachsene. Sie sind bald wieder Freunde.«

»Nein, sind sie nicht! Sie lassen sich scheiden!«

»Bitte mach dich nicht unglücklich, weil du Sachen denkst, die nie passieren«, sagte Jende, der den Wagen mühsam mit einer Hand steuerte. »Alles wird gut, Mighty … Alles wird gut … Allen geht es bald wieder gut … Bitte hör auf zu weinen.«

Als sie vor dem Hochhaus des Lehrers in der 89. Straße Ecke Columbus hielten, kam Stacy heraus, um Mighty in Empfang zu nehmen. Jende beobachtete, wie sich der Junge ein Lächeln abrang und zu Stacy sagte, dass er das Stück echt toll fände, das der Lehrer für heute ausgesucht hatte.

Nachdem Mighty und Stacy im Gebäude verschwunden waren, stieg Jende wieder in den Wagen und rief Winston an, der zum Glück gleich beim ersten Klingeln ranging, obwohl Jende ihn, seit er nach Houston geflogen war, um Maami zu besuchen, kaum noch hatte erreichen können.

»Ach, Bo, du und deine Ängste«, sagte Winston, nachdem Jende ihm erzählte hatte, dass Cindy irgendwen loswerden wollte. »Es gibt mindestens zehn Leute, die sie meinen könnte. Vielleicht hat sie –«

»Sie meint mich«, sagte Jende, der ungläubig den Kopf schüttelte. »Da ist kein anderer Mann, der für sie arbeitet. Anna ist eine Frau, Stacy ist eine Frau, ihre Assistentin ist eine Frau. Alles Frauen, nur ich nicht.«

»Dann meint sie vielleicht wen, der nicht für sie arbeitet. Frauen wie Cindy haben alle möglichen Leute für alle möglichen Sachen. Ärzte, die sich um ihre Falten kümmern, Leute, die ihnen die Haare machen, Leute, die ihnen das Haus dekorieren –«

»Du glaubst ernsthaft, dass sie ihren Mann mitten in der Nacht anschreit, weil sie will, dass er die Person loswird, die dekoriert? Ach Bo …«

»Okay, okay, du hast ja recht. Ich will nur nicht, dass du dir Sorgen machst, das ist alles. Hey, kann doch nicht sein, dass du gleich zitterst wie ein Laubbaum, nur weil dir ein kleiner Junge eine Geschichte erzählt, was? Tu dir das nicht an. Wenn du so weitermachst, hast du morgen einen Herzinfarkt, das sag ich dir. Du weißt gar nichts. Auch nicht, ob das Kind sich nicht verhört hat, richtig?«

»Was mache ich ohne den Job? Was mache ich, wenn sie mich –«

»Komm schon, was soll das *sisa*? Hey! Pass auf, wenn du so große Angst hast, rufe ich Frank an und frag nach. Wenn Cindy will, dass Clark dich feuert, wird Clark das nicht vor Frank verheimlichen. Und ich kann Frank bitten, dass er dir hilft, Clark zu überzeugen.«

»Ja, bitte, das ist die beste Idee. Er hat mir auch geholfen, den Job zu bekommen. Und er mag mich … Bitte mach das. Er ist immer nett zu mir, wenn ich ihn und Mr Edwards irgendwo hinfahre.«

»Dann brauchst du dir keine Sorgen machen. Ich rufe ihn morgen an, okay?«

»Ich weiß nicht, wie ich dir danken soll, Bo.«

»Gib mir deinen erstgeborenen Sohn als Diener«, sagte Winston und brachte Jende damit zum Lachen.

Als er aufgelegt hatte, lehnte Jende den Kopf zurück, schloss die Augen und sagte sich, dass er jetzt nur an Gutes denken durfte. Das hatte sein Vater immer zu ihm gesagt: Auch wenn die Dinge schlecht stehen, denk nur an gute Dinge. Und daran hatte er sich in Augenblicken größter Hilflosigkeit gehalten, wie in den vier Monaten im Gefängnis in Buea, als er nur hatte warten können, bis sein Vater sich genug Geld geliehen hatte, um Nenis Vater zu überzeugen, dass dieser Jendes Freilassung erwirkte. Alles im Gefängnis war noch grauenhafter gewesen, als er es sich vorgestellt hatte: die kalte Bergluft, von der seine Haut juckte und er den ganzen Tag über zitterte, die viel zu kleinen Portionen übel schmeckenden Essens, die Schlafzellen, jede Nacht zum Bersten voll mit schnarchenden Männern, die leicht übertragbaren Krankheiten wie die Ruhr, mit der er sich infiziert und zwei Wochen lang mit Bauchkrämpfen und hohem Fieber gewunden hatte. In den Nächten, als er so krank war, hatte er über sein Leben nachgedacht, darüber, was er damit machen wollte, wenn er endlich wieder frei war. Und er hatte sich sehnlichst gewünscht, Kamerun zu verlassen und in ein Land zu gehen, in dem man anständige junge Männer nicht wegen kleinster Vergehen ins Gefängnis warf, sondern ihnen stattdessen die Chance gab, etwas aus ihrem Leben zu machen. Als er schließlich aus dem Gefängnis kam – nachdem sein Vater Nenis Vater genug Geld für die Entbindung und alle Ausgaben im ersten Jahr des Kindes gegeben hatte und nachdem Pa Jonga versprochen hatte, dass Jende sich auch ganz sicher für immer von Neni fernhalten würde –, kehrte Jende mit dem Entschluss nach Limbe zurück, von jetzt an Geld zu sparen, um das Land zu verlassen. Über seinen Freund Bosco, der bei der Stadtverwaltung von Limbe arbeitete, bekam er dort einen Job und fing an, jeden Monat Geld für eine Zukunft mit Neni zur Seite zu legen, obwohl Neni in dem ersten Jahr nach seiner Entlassung nichts weiter von ihm wissen wollte, anfangs, weil ihr Vater gedroht hatte, sie rauszuschmeißen, wenn sie ihr Leben weiter an Jende verschwendete, und später, weil sie um das tote Baby trauerte. Jende konnte sie letztlich zurückgewinnen – mit Liebesbriefen, die er ihr alle zwei Wochen persönlich brachte und in denen es von Wörtern wie »bedingungslos« und »unendlich« nur so wimmelte. Aber jedes Mal, wenn er sein Erspartes mit den Preisen für ein Flugticket verglich, kam ihm der Traum von einem gemeinsamen Leben in Amerika noch unerreichbarer vor als der erdnächste Stern. Zehn Jahre später verdankte er es allein Winstons Job als Anwalt an der Wall Street, dass er das Geld für den

Flug nach Amerika und den Neuanfang dort doch noch zusammenbekam.

Aber bei aller hinzugewonnenen Freiheit hatte das neue Leben auch neue Schmerzen mit sich gebracht. Es hatte neue, von ihm zuvor nicht bedachte Formen der Hilflosigkeit ausgelöst, wie die Angst und Verzweiflung, die er durchlebt hatte, als Neni und Liomi nach einem Busunfall im Krankenhaus lagen. Obwohl sie mit leichten Verletzungen davongekommen waren (Liomi mit einem blauen Auge und Schwellungen im Gesicht; Neni mit einem verrenkten Hals und einem gebrochenen Handgelenk, außerdem mit Prellungen und Schürfwunden), verfolgte ihn die Vorstellung, dass die Sache auch anders hätte ausgehen können – dass Nenis Schwester ihn nicht angerufen hätte, um ihm von Verletzungen zu berichten und um Geld für die Krankenhausrechnungen zu bitten, sondern um zu sagen, dass sie tot seien und dass er bitte Geld für die Beerdigung schicken solle. Der Gedanke daran, dass sie hätten sterben können, während er in Amerika festsaß, hatte ihm das Blut in den Adern gefrieren lassen, weshalb er sich immer wieder gezwungen hatte, ausschließlich an Gutes zu denken.

Und genau das tat er jetzt, als er mit geschlossenen Augen im Wagen saß. Er malte sich aus, wie Mr und Mrs Edwards sich versöhnten und wieder so glücklich wurden, wie sie es nach Vinces' Erzählungen in Alexandria, Virginia, gewesen waren, bevor sein Vater angefangen hatte, achtzig Stunden pro Woche bei Lehman zu arbeiten und vier-, fünfmal im Monat zu verreisen, und bevor es so weit gekommen war, dass seine Mutter eigentlich nur noch lächelte, wenn sie mit ihren Söhnen oder Freundinnen zusammen oder aber irgendwo war, wo sie glaubte, sie müsste der Welt vorgaukeln, eine glückliche Frau in einer glücklichen Ehe zu sein. Jende war nicht sicher, ob die Ehe der Edwards je wieder so werden könnte wie in diesen längst vergangenen glücklichen Tagen, als sie zwar weniger Geld hatten, es aber mehr Zusammensein gab und nur Vince als Einzelkind, aber das war nicht so schlimm, weil nicht alle Ehen glücklich sein mussten. Sie mussten nur einigermaßen angenehm sein, und er hoffte, die Edwards würden wenigstens dahin zurückfinden.

Er dachte an Vince in Indien und wünschte ihm Glück für seine Suche nach Wahrheit und Einssein. Hoffte, die ganze Familie wäre irgendwann wieder vereint und er noch viele Jahre ihr Chauffeur. Er liebte seinen Job und wollte ihn unbedingt behalten, solange er in New York lebte. Es gab auch harte Tage, aber Mr Edwards war ein guter Mann, die Jungs waren gute Jungs, und Mrs Edwards war eine gute Frau, auch wenn sie so tat, als hätte die ganze Welt sie im Stich gelassen.

Als er die Augen öffnete, klingelte sein Handy. Er schaute aufs Display: Es war Mr Edwards. Er lächelte. Gerade hatte er noch an ihn gedacht, und jetzt rief er an – das bedeutete, Mr Edwards würde ein langes Leben haben.

»Wie war Ihr Weihnachen?«, fragte Clark.

»Sehr gut, Sir. Ich hoffe, für Sie war es auch gut.«

»Es war okay«, sagte Clark. Er machte eine Pause und räusperte sich. »Warten Sie gerade auf Mighty?«

»Ja, Sir.«

»Dachte ich mir. Hören Sie, können Sie mir einen Gefallen tun? Können Sie zu mir ins Büro kommen, wenn Sie Mighty abgesetzt haben?«

»Sie sind im Büro, Sir?«

»Ja, bin eben rein, ich hab mir ein Taxi gerufen. Ich wollte Sie Mighty nicht wegnehmen.«

»Verstehe, Sir. Wenn ich Mighty zu Hause abgesetzt habe, komme ich gleich zu Ihnen.«

»Gut, bestens. Und … können Sie den Wagen abstellen und nach oben kommen? Ich muss … Wir müssen reden.«

38.

Er war plötzlich in Midtown, ohne zu wissen, wie er dorthin gekommen war. Gut möglich, dass er unbewusst ein paar rote Ampeln überfahren hatte, die Spur gewechselt hatte, ohne zu blinken, und dem Auto vor ihm viel zu dicht aufgefahren war. Gut möglich, dass er kurz auf den Bordstein gefahren war und nicht einmal das mitbekommen hatte, so wie er auch von den unzähligen Menschen auf dem Broadway nichts mitbekommen hatte.

Im Parkhaus zog er den Aktenkoffer unter dem Sitz hervor und hielt ihn eine ganze Weile fest auf dem Schoß. Einen Aktenkoffer zu besitzen und jeden Tag damit zur Arbeit zu gehen – das war fast der größte Stolz in seinem Job. Der Aktenkoffer gab ihm das Gefühl, es zu etwas gebracht zu haben, als wäre er selbst ein großer Mann, nicht nur ein kleiner Mann, der einen großen Mann umherkutschierte. Nach seinen ersten zwei Monaten als Chauffeur der Edwards hatte er sich auf die Suche nach dem perfekten Aktenkoffer gemacht und auf dem Grand Concourse in der Bronx den hier gefunden: ein rechteckiges Gehäuse aus schwarzem Kunstleder mit vernickeltem Griff. Er sah aus wie die Aktenkoffer, mit denen die Büroangestellten der Stadtverwaltung von Limbe früher zur Arbeit gegangen waren, wie die Aktenkoffer, die er bewundert hatte, wenn er ihre Besitzer damit in die Büros spazieren sah, während er draußen blieb, die Straßen kehrte und die Mülltonnen leerte. Durch seinen eigenen Aktenkoffer war aus ihm auch ein Büroangestellter geworden. Jeden Morgen, bevor er zur Arbeit ging, packte er sein Mittagessen ein und legte es im Koffer neben sein Wörterbuch und seinen Stadtplan, ein Stofftaschentuch und eine Packung Papiertaschentücher, neben Kulis und alte Zeitungs- und Zeitschriftenartikel, die er noch lesen wollte. Wenn er mit Anzug und Ansteckkrawatte in der U-Bahn Richtung Downtown saß und den Aktenkoffer fest in der Hand hielt, unterschied er sich durch nichts von den Wirtschaftsprüfern, Ingenieuren und Finanzberatern um ihn herum.

Er legte den Aktenkoffer auf den Beifahrersitz und öffnete das Handschuhfach. Es war besser, wenn er alle seine Sachen aus dem Wagen räumte, sagte er sich. Er wollte nicht überängstlich oder pessimistisch sein, aber eben doch auf alles vorbereitet, wenn ein Gespräch bevorstand, das so oder so ausgehen konnte. Wahrscheinlich wollte Mr Edwards nur mit ihm reden, ihm etwas sagen, das er ab jetzt anders machen oder unterlassen sollte. Sicher würde er am Ende mit einem Lächeln aus dem Gespräch gehen und sich darüber ärgern, dass ihm schon vor Verlassen des Wagens der Schweiß ausgebrochen war. Aber was, wenn es nicht glücklich ausging? Natürlich würde es glücklich ausgehen. Wahrscheinlich würde es … ganz bestimmt würde es … aber es war besser, alles mitzunehmen und den Wagen ordentlich zu hinterlassen. Er schaute ins Handschuhfach, aber da war nichts von ihm, nichts, was er hineingeschmissen oder darin vergessen hätte. Darauf hatte er immer penibel geachtet, alle seine Sachen, auch seinen Müll, im Aktenkoffer zu verstauen; obwohl er täglich so viele Stunden in dem Wagen verbrachte, den ganzen Tag gewissermaßen darin lebte, war er sich immerzu bewusst gewesen, dass der Wagen nicht ihm gehörte und auch nie gehören würde.

Er drehte sich um und schaute auf die Rückbank. Da er den Wagen kurz vor Weihnachten gründlich gereinigt hatte, war sie makellos sauber, genauso wie die Fußmatten. Wenn er jetzt entlassen wurde, hinterließ er alles in gutem Zustand. Aber nein, er würde nicht entlassen werden. Mr Edwards und er würden nur etwas besprechen. Sich ganz normal unterhalten. Nichts weiter.

Er zog sich die Handschuhe an, setzte sich den Hut auf und stieg mit dem Aktenkoffer aus dem Wagen.

Zum ersten Mal in seinem Leben war er dankbar für den Winter mit seinem kalten Hauch, der den Schweiß auf seiner Stirn trocknete. Der leichte Wind aus Süden fühlte sich erfrischend an, als er in der Abenddämmerung auf Barclays zulief, an Männern in Anzügen vorbei, von denen manche Aktenkoffer, manche Messenger-Taschen und manche gar keine Taschen trugen, weil sie die Gewissheit hatten, am nächsten Morgen wieder an ihren Schreibtisch zurückzukehren, und sie wahrscheinlich gleich im Büro gelassen hatten.

Der Wachmann in der Empfangshalle bei Barclays, der wahrscheinlich schon reif war, das alte Jahr für beendet zu erklären und das neue Jahr frühzeitig einzuläuten, nickte abwesend, als Jende ihn begrüßte, und fragte auch nicht nach seinem Ausweis. Er schrieb Jendes Namen falsch auf und reichte ihm dann einen Besucherausweis, ohne ihn auch nur anzuschauen, viel zu abgelenkt von der Frau, mit der er gerade redete und lachte und die ebenfalls vom Wachpersonal war und voller Überzeugung, dass 2009 ihr Jahr werden würde, das Jahr, in dem sie endlich einen richtig guten Mann finden sollte.

Im Fahrstuhl stand er neben zwei Männern, die über ihre Jahresabschlussprämie sprachen. Mr Edwards hatte Jende gegenüber eine Gehaltserhöhung erwähnt, aber von einer Prämie hatte er nicht gesprochen. Ging es vielleicht darum? Das wäre sehr freundlich von Mr Edwards, aber Jende fand, bei einem so guten Gehalt, einer Gehaltserhöhung und dem angenehmen Arbeitsverhältnis bräuchte er keine zusätzliche Prämie. Wenn Mr Edwards ihm eine Prämie anbot, würde er das tun müssen, was Amerikaner taten, wenn sie etwas wollten, sich aber irgendwie schämten, es anzunehmen – er würde leicht protestieren und sagen, oh, nein, Sir, das müssen Sie nicht, Sir, das ist nicht nötig, das müssen Sie wirklich nicht, Sir … und dann würde er das Geld annehmen.

»Guten Abend, Sir«, sagte er, nachdem der Herr vom Empfang die Tür hinter ihm geschlossen hatte. Clark saß an seinem Schreibtisch und schrieb etwas auf einen Notizblock. Er schaute auf, lächelte Jende an und bedeutete ihm mit einer Geste, sich zu setzen. Dann schrieb er weiter.

Jende setzte sich und ermahnte sich, tief ein- und auszuatmen, denn Atmen war das Einzige, was er jetzt tun konnte.

Falls man durch das Fenster neben Clarks Schreibtisch Lichter glitzern sah, so nahm Jende sie nicht wahr. Falls an den Wänden Gemälde hingen oder an dem Büro irgendetwas bemerkenswert war, so bemerkte er es nicht. Er bemerkte einzig seinen Atem und seinen Herzschlag, der ihn an eine Trommel erinnerte, die er als Kind bei Vollmond gespielt hatte, während alle anderen Kinder bis Mitternacht in den Straßen von New Town getanzt hatten.

Clark legte den Notizblock zur Seite, schaute auf und legte die Hände auf dem Schreibtisch übereinander. »Jende«, sagte er, »ich hoffe, Sie wissen, dass ich Sie sehr schätze.«

»Danke, Sir.«

»Sie waren mit Abstand mein Lieblingschauffeur ... absolut kein Vergleich, ich könnte mir keinen besseren vorstellen. Sie sind tüchtig und respektvoll und einfach ein netter Kerl. Es war wirklich großartig mit Ihnen.«

Bitte sag schnell, was du sagen willst, bevor ich sterbe, betete Jende leise vor sich hin, nickte aber und lächelte gequält. »Ich bin sehr froh, dass Ihnen meine Arbeit gefällt, Sir«, sagte er.

Clark fuhr sich mit der Hand durch die Haare. Er holte tief Luft, schüttelte den Kopf und rieb sich die Augen. Einen Augenblick lang war Jende nicht sicher, was der Mann sagen wollte. War er krank und wollte ihm verständlich machen, was es heißen würde, für einen kranken Mann zu arbeiten? Zog er um und wollte, dass Jende mitkam? Es kam ihm vor, als würde es bei dem Ganzen um Mr Edwards gehen, nicht um ihn. Aber dann schaute Clark ihn an, und Jende sah es in seinem Blick.

»Es tut mir aufrichtig leid, Jende«, sagte er, »aber ich fürchte, ich muss mich von Ihnen trennen.«

Jende senkte den Kopf. Also doch. Es passierte tatsächlich.

»Es tut mir aufrichtig leid« , sagte Clark wieder.

Jende hielt den Kopf gesenkt. Er war darauf vorbereitet gewesen und dann doch wieder nicht. Alle möglichen Gefühle überwältigten ihn, aber er wusste nicht, welchem er nachgeben sollte.

»Ich weiß, es ist ein schrecklicher Zeitpunkt, jetzt wo das Baby –«

»Warum, Sir?«, fragte Jende und schaute auf.

»Warum?«

»Ja, Sir!«, sagte er. »Ich möchte wissen, warum!«

Er konnte sich nicht beherrschen. Wut hatte sich gegen alle anderen Gefühle durchgesetzt, und es hatte keinen Sinn, sie zu unterdrücken. Der Schweiß an seinen Händen kam nicht länger von der Angst, sondern der Wut. »Sagen Sie mir, warum, Sir!«, sagte er noch einmal.

»Es ist … Es ist kompliziert.«

»Wegen Mrs Edwards, Sir?«

Clark antwortete nicht. Er wich Jendes Blick aus.

»Ist es wegen Mrs Edwards?«, fragte Jende wieder. Seine Stimme war laut – er konnte sich nicht beherrschen.

»Jende, gerade ist einfach zu viel los … es tut mir wirklich leid. Ich versuche mein Bestes … Das tue ich wirklich, aber anscheinend ist es nicht gut genug, und es … Und gerade wird einfach alles ein wenig zu viel.«

»Sie haben mir immer noch nicht gesagt, ob es wegen Mrs Edwards ist, Sir!«

»Ich versuche nur … Es ist sehr kompliziert –«

»Lügen Sie mich nicht an, Sir! Es ist wegen ihr!«, schrie Jende, der aufsprang und den Stuhl zurückstieß. Er nahm den Aktenkoffer vom Boden und knallte ihn mit solcher Wucht auf den Tisch, dass Clark zurückzuckte.

»Es ist wegen dem Buch, Sir!«, sagte er, ließ den Aktenkoffer aufschnappen und nahm das blaue Notizbuch heraus. Er pfefferte den Aktenkoffer wieder auf den Boden, hielt das Notizbuch in die Luft und fuchtelte, den Blick dabei immer auf Clark gerichtet, wild hin und her. »Es ist wegen dem dummen Buch, nicht, Mr Edwards?«, schrie er, die Stimme vor Wut und Schmerz verzerrt. »Sie haben mir gesagt, was ich für Sie reinschreiben soll, und das hab ich gemacht. Ich hab nur das geschrieben, was Sie mir gesagt haben. Genau das, Sir! Also sagen Sie es mir, Sir! Es ist das Buch, Mr Edwards, ja?«

Clark sagte kein Wort. Er bat Jende auch nicht, die Stimme zu senken. Er schlug die Hände vors Gesicht und rieb sich erneut die Augen.

»Ich habe nur das gemacht, worum Sie mich gebeten haben, Sir! Ich habe es für Sie gemacht, Mr Edwards! Aber ihr gefällt das nicht, weil sie was anderes glaubt, hab ich recht, Sir? Sie denkt, dass ich ein Lügner bin. Genau das denkt sie, oder? Aber ich bin kein Lügner! Ich schwöre bei meinem Großvater, dass ich nie etwas tun würde, was eine andere Familie in Schwierigkeiten bringt. Und jetzt bestrafen Sie mich, Sir? Sie bestrafen mich und lassen meine Kinder leiden, weil ich gemacht habe, was Sie mir gesagt haben?«

»Es tut mir so leid –«

»Hören Sie auf!«, schrie Jende und knallte das Buch auf den Schreibtisch. »Ich will nicht Tut-mir-leid, ich will einen Job! Ich brauche diesen Job, Mr Edwards. Bitte tun Sie mir das nicht an! Bitte, ich flehe Sie an, Mr Edwards, für meine Frau, meine Kinder und meine Eltern! Für mich und meine Familie, bitte, Sir, bitte, ich flehe Sie an … tun Sie das nicht!«

Er setzte sich hin, schwitzte und keuchte. Das Stofftaschentuch war im Aktenkoffer, aber es hatte keinen Sinn, es herauszuholen.

Clark öffnete eine Schublade, nahm einen Scheck heraus und reichte ihn Jende. »Ihr Gehaltsscheck für den Rest der Woche«, sagte er. »Und mehr.«

Jende nahm den Scheck, ohne Clark anzusehen, faltete ihn, ohne draufzuschauen. Er stand auf und kniete sich neben den Aktenkoffer, um seine Lunchbox und das Wörterbuch aufzuheben, die herausgefallen waren, als er den Aktenkoffer auf den Boden geworfen hatte. Nachdem er den Scheck zwischen die Wörterbuchseiten geschoben hatte, stand er auf, strich sich den Anzug glatt und griff nach dem Aktenkoffer.

Clark Edwards erhob sich ebenfalls und streckte ihm die Hand entgegen.

»Jende, danke für alles«, sagte Clark und schüttelte Jendes kraftlose Hand.

»Gute Nacht, Sir.«

39.

In der eigenen Not das Glück der anderen mit ihnen teilen zu können, sei ein Zeichen wahrer Liebe, predigte Natasha in der Judson. Es zeige die Fähigkeit, sich selbst zurücknehmen zu können und sich nicht als separaten, sondern lebendigen Teil der göttlichen Einheit zu begreifen.

Als Neni aus der Kirche nach Hause kam, wollte sie Jende von Natashas Botschaft erzählen. Sie wollte ihm sagen, dass sie trotz aller Umstände glücklich sein sollten, weil es so viel Glück in der Welt gab und die ganze Menschheit eins war. Genau das und noch mehr wollte sie ihm sagen, konnte aber nicht, weil sie nicht wusste, ob sie es selbst glaubte. Sie war verzweifelt, daran änderte auch das Glück der anderen nichts.

Der Jende, der nach dem Gespräch mit Mr Edwards abends zu ihr nach Hause gekommen war, war ein vom Leben gnadenlos zu Boden gedrückter Mann. Sie hatte an dem Abend vermutet, dass etwas nicht stimmte, es aber für falsch gehalten, einen erschöpften Mann zum Reden zu drängen, und ihn in Ruhe gelassen. Er ging ohne Abendessen ins Bett und sagte nur, er hätte einen schlechten Tag gehabt und wäre sehr müde.

»Ich werde nicht mehr für Mr Edwards arbeiten«, sagte er, als sie am nächsten Morgen gegen fünf wach wurde, weil Timba gestillt werden musste.

Was war passiert? O Gott. Was war nur passiert? Wie sollten sie das schaffen? Warum passierte das ausgerechnet jetzt, so kurz vor dem Gerichtstermin?

Nichts war passiert. Mr Edwards war ein guter Mann und sehr zufrieden mit seiner Arbeit. Er brauchte ihn nur nicht mehr.

»Aber warum?«

»Er hat nicht gesagt, warum. Er hat sich nur bei mir bedankt und gesagt, dass er mich nicht mehr braucht.«

»Oh, Papa Gott. Warum, Papa Gott, warum?«

Sie würden es schaffen, versicherte er ihr. Mr Edwards hätte ihm zum Abschied einen netten Scheck in Höhe von zwei Monatsgehältern gegeben. Und er würde längst wieder ein Taxi in der Bronx fahren, bevor sie das Geld aufgebraucht hätten. Er müsste nur Mr Jones anrufen und um seinen alten Job bitten.

»Wir haben es bis hier geschafft, oder?«, sagte er, legte die Hände auf ihre Schultern und schaute sie an. »Als ich in Limbe Müll aufgesammelt habe, hätten wir da geglaubt, dass wir es irgendwann nach New York schaffen?«

Sie schüttelte den Kopf und schloss die Augen, um ihren Tränen freien Lauf zu lassen. Timba lag leise murmelnd neben ihnen im Bett, für sie war die Welt noch heil.

»Es ist wegen Mrs Edwards!«, sagte sie.

»Das ändert nichts, *bébé*.«

»Es ist wegen ihr!«

»Komm her«, sagte er und zog sie an sich.

40.

Mr Jones, der Besitzer der Livery Cabs, hatte keine Schichten zu vergeben. »Die Leute stehen Schlange, um als Taxifahrer zu arbeiten«, sagte er. »Viel zu viele. Ich hab nicht mal genug Autos für alle.«

»Auch keine Spätschichten?«, fragte Jende. »Ich nehme alles.«

»Ich hab nur fünf Autos. Fünf Autos und vierzehn Leute, die sie fahren wollen.«

Jende versuchte, ihn zu überreden, ihm Schichten von anderen Fahrern zu geben. »Aber Mr Jones, ich habe den Wagen immer mit Sorge behandelt, wissen Sie noch? Keine Unfälle. Keine Kratzer.«

»Tut mir leid, Bro. Ich hab keine freien Schichten mehr. Für die nächsten zwei Monate ist alles dicht. Ich ruf dich an, wenn jemand absagt, versprochen. Du kannst Springer machen.«

Neni kam ins Schlafzimmer, als er das Gespräch beendete. Er hielt den Kopf so tief gesenkt, dass man regelrecht Angst hatte, er könnte abfallen. Sie setzte sich neben ihn aufs Bett.

»Wir haben viel Geld gespart«, sagte sie und legte ihm die Hand auf den Oberschenkel.

»Ja, und?«

»Und darum sollten wir uns nicht zu viele Sorgen machen, ja?«

»Ja«, sagte er und stand auf. »Ja, genau, wir sollten uns erst Sorgen machen, wenn alles weg ist.«

Er ging ins Wohnzimmer, setzte sich aufs Sofa und schaltete den Fernseher ein. Keine Minute später schaltete er ihn wieder aus – er konnte nicht fernsehen. Arbeitslos zu Hause herumsitzen zu müssen, kam ihm vor wie die schlimmste Strafe überhaupt.

Nichts tun. Nichtsnutzigkeit. Fernsehen zu schauen, während andere arbeiteten, kam ihm schäbig vor – kleine Kinder machten das und alte und kranke Menschen, aber nicht gesunde Männer wie er.

»Soll ich dir frittierte Kochbananen und Eier machen?«, fragte Neni leise, die sich neben ihn gehockt und ihm die Hände auf die Knie gelegt hatte. Sie gab sich solche Mühe, das spürte er. Aber es war nicht ihre Aufgabe, ihn zu retten. Er musste sich selbst retten.

»Nein«, sagte er, stand auf und ging zur Tür. »Ich muss an die frische Luft.«

Nach einer Reihe schlafloser Nächte bekam er in der Woche darauf in zwei Restaurants einen Job als Tellerwäscher. In einem hatte er in seiner Anfangszeit in New York gearbeitet, noch bevor er sich um den Führerschein gekümmert und dann als Taxifahrer sein Geld verdient hatte. An seinem ersten Tag erzählte ihm einer der Mitarbeiter, dass in Hell's Kitchen ein neues Restaurant aufmache. Nach seiner Schicht fuhr er mit der nächsten U-Bahn hin und bekam auch dort einen Job. Mit den zwei Jobs arbeitete er vormittags, nachmittags und abends. Er arbeitete auch an den Wochenenden. An sechs Tagen die Woche ging er aus dem Haus, bevor Liomi wach wurde, und kam zurück, wenn er schlief. Für die vielen Stunden, die er arbeitete, bekam er weniger als die Hälfte von dem, was er bei den Edwards verdient hatte.

Besser so, als in Zeiten der Wirtschaftskrise ganz ohne Job dazustehen wie viele andere Leute, tröstete er sich. Dennoch war es ein würdeloser Abstieg, zuvor jeden Tag einen Anzug und einen Aktenkoffer getragen zu haben, an wichtige Orte gefahren zu sein und bei wichtigen Gesprächen mitgehört zu haben und jetzt nichts anderes zu tun, als Speisereste von Tellern zu kratzen und sie in eine Spülmaschine einzuräumen. Zuvor einen Lexus zu wichtigen Vorstandssitzungen gefahren zu haben und jetzt nur in der Ecke zu stehen und Silber zu polieren. Zuvor mehrere Stunden Leerlauf gehabt zu haben, in denen er im Wagen gesessen und Zeit zum Telefonieren gehabt hatte, Neni hatte anrufen und nach ihrem Tag hatte fragen können, seine Eltern hatte anrufen und nach ihrem Befinden fragen können und seine Freunde hatte anrufen können, um sich von ihnen auf dem Laufenden halten zu lassen, während ihm jetzt nur noch hier und da fünfzehn Minuten blieben, um sich kurz hinzusetzen und zu verschnaufen oder sich kostenlos was aus der Küche zu holen und zu essen.

Nach drei Wochen mit zwei Jobs fingen seine Füße an zu schmerzen.

»Vielleicht Arthritis«, meinte Neni, weil Jendes Vater daran erkrankt war. Die Finger und Zehen von Pa Jonga hatten sich verkrümmt, und Jende hatte immer Angst, die Krankheit könnte vererbbar sein. »Du musst zum Arzt«, sagte sie, nachdem er sich eine Nacht lang hin- und hergewälzt und keinen Schlaf gefunden hatte.

Ja, müsste er, aber wo sollte er die Zeit dafür hernehmen?, fragte er. Außerdem glaube er nicht, dass es Arthritis war. Schließlich war er noch keine vierzig und jung und stark; der Schmerz würde wieder weggehen. Eine kleine Massage nach der Arbeit würde reichen. Also rieb sie jeden Abend seine Füße mit Kokosnussöl ein und verband sie ihm. Am Morgen war der Schmerz erträglicher und Jende war bereit für weitere zwölf oder noch mehr Stunden am Abwasch.

Sie flehte ihn an, wieder arbeiten gehen zu dürfen.

Nur ein Anruf in der Agentur und sie würde schnell wieder einen Job in der Pflege bekommen. In Zeiten wie diesen waren zwei Gehälter besser als eins, brachte sie vor. Er sagte Nein – er wollte seine Frau zu Hause haben. Er war ihr Mann, er würde sie versorgen. Er ertrug den Gedanken nicht, dass sie ein Neugeborenes in einer Kindertageseinrichtung abgab, die sie sich kaum leisten konnten, um den ganzen Tag über zu arbeiten und abends völlig erschöpft nach Hause zu kommen, überfordert und schuldbeladen. Und dann müsste sie, ganz gleich, wie müde sie wäre, trotzdem noch ein Baby, einen kleinen Jungen und einen erwachsenen Mann mit Essen versorgen. Es war seine Aufgabe, sie vor einem solchen Leben zu beschützen. Und wenn ihm das nicht gelang, dann kam er seinen Pflichten nicht nach, was ohnehin ein Gefühl war, das ihn in vielen Nächten plagte, wenn er nach Hause kam und sah, dass sie sich Sorgen machte, weil die Windeln zur Neige gingen, Liomi neue Schuhe brauchte und sie nicht genug Geld hatten, um Rindfleisch zu kaufen. Jedes Mal, wenn er sie so besorgt sah, war er versucht, etwas von dem ersparten Geld zu nehmen, widerstand dann aber. Sie würden es auch mit dem wenigen schaffen, das er in den Restaurants verdiente. Neni musste im Herbst weiterstudieren. Sein Abschiebungsverfahren war längst nicht vorbei. Vielleicht stand ihnen das Schlimmste erst noch bevor.

Am Tag seiner Anhörung trug er den schwarzen Anzug, den er auch an seinem ersten Arbeitstag bei den Edwards getragen hatte. Neni hatte ihn am Abend zuvor gewaschen und gebügelt und ihn dann für den nächsten Morgen sorgfältig über den Stuhl gelegt. Keiner von beiden hatte abends etwas essen können, die Angst hatte ihnen den Appetit geraubt. Er hatte lange mit Winston telefoniert, während sie am Computer gesessen und Geschichten über Menschen gelesen hatte, die das Verfahren gegen ihren Abschiebungsbescheid verloren hatten, und von Familien, die sich plötzlich auf zwei Länder verteilt wiederfanden, weil ein Elternteil abgeschoben worden war. Ganz egal, was passiert, wir nehmen es so, wie es kommt, hatte er vor dem Schlafengehen zu ihr gesagt, und sie hatte mit Tränen in den Augen genickt.

»Schläfst du?«, hatte er mitten in der Nacht geflüstert.

»Nein, ich kann nicht.«

»Was sollen wir machen?«, fragte er und klang so verzweifelt, als müsste er dringend hören, dass alles gut werden würde.

»Ich weiß nicht, was wir machen sollen ... Ich weiß es einfach nicht.«

Sie konnten sich nicht zusammenkuscheln und eng umschlungen einschlafen, weil Timba zwischen ihnen lag, darum hielten sie sich über ihren kleinen Körper hinweg an den Händen.

Am Morgen stand er neben Bubakar, als dieser mit waschechtem amerikanischem Akzent die meisten Fragen des Richters beantwortete. Bubakar, der Richter und der Anwalt der Einwanderungsbehörde wechselten sich darin ab, Dinge zu sagen, die Jende nicht verstand. Der Richter setzte einen Termin für Juni fest, zu dem Jende erneut zu erscheinen hatte. Bubakar dankte dem Richter. Der Richter rief den nächsten Fall auf. Das Ganze dauerte keine zwei Minuten.

»Na, was hab ich dir gesagt?«, sagte Bubakar grinsend, als sie das Gerichtsgebäude verließen. »So mache ich das wieder und wieder und so verschaffen wir dir Zeit. Fürs Erste bist du ein freier Mann!«

Jende nickte, auch wenn er sich nicht frei fühlte. Ihm kam dieses Dasein armselig vor, wie ein Aufschub des Unvermeidbaren. Viel lieber wäre er wirklich frei gewesen.

41.

Mit der Geschenktüte auf dem Schoß saß sie im Bus und betrachtete durchs Fenster die vielen Menschen, die durch die Boutiquen und Schuhgeschäfte bummelten, in Handygeschäften und Drogerien, Weingeschäften und Fast-Food-Restaurants umherwuselten. Der Verkehr auf der 125. Straße war zäh – der M60er-Bus kam alle paar Sekunden zum Stehen –, aber sie blieb ruhig und lauschte dem Gespräch der zwei Männer hinter ihr, die sich über Obamas Amtsantritt unterhielten.

Das hätte ich für nichts verpassen wollen, sagte der eine.

Mein Sohn hat gesagt, dafür Stunden in der Kälte stehen?, nein, danke, sagte der andere.

Kälte?

Die Kinder, unglaublich, was? Ein historischer Augenblick und die reden vom Wetter!

Der Mann lachte.

Ich hab immer noch Gänsehaut, wenn ich daran denke, wie der Pfarrer zum Beten hoch ist, von dem Wunder gesprochen hat, dass so ein Tag überhaupt möglich –

Und wir haben es miterlebt.

Meine Mama hat es miterlebt.

Weißt du, was danach kommt, ist eigentlich unwichtig.

Richtig, Brother.

Weil da oben irgendwo Dr. King runterschaut auf seinen Bruder Barack und sagt, das ist mein Junge.

Genau. Unser Junge hat's geschafft.

An der Lexington Avenue stieg Neni aus und nahm die U-Bahn Nummer 5 Richtung Downtown. Wieder hielt sie die Geschenktüte auf dem Schoß, den Henkel fest umschlossen. Als sie an der 77. Straße ausstieg, kontrollierte sie die Adresse der Edwards und ging dann in Richtung Park Avenue. Sie war noch nie in diesem Teil der Stadt gewesen und war völlig überwältigt: kein Müll auf den Straßen, Portiers, die aussahen wie reiche Männer, eine Frau, die mit Louboutin-Pumps mit fünfzehn Zentimeter hohen Absätzen umherstolzierte, als ob die Welt mit allem Prunk und Glanz allein ihr gehörte, und das alles ganz in der Nähe von Harlem und doch Welten von Harlem entfernt.

»Kann ich Ihnen helfen?«, fragte der Portier, der vor der einbruchssicheren Tür des Sapphire stand und keinen Schritt zur Seite wich.

»Ich möchte zu Mrs Edwards, bitte«, sagte sie.

»Werden Sie erwartet?«

Neni nickte und hoffte, ihr Schweigen sei die beste Tarnung.

»Bediensteteneingang«, sagte der Mann und zeigte zur Tiefgarage auf der rechten Seite.

Ihr Herz klopfte schneller als gewöhnlich, als sie in dem gedämpften Licht den Flur zum Apartment 25 A entlangging. Was, wenn Mrs Edwards nicht zu Hause war?, überlegte sie. Was, wenn Anna es sich anders überlegt hatte und sie nicht reinließ? Anna hatte gesagt, gut möglich, dass Mrs Edwards im Schlafzimmer wäre und nicht gestört werden wollte, Neni könnte aber vorbeikommen und ihr Glück versuchen.

»Du hast Glück«, sagte Anna im Flüsterton, als sie die Tür öffnete. »Sie ist gerade ins Wohnzimmer.«

Neni zog im Vorraum die Schuhe aus und folgte Anna in die Küche.

»Was willst du von ihr?«, fragte Anna und schaute Neni fragend an.

»Ich will ihr ein Geschenk geben.«

»Ich gebe es ihr«, sagte Anna und streckte die Hand aus.

»Nein, das möchte ich selbst machen«, sagte Neni und versteckte die Tüte rasch hinterm Rücken. Sie konnte Anna unmöglich in ihren Plan einweihen. Anna würde sie sicher davon abbringen wollen.

Zwei Tage nach Jendes Kündigung hatte Anna angerufen und gesagt, es würde ihr so leidtun und sie hätte Angst, die Nächste zu sein, weil sich Cindy ganz seltsam verhielt (so gut wie nichts aß, so gut wie nie ausging, morgens manchmal mit verquollenen, blutunterlaufenen Augen durch die Wohnung stolperte), und sie könnte Clark jetzt nichts vom Alkohol erzählen, weil Cindy, wenn sie Anna im Verdacht hätte, über sie zu reden, auch die vielen Jahre egal wären, die Anna für die Familie arbeitete. Anna rief schon heimlich bei Agenturen an, um zu sehen, ob sie einen anderen Job als Haushaltshilfe finden könnte, und bis dahin sprang sie bei jedem Wort von Cindy noch höher, um Cindy keinen Grund zu geben, sie zu feuern, weil sie den Job vor allem jetzt dringend brauchte, wo ihre Tochter auf dem College war, die Baufirma von ihrem Sohn pleiteging und er und seine Frau mit ihren drei Kindern wieder bei ihr wohnten. Neni, noch immer halb im Schock und ohne große Lust, darüber zu reden, dass jemand vielleicht seinen Job verlieren könnte, während ihr Mann seinen gerade verloren hatte, hatte Anna gleichgültig versichert, dass Cindy sie nach zweiundzwanzig Dienstjahren nicht feuern würde, aber Anna war dabei geblieben, dass man das nie wissen konnte, die Leute würden manchmal komische Sachen machen, man könnte also nie sicher sein.

»Bleib hier«, sagte Anna. »Ich frage, ob sie dich sehen will.«

Eine ganze Weile stand Neni allein in der Küche und sah sich alles genau an: die makellos glänzenden Edelstahlgeräte und die cremefarbenen Küchenschränke mit den Messinggriffen, die glänzende Arbeitsfläche und die daraufstehende Schüssel mit perfekt aussehenden Äpfeln und Bananen, den schwarzen Marmortisch mit der Vase frischer rosa Callas, den Wolf-Herd mit den auffälligen roten Knöpfen. Die Küche war noch schöner als die in Southampton, die Neni für absolut unübertreffbar gehalten hatte. Sie fragte sich, ob Cindy hier oft kochte oder ob sie die Küche nur gelegentlich nutzte, um ein bestimmtes Gericht für die Jungs zu machen, oder nur der Küchenhilfe bei Partyvorbereitungen detaillierte Anweisungen gab, so wie sie es auch den Sommer über getan hatte.

»Du kannst jetzt ins Wohnzimmer«, flüsterte Anna ihr zu. »Mach schnell.«

Neni hatte das Wohnzimmer der Edwards hier auf der Upper East Side noch nie betreten und war im ersten Moment völlig eingenommen von der riesigen Glasfront und dem Blick auf Manhattan – ein Panorama hoher Wolkenkratzer aus Stahl, Glas und Beton, so dicht gedrängt wie die Häuser und Hütten in New Town, Limbe. Es duftete süßlich nach einer dezenten Mischung aus Babypuder und Parfüm, und sie bemerkte, dass alles, genau wie Jende es gesagt hatte, weiß oder grau gehalten war: die großen Kronleuchter (weiße Kristalle, glänzend poliertes Silber), der Fußboden (glänzender grauer Marmor), der plüschige Teppich (schneeweiß), das große und das kleine Sofa (weiß), die Sessel (grau mit weißen Überwürfen), die Strukturtapete (in vier verschiedenen Grautönen), der Glastisch in der Mitte und die Vasen darauf, die Kerzenständer in jeder Ecke des Raumes (silbern), die Ottomane (grau gestreift), die beiden großen Bilderrahmen über dem großen Sofa mit Strichzeichnungen einer nackten Frau, einmal auf dem Rücken liegend, einmal auf der Seite (weiße Leinwand), und die Fenstervorhänge samt Querbehang (silbern).

»Anna sagt, Sie haben mir etwas mitgebracht?«, sagte Cindy, ohne von dem Buch aufzuschauen, in dem sie las.

»Ja, Madam«, sagte Neni. »Guten Morgen, Madam.«

Cindy streckte die Hand nach der Geschenktüte aus.

»Das hat meine Mutter in Kamerun genäht, Madam«, sagte Neni und reichte es ihr. »Ich dachte, es würde Ihnen gefallen, weil Ihnen so ein ähnliches gefallen hat, das ich in den Hamptons getragen habe.«

Cindy warf einen raschen Blick in die Tüte und stellte sie dann neben sich auf den Boden. »Danke«, sagte sie. »Und grüßen Sie Jende von mir.«

Reglos und verwirrt stand Neni da.

So hatte sie sich das Wiedersehen nicht vorgestellt. Sie hatte nicht damit gerechnet, dass gar nichts mehr davon übrig sein könnte, wie gut Cindy und sie an ihren letzten Tagen in Southampton miteinander ausgekommen und dann auseinandergegangen waren (mit einer Umarmung, wenn auch einer merkwürdigen, von der sie geglaubt hatte, sie der Madam aus Dankbarkeit für all die Geschenke und die Geldprämie schuldig gewesen zu sein). Cindy hatte sich beim Brunch in Junes Apartment nach Liomi erkundigt und Neni gesagt, sie würde Jende ein paar von Mightys alten Winterjacken für ihn mitgeben, was sie zwei Tage darauf auch getan hatte. Aber die Mrs Edwards, die heute an diesem Dienstag vor ihr im Wohnzimmer saß, war nicht die glückliche Mrs Edwards von damals. Anna hatte kurz fallen lassen, dass Cindy mindestens fünf Kilo abgenommen hatte, seit Clark einen Tag nach Weihnachten ins Hotel gezogen war, und Neni sah selbst, wie ausgemergelt ihr Gesicht unter der Make-up-Schicht wirkte.

»Noch etwas?«, fragte Cindy und schaute zu ihr auf.

»Ja … ja, Madam«, sagte Neni. »Ich bin auch hier, weil ich mit Ihnen sprechen möchte, Madam.«

»Ja?«

Sie musste jetzt stark sein, um sagen zu können, was sie sagen wollte, und darum trat Neni näher ans Sofa heran und setzte sich neben Cindy. Bei so viel Dreistigkeit ihrer ehemaligen Hausangestellten riss Cindy die Augen auf, sagte aber nichts.

»Ich bin hier, weil ich sagen möchte, … bitte helfen Sie meinem Mann«, sagte Neni. Sie hatte den Kopf geneigt und die Augen leicht zusammengekniffen und bat auf diese Art um Hilfe, wie sie es mit Worten nicht konnte. »Bitte helfen Sie meinem Mann … helfen Sie ihm, seinen Job bei Mr Edwards zurückzubekommen.«

Cindy drehte sich weg und schaute zum Fenster. Während sich draußen die unendlich vielen Geräusche New Yorks vermischten, wartete Neni auf eine Antwort.

»Sie machen mir vielleicht Spaß«, sagte Cindy und wandte

sich wieder Neni zu. Sie sagte es, ohne zu lächeln. »Sie kommen hierher und bitten mich, Ihrem Mann zu helfen?«

Neni nickte.

»Warum? Was sollte ich für ihn tun?«

»Irgendetwas, Madam.«

»Ihr Mann hat seinen Job verloren, weil Clark seine Dienste nicht mehr benötigt. Daran lässt sich nichts ändern.«

»Aber Madam«, sagte Neni, den Kopf noch immer leicht geneigt, noch immer mit flehendem Blick, »vielleicht können Sie ihm helfen, einen anderen Job zu bekommen? Vielleicht kennen Sie jemanden oder ihre Freunde, der einen Chauffeur braucht?«

Cindy lachte auf. »Wofür halten Sie mich?«, fragte sie. »Sehe ich aus wie eine Vermittlungsstelle? Warum kann er nicht da rausgehen und nach einem Job suchen wie jeder andere?«

»Madam, es liegt nicht daran, dass er keinen Job finden kann. Er hat eine kleine Sache gefunden, als Tellerwäscher in einem Restaurant, aber es ist nicht leicht, so viele Stunden, und ihm tun jeden Abend die Füße weh. Es ist so hart da draußen, Madam. Es ist zu … Es ist sehr schwer im Moment, einen guten Job zu finden, und für die Kinder und mich ist es auch schwer, weil er keinen guten Job hat, mit dem er uns versorgen kann.«

»Tut mir leid«, sagte Cindy und nahm ihr Buch wieder auf. »Es ist nun mal nicht leicht da draußen.«

Neni schnürte es die Kehle zu und sie musste heftig schlucken. »Aber in den Hamptons, Madam«, sagte sie, »da haben Sie gesagt, ich soll Ihnen helfen. Wissen Sie noch, was ich Ihnen versprochen habe, Madam? Von Frau zu Frau. Von Mutter zu Mutter. Das bitte ich Sie heute auch. Bitte, Mrs Edwards. Helfen Sie mir irgendwie.«

Cindy las weiter.

»Ganz egal wie, Madam. Es kann auch ein Job für mich sein. Es kann auch –«

»Es tut mir leid, okay? Ich kann Ihnen nicht helfen. Ich wünschte, ich könnte es, aber ich kann nicht.«

»Bitte, Madam –«

»Ich wäre froh, wenn Sie jetzt gehen, damit ich weiterlesen kann.«

Aber sie ging nicht. Neni Jonga würde nicht gehen, bevor sie nicht bekommen hatte, was sie wollte. Sie drehte sich um, hob ihre Handtasche vom Boden auf und nahm ihr Handy heraus. Sie klappte es auf, und da, im Ordner mit den Bildern, fand sie, wonach sie suchte. Jetzt war der Augenblick gekommen.

»An dem Tag damals«, sagte sie und hielt den Kopf jetzt gerade, »habe ich ein Foto gemacht.«

Cindy schaute von ihrem Buch auf.

»An dem Tag damals in den Hamptons«, sagte Neni leise, rutschte näher und hielt Cindy ihr Motorola RAZR vors Gesicht, »hab ich das hier aufgenommen.«

Cindy schaute auf das Foto. Wie sie so auf das Bild starrte – sie im Vollrausch, zusammengesackt am hohen Kopfende des Bettes, die schlaffen Arme gespreizt, der Mund halb geöffnet, die Speichelspur am Kinn und das Tablettenfläschchen und die halb geleerte Weinflasche auf dem Nachttisch neben ihr –, sah ihr Gesicht nicht mehr nur ausgemergelt, sondern gespenstisch aus.

»Wie können Sie es wagen!«

Neni zog das Handy weg und klappte es zu.

»Sie glauben, Sie können mich erpressen? Für wen halten Sie sich?«

»Ich bin nur eine Mutter, Madam, wie sie«, sagte Neni und steckte das Telefon zurück in ihre Handtasche. »Ich tue nur, was ich für meine Familie tun muss.«

»Raus aus meiner Wohnung. Sofort!«

Neni rührte sich nicht.

Cindy erhob sich und wiederholte ihren Befehl.

Neni blieb wortlos sitzen.

»Ist alles in Ordnung?«, fragte Anna, die mit einem Staubwedel ins Wohnzimmer gerannt kam. Sie hatte Cindy angesprochen, schaute aber zu Neni, der sie einen wütenden Was-zum-Teufel-machst-du-Blick zuwarf. Neni ignorierte sie. Das hier ging sie nichts an.

»Ruf die Polizei!«, schrie Cindy.

Neni rührte sich immer noch nicht. Sie lachte und schüttelte den Kopf.

»Ja«, sagte Anna und eilte in Richtung Küche, bis sie auf halbem Weg stehen blieb.

»Was soll ich sagen?«

»Eine Einbrecherin! Mach schnell. Bring mir das Telefon!«

Neni blieb sitzen. »Ich habe das alles gegoogelt, Madam«, sagte sie grinsend.

»Was gegoogelt?«

»Wie man das hier gut macht ... was man sagen muss, wenn die Polizei kommt.«

»Sie mieses Stück Dreck!«

»Ich weiß, was die Polizei Sie fragen wird. Was ich sagen muss. Bevor die Polizei kommt, lösche ich das Bild. Wenn sie da ist, sage ich, dass ich nicht weiß, wovon Sie reden. Dann denkt die Polizei, Sie sind verrückt, und ruft Ihren Mann an. Oder ihre Freundinnen. Dann müssen Sie ihnen alles erzählen. Wollen Sie das, Mrs Edwards?«

»Anna! Das Telefon!«

Anna kam mit dem Telefon aus der Küche ins Wohnzimmer gerannt und gab es Cindy.

»Lass uns allein«, sagte Cindy zu Anna, die Neni erneut einen vernichtenden Blick zuwarf, bevor sie aus dem Wohnzimmer eilte.

Cindy hielt das Telefon in der Hand und starrte es an, als ob es eine ungeheure Kraft verlangen würde, die 911 zu wählen.

»Rufen Sie an«, sagte Neni.

»Halten Sie den Mund!«

»Was wollen Sie denen erzählen, Madam? Dass ich ein Foto von ihnen mit Drogen und Alkohol habe? Ich hab keine Angst. Sie sollten Angst haben. Wenn mich die Polizei mitnimmt, finden alle raus, warum!«

Cindy stand weiter da, das Telefon fest umklammert, und atmete schwer, ihr Brustkorb hob und senkte sich, als würde sie gerade den Kamerunberg hochrennen.

»Rufen Sie an, Madam«, sagte Neni wieder. »Bitte rufen Sie an.«
Wenn Blicke töten und Gliedmaßen abtrennen und einen Körper in kleinste Stücke zerlegen könnten, hätte Neni nur noch aus tausend kleinen Teilen bestanden. Aber all das konnten Blicke nicht ausrichten, und Neni sah, dass sie kurz vorm Ziel war.

Cindy warf das Telefon aufs Sofa und setzte sich zitternd hin. »Was wollen Sie?«, sagte sie zu Neni.

»Hilfe, Madam. Irgendeine Hilfe.«

»Und Sie glauben, auf die Art bekommen Sie welche? War das die ganze Zeit Ihr Plan, als ich Sie eingestellt habe? Mich zu erpressen? Herauszufinden, wie Sie meiner Familie schaden können?«

»Ich habe nie an so was gedacht, als ich das Foto gemacht habe. Ich hatte Angst an dem Tag, und ich hab das Foto gemacht, damit ich der Polizei zeigen kann, wie Sie ausgesehen haben, als ich ins Zimmer gekommen bin, und sie nicht mir die Schuld geben, wenn Ihnen was Schlimmes passiert. Das Foto hatte ich schon vergessen, bis ich vor ein paar Tagen –«

»Und das soll ich Ihnen glauben?«

»Mir ist egal, was Sie glauben. Aber das ist die Wahrheit, Mrs Edwards.«

»Erpressung … Erpressung …«, sagte Cindy, schüttelte den Kopf und fuchtelte mit dem Finger vor Neni herum. »Das ist ein Verbrechen … Dafür werden Sie bezahlen … Dafür sorge ich …«

Die beiden Frauen starrten sich eine gefühlte Ewigkeit an: dunkelbraune Augen die eine, rehbraune Augen die andere, runde Wangen die eine, hervorstehende Wangenknochen die andere, Entschlossenheit im Gesicht der einen, Niedergeschlagenheit im Gesicht der anderen.

Cindy schaute zuerst weg. »Was haben Sie vor mit dem Foto?«, fragte sie mit Blick auf die Skyline und klang an diesem Nachmittag zum ersten Mal panisch.

Neni zuckte die Achseln. »Das weiß ich noch nicht, Madam«, sagte sie und grinste wieder. »Aber ich habe jemanden kennengelernt, der arbeitet für eine Website, die News über die Leute in den Hamptons bringt. Er hat mir gesagt, die suchen immer nach guten Fotos von Frauen wie Ihnen.«

»Sie miese Schlampe!«

Neni grinste. Die Lüge hatte funktioniert. Genau da wollte sie Cindy haben. »Ich wünsche Ihnen auch einen guten Tag, Madam«, sagte sie und griff nach ihrer Handtasche. Sie stand auf und zog den roten Rollkragenpulli glatt.

»Setzen Sie sich wieder«, befahl Cindy.

»Tut mir leid, Madam, ich muss nach Hause und Abendessen für meine Familie kochen.«

»Hinsetzen, hab ich gesagt!«

Neni setzte sich.

»Wie viel wollen Sie?«

Neni schaute Cindy durchdringend an, lachte kurz auf und sagte gar nichts.

»Sie sollen sagen, wie viel.«

»Sie sollten besser wissen als ich, was so was kostet.«

»Wow«, sagte Cindy. »Wow. Ich bin so enttäuscht von Ihnen, Neni. Ich bin entsetzt und schrecklich enttäuscht.«

Neni Jonga würde sich nicht noch mal zum Narren halten lassen. Plötzlich spürte sie einen Mut, den sie so nicht an sich kannte. Sie zuckte mit den Schultern und presste die Handtasche fest vor die Brust.

»Nach allem, was Clark und ich für Sie und Jende getan haben! Ist das der Dank?«

Neni wandte sich wieder ab und tat so, als würde sie sich zum Aufbruch fertig machen. Cindy erhob sich, hastete aus dem Zimmer und kam kurz darauf mit einem Scheck zurück.

Ohne überhaupt auf den Betrag zu schauen, schüttelte sie den Kopf.

»Bargeld, Madam.«

»Ich habe keine großen Summen Bargeld in der Wohnung.«

»Da habe ich etwas anderes gehört, Madam. Ich habe gehört, dass reiche Leute sehr viel Bargeld zu Hause aufbewahren, falls was Schlimmes mit den Banken passiert.«

»Tja, da sind Sie wohl falsch informiert.«

Neni grinste höhnisch. Sie genoss das Ganze mehr, als sie gedacht hätte. »Dann warte ich, bis Sie von der Bank zurück sind. Oder wir gehen zusammen.«

Sie sah, wie Cindy die Hand zur Faust ballte, und glaubte einen Augenblick lang, die Frau würde ihr den Kiefer brechen oder erneut Anna bitten, die Polizei zu rufen. Stattdessen ging sie weg und kam wenig später mit einer Papiertüte zurück.

»Das hier gebe ich Ihnen nur«, sagte Cindy, als sie Neni die Papiertüte reichte, »weil ich ein gutes Herz habe. Weil ich weiß, wie dringend Sie es brauchen, und weil ich nicht möchte, dass ihre Kinder leiden müssen, weil Sie und Ihr Mann solche Dummheiten machen. Aber wenn ich Sie je wiedersehe, dann bringe ich Sie hinter Gitter, das schwöre ich. Ob Sie mir glauben oder nicht, aber ich bringe sie ganz sicher hinter Gitter, und das ohne mit der Wimper zu zucken. Und jetzt geben Sie mir das Bild und verschwinden Sie aus meiner Wohnung.«

Neni nahm die SIM-Karte aus ihrem Handy, reichte sie Cindy und verließ die Wohnung.

42.

Nachdem sie die Kinder ins Bett gebracht hatte, zählte sie im Bad das Geld, schaute in den Spiegel und lächelte: Es gab doch nichts Besseres, als den Tag nach einem Morgen voller Geldsorgen mit einem so unfassbaren Triumph zu beenden. Sie nahm den roten Lippenstift aus dem Spiegelschrank und trug ihn auf, deutete einen Kussmund an und lächelte wieder, parfümierte sich die Schläfen und ging ins Wohnzimmer, wo Jende sich ein Baseballspiel der Brooklyn Nets anschaute.

»Was ist das?«, fragte er, als sie die braune Papiertüte neben ihn aufs Sofa legte.

»Rate«, sagte sie.

»Du warst shoppen, was?«, sagte er und schaute weiter den Nets beim Verlieren zu.

Sie schüttelte den Kopf und setzte sich neben ihn. Sie musste die ganze Zeit grinsen. In jeder anderen Situation hätte sie das Ratespiel nur allzu gern durchgehalten, aber heute konnte sie sich einfach nicht beherrschen. Sie beugte sich zu ihm und flüsterte: »Es ist Geld!«

»Was?«

»Ich habe Mrs Edwards das Foto gezeigt. Sie hat mir zehntausend Dollar gegeben!«

»Du hast was?«

»Zehntausend Dollar, *bébé*!«

Amüsiert über seinen geschockten Gesichtsausdruck, bei dem sich vor Fassungslosigkeit Mund, Nase und Augen weiteten, brach sie in Gelächter aus.

Er lachte nicht. Er warf einen Blick in die Papiertüte. Sein Blick wanderte zwischen ihr und der Tüte hin und her. »Neni, was hast du gemacht?«, fragte er zum zweiten Mal.

»Zehntausend Dollar, *bébé*!«, sagte sie nun zum dritten Mal, noch immer baff, für wie wertvoll Cindy das Bild gehalten hatte.

»Bist du verrückt?«

»Stopp mal, bist du wütend?«

Sie konnte es nicht fassen. Okay, dass er nicht gleich in Jubelgeschrei ausbrechen würde, hatte sie erwartet, aber dass es so schlimm sein könnte, hätte sie nicht gedacht. Er schaute sie verärgert an, als wäre sie eine Diebin, als würde er verachten, wie sie ihnen heute zehntausend Dollar beschafft hatte. Zehntausend Dollar, die sie brauchten und verdienten!

»Was genau hast du gemacht?«, fragte er.

Sie erzählte ihm, was sie zu Cindy Edwards gesagt hatte.

»Wie kannst du so was machen!«, sagte er und stieß ihre Hand weg.

»Wie ich so was machen kann?«

»Ja! Wie kannst du sie so behandeln? Ich meine … wie konntest du, Neni? Warum? Wie konntest du so etwas machen? Sie waren so gut zu uns.«

»Und wir, waren wir nicht gut zu ihnen?«, sagte sie, schnappte sich die Papiertüte und stand auf. »Waren wir nicht auch gut zu ihnen? Warum sollten sie und ihre Probleme wichtiger sein als wir und unsere Probleme? Ich behalte ihr Geheimnis für mich, und was macht sie? Sie überredet ihren Mann, dich rauszuschmeißen!«

»Das weißt du nicht!«

»Du verstehst nichts von Frauen wie ihr, Jende. Die halten sich für was Besseres. Die glauben, mit Leuten wie uns können sie alles machen.«

»Es ging nicht anders für Mr Edwards! Ich finde nicht gut, was er mit mir gemacht hat, aber er hat das Recht dazu, wenn er nicht anders kann!«

»Ach, und ich nicht?«

»Das heißt nicht, dass du so was mit ihr machen musst«, sagte er. »Wir sind nicht so! Warum hast du mich nicht gefragt, bevor du dahin bist?«

»Weil ich wusste, was du dann sagst!«

»Ja, das wusstest du! Weil ich mit dieser Art von Gemeinheiten nichts zu tun haben will.«

»Gemein, ja?«

»Ja, gemein, und das gefällt mir nicht. Keiner sollte gemein zu anderen Menschen sein.«

»O jetzt bin ich also ein gemeiner Mensch, ja? Dann hast du eine gemeine Frau geheiratet, was?«

Er seufzte und drehte sich weg.

»Sag mir, was du von mir hältst, Jende. Hältst du mich für eine gemeine Frau? Ja? Nur weil ich uns helfe, bin ich –«

»Aber nicht so!«

»Sie hat gedacht, ach, die dummen Afrikaner, die kann ich ruhig ausnutzen, die sagen sowieso nie was. Sie glaubt, wir sind nicht so clever wie sie, sie glaubt, sie kann –«

»Es geht hier nicht um Afrikaner!«

»Doch, geht es! Leute mit Geld glauben, mit ihrem Geld dürfen sie alles. Dir einen Job geben, wenn es ihnen passt, ihn dir wieder wegnehmen, wenn es ihnen passt, das ist ihnen völlig egal.«

»Was redest du da? Die Frau war gut zu uns!«

»Du willst das Geld also nicht?«, sagte sie und wedelte mit der Papiertüte.

Er schaltete den Fernseher aus und ging ins Badezimmer. Sie hörte Wasser spritzen und nahm an, dass er sich das Gesicht wusch – das machte er manchmal, wenn er nicht mehr wusste, was er sagen sollte.

Sie setzte sich aufs Sofa, geladen und gedemütigt. Wie konnte er nur so schlecht von ihr denken, wo sie doch nur versuchte, zu helfen, weil die Situation so schwierig war? Und jetzt war sie gemein? Ein schlechter Mensch, weil sie eine gute Mutter und Ehefrau war?

Er kam ins Wohnzimmer zurück und setzte sich neben sie.

Sie drehte sich weg.

»Es tut mir leid, ich wollte nicht so wütend werden«, sagte er und rutschte näher an sie heran.

»Fass mich nicht an«, sagte sie.

»Wir sollten uns beruhigen und noch mal von vorne anfangen, okay?«

»Ich hab gesagt, fass mich nicht an. Fass mich jetzt ja nicht an.«

Er rutschte ein Stück weg, seufzte, und eine Weile sagte keiner was.

»Mir gefällt nicht, was du gemacht hast«, sagte er ruhig.

»Wenn du das Geld nicht willst, dann nimm's nicht!«, sagte sie, stand auf und fuchtelte vor seinem Gesicht damit herum. »Ich mache ein Konto auf und nehme es nur für mich.«

»Neni, bitte setz dich.«

»Morgen früh geh ich zur Bank, mache ein Konto auf und –«

Er streckte die Hand aus und entriss ihr die Papiertüte. Sie stürzte auf ihn zu, um das Geld wiederzubekommen, aber er zog sie zu sich aufs Sofa. Sie versuchte, sich loszumachen und aufzustehen, aber er ließ sie nicht gehen.

»Tut mir leid, *bébé*«, flüsterte er ihr ins Ohr. »Ich bin nur … ich bin überrascht. Ich meine, ich weiß noch immer nicht, was ich sagen soll.«

Sie höhnte und zog einen Schmollmund.

»Du hast …« Er schüttelte den Kopf. »Du überraschst mich ständig, aber heute, da warst du eine ganz neue Neni. Also, weißt du, ich wusste bis heute gar nicht, was für eine Frau ich geheiratet habe.«

»So?«, sagte sie. »Was für eine Frau ist es denn? Eine gemeine Frau?«

»Nein«, sagte er. »Eine starke Frau. Ich habe nicht gewusst, dass du solche Fähigkeiten hast.«

Sie verdrehte kurz die Augen.

»Aber bitte mach das nie wieder. Bitte, *bébé*. Nie wieder. Ist mir egal, was du glaubst, warum du es machen musst, mach es nie wieder.«

»Willst du das Geld oder nicht?«, fragte sie und genoss den Ausdruck auf seinem Gesicht.

»Ich weiß nicht, Neni ... ich fühle mich nicht gut dabei.«

»Du fühlst dich nicht gut dabei –«

»Aber zehn *kolo* in unsren Händen?«, sagte er.

»Ach, jetzt freust du dich, ja?«

»Zehntausend Dollar!«

Sie lachte und küsste ihn.

Sie zählten das Geld noch mal zusammen, betasteten jeden der neuen Einhundertdollarscheine. »Wir geben nichts aus«, sagte er. »Wir legen alles zu dem Gesparten und tun, als hätten wir's nicht. Wer weiß, wenn es irgendwann hart auf hart kommt, dann nehmen wir's.«

Sie nickte.

»Wunder ergeben sich immer wieder, was?«, sagte er.

»Ja, Wunder ergeben sich immer wieder«, sagte sie. »So wie die Sonne weiter auf- und untergeht.«

»Hattest du keine Angst? Was, wenn sie die Polizei gerufen hätte?«

Neni Jonga zuckte mit den Schultern, schaute ihren Mann an und lächelte. »Das ist der Unterschied zwischen dir und mir«, sagte sie. »Du hättest zu viel darüber nachgedacht. Überlegt, mach ich's oder mach ich's nicht. Ich wusste, ich muss es machen.«

43.

Jetzt, wo ihr Haushaltsgeld nur noch ein Drittel von dem betrug, was sie vor Jendes Kündigung zur Verfügung gehabt hatte, wurde das Einkaufen bei Pathmark zu einer mühsamen Angelegenheit, ganz anders als in ihren ersten Tagen in Amerika, als sie aufgeregt durch die Gänge gerast war und immerzu gedacht hatte, *Mamami eh*, so viele Lebensmittel! So eine große Auswahl! Alles an einem Ort! Das Einzige, was sie damals gehasst hatte, waren die Preise – die ergaben überhaupt keinen Sinn. Zwei Dollar für drei Bananen? Warum? In Kamerun waren zwei Dollar ungefähr 1000 CFA-Francs, mit dem Betrag konnte eine Frau Lebensmittel für drei volle Mahlzeiten besorgen. Für 500 CFA-Francs konnte sie einen ordentlichen Berg Yams kaufen, für 150 einen geräucherten Fisch, für 100 Gemüse, auch ungefähr 200 Milliliter Palmöl, und von dem restlichen Geld Flusskrebse und Gewürze, damit nach Hause gehen und einen großen Topf *portor-portor coco* kochen und ihrer vierköpfigen Familie dann am ersten Tag ein Abendessen vorsetzen, am Tag darauf ein Mittag- und Abendessen, und von den Resten konnten ihre Kinder auch am Morgen darauf vor der Schule noch etwas essen. Wenn die Frau clever war, kochte sie das Essen extra scharf, damit die Kinder nach jedem Bissen einen Schluck Wasser tranken und schneller satt wurden und das Essen so länger reichte.

Es kam Neni absurd vor, dass man in Amerika von demselben Geld nur drei Bananen kaufen konnte, die nicht mal reichen würden, um Jende satt zu bekommen. Sie hatte nicht erwartet, dass die Preise in New York dieselben waren wie in Limbe, fand es aber trotzdem ärgerlich, dass sie für ein Kilo Garnelen, wenn sie mal eins kaufte, 5000 CFA-Francs bezahlte – das war die Monatsmiete für ein Zimmer mit Bad und Toilette auf dem Gang in einer der einfachen Unterkünfte ohne Wasser und Strom. Du musst aufhören, die Preise zu vergleichen, sagte Jende jedes Mal, wenn sie das Thema anbrachte. Wenn du weiter auf diese Art die Preise vergleichst, hatte er gesagt, kaufst du hier in Amerika nie was. In diesem Land ist es das Beste, bei jedem Gang in ein Geschäft den Wechselkurs zu vergessen, die Werbung zu ignorieren und nicht darauf zu achten, was alle anderen essen und trinken und worüber sie gerade reden. Du darfst nur kaufen, was du wirklich brauchst. Das machte sie dann auch, und nach ihrem vielleicht zehnten Einkauf bei Pathmark rechnete sie die Preise nicht länger um und lernte, Gerichte mit dem zu planen, was im Angebot war.

In den ersten Wochen in New York war sie die dreizehn Querstraßen nach Norden und die drei Querstraßen nach Westen zum Supermarkt immer gelaufen. Mit der einen Hand hatte sie ihren Einkaufstrolley gezogen, mit der anderen Liomi festgehalten – beide trugen dabei eine Übergangsjacke mit Blumenmuster, die Jende vor ihrer Ankunft für sie gekauft hatte –, und wenn das Wetter es zuließ, liefen sie ganz gemütlich, um so viel wie möglich von Harlem aufzunehmen: die Brownstones, zufriedene Kunden in Schönheitssalons, freundliche alte Männer, die ihnen zunickten, die glücklichen Bewohner Harlems, die sie anlächelten. Jende hatte sie gewarnt, vorsichtig zu sein, wenn sie zu Fuß Richtung Norden ging, weil es Gerüchte über Banden und Schießereien in den Sozialwohnungen in der Nähe der 145. Straße gab, aber da sie nie jemanden mit einer Waffe sah, hatte sie keine Bedenken, wenn sie an Jungen und Alten vorbeiging, die an Straßenkreuzungen standen und sich unterhielten.

Bei Pathmark war sie auch nach dem ersten Mal noch beeindruckt von der amerikanischen Art, einzukaufen: die Schlangen an den Kassen, wo jeder geduldig wartete, bis er dran war, die Systematik bei der Anordnung der Produkte in den Regalen und Gängen, die gut sichtbar angebrachten Preise, sodass es ganz leicht war, Vergleiche anzustellen, und die übertriebene Transparenz der Lebensmittelhersteller, die nicht nur alle Produkte hübsch verpackten, von Cornflakes über Tee bis hin zu Büchsenfleisch, sondern auch noch darüber informierten, was oder was nicht in den Lebensmitteln war, wobei manche Hersteller sogar auflisteten, welche Auswirkungen das Produkt auf den Körper haben konnte oder auch nicht. Unabhängig davon, wann sie einkaufen ging oder wie viele Leute gerade im Supermarkt waren, fand sie das Einkaufserlebnis aufregend und eigenartig entspannend, das völlige Gegenteil von dem, wie ein Marktbesuch sein sollte, völlig anders als auf dem Markt in Limbe. Und genau darum fehlte ihr das überschwängliche Chaos des Markttreibens unter freiem Himmel. Auch wenn sie Pathmark toll fand, sehnte sie sich beim Einkaufen dort jedes Mal zurück in das bunte Gewusel, das sich dienstags und freitags in ihrer Heimatstadt abspielte. Denn das waren die Tage, an denen die Verkaufsstände, die sonst nur zur Hälfte bestückt wurden, auf einmal voll waren, auf der einen Seite vom Markt gab es geräucherten Fisch und Krabben und auf der anderen, neben dem Bereich mit dem Fleisch von Rindern, die am Morgen geschlachtet worden waren, gebrauchte Kleidung aus Douala. Ihr fehlte der Andrang, der in den frühen Morgenstunden herrschte, wenn alle die frischesten Produkte ergattern wollten, und das Geschiebe und Gedränge der verheirateten Frauen, die fest entschlossen waren, auf dem Okrika-Markt das Beste aus den Bergen von Sachen für ihre Männer und Kinder herauszusuchen. Ihr fehlte der Kampf konkurrierender Händler um die Kundschaft und das gewiefte Feilschen der Käufer und Verkäufer.

Die Bananen da, wie viel?, fragt beispielsweise eine Frau.

Dreitausend für dich, Sister, sagt dann der Verkäufer.

Dreitausend? Warum? Kriegst du siebenhundert.

Nein, Schwester, siebenhundert schlecht für mich, mach eintausendachthundert.

Ich mach neunhundertfünfzig draus. Wenn du sagst, zu wenig, geh ich weiter.

Okay, okay, kriegst du so, gehört dir.

Ah, der Markt in Limbe. Ihr fehlte das befriedigende Gefühl, wenn sie mit einem Sack Reis nach Hause ging, für den sie einen guten Preis ausgehandelt hatte. Bei Pathmark gab es nichts zu handeln. Die Besitzer legten den Preis fest, und keiner wagte, ihn anzufechten. Sie waren wie eine unantastbare Gottheit, was zu schade war, denn hätte sie handeln können, hätte sie schon einen Weg gefunden, um mit dem neu festgesetzten Geld auszukommen. Ihre Familie musste jetzt ziemlich oft Hähnchenmagen essen und sich die Keulen für besondere Anlässe aufsparen. Liomi würde schon bald *puff-puff* statt Honey Nut Cheerios zum Frühstück essen und Jende mehr Wasser und weniger Mountain Dew trinken müssen. Und sie würde gut an der Erinnerung an die Garnelen festhalten müssen, die sie in den Hamptons gegessen hatte, denn solange nicht ordentlich Geld reinkam, würde es auch keine Garnelen mehr zum Abendessen geben, auch nicht an Sonn- und Feiertagen.

Als sie im Supermarkt an Garnelen dachte, kam ihr Anna in den Sinn und der Brunch, auf dem sie beide gearbeitet hatten. Cindy hatte ihnen angeboten, die Reste mitzunehmen, und Anna hatte ihr das ganze Essen überlassen, auch die Garnelen im Schinkenmantel, die Jende, Liomi und sie noch am selben Abend verschlungen hatten. Überhaupt war es auch Anna zu verdanken, dass sie ihre Arbeit bei den Edwards so zufriedenstellend hatte ausführen können, denn Anna hatte sie jedes Mal zurückgerufen, wenn sie ihr aufs Band gesprochen hatte, weil sie nicht wusste, wie sie eine bestimmte Anweisung von Cindy ausführen sollte. Ach, wären sie und Anna doch Freundinnen geworden! Aber das ging jetzt nicht mehr – jeder zarte Keim einer beginnenden Freundschaft war mit dem letzten Gespräch zerstört worden.

»Was war das gestern mit Cindy?«, hatte Anna sie gefragt, ohne groß drum herumzureden, als sie Neni am Morgen nach dem Vorfall kurz vor sechs angerufen hatte. Sie schien im Zug auf dem Weg zur Arbeit zu sein.

»Anna?«, flüsterte Neni verschlafen und schlich ins Wohnzimmer, um die Kinder nicht zu wecken.

»Was war das gestern mit Cindy?«, fragte Anna wieder. »Ich will es wissen.«

Neni saß auf dem Sofa und hielt sich die linke Brust, die prall war von der vielen Milch und schmerzte, weil Timba mit zwei Monaten beschlossen hatte durchzuschlafen. »Ich verstehe nicht, was du wissen willst«, sagte sie zu Anna.

»Sag mir, warum du gestern hier warst, was du gesagt hast, warum sie geschrien hat, ich soll die Polizei rufen. Ich hab dich danach angerufen. Du bist nicht rangegangen.«

»Ich musste nach Hause zu meinen Kindern«, sagte Neni.

»Okay, du bist jetzt bei deinen Kindern. Also erzähl, was mit dir und Cindy war.«

Neni holte tief Luft und schüttelte den Kopf. Wie dreist von Anna, sie um sechs Uhr morgens anzurufen und auszufragen. »Weißt du was, Anna?«, sagte sie und schaute zur Schlafzimmertür, um sicherzugehen, dass sie auch geschlossen war. »Ich sage das nicht gern zu anderen Leuten, weil ich es auch hasse, wenn andere Leute es zu mir sagen, aber: Das geht dich nichts an.«

»Doch, geht es«, platzte es aus Anna heraus.

»Seit wann geht dich an, was sich zwischen Mrs Edwards und mir abspielt? Ich habe meine Beziehung zu ihr, du deine –«

»Es geht mich was an, wenn einer in diese Wohnung kommt und den Leuten Böses will. Ich arbeite für sie, mache, was ich kann, damit sie glücklich sind. Du kommst in die Wohnung, gehst wieder und dann?«

»Was dann?«

»Ich will wissen, was das gestern mit Cindy war«, sagte Anna erneut.

»Wir hatten eine Abmachung, und ich habe sie an die Abmachung erinnert, das ist alles.«

»Was für eine Abmachung?«

»Anna, bitte –«

»Du gehst, und sie schließt sich im Bad ein und weint zwei Stunden!«, sagte Anna, deren Stimme schriller wurde. »Ich will reingehen, und sie schreit: ›Lass mich in Ruhe: Sagt: *Verpiss* dich!‹.

Immer und immer wieder sagt sie das. Verpiss dich. Ihr alle. Lasst mich in Ruhe. Warum? Vielleicht denkt sie, ich bin böse wie du?«

»Ich habe nichts –«

»Ich rufe Stacy an, sage, bitte bring Mighty nach dem Hockey irgendwohin, dann muss er seine Mutter nicht so sehen. Ich will nicht, dass er Cindy im Bad hört, wenn sie weint wegen dir.«

»Bitte tue nicht so, als ob es meine Schuld ist, okay?«

»Meine vielleicht?«

»Keiner ist schuld.«

»Du kennst ihre Probleme«, sagte Anna wütend, und jedes Wort klang noch wütender als das vorige. »Du kennst viele Probleme, die sie hat –«

»Glaubst du, ich habe keine Probleme? Weiß du, wie viele Probleme ich habe?«

»Dann warst du gestern hier, weil Cindy deine Probleme lösen soll? Hast du darum gelächelt, als du raus bist?«

»Ich war nicht da, damit irgendwer meine Probleme löst! Wenn es etwas gibt, mit dem ich nicht glücklich bin, dann finde ich raus, wie ich es besser machen kann. Ich löse meine Probleme alleine!«

»Du glaubst, weil –«

»Ich glaube überhaupt nichts!«, sagte Neni. »Wenn Mrs Edwards nicht glücklich ist mit ihrem Leben, dann soll sie ihre Probleme alleine lösen. Ich habe Leute satt, die erwarten, dass ich mir mehr Sorgen um sie als um mich und meine Familie mache.«

»Keiner sagt, du sollst dir keine Sorgen um dich machen!«

»Du und Mrs Edwards sagen das. Darum hast du mich heute so früh angerufen. Damit ich mich schlecht fühle, weil Mrs Edwards große Probleme hat. Damit ich mir Sorgen um sie mache.«

»Ich will nur wissen –«

»Tut mir leid, Anna, aber wenn Mrs Edwards ihr Leben ändern will, dann soll sie rausfinden, wie sie glücklicher sein kann! Ich hoffe, sie findet es bald raus, denn sie tut mir sehr leid.«

44.

Mitten auf dem Bahnsteig, zwischen zwei vollen Bänken, sang ein Mann im Rollstuhl für ein paar Dollar mit rauer Stimme *The answer, oh babe, is gonna be blowin' in the wind, the answer be blowin' in the wind, oh yeah, eh eh eh, the answer, sweet babe, it's gonna be blowin' in the wind …* Keiner schien zuzuhören oder hinzusehen, als er die Mundharmonika ansetzte und mit geschlossenen Augen hineinblies und beseelt vom Klang seiner eigenen Musik mit dem Kopf nickte. Ein paar der Umstehenden schauten die Gleise hinauf, murmelten vor sich hin, einer fluchte, wann kommt denn endlich der verdammte Zug? Amen, Brother, sagte jemand, als das Lied zu Ende war. Uns allen ein Amen, sagte ein anderer, was zeigte, dass noch mehr Leute zugehört hatten. Auf Nenis Seite vom Bahnsteig nickten viele, manche klatschten. Auch Neni klatschte und schmiss dem Mann für den so wunderschön und originell komponierten Song fünfzig Cent in den Becher.

Im Pfarrbüro der Kirche führte sie der Vikar in ein Konferenzzimmer, in dem auf einem Tisch eine Kiste mit Briefen und Umschlägen stand.

»Ich kann Ihnen gar nicht genug danken, dass Sie vorbeigekommen sind«, sagte er und zeigte ihr, wie die Spendenbriefe zu falten und in die Umschläge zu stecken waren. »Wir brauchen dringend ehrenamtliche Helfer.«

»Schön, dass ich helfen kann«, sagte Neni. »Als ich heute Morgen angerufen habe, wusste ich nicht, ob Sie Hilfe brauchen.«

»Ja, Ihr Anruf kam genau im richtigen Moment. Wo haben Sie die Kleine gelassen?«

»Eine Freundin passt zu Hause auf sie auf. Ich wollte kurz raus und etwas Zeit für mich haben.«

»Verständlich. Ich bin auch nicht sicher, ob das was für mich wäre, jeden Tag allein mit einem Kind zu Hause zu sein.«

»Ist Natasha heute da?«

»Sie ist bei einer interreligiösen Konferenz, sollte aber in etwa einer Stunde zurückkommen. Ich sage ihr, dass Sie hier sind, wenn sie kommt.«

Eine Dreiviertelstunde später schaute Natasha zur Tür herein. »Neni, wie lieb von Ihnen, dass Sie da sind und uns helfen!«, sagte sie.

»Hallo Natasha.«

»Ich muss jetzt ein paar Dinge erledigen, aber kommen Sie vorbei, bevor Sie gehen, ich will wissen, was es Neues gibt, okay?«

Wieder allein im Konferenzzimmer, kümmerte sie sich um die Briefe – jeder wurde zweimal gefaltet und in einen voradressierten gelben Umschlag gesteckt – und versuchte, nicht an das Telefongespräch mit Anna am Tag zuvor zu denken. Die Frau hatte sie so aufgebracht, dass sie einen Tag später noch immer stinksauer war.

»Wie ist es Ihnen ergangen?«, fragte Natasha, als Neni das Büro betrat, um sich zu verabschieden, und deutete auf den Stuhl vor ihrem Schreibtisch.

»Alles gut«, sagte Neni.

»Ihren Kindern geht es gut? Und Ihrem Mann auch?«

Neni nickte.

»Hatten Sie denn bislang ein gutes neues Jahr?«

»Es geht mir ganz gut.«

Natasha schaute sie misstrauisch an, stand auf und schloss die Tür. »Wie geht es Ihnen *wirklich*?«, fragte sie. »Wie ist der Stand mit den Papieren Ihres Mannes?«

»Ich versuche, mir keine Sorgen zu machen, aber es ist nicht leicht.«

»Gibt es irgendetwas Neues?«

»Wir warten immer noch und hoffen … Aber eine Freundin

von mir, die hat mir was erzählt, das könnte eine Lösung sein.«

»Das ist wunderbar! Und wie sieht die Lösung aus?«

»Ich weiß nicht, ob Sie sie gut finden.«

»Neni, es geht nicht darum, wie ich sie finde«, sagte Natasha. »Mir geht es darum, Ihnen zuzuhören und dabei zu helfen, dass Sie auf Ihr Herz hören.«

»Mein Mann weiß noch nichts davon …«

»Verstehe. Sie müssen es mir nicht erzählen, wenn es sich nicht gut anfühlt.«

Neni sah Natashas sanftes Lächeln und beschloss, es jetzt einfach zu sagen. »Meine Freundin«, sagte sie leise, »hat einen Cousin.«

»Aha, okay.«

»Ich kann ihn heiraten.«

»Ihn heiraten?«

Neni nickte. »Ich kann eine Greencard bekommen, wenn ich ihn heirate.«

»Hm, verstehe.«

»Ich muss nur … ich muss mich für ein paar Jahre von meinem Mann scheiden lassen. Dann kann ich den Cousin von meiner Freundin heiraten, und er kann Papiere für mich beantragen.«

Natasha nickte und band sich mit dem Haargummi, den sie am Handgelenk hatte, einen Zopf. Sie stand von ihrem Stuhl auf und ging zum Wasserspender neben der Tür.

»Möchten Sie?«, fragte sie Neni. Neni schüttelte den Kopf und beobachtete Natasha, die einen Plastikbecher mit Wasser volllaufen ließ und ihn dann in einem Zug leerte. »Erfrischend«, sagte die Pfarrerin mit einem breiten Lächeln, warf dann den Becher in den Mülleimer und setzte sich wieder auf ihren Stuhl.

Neni wartete und spürte plötzlich, wie ihr Herz raste.

»Sie denken also darüber nach, für ein paar Jahre einen anderen Mann zu heiraten?«, sagte Natasha.

»Das hat mir meine Freundin vorgeschlagen. Ich weiß nur nicht, ob es richtig oder falsch ist.«

»Oh, ich glaube, wir sind schon weit jenseits von richtig oder falsch«, sagte Natasha und lachte auf.

»Das hat ein Bekannter oft zu mir gesagt.«

»Rumi.«

»Wer?«

»Jalaluddin Rumi, der persische Sufi-Mystiker. Von ihm stammt das Zitat ›Jenseits von richtig und falsch liegt ein Ort. Dort treffen wir uns‹. Das war seine Art, zu sagen, ›wir sollten nicht zu viel Zeit darauf verschwenden, Dinge als richtig oder falsch zu klassifizieren‹.«

»Aber alles im Leben ist entweder richtig oder falsch.«

»Ist das so?«

»Ist es nicht so?«

»Neni, warum würden Sie sich von ihrem Mann scheiden lassen wollen und ihre Ehe für Papiere aufs Spiel setzen? Warum? Ist Ihnen Amerika so wichtig? Ist es Ihnen wichtiger als Ihre Familie?«

Neni senkte den Blick und starrte zu Boden. Sie hörte die Stimmen der Passanten auf der Thompson Street, die an Natashas Bürofenster vorbeiliefen.

»An diesem Plan könnte so viel schiefgehen«, sagte Natasha.

»Das habe ich zu meiner Freundin gesagt, als sie es mir vorgeschlagen hat. Ich kenne eine Frau, deren Schwester hat das auch so gemacht. Sie hat ihren Mann und ihre Kinder in ihrem Land gelassen und ist nach Amerika gekommen und hat für Papiere einen Jamaikaner geheiratet, um ihren Mann und die Kinder nachholen zu können. Aber als es so weit war, hat der Jamaikaner sich geweigert, der Scheidung zuzustimmen, wenn sie ihm nicht mehr Geld gibt. Er will fünfzigtausend Dollar.«

»Das ist schrecklich.«

»Ja, weil sie jetzt nicht wieder in ihr Land gehen und ihren Mann zurückheiraten und ihre Familie herbringen kann. Sie ist hier, und ihre Familie ist da, und die Frau betet jetzt, dass der Jamaikaner aufhört, so gierig zu sein, weil sie wirklich mit ihrem Mann und ihren Kindern zusammen sein will.«

»Und Sie kennen eine solche Geschichte und sind trotzdem bereit, das Risiko einzugehen?«

»Der Cousin von meiner Freundin ist ein netter Mann.«

»Oh, ganz bestimmt! Und wahrscheinlich ist auch der Jamaikaner ein wunderbarer Mann.«

»Ich weiß nicht, was ich machen soll«, sagte Neni.

»Manchmal ist es das Beste, wenn man nichts tut.«

Neni lächelte gequält. Einfach nichts zu tun, kam nicht infrage, aber es wäre unhöflich gewesen, Natasha zu widersprechen. Es war ohnehin besser, nicht über etwas zu sprechen, was Jende unter Verschluss halten wollte. »Der Bekannte, der mit mir immer über richtig und falsch gesprochen hat«, sagte Neni, bemüht, das Thema zu wechseln, »hat einen kleinen Bruder, der fand es immer doof, nichts zu tun.«

»Nichtstun ist nicht sehr beliebt in Amerika«, sagte Natasha.

Sie mussten beide lachen.

»Ich habe früher für die Familie von dem Jungen gearbeitet und oft was mit dem Kleinen gemacht, aber es hat mir gefallen – er war sehr lustig. Einmal habe ich ihn zum Spielen zu einem Freund gebracht, und die Mutter von dem Spielfreund hat ihm etwas zu essen angeboten, und er hat gesagt, nein, danke, er wartet lieber und isst dann zu Hause mein Essen. Für ihn war ich die beste Köchin.«

»Was Sie auch sicher sind«, sagte Natasha, und Neni strahlte.

Abends, als Liomi Timbas Zehen zählte und sie an den Füßen kitzelte, schrieb Neni eine E-Mail an Mighty. Binnen Sekunden kam die Antwort:

> Sorry, we were unable to deliver your message to the following address
> <mightythemightyone@yahoo.com>
> This user doesn't have a yahoo.com account
> (mightythemightyone@yahoo.com)
> Bellow this line is a copy of the message

Hallo, Mighty,
wie geht es dir? Was macht die Schule?
Ich hoffe, du bist ein braver Junge und machst, was deine Eltern sagen. Ich habe gehört, dass es deiner Mutter nicht gut geht. Denk daran, was ich dir gesagt habe: Mütter sind das Wertvollste auf der ganzen Welt, also sei lieb zu deiner Mama.
Pass auf dich auf.
Neni

45.

Cindy Eliza Edwards starb an einem kalten Nachmittag im März 2009, fünf Wochen nachdem Neni Jonga aus ihrer Wohnung spaziert war, allein in ihrem Ehebett. Ihr Mann war auf Geschäftsreise in London, als sie im Sterben lag. Ihr erstgeborener Sohn war auf der Suche nach Erleuchtung in Indien. Ihr Zweitgeborener in der Dalton School, wo man ihn zu einem Mann wie seinen Vater heranzog. Ihr Vater, von dem weder sie noch ihre Mutter je erfahren hatten, wer er war, war bereits seit über zwanzig Jahren tot. Ihre Mutter, die sie ihrem Gefühl nach nie richtig geliebt hatte, war vier Jahre zuvor verstorben. Ihre Halbschwester, die seit dem Tod der Mutter völlig aus ihrem Leben verschwunden war, wohnte noch immer in Falls Church, Virginia, lebte ein finanziell abgesichertes Leben, ein viel besseres als in der gemeinsamen Kindheit, aber ein nicht annähernd so luxuriöses wie Cindy in New York. Ihre Freundinnen waren über ganz Manhattan verstreut, bummelten gerade durch Saks und Barneys, aßen zu Mittag und tranken edlen Wein, planten Dinnerpartys und Galas, besuchten Versammlungen von Wohlfahrtsverbänden und freuten sich auf ihre nächsten Urlaube an exotischen Orten.

»Aber ich verstehe das nicht!«, sagte Neni immer wieder, als Winston noch mal und noch mal erzählte, was er an diesem Abend, einen Tag nach Cindys Tod, von Frank erfahren hatte.

Erstickungstod durch Aspiration von Erbrochenem, wusste er von Frank, so das medizinische Gutachten. In ihrem Blut waren hohe Konzentrationen von Schmerzmitteln und Alkohol nachgewiesen worden, der Gutachter schloss daraus auf etliche Tabletten Vicodin und mindestens zwei Flaschen Wein. Dann war sie wohl eingeschlafen und tragischerweise an ihrem eigenen Erbrochenen erstickt.

Anna hatte sie gefunden: quer auf dem Bett liegend, die Arme gespreizt und steif über die Bettkante hinausragend, Augen und Mund geöffnet, eine Kruste aus getrocknetem Erbrochenen an Kinn und Hals und am Ausschnitt ihres Seidennachthemds. Da Clark in Europa war, hatte Anna sofort Frank angerufen, geschrien und geweint. Frank war in einer wichtigen Sitzung, konnte nicht weg und hatte darum seine Frau Mimi gebeten, sofort zur Wohnung der Edwards' zu fahren. Dort hatte Mimi ihre Freundin tot vorgefunden.

»Oh, Papa Gott!«, schrie Neni.

»Aber wie konnte sie einen so sinnlosen Tod sterben?«, fragte Jende.

»Warum ist sie nicht zum Arzt gegangen? So viel Geld und sie stirbt in ihrem Bett! Warum hat nicht eine von ihren Freundinnen sie gezwungen? Warum hat keiner gesehen, dass was mit ihr nicht stimmt? Was ist das für ein Land?«

Cindy musste sich zuletzt völlig zurückgezogen haben. Selbst Mimi als eine ihrer engsten Freundinnen hatte sie Monate nicht gesehen. Mimi war irgendwann einfach unangekündigt in der Wohnung der Edwards' aufgetaucht, weil sie auf ihre Anrufe und E-Mails wochenlang keine Antwort erhalten hatte. Cheri, June und sie hatten ein halbes Dutzend Dreier-Telefonkonferenzen abgehalten, waren unruhig und besorgt gewesen, weil Cindy ihnen nicht hatte sagen wollen, was los war. Die Frauen hatten beschlossen, dass Cindy Hilfe bräuchte und sie eingreifen müssten, und drei Tage vor Cindys Tod war Mimi, bestärkt von Anna, einfach zu Cindy ins Schlafzimmer gegangen. Dort hatte sie ihre Freundin aschfahl und schlaff angetroffen, eine gebrochene Frau in einem weißen Seidennachthemd, die auf ihrem Bett gesessen und in die Leere gestarrt hatte. Cindy hatte gesagt, dass sie in einer Dunkelheit lebte, aus der sie nicht herauskomme, und Mimi hatte sie angefleht, doch bitte einen Psychiater aufzusuchen, da sie offensichtlich mit einer ernsten Form von Depression zu kämpfen habe. Cindy hatte das abgelehnt, gesagt, sie sei nicht depressiv, aber Mimi hatte ihr ins Gewissen geredet, es doch wenigstens für ihre Kinder zu tun. Denk an Mighty, hatte Mimi gesagt. Denk daran, wie er sich fühlen muss, seine Mutter so zu sehen. Cindy muss geweint und eingewilligt haben, sich ihren Söhnen zuliebe in einer Klinik außerhalb von Boston behandeln zu lassen, denn jetzt, wo das Ende ihre Ehe unvermeidbar war, ihr Sohn in Indien weder auf ihre Anrufe noch auf ihre E-Mails reagierte und ihr ganzes Leben immer mehr an Sinn verlor, musste sie bald etwas tun, wenn sie je wieder ein wenig Freude empfinden wollte. Mimi hatte ihr versprechen müssen, niemandem von dem Gespräch zu erzählen, nicht einmal Frank, und auch nicht Cheri oder June. Sobald es ihr besser ginge, würde sie sich bei allen dafür entschuldigen, sich nicht zurückgemeldet zu haben, und alles erklären.

Neni hatte beim Zuhören die ganze Zeit die Hand auf der Brust, ihr Mund war weit aufgerissen. Als Winston fertig war, wischte sie sich mit dem Rocksaum die Tränen weg, die ihr über die Wangen liefen.

»Meinst du, ich sollte Mr Edwards heute Abend anrufen?«, fragte Jende.

»Nein«, sagte Winston. »Vielleicht in ein paar Wochen oder Monaten. Sie müssen im Moment zu viel verarbeiten. Frank hat es mir nur erzählt, weil ich ihn gesehen habe, als er auf dem Weg zum Flughafen noch mal im Büro angehalten und dann Clark abgeholt hat. Er sagt mir Bescheid, sobald der Termin für die Beerdigung feststeht, und dann sage ich euch Bescheid.«

Jende schüttelte traurig den Kopf. »Wie wird Mr Edwards mit allem fertig?«

»Frank hat gesagt, er hat am Telefon furchtbar geweint«, sagte Winston. »Klingt so, als hätte er seine Frau trotz allem ehrlich geliebt.«

46.

Beim Trauergottesdienst in der Woche darauf spielte Mighty Edwards in einem grauen Anzug auf wundervoll unperfekte Weise Claude Debussys »Clair de Lune«. In der ersten Kirchenbankreihe saß Clark mit Sonnenbrille. Die Trauergäste, zweihundert oder mehr, saßen bedrückt unter dem dreißig Meter hohen Gewölbe der Church of St. Paul the Apostle an der Ecke 59. Straße und Columbus Avenue. Um sie herum fanden sich Mariendarstellungen und Abbildungen des Erlösers, über ihren Köpfen zwei Reihen herabhängender Leuchter und rechts von ihnen auf einem kleinen Tisch ein Fürbittenbuch, in das alle, die schwer an etwas zu tragen hatten, die erschöpft waren oder ein gebrochenes Herz hatten, Gebets- und Segenswünsche hineinschreiben konnten.

Der Priester dankte Gott dafür, dass er Cindy Edwards liebe und zu sich in sein Himmelreich gerufen habe. Welch freudiger Jubel muss jetzt im Himmel sein, sagte er. Nachdem die Trauergemeinde »Nearer, My God, To Thee« und ein Solist »Peace, Perfect Peace« gesungen hatte, gingen Frank und Mimis Tochter Nora Dawson (die ein langärmliges eng anliegendes schwarzes Minikleid trug und sich die blonden Haare glatt geföhnt hatte wie ihre verstorbene Patentante an einigen der schönsten Tagen ihres Lebens) zum Altar und lasen aus Johannes, Kapitel vierzehn Verse eins bis drei, und Jesu Versprechen an seine Jünger.

»›Euer Herz erschrecke nicht‹«, las sie. »›Glaubet an Gott und glaubet an mich. In meines Vaters Hause sind viele Wohnungen. Wenn es nicht so wäre, so wollte ich zu euch sagen: Ich gehe hin, euch die Stätte zu bereiten. Und wenn ich hingehe, euch die Stätte zu bereiten, so will ich wiederkommen und euch zu mir nehmen, auf dass ihr seid, wo ich bin.‹ Amen.«

Als es Zeit war für die Trauerrede – nachdem der Priester den Trauernden versichert hatte, dass Jesus Cindy im Himmel zweifellos eine besondere Stätte bereitet habe, nachdem er die heilige Kommunion gespendet und nachdem Cheri ein in Auftrag gegebenes Gedicht mit dem Titel »Hätte ich doch nur gewusst, dass die Liebe zu dir mich so zerstört« vorgelesen hatte –, erhob sich Vince Edwards und ging nach vorn.

Er las nicht vom Blatt ab, sondern reihte kleine Anekdoten aneinander. Von der Mutter, die Perlenschmuck getragen und sich mit ihm gerauft hatte, als er noch klein war. Von der Mutter, die mit ihm in den Adirondacks wandern gegangen war, um auch noch die letzten dreihundert Gramm Bauchfett loszuwerden. Cindys Kundinnen – Models und Schauspielerinnen, die zusammengedrängt in einer der mittleren Kirchenbänke saßen – kicherten. Von der Mutter, die sich leidenschaftlich für eine gesunde Lebensführung eingesetzt hatte, ihren Kunden engagiert geholfen hatte, sich besser zu ernähren, besser zu leben, besser auszusehen und auch besser zu sein, weil sie besser aussahen. Von der Mutter, die ihren Freundinnen mit Liebe begegnet war, allen, die sie brauchten. Er sprach von ihrer Liebe zur Kunst – den Besuchen im Metropolitan Museum of Art, zu denen sie ihn verdonnert hatte, ihren gescheiterten Bemühungen, ihn für Geige zu begeistern, und ihren erfolgreichen Bemühungen, Mighty fürs Klavier zu begeistern, sodass er sein Talent irgendwann in der Carnegie Hall würde unter Beweis stellen können. Ganz vorn klatschte jemand. Andere schlossen sich an.

Vince senkte den Kopf und räusperte sich. Dann schaute er auf und lächelte. Er sagte, dass es ein Segen gewesen sei, diese Mutter gehabt zu haben. »Sie war nicht perfekt«, sagte er. »Und ja, sie hatte ihre Schwächen. Aber sie war wundervoll. Einfach wundervoll. Wie wir alle.«

In der hintersten Kirchenbank schloss Jende die Augen und betete für Cindys Seele, der er Frieden wünschte.

Von seinem Platz aus – ein trauriges schwarzes Gesicht inmitten trauriger weißer Gesichter – sah er die rote Urne mit der Asche der Frau, die ihm noch bis vor wenigen Wochen den Scheck für sein tägliches Brot gegeben hatte, die Frau, die seinen Neffen und Nichten ein Jahr Schulausbildung ermöglicht und seinem Sohn einen Anzug von Brooks Brothers geschenkt hatte. Er konnte Clarks Hinterkopf zur Hälfte sehen und auch die Spitzen des weißen Haarschopfs von Clarks Mutter. Mightys Kopf konnte er nicht sehen, aber als der Junge die Stufen zum Klavier hinaufgegangen war und sich hingesetzt hatte, waren Jende die Tränen gekommen. Ihm tat nicht nur die Frau in der Urne leid, sondern auch der kleine Junge, das fröhliche Kind, das er an so vielen Morgen erlebt und zur Schule gefahren hatte, ein Kind, das nun mit der Schande leben musste, dass seine Mutter auf diese Weise gestorben war.

»Ich habe ihn angeschaut und gedacht, was macht der arme Junge jetzt?«, sagte er zu Neni, als sie sich abends im Bett gegenüberlagen.

Neni antwortete nicht.

»Du bist nicht schuld«, sagte er. »Glaub mir, es war Zeit für Mrs Edwards, zu gehen.«

»Du glaubst, du hilfst, weil du ein Geheimnis für dich behältst …«

»Du hast ihr geholfen –«

»Nein, habe ich nicht.«

Sie setzte sich aufrecht hin, die Stilleinlagen in ihrem BH verrutschten. »Wir sollten das Geld der Kirche geben«, sagte sie traurig.

»Wir sollten das Geld weggeben«, sagte sie noch einmal.

»Ihr Frauen seid unglaublich«, sagte er lachend und schüttelte den Kopf.

»Warum wir Frauen? Was hat das damit zu tun?«, sagte sie ungehalten.

»Dein Schuldgefühl geht bald vorbei.«

»Wenn ich gewusst hätte, dass sie stirbt …«

»Sie wäre auch so gestorben, okay?«, sagte er mit geschlossenen Augen und leiser werdender Stimme. »Ob sie dir das Geld gegeben hätte oder nicht, sie wäre gestorben.«

47·

Sie hatte schon von Honor Societies gehört, wusste aber nicht genau, was sie machten, weshalb sie sofort Betty anrief, als der Einladungsbrief von Phi Theta Kappa kam.

»Das heißt, dass du klug bist«, sagte Betty.

»Echt?«

»Ja, Madam, echt! Die nehmen nur Leute mit guten Noten auf. Warum tust du so überrascht? Du weißt, dass in deinem Quadratschädel auch ordentlich Hirn steckt!«

»Du stirbst noch vor Neid, Betty«, sagte Neni lachend.

»Gleich nach dir.«

Als Jende an diesem Abend nach Hause kam, zeigte sie ihm den Brief, unsicher, was er zu der Aufnahmegebühr von einhundert Dollar sagen würde, aber auch froh, dass er diese Würdigung ihrer akademischen Leistungen sehen konnte, denn ihm, der so hart arbeitete, verdankte sie die Chance, studieren zu können.

»Ich weiß gar nicht, ob ich überhaupt versuchen soll, da Mitglied zu werden«, sagte sie gespielt desinteressiert.

»Aber das ist gut, *bébé*«, sagte er. »In dem Brief steht, dass du eine von den Besten an deinem College bist. Warum hast du das nicht gesagt? Obwohl du in diesem Semester keine Kurse besuchst, denken sie an dich.«

»Dann kann ich die hundert Dollar für die Anmeldung ausgeben?«

»Gib dreihundert aus«, sagte er, legte die Arme um ihre Taille und küsste sie. »Wenn wir je einen Grund hatten, was von dem gesparten Geld zu nehmen, dann jetzt. Wenn du Mitglied werden kannst und sie dir eins von den Stipendien für Mitglieder geben, von denen sie hier schreiben …«

»Daran hab ich auch gedacht, an die Stipendien. Stell dir vor, *bébé*! Vielleicht kann ich ein Stipendium bekommen, das uns im September mit der Zahlung hilft oder sogar im Januar, wäre das nicht was?«

»Vielleicht kann ich dann nachts wieder ruhig schlafen.«

Am Tag darauf füllte sie online den Mitgliedsantrag aus und bekam nach ein paar Tagen einen Brief, in dem man sie herzlich in der Society begrüßte und sie über die Vorzüge der Mitgliedschaft informierte. Sofort ging sie auf die Website, die in dem Brief angegeben war, und sah – Dutzende Stipendien für Studenten mit ihrem Notendurchschnitt und Leistungsniveau, demselben Hauptfach und denselben beruflichen Interessen. Für die meisten Stipendien hatte sie den Bewerbungsschluss schon verpasst. Die noch übrigen erforderten, von einem Dekan vorgeschlagen zu werden.

»Dann geh zum Dekan und bettle, dass er dich vorschlägt«, sagte Jende, als sie ihm erzählte, was sie entdeckt hatte.

»Aber ich kenne keinen Dekan«, sagte sie und versuchte, sich nicht über seinen autoritären Ton zu ärgern.

»Neni, du gehst zum College und fragst, wer der Dekan ist, der Leute vorschlagen kann. Du gehst zu dem Mann und schilderst deine Situation, okay? Du sagst dem Mann, dass du im September wieder studieren musst, damit du legal im Land bleiben darfst. Sag ihm, du bist sehr klug und willst Apothekerin werden, aber dein Mann verdient nicht mehr gut. Sag ihm, wie sehr du Apothekerin werden willst und wie sehr dein Mann sich wünscht, dass du Apothekerin wirst. Du musst ihm alles erzählen, was du erzählen kannst, weil du nicht weißt, ob der Mann ein weiches Herz hat.«

Sie hörte ihm zu, nickte und schrieb eine Stunde später eine E-Mail an ihren früheren Mathematiklehrer, der ihr am Morgen darauf den Namen des zuständigen Dekans samt Zimmernummer schickte – Dekan Flipkens. Von ihm erfuhr sie auch, dass sie keinen Termin brauchte, um den Dekan zu sprechen, sondern jederzeit hingehen konnte. Noch am selben Nachmittag brachte sie Timba zu Betty, denn sie hoffte, den Dekan gleich anzutreffen und so bald wie möglich ihr Stipendium zu bekommen.

Auf dem Weg von der U-Bahn zum College stellte sie sich den Dekan als freundlichen alten weißen Mann mit lichten grauen Haaren vor, sah aber schon beim Betreten des Büros, dass ihre Vorstellung nichts mit der Wirklichkeit gemein hatte: Er war weiß, ja, aber jung – mit dichten braunen Haaren –, und schon nach der ersten Minute in seinem Büro wusste sie, dass sein Herz nicht annähernd so weich war, wie Jende gehofft hatte.

»Es tut mir leid, Sie enttäuschen zu müssen, Mrs Jonga«, sagte er, »aber ich spreche Empfehlungen nicht auf Wunsch aus. Ich empfehle Studenten mit exzellenten Noten, die für das College und die Gesellschaft Herausragendes leisten.«

»Ja, Herr Dekan, ich verstehe«, sagte Neni gefasst, bemüht, sich nicht anmerken zu lassen, wie verzweifelt sie war. »Aber wie Sie sehen, habe ich sehr gute Noten, darum wollte ich heute mit Ihnen sprechen.«

»Ja, Ihre Noten sind in Ordnung, aber wie steht es mit Ihrem Engagement für unser College und die Gesellschaft?«

»Ich –«

»Sind Sie Mitglied in einer der Studentenorganisationen auf dem Campus? Haben Sie irgendetwas getan, um das Leben der anderen Studenten am BMCC zu bereichern?«

»Herr Dekan, ich habe –«

»Arbeiten Sie ehrenamtlich in irgendeiner anderen Organisation in der Stadt? In Ihrem Viertel?«

Neni schüttelte den Kopf. »Einmal habe ich in meiner Kirche geholfen, aber … Herr Dekan, ich würde gern mehr machen«, sagte sie und schämte sich plötzlich, als wäre sie gerade beim Klauen erwischt worden. »Aber ich hab keine Zeit, Herr Dekan.«

»Niemand hat Zeit, Mrs Jonga«, sagte der Dekan.

»Ich habe zwei Kinder, und bevor mein zweites Kind kam, habe ich auch gearbeitet. Wenn ich irgendwie könnte, würde ich mich sehr gern am BMCC engagieren, weil ich das College mag. Aber ohne Zeit, Herr Dekan, kann ich nichts machen.«

»Ich bin mir nicht sicher, was ich Ihnen raten soll.«

»Ich bin für jede Hilfe dankbar, Herr Dekan. Mir fehlen nur noch zwei Semester, dann kann ich an ein weiterführendes College gehen und meinen Bachelor machen. Aber mein Mann hat seinen Job verloren, in dem er gut verdient hat. Ich weiß nicht, wie ich im September weiterstudieren kann, wenn mir nicht jemand mit einem Stipendium hilft. Wenn Sie mir irgendwie helfen können …«

Der Dekan starrte sie über seine schicke schwarze Streberbrille hinweg an und wandte sich dann seinem Computer zu. Viel jünger als sie konnte er nicht sein, schätzte Neni, auch wenn er viel jünger aussah, fast so wie die adrett frisierten jungen Männer mit ihrer makellosen Haut, die überall am Times Square von Videoleinwänden herabschauten. Bestimmt saß er hier in diesem Büro, weil er musste, nicht weil er wollte, und schon das allein gab ihr das Gefühl, dass es diesem Mann egal war, ob sie weiter am BMCC würde studieren können.

Als er die Maus auf dem Mauspad hin und her schob, schaute sie auf seine Hände, die gepflegt und weich aussahen, wie die Hände eines Menschen, der keinen Tag seines Lebens harte körperliche Arbeit geleistet hatte.

»Ich würde Sie ja zur Studienbeihilfe rüberschicken«, sagte er und wandte sich jetzt wieder ihr zu, »aber ich sehe gerade, dass sie als ausländische Studentin bei uns eingeschrieben sind. Sie wissen sicher, dass sich so ziemlich jedes Stipendium und jede Ausbildungshilfe, die wir anbieten, an Staatsbürger oder Daueraufenthaltsberechtigte richtet, also werden die wirklich kaum etwas für Sie tun können.«

Neni nickte, knöpfte sich die Jacke zu und griff nach ihrer Handtasche, die auf dem Boden lag.

»Das muss ich Sie aber noch fragen, Mrs Jonga«, fuhr er fort und ignorierte, dass Neni sich gerade zum Gehen fertig machte, »ich sehe gerade, dass Sie sich nach Ihrem Abschluss hier bei uns für einen Platz in Pharmazie bewerben wollen. Ist dem noch so?«

Neni nickte, sie wollte keine Worte mehr an ihn verschwenden.

»Darf ich fragen, warum Pharmazie?«

»Weil es mir gefällt«, platzte es aus ihr heraus.

»Das verstehe ich. Aber warum?«

»Weil ich Menschen Medizin geben will, damit sie sich besser fühlen. Als ich nach Amerika gekommen bin, hat mir der Cousin von meinem Mann dazu geraten. Es ist ein gutes Studium, hat er gesagt. Und alle sagen, dass es ein guter Beruf ist. Ist es ein Problem, dass ich Apothekerin werden will, Herr Dekan?«

Der Dekan grinste, und Neni stellte sich vor, wie er insgeheim hämisch über sie lachte, darüber, dass sie ihren Berufswunsch eben so eifrig verteidigt hatte.

»Apothekerin ist ein guter Beruf, da haben die Leute recht«, sagte er und grinste weiter überheblich, »aber ich frage mich – und ich sage das schrecklich ungern zu Studenten, denn ich möchte nicht, dass irgendjemand glaubt, ich würde sie oder ihn ausbremsen wollen –, ob Sie sich gut überlegt haben, ob das für jemanden in Ihrer Situation die richtige Berufswahl ist?«

»Ich verstehe nicht, was Sie meinen.«

»Ich frage mich nur, ob eine andere berufliche Ausrichtung nicht vielleicht besser zu jemandem wie Ihnen passen würde.«

»Ich möchte Apothekerin werden«, sagte Neni, die nicht länger versuchte, ihre Wut zurückzuhalten.

»Das ist großartig und ich kann Sie zu dieser Wahl nur beglückwünschen. Aber Sie sind heute gekommen, weil Sie dringend Geld brauchen, um weiterzustudieren. Sie haben zwei Kinder, Ihr Mann verdient nicht genug Geld, und nach allem, was Sie sagen, kommen Sie nur schwer über die Runden. Das Pharmaziestudium ist sehr teuer, Mrs Jonga, und Sie sind eine ausländische Studentin. Solange sich Ihr rechtlicher Status nicht ändert, werden Sie nur schwer ein Darlehen bekommen, um Ihr Studium abschließen zu können, vorausgesetzt, Sie machen überhaupt erst mal hier bei uns am BMCC Ihren Abschluss.«

»Sie wollen mich also davon abbringen, Apothekerin werden zu wollen?«

Der Dekan nahm die Brille ab und legte sie auf den Schreibtisch.

»Zu meinen Aufgaben als stellvertretender Dekan«, sagte er, »gehört auch die Berufsberatung unserer Studenten. Und wenn ich Studenten wie Sie berate, Mrs Jonga, habe ich den Anspruch, Ihnen zu realistischen Zielstellungen zu verhelfen. Verstehen Sie, was ich mit realistischen Zielen meine?«

Neni starrte ihn weiter wütend an.

»Es gibt sehr viele andere gute Berufe im Bereich Gesundheitsversorgung, und wir können Ihnen helfen, da hineinzukommen. Examinierte Krankenschwester, Ulltraschalldiagnostiker, Fachkraft für die Fakturierung medizinischer Leistungen, viele wichtige Berufe, die ... Sie wissen schon, die als Ziel realistischer sind –«

»Realistisch ist mir egal.«

»Es wäre schade, wenn Sie so viele Jahre ein Ziel verfolgen, obwohl nur eine geringe Chance besteht, dass Sie es auch erreichen, finden Sie nicht? Ich versuche nur ... Ich möchte nur, dass wir alles durchsprechen und uns ansehen, wie Ihre Chancen stehen, also dafür, am BMCC Ihren Abschluss zu machen, einen Platz für ein Pharmaziestudium zu bekommen und eine approbierte Apothekerin zu werden, während Sie finanziellem Stress ausgesetzt sind, zwei Kinder großziehen und sich mit einem befristeten Visum im Land aufhalten. Denken Sie denn nicht, dass es schade wäre, etwas anzufangen, Zeit und Geld darauf zu verwenden, nur um es dann später aufgeben zu müssen, weil Sie merken, dass es Sie überfordert? Und bevor Sie denken, ich möchte Ihnen nur Ihre Pläne madigmachen, sollten Sie wissen, dass ich aus langjähriger Erfahrung spreche. Sie glauben ja nicht, wie oft ich miterlebe, dass genau das passiert, und wie sehr ich bedaure, dass die Studenten bei uns nicht besser beraten worden sind. Denn auf jeden Studenten in Ihrer Situation, der es zum Arzt oder Apotheker schafft, kommen vier oder fünf weitere, die nie einen Studienplatz für Medizin oder Pharmazie bekommen und dann eine Kehrtwende machen und eine Ausbildung zur Krankenschwester beginnen müssen.«

Neni lachte und schüttelte den Kopf. Die Situation war ganz und gar nicht lustig, aber irgendwie doch.

»Ich wüsste nicht, was daran so witzig ist«, sagte der Dekan.

»Haben Sie schon als Kind davon geträumt, in Ihrem jetzigen Beruf zu arbeiten, Herr Dekan?«, fragte Neni, und alles eventuell Lachhafte war einer Wut gewichen, die so heftig in ihr brodelte, dass sie befürchtete, gleich zu explodieren.

»Ich habe eigentlich von etwas anderem geträumt, aber Sie wissen ja … man muss im Leben –«

»Und darum wollen Sie nicht, dass ich Apothekerin werde?«, sagte sie, stand auf und hängte sich die Handtasche um. »Weil Sie hier in diesem Büro sitzen und nicht woanders?«

»Bitte setzen Sie sich, Mrs Jonga«, sagte der junge Mann und deutete auf den Stuhl. »Es gibt keinen Grund, ausfällig zu –«

»Ich möchte Apothekerin werden!«, sagte Neni. »Und das werde ich auch.«

Als Jende abends nach Hause kam, erzählte sie ihm nur, dass sie wahrscheinlich kein Stipendium bekommen würde. Was wollen wir dann auf der Feier von dieser Honor Society?, fragte er und klang, als hätte sie ihn enttäuscht. Es wäre schön, wenn wir feiern würden, wie weit ich es geschafft habe, sagte sie, was ihn aber nicht überzeugte. Er würde sich nicht freinehmen und Geld verlieren, nur um sich anzusehen, wie sie einer Organisation beitrat, die ihnen nicht helfen würde. Nimm eine von deinen Freundinnen mit. Oder frag Winston.

Winston kam nur allzu gern mit. Er alberte am Telefon mit ihr herum, sie sollte lieber überprüfen, ob sie auch wirklich einer Honor Society und nicht einer Secret Society beigetreten war, weil man die beiden manchmal schwer auseinanderhalten konnte, und sie sagte schlagfertig, sie würde höchstens der Secret Society beitreten, der er schon angehörte, schließlich hätte sie ihm den Aufstieg vom Supermarktkassierer in Chicago zum Anwalt an der Wall Street ermöglicht. Winston lachte, er war stolz auf sie. Am

Tag der Einführungszeremonie hörte er früher auf zu arbeiten, um sich pünktlich mit ihr, Fatou und den Kindern vor dem Auditorium zu treffen. Während Fatou mit Timba auf dem Gang blieb, klatschten und jubelten Winston und Liomi, als Neni zusammen mit achtundzwanzig anderen Studenten offiziell als Mitglied bei Phi Theta Kappa aufgenommen wurde. Nach der offiziellen Feierstunde lud Winston alle in ein Sushirestaurant ein, wo er eine Platte Sushi mit Aal und Avocado, California Rolls und Sushi mit Garnelen und Gurke bestellte. Er ermunterte Fatou, so viel Sake zu trinken, wie sie wollte, und lachte jedes Mal mit ihr, wenn sie eine Tasse hinunterkippte und sie dann auf den Tisch knallte.

»Wenn wir jetzt schön feiern, wie sich für *société* gehört«, sagte Fatou und kicherte über sich selbst, weil sie sich so albern verhielt wie die Mädchen, die sie auf MTV gesehen hatte, »was schenkst du dann für Neni, wenn sie Apothekerin wird?«

»Dann lädt er uns in eins der Restaurants im Trump Hotel ein«, sagte Neni lachend, einen Löffel Misosuppe in der Hand. »Er wird Donald Trump höchstpersönlich einladen, uns ein Steak zu braten.«

Winston schüttelte den Kopf. »Nein«, sagte er und grinste, weil sich die Frauen so auf seine Kosten amüsierten. »An dem Tag, an dem unser besonderes Mädchen hier Apothekerin wird, führe ich euch in ein Restaurant aus, das The Four Seasons heißt.«

48.

In Limbe beginnt die Regenzeit im April. Anfangs regnet es nur alle paar Tage für ein oder zwei Stunden, nicht so stark, dass die Leute nicht mehr vor die Tür gehen, aber auch nicht gerade wenig, weshalb sie ihre *chang*-Schuhe anziehen müssen, bevor sie sich auf die schlammigen Straßen hinauswagen. Ab Mai regnet es heftiger, und die Phasen zwischen den Regengüssen sind kühler, aber noch nicht so kühl, dass die Leute Pullover tragen. Der Regen im Mai kommt nachts und prasselt laut auf die Wellblechdächer, manche haben Angst, sie könnten unter ihnen begraben aufwachen.

Pa Jonga starb in einer dieser regnerischen Mainächte.

Seine Frau und die Kinder waren den ganzen Abend und die frühe Nacht immer wieder durch den anhaltenden Regen zur Hofküche gerannt, um *masepo* und Fiebergras aufzukochen. Das verabreichten sie ihm zusammen mit Paracetamol und Nivaquine, beides vom Apotheker in Half Mile. Der Apotheker hatte bei Pa Jonga Malaria oder Typhus diagnostiziert und verordnet, Pa Jonga müsse dreimal täglich diese Medizin bekommen. Ma Jonga und ihre Söhne hatten die Anweisungen des Apothekers genau befolgt, aber weder die Medizin des Weißen Mannes noch die einheimische Naturmedizin hatten geholfen: Morgens um vier, um die Zeit des ersten Gebetsrufs der Moschee im Viertel, war Pa Ikola Jonga gestorben.

Zwei Stunden waren es noch bis zum Ende von Jendes Schicht im Restaurant in Hell's Kitchen, als kurz nach Pa Jongas Tod der Anruf von seinem mittleren Bruder Moto kam. Der Leib des alten Mannes war noch warm. »Papa tot«, weinte Moto. »Papa tot.«

Der Küchenchef gab Jende den restlichen Abend frei. »Es tut mir sehr leid«, sagte er. »Bitte richten Sie Ihrer Familie in Afrika mein Beileid aus.«

Während der U-Bahn-Fahrt nach Hause saß Jende nur reglos da, den Kopf gesenkt, zu geschockt, um zu weinen. In der Wohnung war Neni, telefonierte, weinte dabei und schrie. Als sie ihn sah, ließ sie das Telefon sinken und rannte auf ihn zu, um ihn in die Arme zu nehmen. Und in dem Augenblick brachen in ihm alle Dämme.

Papa, oh, Papa, weinte er, warum durfte ich dich nicht noch mal sehen? Warum tust du mir das an? Warum hast du nicht auf mich gewartet, Papa? Hey! Warum tust du mir das an?

Winston und seine Freundin Maami kamen kurz nach Mitternacht vorbei. Winston nahm sich am Tag darauf frei, und Maami – die erst kürzlich von Houston nach New York gezogen war, nachdem Winston sie erfolgreich zurückerobert und sofort geschwängert hatte – brachte ihren Laptop mit, um im Schlafzimmer ihren Buchhaltungsjob zu machen. Abends kamen viele Freunde zu ihnen, dieselben Freunde, die auch nach Timbas Geburt vorbeigekommen waren, um mit ihnen zu tanzen. Keiner fragte, ob Jende nach Hause fliegen würde. Für sie war klar, wenn ja, würde er es ihnen schon sagen, und wenn nicht, wäre das auch in Ordnung, kein erwachsener Mann sollte gezwungen werden, irgendwem sagen zu müssen, er könnte nicht nach Hause fliegen, um den eigenen Vater zu beerdigen.

Pa Jonga wurde in die städtische Leichenhalle von Limbe gebracht und zwei Wochen später beerdigt. Jende schickte das Geld für die Beerdigung – ein opulentes zweitägiges Spektakel mit Speisen und Getränken, Reden und Trankopfern, bei dem getanzt, gesungen und geweint wurde. Es war eine Feier, die mehr Geld kostete, als Pa Jonga in den letzten zehn Jahren seines Lebens verdient hatte. Sein Leichnam wurde in einem weißen Anzug in einem Bett aus Ziegelsteinen aufgebahrt, über das ein nagelneues weißes Betttuch gebreitet war. Ma Jonga saß die ganze Nacht neben dem Bett auf dem Boden und nickte, während sich eine lange

Schlange von Trauergästen durch das Zimmer schob, um sich von dem Verstorbenen zu verabschieden und ihr Mut zuzusprechen.

Ashia, Mama, sagten sie. Mach Band um Herz, so geht Leben, oh. Was kann man tun?

Am Tag darauf wurden die sterblichen Überreste vom Pfarrer der Mizpah-Baptistenkirche gesegnet, auch wenn Pa Jonga schon seit Jahrzehnten nicht mehr in die Kirche gegangen war. Ma Jonga hatte sich immer gewünscht, er würde sich taufen lassen, so wie Jende und ihre anderen Söhne; sie hatte sich ausgemalt, wie der Pfarrer ihn in den kleinen Fluss eintauchte, der durch den botanischen Garten floss, und dann wieder aus dem Wasser zog, während die Gemeinde dazu sang, *Ring the bells of heaven! There is joy today, for a soul returning from the wild!* Aber Pa Jonga wollte nichts von diesem Kirchenkram wissen. Wenn ich sterbe und Jesus mit meinen eigenen Augen sehe, dann gefolge ich ihm, hatte er zu seiner Frau gesagt.

»Welche Kirche gibt ihm jetzt den letzten Segen?«, hatte Jende Moto gefragt, als sie darüber sprachen, wie sie für Pa Jonga die beste Beerdigung ausrichten konnten, die New Town je erlebt hatte (denn in Limbe hieß es, dass keiner mit einem erwachsenen Kind in Amerika eine gewöhnliche Beerdigung haben sollte).

»Jede Kirche, die Geld mag«, hatte Moto geantwortet. »Du hast uns schon alles an Geld gegeben, was du hast, ich weiß, aber wenn du uns nur noch ein kleines bisschen mehr gibst, geben wir der Kirche einen hübschen Umschlag und dann kommt ihr Pfarrer liebend gern, um Pa Jonga zu segnen und auf direktem Weg in den Himmel zu schicken.«

Da hatte Jende zum ersten Mal seit vielen Tagen gelacht.

Er schickte das Geld und erfuhr am Tag darauf, dass die Mizpah-Baptistenkirche zugestimmt hatte, seinen Vater zu segnen. Ma Jonga war dort noch ein treues eingetragenes Gemeindemitglied und außerdem in der Kakane-Frauengruppe aktiv. Ihr zuliebe hatte der Pfarrer zugestimmt, zu ihnen nach Hause zu kommen und Pa Jonga für seine Reise ins Paradies zu segnen. Jendes Geld bezahlte die Kirche also nicht, sondern wurde von ihr als dankbare

Spende für das lange glückliche Leben seines Vaters entgegengenommen.

Nach der Trauerfeier führte die Kakane-Frauengruppe in ihren *wrappern* den langen Trauerzug zum Friedhof an. Hinter den Frauen marschierte eine eigens engagierte Blaskapelle, gefolgt von dem gemieteten Landrover mit Pa Jongas messingbeschlagenem Sarg. Hinter dem Landrover marschierten in einer zwei Meilen langen Traube Familienmitglieder und Freunde, von denen manche gerahmte Porträts von Pa Jonga in die Luft hielten. Sie marschierten über den Markt, tanzten und klagten auf ihrem Weg durch New Town, weinten und sangen *Yondo, yondo, yondo suelele*.

Jende schaute sich alles in dem Video an, das Moto für ihn in Auftrag gegeben hatte.

Er schaute die sechsstündigen Aufnahmen hintereinanderweg. Sah, wie seine Mutter schmerzerfüllt zusammenbrach, als der Sarg mit dem Leichnam, den man für die Totenwache nach Hause gebracht hatte, geöffnet wurde. Hörte sich die Reden an, in denen betont wurde, was für ein guter Mann Pa Jonga gewesen war, was für ein exzellenter Bauer und Damespieler. Schaute sich die Tänze an, die vom späten Freitagabend bis zum frühen Samstagmorgen dauerten. Hörte sich an, wie der Pfarrer im Haus seiner Eltern predigte, dass weder Tod noch Leben, weder Engel noch Fürstentümer noch Gewalten, weder Gegenwärtiges noch Zukünftiges, weder Hohes noch Tiefes noch irgendeine andere Kreatur Gottes Kinder von seiner Liebe scheiden mochte. Jende schaute sich an, wie sein Vater in die Erde hinabgelassen wurde und der Pfarrer mit donnernder Stimme sagte: Ikola Jonga, denn du bist Erde und sollst zu Erde werden.

Seinen Vater nicht zu Grabe getragen zu haben, stimmte ihn genauso traurig wie dessen Tod. Bei jeder neuen Szene des grieseligen Videos kamen ihm wieder die Tränen, nur manchmal war er abgelenkt, weil er an Freunden oder Familienmitgliedern, die er seit fast fünf Jahren nicht mehr gesehen hatte, zusätzliche Kilos, graue Haare oder fehlende Zähne entdeckte.

Einen Tag nachdem er das Video gesehen hatte, fingen die Rückenschmerzen an. In dem einen Job musste er am Nachmittag früher gehen, den anderen am Abend ganz absagen. Der Schmerz schien aus den Füßen in den Rücken gewandert zu sein, nur dass er nun noch grausamer war. Morgens vor der Arbeit lag er jetzt oft auf dem Boden, wand sich vor Schmerzen und schluckte bis zu fünf Tylenolpillen auf einmal. Ein Kollege hatte ihm einen Arzt in Jamaica, Queens, empfohlen, der nur gegen Sofortbezahlung arbeitete und ihm für eine zwanzigminütige Behandlung sechzig Dollar in Rechnung stellte, nachdem er ihn zuvor darüber informiert hatte, dass die Unfallversicherung, die Neni online für sie abgeschlossen hatte – weil ihr Anspruch auf das staatliche Hilfsprogramm zur Schwangerschaftsvorsorge ausgelaufen war –, mehr oder weniger nutzlos war (zum Glück waren beide Kinder kostenfrei durch Child Health Plus versichert).

Die Untersuchung fand in einem fensterlosen Behandlungsraum im Kellergeschoss statt, der Arzt sagte, die Schmerzen seien womöglich stressbedingt. »Sind Sie derzeit größeren Belastungen ausgesetzt, die Stress verursachen?«, fragte er.

Ob ich größeren Belastungen ausgesetzt bin?, hätte Jende am liebsten aufgeschrien. Kann man wohl sagen, Herr Doktor. In wenigen Wochen muss ich vor einem Asylrichter erscheinen und ihn erneut anbetteln, mich nicht abzuschieben. Mein Vater ist gerade gestorben und ich konnte ihn nicht beerdigen. Gibt es etwas Beschämenderes für einen erstgeborenen Sohn? Meine Mutter ist langsam zu alt, um Schweine zu züchten, selbst Anbau zu betreiben und die Erträge auf dem Markt zu verkaufen, also muss ich ihr häufig Geld schicken. Ich habe eine Frau und zwei Kinder, die jeden Tag etwas zu essen brauchen, Kleidung und ein Dach über dem Kopf. Meine Frau muss zurück ans College, damit sie ihr Studentenvisum nicht verliert, und ich weiß nicht, ob ich mit meinem Job als Tellerwäscher die Studiengebühren für ausländische Studenten bezahlen kann. Sie muss die Hochschule vielleicht abbrechen und ohne Papiere hier leben. Vielleicht landet sie irgendwann auch vor einem Asylrichter, den sie anflehen muss, im Land bleiben zu dürfen, damit sie irgendwie eine Möglichkeit finden kann, ihr Studium abzuschließen. Ach, vergessen Sie das Studium, an manchen Tagen reicht es nicht einmal für eine gute Mahlzeit mit Huhn. Ich führe streng Regie über das gesparte Geld, damit ich gewappnet bin, wenn es hart auf hart kommt, aber jetzt frage ich mich, wofür ich eigentlich spare? Das Schlimmste ist schon eingetreten, und es bricht mir den Rücken. Also, ja, Herr Doktor, es gibt viele größere Belastungen in meinem Leben, die Stress verursachen.

49.

Als er das Behandlungszimmer verließ, wusste er, dass es vorbei war.

Abends nach der Arbeit bat er Neni, sich zu ihm an den Tisch zu setzen. Er nahm ihre Hand und schaute ihr tief in die Augen. »Neni«, sagte er.

»Was ist? Was hat der Arzt gesagt?«

»Neni«, sagte er erneut.

»Jende, bitte –«

»Es ist so weit. Ich will nach Hause!«

»Welches Zuhause? Was meinst du mit ›nach Hause‹?«

Er holte tief Luft und blieb einen Augenblick still. »Ich meine Limbe«, sagte er. »Ich möchte zurück nach Limbe.«

Sie zog ihre Hand weg und wich zurück, als hätte er ihr gerade von einer ansteckenden Krankheit erzählt. »Was hat das zu bedeuten?«, fragte sie mit Wut in der Stimme.

»Ich möchte nicht mehr in diesem Land bleiben.«

»Du sagst, wir sollen unsere Sachen packen und nach Limbe zurückgehen? Ist es das?«

Er nickte und sah sie traurig an, wie ein Kind, das sagt, sei mir nicht böse.

Sie starrte ihm in die Augen – blutunterlaufene und erschöpfte Augen wie von einem kranken gebrochenen Mann. Als er versuchte, ihre Hand wieder in seine zu nehmen, wich sie noch weiter zurück und nahm die Hände hinter den Rücken.

»Du willst wieder nach Limbe?«

»Ja.«

»Warum? Warum redest du so, Jende? Was bedeutet das alles?«

»Mir gefällt nicht, wie mein Leben in diesem Land ist. Ich weiß nicht, wie lange ich noch so leben kann, Neni. Was wir in Limbe ertragen mussten, war schlimm, aber das hier, das jetzt … ist mehr, als ich ertragen kann.«

Neni Jonga starrte ihren Mann an, als würde sie gern Verständnis für ihn aufbringen wollen, war aber nur gereizt. »Hat der Arzt irgendwas zu dir gesagt?«, fragte sie. »Ist es wegen deinem Rücken?«

»Nein … ich meine, nicht nur. Es ist wegen allem, Neni. Hast du nicht gesehen, wie unglücklich ich bin?«

»Natürlich, *bébé*. Ich hab gesehen, wie unglücklich du bist. Aber dein Vater ist gestorben, und du hast getrauert. Jeder, der seinen Vater so liebt, wie du deinen geliebt hast, wäre unglücklich.«

»Aber es ist nicht, dass mein Vater gestorben ist. Es ist alles. Ich habe meinen Job verloren. Habe keine Papiere. Muss immer nur arbeiten, arbeiten, arbeiten, die ganze Zeit. Wofür? Für so wenig Geld? Wie viele Sorgen kann ein Mensch tragen, hm? Wie lange kann ich …« Am Ende der Frage brach ihm die Stimme weg, aber er räusperte sich, damit sie wiederkam.

»Jends, du weißt, dass wir alles durchstehen«, sagte Neni und griff nach seiner Hand. »Wir haben so viel durchgestanden. Du weißt, dass wir es schaffen, oder?«

Er schüttelte den Kopf. »Nein«, sagte er. »Ich weiß nicht, ob ich es schaffe. Ich gebe mir wirklich große Mühe, aber ich weiß nicht, ob mein Leben in diesem Land besser wird. Wie lange soll ich weiter Teller waschen?«

»Nur, bis du deine Papiere hast.«

»Das stimmt nicht«, sagte er und schüttelte erneut traurig den Kopf. »*Papier* ist nicht alles. In Amerika reicht es nicht mehr, Papiere zu haben. So viele Leute kämpfen um Papiere. So vielen Amerikanern geht es schlecht. Sie sind hier geboren. Sie haben amerikanische Pässe, und trotzdem schlafen sie auf der Straße, gehen hungrig ins Bett und verlieren jeden Tag ihre Jobs und ihre Häuser wegen der … der Wirtschaftskrise.«

Plötzlich fing Timba im Schlafzimmer an zu weinen. Sie unterbrachen das Gespräch und schauten aneinander vorbei ins Leere, warteten, dass sie sich von alleine wieder beruhigte. Und das tat sie.

»In diesem Land Papiere zu haben, ist nicht alles«, fuhr Jende fort. »Was ändert sich für mich, wenn ich morgen Papiere bekomme?«

»Du bekommst einen besseren Job, meinst du nicht?«

»Was für ein Job soll das sein? Ich habe keine Ausbildung, die irgendwer für eine echte Ausbildung hält. Was soll ich also machen? Bei Pathmark arbeiten? Und wie Tunde zehn Jahre lang Shrimps abwiegen?«

»Aber *bébé*, ein Job bei Pathmark ist ein guter Job. Das weißt du. Tunde hat eine sehr gute Arbeit. Er bekommt Zusatzleistungen, ist versichert. Er hat sogar eine Altersvorsorge, das hat Olu mir erzählt. Außerdem kauft er die Lebensmittel für die Familie vergünstigt ein. Warum ist das kein guter Job?«

Jende schaute Neni an und lachte auf, ein freudloses Lachen, gefolgt von einem abermaligen Kopfschütteln. Vielleicht glaubte sie, ihre Freundin Olu hätte ein wirklich gutes Leben, weil ihr Mann bei Pathmark an der Fischtheke arbeitete, aber er glaubte nicht, dass Tunde besonders glücklich war. Wie auch, wenn er den Großteil seiner Zeit mit toten Meerestieren verbrachte und immer nach Fisch stank, wenn er nach Hause kam.

»Tunde und Olu haben also ein wirklich gutes Leben, ja?«

»Ich glaube, sie kommen gut zurecht, und das können wir auch, wenn du deine Papiere und einen Job wie den von Tunde bekommst.«

»Und was glaubst du, wie lange ich meine Familie versorgen kann mit dem Geld, das Pathmark mir zahlt? Hä, Neni? Wie soll ich dir mit so einem Gehalt das Pharmaziestudium zahlen? Wie sollen wir Liomi aufs College schicken? Oder je aus dieser Bude mit Kakerlaken rauskommen?«

»Dann gehen wir nach Phoenix. Das wolltest du immer, oder?«

»Ich ziehe nicht nach Phoenix! Glaubst du, Phoenix hat uns mehr zu bieten? Ich habe hier gesessen und war neidisch auf Arkamo, weil er da drüben dieses schöne Haus mit den vier Schlafzimmern hat, aber weißt du was? Er hat es verloren! Das Kaufhaus, in dem er gearbeitet hat, musste schließen, jetzt steht er ohne Job da, kann die Bank nicht bezahlen und die Bank nimmt das Haus zurück. Weißt du, wo er jetzt mit seiner Familie wohnt? Bei seiner Schwester im Kellergeschoss, wo es keine Fenster gibt! Ist es das, was du dir für uns wünschst? In einem Keller in Phoenix zu landen?«

Neni seufzte. »Okay, *bébé*«, sagte sie. »Dann bleiben wir in New York. Vielleicht könntest du wieder als Fahrer arbeiten. Vielleicht können wir wieder einen Job wie den bei Mr Edwards für dich finden.«

»Das ist Unsinn.«

»Aber –«

»Glaubst du, es ist leicht, so einen Job zu finden? Glaubst du, jemand wie ich bekommt leicht so einen guten Job? Warst du nicht dabei, als ich für die ganzen Chauffeurjobs im Internet hundert Bewerbungen verschickt habe und keiner zurückgerufen hat? Du weißt, dass ich den Job bei Mr Edwards nur bekommen habe, weil Mr Dawson Winston sehr mag und ihm vertraut hat, jemand Guten zu empfehlen. Ich hab den Job nicht allein bekommen, sondern nur durch Winston. Okay? Also hör auf, von Dingen zu reden, von denen du nichts verstehst.«

Sie hatte ihn gekränkt und wütend gemacht, womit auch immer. Um es wiedergutzumachen, strich sie ihm über die Schulter, aber er wich zurück und erhob sich.

»Bitte, *bébé*«, sagte sie und schaute zu ihm hoch. »Wir schaffen das, ja?«

Ohne zu antworten, ging er in die Küche. Dort schaute er in Schubladen und Schränke.

»*Bébé*, was suchst du?«

»Ich muss dir was zeigen«, sagte er und drehte sich zu ihr um. »Neni, nur Winston hat uns bis hierher gebracht. Verstehst du? Wenn Winston nicht den größten Teil von Bubakars Honorar bezahlt hätte, hätten wir jetzt nicht so viel Geld gespart, das weißt du. Ohne meinen Cousin, der fast das gesamte Honorar bezahlt hat und meine Visagebühren für die Einwanderung, der mir geholfen hat, einen guten Job zu finden und diese Wohnung hier, hätten wir nichts! Aber wenn es in diesem Land hier zu schlimm für uns wird – du nur mit einem Studentenvisum, ich mit der drohenden Abschiebung, du mit dem Druck, weiterstudieren zu müssen, um dein Studentenvisum zu behalten –, zu wem gehen wir, wenn wir kein Geld mehr haben oder einer von uns ernsthaft krank wird? Winston wird Vater. Er heiratet. Sie werden noch mehr Kinder haben. Nächstes Jahr macht seine kleine Schwestern ihren Abschluss an der Buea University und dann wird er sie rüberholen müssen. Wir können dann nicht mehr bei jedem Problem zu Winston gehen. Und selbst wenn, Neni, ich bin ein Mann! Ich kann nicht ständig meinen Cousin rufen, damit er mich rettet.«

»Keiner weiß, was Gott vorhat. Vielleicht kannst du irgendwie noch mal einen Job als Fahrer finden.«

»Du hörst mir nicht zu, Neni. Du hörst mir nicht zu! Vergiss, was Gott vorhat, okay? Auch wenn ich wieder versuche, einen Job als Chauffeur zu finden, glaubst du wirklich, ein großer Mann an der Wall Street stellt einfach so einen Afrikaner von der Straße ein? So, wie die Wirtschaft ist, suchen alle möglichen Leute solch einen Job. Sogar ein paar von den Leuten, die vorher in Anzügen an der Wall Street gearbeitet haben, suchen jetzt eine Arbeit als Chauffeur. Es ist gar nichts mehr leicht. Wie soll ich noch mal einen Job finden, der im Jahr fünfunddreißigtausend bringt?«

»Vielleicht kannst du –«

»Was kann ich vielleicht?«

»Es gibt auch andere –«

»Warum streitest du mit mir? Glaubst du mir nicht? Du hättest dabei sein sollen, als ich letzte Woche diesen Mann gesehen habe, der früher einen anderen Manager von Lehman Brothers gefahren hat. Wir haben manchmal zusammen vor dem Gebäude gesessen, er war stark und rund. Ich habe ihn downtown gesehen. Der Mann sah aus, als hätte er vor einem Jahr die letzte ordentliche Mahlzeit bekommen. Er hat keinen neuen Job gefunden. Er sagt, jetzt wollen zu viele als Chauffeur arbeiten. Alle möglichen Leute verlieren alle möglichen Jobs und suchen nach neuen, egal was, Hauptsache, sie können ihre Rechnungen bezahlen. Also sag mir, wenn er, ein Amerikaner, ein Weißer mit Papieren, keinen neuen Job als Chauffeur bekommen kann, was ist dann mit mir? Dem Land geht es bald wieder besser, sagen sie ständig, aber weißt du was? Ich weiß nicht, ob ich so lange hierbleiben kann, bis das passiert. Ich weiß nicht, ob ich mich weiter so quälen kann, nur weil ich in Amerika leben will.«

50.

Sie würde nicht gehen. Auf keinen Fall. Sie würde nicht nach Limbe zurückgehen.

Jahrelang hatte sie im Haus ihres Vaters gehockt und immer nur den Haushalt gemacht, nachdem sie die Schule abgebrochen und ihre Tochter verloren hatte, anfangs, weil sie zu traurig war und sich zu sehr schämte, später – als sie es sich vier Jahre nach dem Tod des Babys wieder vorstellen konnte –, weil ihr Vater kein Geld dafür zahlen wollte, eine fast Zwanzigjährige auf die Highschool zu schicken. Er schlug ihr vor, sich als Schneiderin ausbilden zu lassen, was sie ablehnte, weil sie nicht fünf Tage die Woche an einer Nähmaschine sitzen wollte. Dann bleib halt zu Hause, hatte er gesagt, und finde dich damit ab, dein Leben lang nichts zu tun. Erst als Liomi ein Jahr alt war, stimmte er endlich zu, ihr einen Computerkurs an der Abendschule zu bezahlen, nachdem sie ihn überzeugt hatte, mit grundlegenden Computerkenntnissen sicher leichter einen Bürojob finden zu können. Aber dann fand sie nach dem Kursjahr keinen Job, weil es in Limbe zu wenige Jobs gab, erst recht für eine junge Frau, die es nicht mal bis auf die Highschool geschafft hatte. Gelangweilt und frustriert saß sie zu Hause, konnte sich nicht von ihren Eltern abnabeln, weil sie kein eigenes Geld verdiente, konnte Jende nicht heiraten, weil ihr Vater nicht zuließ, dass sie einen Hilfsarbeiter zum Mann nahm, und konnte nichts dagegen tun, weil Jende und sie es für falsch hielten, sich einem Elternteil zu widersetzen und gegen seinen oder ihren Willen zu heiraten.

Mit Ende zwanzig dachte sie immer nur an Amerika.

Nicht dass sie sich das Leben dort gänzlich frei von Problemen vorgestellt hätte – sie hatte schließlich oft genug *Dallas* und *Denver-Clan* gesehen, um zu wissen, dass es dort auch reichlich fiese Gestalten gab –, aber Serien wie *Der Prinz von Bel-Air* und *Die Bill Cosby Show* hatten ihr einen Ort auf der Welt gezeigt, an dem Schwarze dieselben Chancen auf ein Leben in Wohlstand hatten wie Weiße. Die Afroamerikaner, die sie in Kamerun im Fernsehen sah, waren glücklich und erfolgreich, gebildet und anerkannt, und sie war überzeugt, wenn diese Leute in Amerika großen Erfolg hatten, dann würde sie das auch schaffen. In Amerika bekamen alle, egal, ob schwarz oder weiß, die gleiche Chance, das zu sein, was sie sein wollten. Selbst nachdem sie die Filme *Boyz n the Hood* und *Do the Right Thing* gesehen hatte, war sie fest davon überzeugt, das dort abgebildete Leben von Schwarzen würde nur auf einen sehr kleinen Prozentsatz der Leute zutreffen, genauso wie Amerikaner glauben mussten, die ihnen bekannten Bilder von Krieg und Hunger in Afrika würden nur auf einen geringen Prozentsatz der Leute in Afrika zutreffen. Keiner aus Limbe, der nach Amerika ausgewandert war, schickte Fotos nach Hause, die ein Leben wie das in den Filmen zeigte. Sie hatte immer nur Fotos von Kamerunern in Amerika gesehen, die glücklich und zufrieden waren: lachende Kinder im Schnee, lächelnde Paare in der Mall, Familien vor einem schönen Haus mit einem genauso schönen Auto. Für sie war Amerika synonym für Glück.

Darum hatte sie an dem Tag, als Jende ihr von Winstons Angebot erzählt hatte, ihm ein Flugticket zu kaufen, damit er nach Amerika kommen und irgendwann Liomi und sie nachholen könnte, beim Schreiben einer ellenlangen Dankesmail an Winston heftig geweint. Ab da sah sie sich amerikanische Filme wie *Seite an Seite* und *Mrs Doubtfire* nicht mehr nur zum Vergnügen an, sondern schon als Vorbereitung auf das Leben in New York, wenn sie einen Abschluss machen, ein eigenes Zuhause haben und glückliche Kinder großziehen würde. Obwohl sie nach ihrer Ankunft erstaunt herausfand, dass nicht viele Schwarze wie die in den Sitcoms lebten, und praktisch niemand, ob schwarz oder weiß, einen Diener wie die Familie in *Der Prinz von Bel-Air* hatte, konnte diese Erkenntnis ihrem Bild von Amerika als dem Land der unbegrenzten Möglichkeiten nichts anhaben. Amerika war vielleicht nicht vollkommen, aber trotzdem ein fantastisches Land. Sie konnte es viel weiter bringen, als es ihr in Limbe je möglich gewesen wäre. Trotz der täglichen Herausforderungen konnte sie ihren Freunden in Limbe Fotos schicken und sagen ›Schaut doch nur, meine Kinder und ich, wir sind endlich auf dem richtigen Weg‹.

Aber jetzt, nachdem sie so viel dafür getan hatte, so weit zu kommen, ihr nur noch zwei Semester am BMCC fehlten, bevor sie mit dem Pharmaziestudium beginnen konnte, wollte Jende, dass sie nach Hause zurückkehrten. Er wollte sie zurück nach Limbe schleifen. Niemals.

»Was kannst du machen?«, fragte Fatou, als Neni sich die Haare von ihr neu flechten ließ.

»Keine Ahnung«, sagte Neni. »Ich hab wirklich keine Ahnung.«

Fatou fasste Neni an den Schultern, drehte sie ein Stück zur Seite und drückte ihr den Kopf nach unten, um die angefangene Cornrow besser zu Ende flechten zu können. »Mit Ehe geht so«, sagte Fatou. »Am Anfang willst du Ehe dabei. Aber wenn Ehe da, hast du viele Sachen davon, die willst du nicht dazu.«

Neni höhnte. Fatou konnte es einfach nicht lassen, bei jeder Gelegenheit musste sie sich ein neues Sprichwort ausdenken und klang immerzu wie ein Poesiealbum voller verkorkster Lebensweisheiten.

»Egal, wie Frauen hier im Land machen«, fuhr sie fort, »wir afrikanischen Frauen müssen für unsere Männer stehen und ihnen nachfolgen und immer sagen ja, ja, ja. Das müssen wir afrikanischen Frauen machen. Nein sagen für Ehemann machen wir nicht; ich mache das nicht.«

»Du machst also alles, was Ousmane von dir will?«

»Ja, mache ich. Alles, was er will, mache ich. Warum, glaubst du, gehören uns sieben Kinder?«

»Weil Ousmane es so wollte?«

»Was glaubst du? Welche Frau normal im Kopf will das sieben Mal im Leben so leiden?«

Neni lachte, es war eine der wenigen Situationen, in der sie mit einer ihrer Freundinnen über ihre Zwangslage lachte. Meistens schüttelte sie fassungslos den Kopf, so wie zwei Tage später, als Betty ihre Kinder bei Neni absetzte, bevor sie sich auf den Weg zu ihrem Zweitjob in einem Altenheim auf der Lower East Side machte.

»Sag ihm, du kommst nicht mit«, sagte Betty in der Küche, während sich die Kinder im Wohnzimmer um die Fernbedienung stritten. »Was meint er damit, das Leben hier ist zu hart? Wenn es in unseren Ländern so leicht war, warum sind wir dann weggegangen und hierhergekommen?«

»Er denkt, wenn es dir schlecht geht, dann besser in deinem eigenen Land als irgendwo anders.«

»Ha! Soll ich laut lachen? Er glaubt echt, ein schweres Leben in Kamerun ist besser als eins in Amerika?«

Neni zuckte mit den Schultern.

»Du bereust, wenn du zurück nach Hause gehst, glaub mir«, sagte Betty. »Warum verhaltet ihr euch wie kleine Kinder? Das Leben ist überall schwer. Vielleicht wird es irgendwann leichter. Vielleicht nicht. Keiner weiß, was morgen ist. Aber wir machen weiter und tun, was wir können.«

»Du weißt, wie schwer es ist, seit er seinen Job –«

»Was ist mit dem Geld von Mrs Edwards?«

»Pst«, sagte Neni. Sie steckte den Kopf durch die Küchentür, um sicherzugehen, dass Liomi nicht in der Nähe war. »Er hat es auf einem anderen Konto versteckt und sagt, wir rühren es nur im Notfall an.«

»Warum entscheidet er, was mit dem Geld passiert?«

»Ach Betty, es gibt keinen Grund, das so zu sagen.«

Den Mund halb offen und mit zittrigen Nasenflügeln, schaute Betty Neni an und ließ den Blick ganz langsam über ihr Gesicht wandern.

»Neni?«, sagte sie und straffte die Schultern.

»Was?«

»Bist du an dem Tag damals zu der Frau nach Hause marschiert und hast das Geld allein verdient?«

Neni nickte.

»Gehört das Geld Jende oder euch beiden?«

»Es gehört uns bei–«

»Dann sag deinem Mann, es ist auch dein Geld und du willst es nehmen, um hierbleiben zu können!«

»Was soll das Gerede?«, sagte Neni. »Glaubst du, ich bin eine amerikanische Frau? Ich kann meinem Mann nicht einfach sagen, wie ich es haben will.«

»Warum nicht?«

»Du weißt nicht, was Jende für ein Mann ist. Er ist ein guter Mann, aber trotzdem ein Mann.«

»Dann gehst du zurück nach Kamerun?«

»Ich will nicht gehen!«

»Dann geh nicht! Sag ihm, du willst in Amerika bleiben und es weiter versuchen. Es gibt tausend Dinge, die du machen kannst, bevor du deine Sachen packst. Zuerst musst du dir Papiere besorgen und dann siehst du weiter. Wenn du dir Geld für deine Studiengebühren leihen musst, kenne ich Leute, die dir helfen können, das weißt du. Ich rufe morgen ein paar Leute an, vielleicht fange ich schon heute Abend damit an. Du darfst nur nicht … denk nicht mehr an diesen Unsinn mit dem Zurückgehen. Sag Jende, du gehst nirgendwohin. Du willst hierbleiben und es weiter versuchen!«

Neni schaute Betty an, deren Mund von einer Zahnlücke in zwei gleich schöne Hälften geteilt wurde. Die Frau war Profi darin, wirklich alles zu versuchen. Einunddreißig Jahre in diesem Land und sie versuchte weiter alles, und Neni konnte nicht verstehen, warum. Betty war als Kind mit ihren Eltern nach Amerika gekommen, über sie hatte sie die Papiere bekommen. Seit mehr als zehn Jahren war sie Staatsbürgerin, aber – da stand sie, war Anfang vierzig, arbeitete als ausgebildete Pflegehilfskraft in zwei Altenheimen und machte in der Krankenpflegeschule seit Ewigkeiten eine Zwangspause. Das wollte Neni nicht in den Kopf. Hätte sie die Staatsbürgerschaft, wäre sie innerhalb von fünf Jahren Apothekerin. Eine Apothekerin mit einem hübschen SUV und einem Zuhause in Yonkers oder Mount Vernon oder vielleicht sogar New Rochelle.

An diesem Abend saß sie fast zwei Stunden lang vor dem Bildschirm und googelte »Wie man seinen Ehemann überzeugt«; »Wie man bekommt, was man will«; »Ehemann will wieder zurück nach Hause gehen«. Doch sie fand absolut nichts, was in ihrer Situation auch nur irgendwie nützlich gewesen wäre.

Später im Bad, bevor sie sich ihr Gesichtspeeling auftrug, schwor sie sich beim Blick in den Spiegel, bis zuletzt gegen Jende anzukämpfen. Sie musste einfach.

Nicht nur, weil sie New York liebte und hier gute Zeiten erlebt hatte und noch erlebte. Nicht nur, weil sie fest daran glaubte, irgendwann Apothekerin zu werden, und zwar eine erfolgreiche. Es ging kaum um das, was sie zurücklassen und in Limbe nie vorfinden würde – Pferdekutschen mitten in der Stadt, gigantische beleuchtete Weihnachtsbäume auf öffentlichen Plätzen oder in Einkaufszentren oder schöne Parks, in denen Musiker neben bunten Laubhaufen spielten. Nein, darum ging es nicht. Sondern um das, was ihren Kindern geraubt wurde, und um Limbe, den Ort, an den sie alle zurückkehren würden. Darum, dass sie dann nicht länger die grenzenlosen Möglichkeiten hätten, nicht mehr die Art von Zukunft, die ihr im Haus ihres Vaters fast verweigert worden wäre. Sie würde für ihre Kinder kämpfen und für sich selbst, denn keiner ging von zu Hause weg und kehrte dann zurück, ohne zuvor Reichtümer angehäuft und seine Träume verwirklicht zu haben. Sie musste kämpfen, damit man ihre Kinder nicht irgendwann verspottete wie sie, als sie wegen der Schwangerschaft die Schule hatte abbrechen müssen.

»Wie werden uns die Leute zu Hause anschauen?«, sagte sie ein paar Tage später zu Jende, bevor er zur Arbeit ging. »Da, werden sie sagen. Amerika war zu groß für sie.«

»Das ist dein Problem, ja? Du willst weiter so leben, damit man nicht über dich lacht.«

»Nein!«, sagte sie und richtete den Finger auf ihn, als er sich die Jacke anzog. »Das ist nicht mein Problem. Du bist mein Problem!«

Kurz nachdem er aus der Tür war, rief Betty an. »Ich verstehe jetzt, warum manche Frauen lieber eine Frau heiraten«, sagte sie, bevor Neni auch nur die Chance hatte, von ihrem eigenen Kummer zu erzählen.

»Warum?«, fragte Neni desinteressiert und wünschte sich, sie wäre nicht ans Telefon gegangen.

»Ich geh zu Macy's und kauf mir ein runtergesetztes Kleid, und Alphonse tut, als würde ich immer nur shoppen.«

»Und warum willst du jetzt eine Frau heiraten?«

»Na welche Frau würde einer anderen Frau ein schlechtes Gewissen machen, weil sie sich ein Kleid kauft und sich dann gut fühlt? Ich geh nicht in einem alten Kleid zu einer Hochzeit, wo andere ein Foto von mir machen und bei Facebook einstellen. Nur damit drei Sekunden später irgendwer als Kommentar drunterschreibt ›Betty sieht so alt und fett aus‹. Heutzutage musst du vorsichtig sein –«

»Betty, bitte, ich muss einkaufen –«

»Was ist?«

»Nichts.«

»Was soll das heißen – nichts?«

Neni reagierte nicht.

»Wegen Jende?«

»Was sonst?«, sagte Neni. »Was kann ich noch zu ihm sagen?«

Betty grunzte missbilligend, nicht nur einmal, sondern gleich zweimal. »Weißt du«, sagte sie, »ich habe in meinem Leben schon viele verrückte Sachen gehört, aber ich habe noch nie von jemandem gehört, der freiwillig von Amerika zurück in sein armes Land gegangen ist.«

»Er glaubt, er weiß was, das wir nicht wissen.«

»Was hat er gesagt, als du das mit der Scheidung erwähnt hast?«

»Ich hab noch nicht mit ihm darüber gesprochen.«

»Du hast immer noch nichts gesagt? Die ganze Zeit über –«

»Jetzt fang nicht so an, ich fühle mich schlecht genug, okay? Bitte. Ich habe drüber nachgedacht …«

»Dasitzen und darüber nachdenken reicht nicht.«

»Ich sitze hier nicht nur rum und denke darüber nach! Ich rede mit ihm, aber nicht heute – er kommt zu spät von der Arbeit.«

»Wann willst du ihn fragen? Je länger du wartest –«

»Ein paar Tage werden nichts ändern.«

»Dann wartest du bis nächstes Jahr?«

»Ich habe gesagt, ich rede mit ihm.«

51.

Ein Thema wie dieses musste mit größter Vorsicht angesprochen werden. Nicht zu ernst. Nicht zu lasch. Es brauchte viel Feingefühl, damit es nicht zum Streit kam. Darum wartete sie, bis er im Bad war und sich die Zähne putzte. Als sie hereinkam, trug er gerade *Colgate* auf seine Zahnbürste auf, von einem Ende des Bürstenkopfs zum anderen, wie sie es von ihm kannte, sogar früher in Limbe hatte er es so gemacht, wo eine Tube Zahnpasta manchmal so teuer war wie ein ganzer Haufen Kolokasie.

Sie setzte sich auf den Toilettendeckel und beobachtete, wie er den Wasserhahn aufdrehte und die Zahnbürste unters Wasser hielt. »Ich hab mir Gedanken gemacht«, setzte sie an und schaute ihm dabei im Spiegel ins Gesicht.

Er legte los, putzte sich die Zähne und bürstete ausgiebig die Backenzähne.

»Es ist nur, ich habe … Betty hat einen Cousin … sie sagt, er kann … er hat die Staatsbürgerschaft.«

Er spuckte den weißen Schaum aus. »Und?«, sagte er, ohne sich umzudrehen.

»*Bébé,* er kann uns helfen. Mit *papier.*«

Er setzte erneut die Zahnbürste an und putzte weiter: hoch, links, rechts, runter. Sie hatte noch nie so rote Augen gesehen wie jetzt seine da im Spiegel. »Wenn du sagen willst, was ich denke«, brachte er hervor, den Mund halb voller Schaum, »dann sei still.«

»Aber … *bébé,* bitte lass mich ausreden. Bitte. Betty hat ihn gefragt, und er hat gesagt, er würde es für uns machen.«

Mit halb offenem Mund und einer feinen Spur Schaum am Kinn drehte er sich zu ihr um und sah sie an. Sie schaute weg.

»Das Geld von Mrs Edwards«, sagte sie, »das sollten wir nehmen, um ihn zu bezahlen.«

Er stellte den Wasserhahn an, schaufelte sich Wasser in den Mund, spülte ihn aus und wusch sich das Gesicht, wobei er hinauf zum Spiegel und hinunter zum Badezimmereimer spritzte. Als er fertig war, zog er das Handtuch von der Duschkabinentür und bedeckte sich damit das Gesicht, atmete durch das Handtuch ein und aus.

»Wir lassen uns scheiden, ich heirate ihn. Ich bekomme durch ihn *papier*, dann lass ich mich von ihm scheiden und du und ich heiraten wieder, aber die ganze Zeit wohnen wir weiter …«

Mit einem Ruck riss er sich das Handtuch vom Gesicht, als könne er nicht glauben, was er eben gehört hatte. Er drehte sich zu ihr um und schaute sie an. »Die Schrauben in deinem Kopf, die für dein Hirn«, sagte er und tippte sich mit dem Zeigefinger an die Schläfe, »die sind locker, oder?«

»Jends, wir müssen nicht zurück nach Kamerun«, sagte sie, und ihr brach immer mehr die Stimme weg, so verzweifelt war sie.

Er ließ das Handtuch auf den Boden fallen und öffnete die Tür. »Wenn du noch einmal den Mund aufmachst und mir wieder so einen Schwachsinn vorschlägst –«

»Aber *bébé* –«

»Wenn du noch mal so einen Schwachsinn sagst, Neni, ich schwöre dir, dann –«

»Das Geld von Mrs Edwards ist auch mein Geld!«

Er stand in der Tür und schaute von oben auf sie herab, sie zu ihm hinauf. »Noch ein Wort, Neni, und ich –«

»Und du machst was?«

Er knallte ihr die Tür vor der Nase zu und ließ sie erstarrt auf dem Toilettendeckel zurück.

52.

Bubakar willigte ein, es so zu machen, wie Jende es wollte. Er würde beim Richter beantragen, das Abschiebungsverfahren einzustellen, und im Gegenzug würde Jende freiwillig das Land verlassen.

»Freiwillige Ausreise nennen sie das«, sagte Bubakar. »Du verlässt innerhalb von neunzig Tagen unauffällig das Land. Die Behörden sind glücklich. Die müssen dann den Flug nach Kamerun nicht zahlen.«

»Kann ich später nach Amerika zurückkommen?«, fragte Jende.

»Klar«, sagte der Anwalt. »Wenn dir die Botschaft wieder ein Visum gibt. Aber ob sie das machen, kann ich dir nicht sagen. Du hast kein Einreiseverbot, wie du es bekommen würdest, wenn du dein Visum überzogen hättest und dann zurückgekehrt wärst. Du kannst zurückkommen, aber ob sie dir noch mal ein Visum geben nach dem, was du mit dem letzten gemacht hast, das kann nur die Botschaft in Kamerun entscheiden.«

Und meine Frau und die Kinder?, wollte Jende wissen. Können die zurückkommen? Die Kleine als Amerikanerin natürlich immer, sagte Bubakar. Neni dürfte keine Probleme haben, wenn sie sich offiziell an der BMCC abmelden und innerhalb der vorgeschriebenen Frist das Land verlassen würde, sobald ihre Registrierung beim Akademischen Auslandsamt als Studentin im SEVIS auslief. Es sollte kein Problem sein, zu einem späteren Zeitpunkt wieder ein Visum von der Botschaft zu bekommen, weil sie es ihr nicht zur Last legen würden, dass sie schon mal mit einem Studentenvisum in die USA gekommen war und ihr Studium wegen des Babys nicht abgeschlossen hatte.

»Aber dein Sohn Liomi«, sagte Bubakar, »der sitzt genauso in der Klemme wie du.«

»Warum? Er ist ein Kind. Sie können ihn nicht bestrafen, weil seine Eltern ihn hergebracht haben. Er hat wegen mir sein Visum überzogen. Es ist meine Schuld, Mr Bubakar, nicht seine.«

»Ach ja? Das glaubst du, *abi?*«, der Anwalt lachte sein übliches abgehacktes Lachen. »Ich sag dir jetzt mal was, Brother«, sagte er. »Dem amerikanischen Staat ist es egal, ob du ein Säugling bist, der gerade mal einen Tag alt ist, oder ob du mit verbundenen Augen in einen Container geworfen wurdest und plötzlich in Kansas City wieder aufgewacht bist. Hörst du? Dem amerikanischen Staat geht es in weitem Bogen am Arsch vorbei, wer schuld ist. Wenn du illegal hier bist, bist du illegal hier. Dann zahlst du den Preis.«

»Aber –«

»Darum solltest du dir *ganz* genau überlegen, ob du mit deiner Familie zurück nach Limbe gehen willst«, sagte er. »Du sagst, Amerika ist zu groß für dich? Das glaube ich dir. Manchmal geht es mir auch so. Amerika kann die Hölle sein, ich weiß.«

Er lachte wieder, die Art von Lachen, die nur aus jemandem hervorbricht, der sich an Schreckliches erinnert. »Ich meine«, sagte er dann, »ich bin seit neunundzwanzig Jahren hier. In den ersten drei Jahren habe ich jeden Monat Stunden damit zugebracht, nach einem Rückflug zu suchen. Ich wollte wieder nach Nigeria. Aber weißt du was, mein Brother? Das Zauberwort heißt ›Geduld‹. Durchhaltevermögen. Sei ein Mann, steh's durch. Schau dir an, wo ich heute bin. Ich habe ein Haus in Canarsie. Meine Tochter studiert Medizin. Mein Sohn ist Bauingenieur in New Jersey. Die andere Tochter ist am Brooklyn College. Ich hoffe, sie kommt an die Fordham Law und wird Anwältin wie ich. Ich bin sehr stolz auf meine Kinder. Wenn ich sie anschaue, bereue ich kein bisschen, dass ich so gelitten habe. Ich sitze hier und kann ohne schlechtes Gewissen sagen, das Leben ist gut zu mir. Ich habe durchgehalten, und jetzt schau dir an, wo ich bin. Ich stelle mich nicht hin und sage, dein Leben wird in einem Monat oder im nächsten Jahr leichter werden, denn vielleicht stimmt das nicht. Es ist ein langer, aufreibender Weg vom Migranten, der ums Überleben kämpft, zum erfolgreichen Amerikaner. Aber weißt du was, Brother? Jeder kann es schaffen. Ich bin ein gutes Beispiel dafür; jeder, der Geduld und Durchhaltevermögen beweist, kann es schaffen.«

»Schwachsinn«, sagte Winston, als Jende ihm erzählte, was Bubakar gesagt hatte. Natürlich wollte er nicht, dass Jende zurück nach Limbe ging. Aber auch wenn man in Kamerun nicht die gleichen Möglichkeiten hatte wie in Amerika, hieß das nicht, dass man in Amerika bleiben sollte, obwohl längst alles dagegensprach. »Warum tut alle Welt, als ob es das Größte ist, in Amerika zu sein?«, sagte er.

»Dieser ganze Stress«, sagte Jende. »Wofür?«

»Damit du stirbst und deinen Kindern Rechnungen hinterlässt«, antwortete Winston.

Selbst wenn Jende Papiere bekommen sollte, sagte Winston, würde er als Schwarzafrikaner und Migrant ohne gute Ausbildung vielleicht nie genug Geld verdienen, um sich das Leben leisten zu können, das er sich wünschte, geschweige denn genug Geld, um ein eigenes Zuhause zu besitzen oder das College für seine Frau und seine Kinder zu bezahlen. Vielleicht würde er nachts nie ruhig schlafen.

»Immer wenn ich mit jemandem zu Hause spreche, der einen guten Job aufgeben und nach Amerika abhauen will, sage ich, ›Vorsicht dabei. Ich warne dich, Amerika ist nicht leicht‹.«

»Mich hast du nicht sehr überzeugend gewarnt«, sagte Jende lachend.

»Nein«, sagte Winston und lachte ebenfalls. »Gewarnt hab ich dich nicht. Ich habe dir ein Ticket gekauft, damit du kommen und es mit eigenen Augen sehen kannst.«

»Ja, das hast du.«

»Aber wenn mich im Moment jemand fragt, ob er seinen Job zu Hause aufgeben und nach Amerika kommen soll, dann flehe ich ihn an, vergiss Amerika im Moment, das schwör ich dir, Bo.«

»Oder zu warten, bis diese Rezessionssache vorbei ist.«

»Wie vorbei? Glaubst du, das ist je vorbei?«

»Irgendwann geht es dem Land wieder besser.«

»Ich weiß nicht, Bo. Ich weiß es echt nicht. Ich meine, sogar ein paar von den Leuten, die wie ich Jura studiert haben, können nicht mehr darauf setzen, in diesem Land hier ein gutes Leben zu haben. Ich habe Geschichten von Mexikanern gelesen, die illegal über die Grenze sind, weil sie nach Amerika wollten, und die jetzt freiwillig in die andere Richtung zurückgehen. Warum? Weil es für sie hier nichts mehr zu holen gibt.«

»Leute wie du haben Glück«, sagte Jende. »Mit einem guten Job und Geld.«

»Ich habe Glück?«

»Hast du nicht mehr Glück als der Rest von uns? Wenn du das anders siehst, können wir gern tauschen, dann lebst du für mich in der Mülltonne hier in Harlem und ich in der Nähe vom Columbus Circle.«

»Hab wohl doch Glück«, sagte Winston, nachdem er laut gelacht hatte. »Ich arbeite wie ein Esel von früh bis spät für Leute, die sich alles nehmen und nur ein bisschen Geld für alle anderen übrig lassen. Aber am Ende vom Tag gehe ich mit lauter Bündeln von ihrem dreckigen Geld nach Hause, also –«

»Aber was machen?«

»Was machen? Ich kann gar nichts machen. Und selbst wenn ich könnte, würde ich wahrscheinlich nichts tun, weil mir das Geld gefällt, auch wenn mir nicht gefällt, wie ich es verdiene.«

»Die Amerikaner würden sagen ›*Gotta do what ya gotta do*‹.«

»Aber mir tun Leute leid wie du, Bo«, fuhr Winston fort. »Dieses Land –« Er seufzte. »Ich sag dir, irgendwann kommen gar keine Mexikaner mehr über die Grenze nach Amerika.«

»Vielleicht rennen die Amerikaner dann nach Mexiko«, sagte Jende.

»Würde mich nicht überraschen, wenn es irgendwann so weit ist«, stimmte ihm Winston zu und beide lachten bei der Vorstellung, wie Massen von Amerikanern den Rio Grande überquerten.

Jende war nach dem Telefonat froh, Winston bei sich zu wissen.

Er brauchte diese Art der Bestätigung, die er sonst nirgendwo gefunden hatte, nicht einmal bei seiner Mutter. Als er ihr erzählt hatte, nach Limbe zurückkommen zu wollen, war sie verwundert, wieso er zurückkommen würde, wo doch so viele andere die Stadt verließen, so viele in seinem Alter nach Bahrain und Katar flohen oder sich zu Fuß und in einem überfüllten Bus nach dem anderen von Kamerun nach Libyen durchkämpften, um dann auf undichte Boote in Richtung Italien zu steigen und schließlich, wenn sie nicht lebendig vom Mittelmeer verschluckt wurden, mit Träumen von einem glücklicheren Leben dort anzukommen.

53.

An dem Tag, als Liomi geboren wurde, hielt sie ihn über eine Stunde lang auf dem Arm und weinte. Es war eine lange Schwangerschaft gewesen, fast zweiundvierzig Wochen mit so ziemlich jeder grauenhaften Begleiterscheinung, die man sich nur vorstellen konnte: vier Monate lang schlimmste Morgenübelkeit mit Erbrechen, in den zwei Monaten darauf praktisch ununterbrochene Kopfschmerzen, so schlimme Rückenschmerzen, dass sie jedes Mal aufstöhnte, wenn sie sich im Bett drehte oder aufstand, so stark geschwollene Füße, dass ihr nicht mal die Schuhe in der Größe einundvierzig passen wollten, die Jende ihr extra gekauft hatte, und dann eine qualvolle Dreißig-Stunden-Geburt. In den letzten Monaten der Schwangerschaft hatte sie ihre Besorgungen in der Stadt mit einem Gehstock gemacht, weil sie nicht den ganzen Tag im Bett bleiben und sich von ihren Geschwistern und Freunden anhören wollte, sie würde sich aufführen, als wäre die Schwangerschaft eine Krankheit. Lass das Alte-Frauen-Getue, hätten sie sonst sicher gesagt, denn wegen ihres Watschelgangs und dem riesigen Bauch ärgerten sie sie auch ständig. Was würdest du machen, wenn du schwanger wärst und dich noch um fünf andere Kinder kümmern müsstest?, hatte ihr Vater ihr wütend vorgehalten, als sie gesagt hatte, sie würde keine schweren Einkaufstüten mehr auf dem Kopf tragen, weil schwangere Frauen keine großen Lasten heben dürften. Sie hasste seine abfälligen Bemerkungen, aber ohne einen Ehemann, der sie beschützte, musste sie in seinem Haus bleiben und sich unterordnen. Als Liomi endlich draußen war – nachdem zwei Hebammen über eine Stunde auf ihrem Bauch herumgedrückt und an ihr herumhantiert hatten, während ihre Mutter und ihre Tante ihre Beine angewinkelt und geschrien hatten ›Pressen, du musst pressen; wenn du an dem süßen Teil Spaß hattest, musst du jetzt auch den bitteren Teil ertragen‹ –, nahm sie den kleinen blutbeschmierten Körper mit den geschwollenen Augen in die Arme und weinte so haltlos, dass sie Angst hatte, es könnte sie völlig austrocknen und entkräften. Es ist vorbei, sagten die Frauen im Zimmer zu ihr, was soll das Geheule? Aber sie wusste, es war nicht vorbei, und die Frauen wussten es auch. Es war nur der Anfang von vielen weiteren Schmerzen, aber letztlich war es das alles wert, solange der Kleine nur gesund und am Leben war und sie ihm in die Augen schauen und sehen konnte, was für ein wunderbares Geschenk sie da bekommen hatte.

»Warum wollen Sie ihn dann zur Adoption freigeben?«, fragte Natasha.

Neni, die auf dem Sofa saß, beugte sich nach vorn, nahm sich ein Taschentuch aus der Kleenexbox auf Natashas Beistelltisch und wischte sich die Tränen weg. Keine zwei Meter entfernt schaltete der Computer auf Natashas Schreibtisch in den Energiesparmodus, und der Bildschirmschoner zeigte ein Foto nach dem anderen: von Natasha und ihrem Mann, von ihren Kindern und Enkelkindern – lauter Bilder einer glücklichen Familie.

»Sie wünschen sich für Ihr Kind nur die allerbeste Zukunft, das verstehe ich sehr gut«, sagte Natasha. »Es kann Ihnen keiner vorwerfen, dass Sie wollen, was jede Mutter will. Aber Sie müssen sich fragen, ob das der richtige Weg ist? Was sind Sie bereit dafür zu opfern? Und was wissen Sie über diesen Mann, mit dem Sie sprechen wollen?«

»Er war letztes Jahr mein Mathelehrer«, sagte Neni leise, ihre Stimme vom Kummer erstickt.

»Hm, und was noch? Ist er ein guter Freund von Ihnen?«

Neni schüttelte den Kopf. »Nicht so ein Freund, mit dem man sich oft austauscht. Aber am letzten Tag vor den Semesterferien waren wir zusammen Kaffee trinken und haben gesagt, wir bleiben in Kontakt. Er ist ein sehr netter Mann. Er war nett zu mir, und als er meinen Sohn kennengelernt hat, war er auch nett zu ihm.«

»Wie oft haben Sie sich seitdem gehört?«

»Wir haben ein paarmal gemailt, nichts Großes. Er hat mich in seinen Mailverteiler aufgenommen, als er Fotos von seinem vierzigsten Geburtstag rumgeschickt hat. Da war er mit seinem Freund in Paris. Und ich habe ihn in meinen Verteiler aufgenommen, als ich nach Timbas Geburt allen eine E-Mail geschickt habe. Er hat geantwortet und gratuliert und gesagt, er kann es nicht erwarten, irgendwann auch ein Kind zu haben. Solche Sachen.«

»Verstehe.«

Neni nickte. »Er hat mir erzählt, er und sein Partner wollen unbedingt ein Kind adoptieren, und darum ist mir vor zwei Tagen, als ich nachts wach lag und an meinen Sohn gedacht habe, ganz plötzlich diese Idee gekommen. Ich bin morgens aufgewacht und konnte an nichts anderes denken.«

»Sie haben noch mit niemandem darüber gesprochen, oder?«

»Mit wem soll ich sprechen? Meine Freunde sagen dann, ich bin verrückt, und mein Mann, ich weiß nicht, wie ich ihm überhaupt … Darum habe ich zuerst Sie angerufen, damit Sie mir helfen, mit meinem Mann zu sprechen, ihm verständlich zu machen, dass es das Beste ist für unseren Sohn.«

»Glauben Sie das wirklich, Neni?«

Neni antwortete nicht.

»Glauben Sie wirklich, Ihr Sohn wird glücklich, wenn Sie ihn zu diesem Lehrer geben, den Sie kaum kennen, und zu seinem Partner? Werden Sie so glücklich? Denn Sie werden –«

»Wenn mein Sohn in Amerika bleiben kann und die Staatsbürgerschaft bekommt, indem ihn ein amerikanisches Paar adoptiert, dann bin ich glücklich. Ich erkläre ihm, dass es nur für sein Bestes ist, dann ist er auch glücklich. Und das mit dem Schwulsein ist mir egal, wenn sie ihn gut behandeln.«

»Und Ihr Mann, ist es ihm auch egal, dass die beiden schwul sind? Wie denkt er über Schwule?«

»Er hat keine Angst vor ihnen.«

»Ja, aber ist er … Ach, nicht so wichtig. Ich mache mir keine großen Sorgen, weil die beiden schwul sind. Ich finde es herrlich, dass sie schwul sind, genauso wie ich es herrlich finde, dass ich es nicht bin. Mich beschäftigt vor allem, was das Ganze für Sie bedeuten könnte. Nehmen wir mal an, Sie schicken dem Lehrer eine E-Mail und treffen sich mit ihm, und er sagt, klar, wenn Sie zurück nach Kamerun müssen, adoptieren mein Partner und ich liebend gern Ihren Sohn. Nehmen wir mal an, Ihrem Sohn geht es gut mit der Lösung, Sie verabschieden sich am Flughafen von ihm mit einem Kuss und steigen ins Flugzeug – wie, glauben Sie, werden Sie sich dann in dem Augenblick fühlen, wenn das Flugzeug abhebt und Sie wissen, dass Sie ihn vielleicht viele Jahre lang nicht sehen werden?«

»Ich weiß nicht, wie ich mich dann fühle … ich werde mir Sorgen um ihn machen, aber … Ich lebe nicht gern so, dass ich mir ständig Gedanken darüber mache, wie ich mich bei irgendwas fühle. Ich muss …«

Natasha beugte sich vor und schob die Kleenexbox noch näher zu Neni, die schniefte, aber nicht nach einem Taschentuch griff.

»Ich weiß, Sie sind zu mir gekommen«, sagte die Pfarrerin, »damit ich Sie bestärke, Ihnen sage, Sie müssen zwar eine schwere Entscheidung treffen, aber es ist die richtige. Nur … das kann ich nicht … das kann ich in der Tat nicht, denn ich glaube, Sie werden es bereuen. Ich glaube keine Sekunde, dass Sie das fertigbringen, wo ich doch weiß, wie sehr Sie Ihren Sohn lieben. Aber wenn doch … Tut mir leid, wenn ich das sage, Neni, aber das Gefühl der Reue, vor allem, wenn es um das eigene Kind geht, ist ganz sicher nichts, womit Sie leben möchten.«

»Ich werde es nicht bereuen«, sagte Neni. »Ich werde es nicht bereuen, ihn hierzulassen, damit er amerikanischer Staatsbürger werden, hier aufwachsen und –«

»Wissen Sie überhaupt, ob er auch wirklich die Staatsbürgerschaft bekommt, wenn das Paar ihn adoptiert?«

»Ich habe es gegoogelt, und da stand, Amerikaner können ein Kind, das illegal im Land lebt, adoptieren und eine Greencard für das Kind beantragen. Nach ein paar Jahren kann das Kind Staatsbürger werden.«

»So was hab ich noch nie gehört. Ich würde zuerst mal mit einem Anwalt für Adoptionsrecht sprechen, vor allem, da das Paar, das Ihnen vorschwebt, schwul ist und man sich noch wegen DOMA Gedanken machen muss, denn gleichgeschlechtliche Ehen werden nicht in allen Bundesstaaten akzeptiert.«

»Aber um an das Geld für den Anwalt zu kommen, muss ich meinem Mann davon erzählen!«, sagte Neni und warf die Hände in die Luft. »Und wenn ich versuche, mit ihm zu reden … ich kann zurzeit überhaupt nichts zu ihm sagen, ohne dass er …«

»Was das Geld angeht, müssen Sie sich erst mal keine Sorgen machen – ich könnte Ihnen jederzeit eine kostenlose Beratung irgendwo besorgen oder mit der Kirchenleitung reden, um Ihnen bei der Bezahlung eines Anwalts zu helfen.«

»Oh, vielen, vielen Dank, Natasha! Ich danke Ihnen aus vollem Herzen!«

»Aber bevor wir diesen Schritt gehen und Geld für einen Anwalt ausgeben«, sagte Natasha, »möchte ich Sie bitten, noch einmal in Ruhe über alles nachzudenken –«

»Über was nachdenken?«

»Darüber, ob das wirklich die beste Lösung ist. Nehmen Sie sich noch mehr Zeit –«

»Aber ich habe keine Zeit!«, schrie Neni. »Mein Mann will jetzt sofort zurück nach Hause, und ich weiß nicht, was ich machen soll! Ich bin so wütend auf ihn, ich kann nicht essen, nicht schlafen …«

»Aber es muss eine andere Möglichkeit geben, um Ihrer Familie aus dieser Situation herauszuhelfen.«

»Es gibt andere Möglichkeiten, aber mein Mann sagt Nein!«, sagte Neni und weinte jetzt wieder, nahm sich ein Taschentuch und schluchzte hinein. »Er will, was er will, und ich kann überhaupt nichts machen!«

Natasha lehnte sich auf ihrem Stuhl zurück und schwieg, schaute Neni nur weiter an, bis sie sich wieder beruhigt, sich die

Tränen weggewischt und sich geschnäuzt hatte. Als Neni fertig war, stand Natasha auf, hob Nenis benutzte Taschentücher vom Boden auf und stellte ihr eine neue Kleenexbox hin.

»Oh, Natasha, was soll ich machen?«, fragte Neni, als Natasha sich wieder auf ihren Stuhl gesetzt hatte. »Manchmal fühle ich mich wie in einem Film über eine verrückte Afrikanerin.«

»Wir müssen nur auf Gott vertrauen, dass der Film auch ein Happy End hat. Und Neni und ihre Familie lebten glücklich und zufrieden bis an ihr Lebensende!«

Neni brach in Gelächter aus, dann weinte sie plötzlich, lachte und weinte, alles auf einmal.

Natasha beobachtete sie, während sie all das durchmachte, sich die Tränen wegwischte und dann erneut in Tränen und Gelächter ausbrach und nicht glauben konnte, so einen Tritt vom Leben zu bekommen.

»Ich kann nur erahnen, wie schwer das alles für Sie ist, aber Sie müssen sich anschauen, was Sie bereit sind zu tun. Sie sind bereit, sich von Ihrem Mann scheiden zu lassen und einen mehr oder weniger unbekannten Mann zu heiraten. Sie sind bereit, Ihr Kind zur Adoption freizugeben, im Wissen, es dann vielleicht viele Jahre lang nicht zu sehen.« Natasha machte eine Pause und schaute Neni eindringlich an. »Ich denke, Sie sollten einen Schritt zurücktreten und sich fragen, warum Sie –«

»Ich muss machen, was ich machen muss.«

»Ich will Ihnen gar nicht widersprechen.«

»Es gefällt mir nicht, wie manche Leute zu Frauen sagen, ach, du willst so viel, warum willst du so viel? Als ich noch jünger war, hat mein Vater zu mir gesagt, irgendwann lernst du, dass du eine Frau bist und es besser ist, wenn du nicht zu viel willst; als müsste ich mit meinem Leben zufrieden sein, auch wenn es gar nicht die Art von Leben ist, die ich möchte.«

»Hm-hm«, sagte Natasha und wiegte den Kopf.

»Ich schäme mich nicht, viel im Leben zu wollen. Wenn meine Tochter größer wird, sage ich ihr, du darfst wollen, was immer du willst, und meinem Sohn sage ich das auch.«

Jemand klopfte an Natashas Bürotür, die Person, die als Nächstes einen Termin bei ihr hatte, sei jetzt da. Noch fünf Minuten, sagte Natasha. Sie erhob sich, ging um den Beistelltisch herum auf Neni zu, setzte sich neben sie und griff nach ihren Händen. »Ich werde Sie unterstützen«, sagte sie. »Egal, wie Sie sich entscheiden, ich werde Sie voll und ganz unterstützen.«

Neni nickte und senkte den Kopf.

»Machen Sie sich keine Gedanken, ich werde Sie nicht verurteilen.«

Einen Augenblick lang saß Neni still da, den Kopf noch immer gesenkt. »Da, wo ich herkomme«, sagte sie sanft und hob den Kopf, »geben viele Mütter ihre Kinder zu anderen Leuten. Sie sehen die Kinder lieber bei Verwandten aufwachsen, die mehr Geld haben.«

»Hm.«

»Manchmal sind die Mütter und Väter arm und manchmal sind sie verheiratet, leben zusammen und haben genug, um ihre Kinder satt zu bekommen, aber ihre Kinder sollen bei reichen Leuten aufwachsen.«

»Und funktioniert das gut?«

»Manche Verwandte behandeln die Kinder gut, manche behandeln sie schlecht, aber die Mütter lassen sie trotzdem da. Das habe ich nie verstanden.« Sie holte tief Luft und lehnte sich auf dem Sofa zurück, die Hände auf dem Bauch verschränkt, den Blick zu Boden gerichtet.

»Was geht Ihnen durch den Kopf?«, fragte Natasha.

»Vielleicht verwandle ich mich gerade in einen anderen Menschen.«

»Hm-hm. Und wie finden Sie diesen neuen Menschen, in den Sie sich gerade verwandeln?«

»Ich weiß es nicht.«

»Ich möchte die Frage gern noch mal anders formulieren: Sind Sie glücklich damit, in wen Sie sich gerade verwandeln?«

Neni hatte Tränen in den Augen, weinte aber nicht. Sie schaute zum Fenster und blinzelte die Tränen weg.

54.

Es gab sie nicht mehr, die zärtlichen Umarmungen in der Küche und die Augenblicke heimlicher Lust im Bad, wenn die Kinder schliefen. Sie lebten jetzt in getrennten Welten, jeder beharrte auf seinem Standpunkt, überzeugt davon, wie falsch der andere lag. Und da sie nicht wirklich zufrieden war mit dem neuen Menschen, in den sie sich gerade verwandelte – es kam ihr ohnehin sinnlos vor, da die Entscheidung letztlich immer bei Jende lag –, konnte sie nichts anderes tun, als mit ihm aufreibende Gespräche über die Zukunft zu führen, die auf ihrer Seite in Vorwürfen und auf seiner Seite in Wut endeten. Wir gehen zurück, sagte er jedes Mal, mehr gibt's nicht zu sagen. Wie kannst du das machen?, kreischte sie dann. Wie kannst du so egoistisch sein? Wenn sie redete, während er aß, schob er den Teller weg und tobte, dass sie sich für dumm verkaufen ließ, diesen ganzen Mist von Amerika als bestem Land auf der ganzen Welt zu glauben. Aber weißt du was, sagte er dann herablassend zu ihr, das ist Amerika aber nicht; dieses Land ist voll mit Lügen und Leuten, die sich gern Lügen anhören. Wenn du die Wahrheit wissen willst, erzähl ich dir die Wahrheit. In diesem Land ist kein Platz mehr für Leute wie uns. Alle, die dumm genug sind, können diese ganzen Lügen glauben und für immer hierbleiben und hoffen, die Situation wird schon irgendwann besser und alles gut. Aber ich werde mein Leben nicht mit der Hoffnung vergeuden, mit viel Zauber irgendwann glücklich zu sein. Auf keinen Fall!

Ihren schlimmsten Streit hatten sie vier Tage vor seinem Gerichtstermin. Während er auf dem Wohnzimmerboden lag und vor Schmerzen stöhnte, sagte sie, dass es für seinen Rücken sicher das Beste wäre, wenn er in New York bleiben würde, weil die Ärzte hier besser waren als in Limbe. Sie hatte ihm gerade den Rücken massiert und einfach unüberlegt gesagt, was ihr durch den Kopf ging, und nicht überlegt, wie ein Mann, der starke Schmerzen und vier Tage später vor dem Asylrichter zu erscheinen hatte, darauf reagieren könnte.

»Sei still«, presste er unter Schmerzen hervor.

Nach diesem Warnsignal hätte sie nichts mehr sagen dürfen, das war ihr am Tag darauf bewusst. Aber in dem Augenblick kam ihr das nicht in den Sinn. Denn noch hatte sie ihrem Mann ja nicht klarmachen können, wie absurd sein Vorhaben war.

»Warum bist du so stur?«, sagte sie. »Du weißt, dass die Ärzte hier ein Mittel –«

Er schüttelte sie von seinem Rücken runter und stand auf, und während er versuchte, sich selbst die Schultern zu massieren, funkelte er sie an.

»Ich sage nur –«

»Sei still, sage ich, hörst du das?«

»Die Schmerzen gehen nie weg, wenn –«

Sie hatte den Schlag nicht kommen sehen. Merkte nur, wie sie auf einmal zurücktaumelte und von der Wucht und dem Schock zu Boden fiel, spürte, wie ihre Wange brannte, als hätte sie jemand mit heißem Teer abgescheuert. Er stand über ihr, die Faust geballt, und schrie sie mit so hässlich verzerrter Stimme an, wie sie es noch nie von ihm gehört hatte. Er beschimpfte sie als nutzlose und bescheuerte und dumme und egoistische Frau, der es völlig egal war, ob ihr Mann vor Schmerzen starb, solange sie nur weiter in New York leben konnte. Sie sprang auf, und ihre Wange pochte vor Schmerz.

»Schlägst du mich jetzt?«, kreischte sie, die Hand an der linken Wange. »Schlägst du mich jetzt?«

»Ja«, sagte er, die Augen weit aufgerissen. »Und wenn noch ein Wort kommt, schlage ich noch mal!«

»Dann schlag noch mal!«

Er drehte sich um und wollte gehen, aber sie zog ihn am Hemd zurück. Er versuchte, sie wegzuschieben, doch sie ließ ihn nicht, stellte sich vor ihn und schrie ihm ins Gesicht, während ihr die Tränen über die Wangen liefen. »Darum hast du mich nach Amerika gebracht, ja? Damit du mich umbringen und meine Leiche zurück nach Limbe schicken kannst? Na los, schlag mich, Jende … mach, schlag noch mal zu!«

Sie stieß ihn immer wieder gegen die Brust und quiekte dabei wie eins von Ma Jongas Schweinen kurz vorm Schlachten. Warum bringst du mich nicht einfach um?, schrie sie herausfordernd. Warum nicht? Schlag mich und bring mich gleich hier um!

»Mach nicht, dass ich dich noch mal schlage«, knurrte er, als er ihre Hände wegschob und die Fäuste ballte. »Ich warne dich.«

»Mach, los, schlag mich!«, sagte sie. »Hol aus und schlag mich noch mal! Amerika hat dir viele Ohrfeigen verpasst, und du weißt nicht, was du machen sollst, und jetzt denkst du, mich zu schlagen, macht es besser. Also, mach, schlag –«

Und das tat er. Er schlug fest zu. Verpasste ihr eine schallende Ohrfeige. Und dann noch eine. Und noch eine. Eine traf mit voller Wucht ihr Ohr. Die Schläge trafen sie im Gesicht, noch bevor sie zu Ende gesprochen hatte. Sie kreischte vor Schreck und Schmerz und fiel wimmernd zu Boden.

»Ich sterbe dabei! Ich sterbe dabei!«

Liomi kam aus dem Schlafzimmer gerannt. Er sah seine Mutter zusammengekauert in einer Ecke und seinen Vater über sie gebeugt, der mit der Hand ausholte.

»Zurück ins Schlafzimmer, sofort«, brüllte er ihn an.

Der Junge stand da – sprachlos, reglos, hilflos.

»Zurück in dein Zimmer, habe ich gesagt, sofort, sonst ist dein Gesicht kleine Stücke!«, brüllte sein Vater jetzt noch einmal.

»Mama …«

»Wenn du nicht –!«

Liomi brach in Tränen aus und rannte zurück ins Schlafzimmer.

Es klopfte an der Tür.

»Alles in Ordnung?«, fragte eine Männerstimme von draußen.

Neni unterdrückte ihr Schluchzen.

Jende öffnete die Tür.

»Ja, Sir«, sagte Jende zu dem älteren Nachbarn und steckte sein verschwitztes Gesicht durch den schmalen Türspalt. »Es ist alles in Ordnung, Sir, danke.«

»Was ist mit der Frau?«, fragte der Nachbar. »Ich dachte, ich habe sie schreien hören.«

»Alles in Ordnung«, sagte Neni vom Boden und war dabei in etwa so überzeugend wie ein gefälschter Dollarschein auf kariertem Papier.

Der Mann ging.

Jende zog sich die Schuhe an, ging auch und knallte die Tür hinter sich zu. Andere Nachbarn kamen nicht. Falls sie etwas gehört hatten, taten sie nichts. Kein Polizist klingelte an der Tür, um Jende wegen häuslicher Gewalt zu verhören oder um Neni zu ermutigen, Anzeige zu erstatten. Und von sich aus wäre ihr das mit der Anzeige gar nicht in den Sinn gekommen, auch wenn sie wusste, dass Ehefrauen in Amerika das taten, wenn ihre Männer sie schlugen. Für sie war das unvorstellbar, so was könnte sie ihrem Mann nie antun. Sollte er sie ein zweites Mal schlagen, würde sie Winston bitten, mit ihm zu reden. Sollte er sie ein drittes Mal schlagen, würde sie Ma Jonga anrufen. Sein Cousin und seine Mutter würden ihn wieder zur Vernunft bringen. Ein Ehestreit war nichts für die Polizei; ein Ehestreit ging nur die Familie etwas an.

Nachdem sie zwanzig Minuten auf dem Boden gelegen und geweint hatte, wischte sie sich mit dem Saum ihres Kleides die Tränen weg und ging ins Schlafzimmer. Liomi saß wimmernd auf ihrem Bett. Sie nahm ihn in die Arme und weinte mit ihm. Sie waren beide noch zu geschockt, als dass sie etwas hätten sagen können. Sie schliefen zusammen im großen Bett, Liomi auf der Seite seines Vaters, Timba in der Mitte. Neni Jonga weinte sich in den Schlaf, überzeugt, dass ihr Mann sie nicht geschlagen hatte, weil er sie nicht mehr liebte, sondern weil er verzweifelt war und keinen Ausweg aus dem Elend fand, in das sich sein Leben verkehrt hatte.

Jende schlief allein auf dem Wohnzimmerfußboden, zum Teil aus Wut, zum Teil wegen seines Rückens.

Am nächsten Morgen stand sie vor ihm auf, wie auch sonst oft, und machte ihm Frühstück, das er aß, bevor er zur Arbeit ging.

Als er vierzehn Stunden später zurückkam, brachte er ihr einen Strauß roter Rosen mit und Liomi ein neues Videospiel, das Liomi mit einem »Danke« nahm, ohne seinem Vater in die Augen zu schauen, weil er, nachdem er gesehen hatte, was mit seiner Mutter passiert war, immer noch zu große Angst vor ihm hatte.

»Ich mache alles, was ich kann, damit du in Kamerun glücklich bist«, versprach er Neni. »Wir werden ein sehr gutes Leben haben.«

Neni wandte ihr Gesicht ab.

Er versuchte, sie an sich zu ziehen.

Sie ließ es nicht zu.

Er ging auf die Knie und umklammerte ihre Beine. »Bitte«, sagte er und schaute zu ihr hinauf, »verzeih mir.«

Sie verzieh ihm. Was hätte sie auch sonst tun sollen?

Drei Tage später stand er vor dem Asylrichter.

»Versteht ihr Mandant, welche Rechte er aufgibt?«

»Ja, Euer Ehren.«

Der Richter überflog die vor ihm liegenden Unterlagen und schaute dann zu Jende. »Mr Jonga, und Sie haben verstanden, dass Sie das Land binnen einer Frist von einhundertzwanzig Tagen zu verlassen haben, wenn ich ihrem Antrag auf freiwillige Ausreise stattgebe?«

»Ja, Euer Ehren, das habe ich verstanden«, antwortete Jende.

Der Richter fragte die Staatsanwältin des ICE, ob sie irgendwelche Einwände dagegen hätte, wenn er dem Antrag des Angeklagten auf freiwillige Ausreise stattgab. Sie verneinte.

»Bestens«, verkündete der Richter. »Ich werde den Fall überprüfen und im Anschluss eine Entscheidung fällen. Sie werden dann darüber in Kenntnis gesetzt, bis wann Sie das Land zu verlassen haben.«

Jende nickte, fühlte sich aber nicht gleich so erleichtert, wie er es erwartet hatte. Auch nicht, als er das Gericht verließ und wusste, dass er sehr wahrscheinlich nie wieder einen Fuß hineinsetzen würde. Das Gefühl der Erleichterung trat auch nicht ein, als er an seinem Arbeitsplatz ankam und seinen Anzug gegen die Arbeitskleidung tauschte und wusste, er würde sehr wahrscheinlich nie wieder als Tellerwäscher arbeiten müssen, um seine Kinder zu ernähren. Wirklich erleichtert war er erst, als er an diesem Abend nach Hause kam und Neni mit Tränen in den Augen zu ihm sagte, ›Ich bin so froh, bald ist die Qual für dich vorbei‹.

55.

Es war ein Auslandsanruf, aber da die Vorwahl nicht mit 237 begann, konnte es nicht Kamerun sein. Sie überlegte kurz, ranzugehen, ließ das Handy dann aber klingeln und ignorierte auch die Mailboxbenachrichtigung, weil sie mit den Kindern zum siebzigsten Geburtstag von Olus Schwiegermutter nach Flatbush fahren wollte, schon halb aus der Tür und ohnehin schon zu spät dran war. Sie knallte das Handy noch schnell in ihre Handtasche, um die Nachricht auf dem Weg zur Feier abhören zu können, kam aber nicht dazu, weil Olus Schwester, die sie im Auto mitnahm, die ganze Zeit von ihrer Hochzeit redete, die im Dezember mit fünfhundert Gästen in Lagos stattfinden sollte. Das wird einfach fantastisch, sagte die Frau mindestens fünf Mal, und Neni hätte am liebsten geantwortet: Ja, genieß die fantastische Hochzeit, denn wenn die Party vorbei ist und die Ehe richtig losgeht, dann vergisst du, was »fantastisch« heißt. Aber das brauchte sie nicht zu sagen – das würde die Frau schon bald selbst herausfinden. Neni hörte kaum zu, nickte aber interessiert. Erst am nächsten Morgen, nach einer durchzechten Nacht, in der sie stundenlang in einem Zimmer mit anderen Yoruba-Frauen mit irre aufwendig gebundenem Kopfschmuck zu Hits von Musikern wie Fela bis hin zu P-Square getanzt hatte, fiel ihr die Nachricht auf ihrer Mailbox ein und sie griff im Halbschlaf nach ihrem Telefon, wozu sie über Jende hinübergreifen musste, der völlig erschlagen neben ihr lag.

Hallo, Neni, hier ist Vince. Hey, wie geht es euch? Ich hoffe, alles ist bestens. Wahrscheinlich wunderst du dich über meinen Anruf, aber bitte keine Panik, es ist nichts Schlimmes. Mir geht es gut, hervorragend, um genau zu sein. Ich rufe nur an, weil ich dich kurz etwas fragen wollte. Eigentlich würde ich gern etwas mit dir besprechen. Ich möchte euch keine Umstände machen, ich weiß, es ist eine riesige Zumutung, aber … Könntest du mich vielleicht zurückrufen, wenn du das hier abhörst? Es reicht, wenn du kurz anrufst und sagst, du hast jetzt Zeit, dann ruf ich dich sofort zurück. Ich möchte nicht, dass du Geld ausgeben musst, um mich in Indien anzurufen, aber wenn du mir kurz Bescheid geben könntest, würde ich mich freuen. Okay, grüß mir meinen Freund Jende und Liomi, Liebe und Licht den beiden. Danke und … ich hoffe, ich höre bald von dir. Ach so, hier ist übrigens Vince Edwards. Haha. Nur falls du mehrere mit dem Namen Vince kennst, die gerade in Indien sind. Namaste.

Sie speicherte die Nachricht und streckte sich wieder aus. Draußen schrien sich zwei Betrunkene an, Jende neben ihr schnarchte wie ein Mann, der nach einem Sechzehn-Stunden-Arbeitstag gerade erst nach Hause gekommen war. Sie schloss die Augen und versuchte, wieder einzuschlafen, aber Jendes Schnarchen, der Berg Wäsche auf dem Fußboden und Vince' Stimme auf der Mailbox hatten auch den letzten Rest Müdigkeit weggeblasen, und so krabbelte sie über Timba und Jende und ging ins Wohnzimmer. Es konnte Vince nur um eine Sache gehen, dachte sie, als sie die Nachricht erneut abhörte, um das, was zwischen ihr und seiner Mutter vorgefallen war. Anna musste ihm davon erzählt haben. Sicher war er geschockt, dass jemand, den er für einen guten Menschen gehalten hatte, letztlich doch kein so guter Mensch war. Jetzt würde er die Wahrheit herausfinden wollen, schließlich drehte sich für ihn alles um Wahrheit. Wenn wir nicht ehrlich leben, so einer seiner Sinnsprüche, leben wir nicht. Zum Glück hatte sie eine Telefonkarte. Sie würde ihn anrufen. Und wenn er tatsächlich ihre Version der Geschichte hören wollte, würde sie sie ihm erzählen.

»Wow, ich war nicht sicher, ob du mich zurückrufst«, sagte Vince erfreut, als er abnahm.

»Warum sollte ich dich nicht zurückrufen?«

»Keine Ahnung, alle sind so beschäftigt, da kann man nicht erwarten, dass sie einen zurückrufen, nur weil man sie darum bittet.«

»Ich bin nicht wie alle.«

»Stimmt, das bist du nicht, Neni. Keiner ist wie der andere, und du hast dich kein bisschen verändert«, sagte Vince und lachte. »Wie geht es euch? Wie geht es Jende und Liomi? Ihr habt noch ein Baby bekommen, oder?«

»Uns geht es gut. Wie geht es Mighty und deinem Dad?«

Gut, sagte Vince, auch wenn er sich manchmal Sorgen um sie mache, jetzt, wo die beiden nur noch zu zweit zu Hause seien. Neni nickte, während er redete, sagte aber nichts. Sie wollte wissen, wie es den Edwards' ging, aber noch lieber wollte sie sofort den Grund für Vince' Anruf erfahren. Bei jedem anderen hätte sie innerhalb der ersten dreißig Sekunden nachgefragt, weil sie es schrecklich fand, einen unerwarteten Anruf zu bekommen und dann hingehalten zu werden – vor allem, wenn sie davon ausgehen musste, dass gleich noch ein unangenehmer Teil folgte –, aber mit Vince musste sie an diesem Morgen freundlicher und geduldiger sein. Also stellte sie ihm eine Frage nach der anderen und tat so, als wäre sie brennend an seinen Neuigkeiten interessiert, weshalb er fortfuhr und weit mehr erzählte, als sie hören wollte, während sie sich die ganze Zeit über fragte, was der eigentliche Grund für seinen Anruf war.

Sein Vater würde sich große Mühe geben, erzählte er ihr, aber seit Cindys Tod sei er völlig überängstlich. Kontrolliere ständig, ob es auch allen gut gehe. Rufe mindestens drei Mal pro Woche seine Eltern an. Vince schreibe er mindestens jeden zweiten Tag, um zu hören, welche Orte er zuletzt besucht habe und ob sein Geld noch reiche. Mehrmals am Tag rufe er an, um sich nach Mighty zu erkundigen, obwohl Anna und Stacy und der stundenweise angestellte Chauffeur ihm immer wieder versicherten, dass es Mighty gut gehe, und ihm versprachen, ein Auge auf ihn zu haben, ihm also gar nichts Schlimmes passieren könne.

»Für Eltern ist es schwer, nicht die ganze Zeit an ihr Kind zu denken«, sagte Neni.

Klar, sagte Vince, aber es sei schon komisch, dass sich sein Dad mit einem Mal in einen totalen Familienmenschen verwandelt habe. Wäre es nicht so traurig, könne man fast darüber lachen. Nichts sei ihm wichtiger, als Mighty glücklich zu sehen, also würde er Besprechungen wegen Mightys Hockeytraining verschieben, Einladungen zu Partys und Abendessen ablehnen, um bei Mighty zu bleiben und mit ihm Videospiele zu spielen, und sogar Gedichte für Mighty schreiben, wenn der schlafe.

»Neulich habe ich ihn angerufen, da kam er gerade von einem Kochkurs«, sagte Vince und lachte. »Er möchte lernen, wie man die Gerichte kocht, die meine Mom immer für Mighty gemacht hat.«

»Ich bin so froh, das zu hören, vor allem für Mighty«, sagte Neni. »Du weißt es besser als ich, aber der Junge wollte nichts so sehr wie Zeit mit seinem Vater verbringen.«

»Ja, ich freue mich für Mighty. Aber immer, wenn ich mit meinem Vater über diesen Tag rede, ist es sehr traurig … Er lernt schnell, wie's scheint, und hält sich wacker, aber das Schicksal hat ihm eine Menge aufgebürdet, und er hat Mühe, all das zu tragen und seinen Weg zu gehen. Und trotz seines Alters hat er seinen Weg noch nicht gefunden, was schon sein kann, wenn man Illusionen nachjagt.«

»Alleine ein Kind großzuziehen ist nicht leicht für einen Mann. Wir Frauen, wir haben das im Blut.«

»Er hat es ganz sicher nicht im Blut, das kann ich dir sagen. Aber ich bin stolz darauf, wie er das alles hinbekommt und sein Bestes gibt.«

»Das solltest du ihm sagen, Vince. Das wird ihn freuen. Was könnte Eltern glücklicher machen, als wenn ihr Kind sagt ›Ich bin stolz auf dich‹?«

»Ich hab ihm gesagt, wie froh ich bin, dass es Mighty gut geht, und dass das allein sein Verdienst ist.«

Neni nickte, sagte aber nichts.

»Er hat noch einen langen Weg vor sich«, fuhr Vince fort, »aber anscheinend hat er verstanden, wie wichtig es ist, eine Balance zu finden und zu merken, dass –«

»Aber für Mighty«, sagte Neni, »ist es bestimmt immer noch schwer, alles zu begreifen.«

»Ja. An den guten Tagen ist es gut, aber ab und zu hat er einen schlechten Tag, dann will er gar nichts machen, und Dad, der Arme, weiß dann einfach nicht, was er tun soll. Aber insgesamt geht es ihm viel besser, als ich gedacht hätte, und er bekommt jetzt etwas, das ich nie hatte. Ich habe mir große Sorgen um ihn gemacht, als ich nach der Beerdigung gefahren bin.«

»Du bist gleich nach der Beerdigung gefahren?«

»Nein, ich war über einen Monat da, aber als ich wieder nach Indien zurückgekommen bin, habe ich oft überlegt, nach Hause zurückzugehen.«

»Du? Zurück? Ich dachte, du hasst Amerika!«

Vince lachte. »Ich liebe Amerika nicht gerade«, sagte er, »aber meine Familie ist da, also muss ich das Land wenigstens irgendwie ertragen.«

»Ich verstehe immer noch nicht, was für dich hier schwer zu ertragen ist.«

»Der ganze Bullshit, den die meisten Leute nicht sehen wollen … die ganze Stumpfsinnigkeit. Die Leute sitzen auf ihren Sofas und sehen sich Müll im Fernsehen an, unterbrochen von Aufrufen, Müll zu kaufen, der dann den Wunsch weckt, noch mehr Müll haben zu wollen. Sie setzen sich an ihren Computer und bestellen bei unfassbar schrecklichen Unternehmen, die andere Menschen versklaven und Kindern so ziemlich jede Chance nehmen, in einer Welt aufzuwachsen, in der sie wirklich frei sind. Aber hey, wir haben unseren materiellen Komfort und wir sparen Geld, und die Unternehmen führen die Sechzigstundenwoche ein mit bezahltem Urlaub im Krankheitsfall, wen interessiert da schon, dass wir uns mitschuldig machen? Machen wir doch einfach weiter wie bisher, während die Länder, aus denen wir kommen, überall auf der Welt Gräueltaten begehen.«

»Wir können tauschen. Ich nehm deine amerikanische Staatsbürgerschaft und du kriegst meine kamerunische«, sagte Neni lachend.

Vince lachte nicht. »Na ja«, sagte er, »jetzt, wo es Mighty und meinem Dad so weit ganz gut geht, werd ich wohl nie wieder ganz zurückkommen. Vielleicht komme ich ein Mal im Jahr zu Besuch, mal sehen.«

»Ein oder zwei Mal im Jahr ist bestimmt gut für euch.«

»Kann sein. Es war echt schwer, mich nach der Beerdigung von ihnen zu verabschieden.«

»Das glaube ich«, sagte Neni. »Es tut mir so leid, was passiert ist, Vince. Wirklich, sehr leid. Ich wollte dir eine E-Mail schreiben und dir sagen, dass mich die Nachricht sehr traurig gemacht hat, aber … Ich konnte nicht mal –«

»Mach dir keine Gedanken. Ich weiß, dass es schwer gewesen wäre, eine solche E-Mail zu schreiben.«

»Nicht nur deswegen. Ich weiß, dass deine Mutter und du, dass ihr euch früher sehr nah wart – Mighty hat mir erzählt, ihr zwei seid mal ohne ihn in den Urlaub gefahren.«

»Das stimmt«, sagte Vince und lachte. »In dem Sommer, bevor ich aufs College bin, sind wir auf die Fidschi-Inseln geflogen.«

»Ich habe von den Fidschi-Inseln gehört. War es schön?«

»Wir hatten viel Spaß – waren jeden Tag schnorcheln und tauchen und haben uns abends mit abgefahren köstlichen Meerestieren den Bauch vollgeschlagen; wir haben praktisch im Meer gelebt.«

»Das klingt wie ein sehr schöner Urlaub.«

»Es war großartig. Ich weiß noch, wie so ein Typ meine Mom morgens am Strand angegraben hat und ich so getan habe, als wäre ich ihr Freund. Das war zum Schießen.« Er lachte. »Meine Mom war ziemlich cool.«

Dann war es kurz still am Telefon.

»Aber was ist dann passiert zwischen euch?«, fragte Neni.

Vince antwortete nicht sofort. »Sie ist dieselbe geblieben, und ich habe mich verändert«, sagte er. »Ich glaube, so kann man es zusammenfassen.«

»Sie fehlt dir.«

»Ja, aber ich kann nur akzeptieren, was ist.«

»Ich weiß nicht, Vince. Du redest immer vom Akzeptieren, aber wenn schlimme Dinge passieren, ist es nicht leicht, sie zu akzeptieren. Mir ist egal, was andere sagen. Die ganzen Leute, die rumlaufen und sagen, sie akzeptieren ihr Leben, wie es ist, keine Ahnung, wie die das machen.«

»Schon verrückt, wie oft ich zurzeit an Zuhause denke. Klar, es hat damit zu tun, dass meine Mom nicht mehr da ist, aber in der ersten Woche wieder hier in Indien, da hab ich viel öfter zu Hause angerufen, als ich mir ohnehin vorgenommen hatte.«

»Weil dir Mighty leidtat?«

»Ja, ich konnte mir nicht vorstellen, wie sein Leben jetzt aussieht, verstehst du? Meine Mom weg, mein Dad immer auf der Arbeit. Er hat zwar die Freundinnen meiner Mutter und Stacy und Anna, klar, aber das ist nicht dasselbe.«

»Nur deine Mutter kann dir eine bestimmte Art von Liebe geben.«

»Kann sein. Aber das Universum schenkt uns verschiedene Quellen der Liebe, um uns alle zu einem großen Ganzen zu vereinen. Wer sind wir, dass wir zu jeder Zeit bestimmen wollen, was die Quelle unsere Liebe sein soll? Liebe ist Liebe, und wir haben zu jeder Zeit alles, was wir brauchen. Aber Mighty gefällt es mit den Freundinnen meiner Mutter nicht halb so gut wie mit Jende und dir, das gebe ich zu.«

»Vielleicht mag er sie mehr, wenn sie ihm frittierte Kochbananen und *puff-puff* geben«, sagte Neni und beide mussten lachen.

»Genau genommen«, sagte Vince und wurde ernst, »will ich deswegen mit dir sprechen.«

»Wegen frittierten Kochbananen und *puff-puff*?«

»Nein«, sagte er, nachdem er kurz aufgelacht hatte, »wegen Mighty.«

»Du weißt, dass ich alles für euch beide tue, also sag, was ich tun kann.«

»Na, es ist so«, sagte Vince, »Stacy zieht nach Portland, und wir brauchen eine neue Nanny für Mighty.«

»Okay?«

»Vor ein paar Tagen hab ich mit meinem Dad darüber gesprochen. Er wollte eine Agentur anrufen und jemand Neues finden, aber da bist du mir eingefallen, und wir beide finden dich perfekt für den Job.«

»Aber ich suche keinen Job«, erwiderte Neni hastig.

»Ich weiß, wir bitten dich auch nicht, es Vollzeit zu machen. Es wäre toll, wenn du es Vollzeit machen könntest, aber ich kann mir vorstellen, dass du mit deinen zwei Kindern jetzt nicht Vollzeit arbeiten willst.«

»Stimmt.«

»Versteh ich, das ist voll in Ordnung. Wenn du es nicht Vollzeit machen kannst, finden wir auch eine andere Lösung. Wir finden jemanden Vollzeit für Mighty und du bräuchtest nur jede Woche ein paar Stunden mit ihm zu verbringen.«

»Ungefähr wie viele?«

»So wie es für dich und meinen Dad und Mighty passt.«

»Ich bin noch durcheinander. Reicht denn nicht die Nanny für Mighty?«

»Darum geht es nicht. Wir glauben einfach, es ist gut für ihn, wenn es in seinem Leben eine konstante fürsorgliche Mutterfigur gibt.«

Neni sagte nichts.

»Sein Trauerbegleiter ist auch der Meinung, dass es ihm in seinem Heilungsprozess helfen würde. Er ist ein Kind, er braucht das. Keinen Mutterersatz – natürlich kann keiner unsere Mutter ersetzen –, aber eine Frau, die er liebt und von der er weiß, dass sie ihn auch sehr liebt.«

»Aber was ist mit der Schwester von deinem Vater?«, fragte Neni. »Oder den Freundinnen von deiner Mutter?«

»Meine Tante ist in Seattle, und die Freundinnen meiner Mutter ... also, versteh mich nicht falsch, die sind alle sehr nett, aber das ist nicht dasselbe. Echt nicht. Ihr hattet eine besondere Verbindung zueinander, und mein Dad und ich … Es würde uns wirklich nichts ausmachen, dich dafür zu bezahlen, dass du abends ab und an mal mit Mighty und Liomi essen gehst oder ihn zu euch nach Harlem holst und noch mal so einen Abend mit ihm verbringst, wie wir ihn schon mal hatten.«

»Hast du deinem Dad von dem Abend erzählt?«

»Ja, aber erst vor Kurzem.«

»Und er war nicht wütend?«

»Nein. Es ist seltsam, aber er hat sich echt gefreut, dass wir das erlebt haben.«

Neni nickte, sagte aber nichts.

»Du musst dich nicht gleich entscheiden«, sagte Vince. »Vielleicht lässt du dir ein paar Tage Zeit, denkst darüber nach und besprichst es mit Jende. Und ich rufe dich nächste Woche an. Ist das okay?«

Neni schüttelte den Kopf.

Nein, es war nicht okay, denn sie musste gar nicht weiter über seinen Vorschlag nachdenken. Die Antwort war schon klar gewesen, noch bevor Vince alles erklärt hatte. Nein. Sie konnte nicht. Der Bescheid des Richters würde jetzt demnächst kommen, ihre Tage waren also gezählt. Jende war sicher, dass der Richter seinem Gesuch stattgeben würde – so sicher, dass er tatsächlich schon angefangen hatte, nach Flügen zu suchen, und vor zwei Tagen gefragt hatte, für welchen Preis sie ihr Bett bei Craigslist einstellen könnten. Aber selbst wenn der Richter das Gesuch ablehnen oder Jende beschließen sollte, den Antrag aus irgendeinem Grund zurückzuziehen, würde sie den Job nicht annehmen, denn das konnte sie einer toten Frau nicht antun. Mighty war Cindys Baby, und Cindy war voller Hass auf sie beerdigt worden. Wie könnte sie Mighty ruhigen Gewissens in die Augen schauen nach dem, was sie seiner Mutter angetan hatte? Wie würde Vince sich fühlen, wenn Anna ihm erzählte, was sie gesehen hatte? Sie hatte Cindy nicht umgebracht, aber vielleicht doch, und es wäre einfach nicht richtig, noch mal einen Fuß in Cindys Zuhause zu setzen, ganz egal, wie sehr sie sich um Mighty sorgte.

Denn wenn sie sterben würde und ihre Feindin einfach ungeniert in ihr Zuhause kommen und sich im Leben ihrer Kinder einnisten würde, könnte ihre Seele auch keine Ruhe finden.

56.

Er erfuhr es an einem Freitagnachmittag. Der Richter hatte Jendes Gesuch auf freiwillige Ausreise stattgegeben.

»Bis Ende September musst du das Land verlassen«, sagte Bubakar. »Hier steht, bis zum dreißigsten September. Er wollte dir eigentlich eine Frist von einhundertundzwanzig Tagen geben, aber –«

»Kein Problem, Mr Bubakar«, sagte Jende und grinste so breit wie der große afrikanische Grabenbruch. »Ich bin so weit.«

»Ich kann dir nicht sagen, warum, aber er hat es sich anders überlegt. Du hast jetzt nur neunzig Tage Zeit.«

Jende rutschte auf der Parkbank ganz nach außen, um einem Mann in einem lila Anzug Platz zu machen. »Neunzig Tage reichen, Mr Bubakar«, sagte er. »Ganz ehrlich, mehr brauche ich nicht.«

»Okay. Ich weiß, dass es zu schnell geht, aber ich kann nichts dagegen tun, mein Brother. Tut mir leid.«

»Mr Bubakar, mach dir keine Sorgen um mich. Ich habe bei Air Maroc ein gutes Angebot gesehen. Der Preis war so gut, da hab ich sofort gebucht. Wir fliegen im August.«

»Ach? Du willst echt zurück, was?«

»Als du letzte Woche gesagt hast, du bist dir zu neunundneunzig Komma neun Prozent sicher, dass der Richter dem Gesuch stattgibt, habe ich angefangen, nach Flügen zu suchen. Ich hab gestern auch einen neuen Koffer gekauft.« Er lachte.

»Ich bin froh, dass du so froh klingst, Brother«, sagte Bubakar. »Manche Leute kaufen das Ticket und heulen sich die Augen aus, bis sie ins Flugzeug steigen.«

»Was soll ich auch machen, Mr Bubakar? Bei uns sagt man, wenn Gott dir die Finger abhackt, bringt Er dir bei, mit den Zehen zu essen.«

»Wenn ich Christ wäre, würde ich jetzt ›Amen‹ sagen. Und wie geht es der Madam? Ist sie auch so froh, nach Hause zu gehen wie du?«

Jende kicherte. »Sie ist nicht froh«, sagte er, »aber sie packt unsere Sachen.«

»Pass bloß auf, dass sie dein Geld nicht für allen möglichen Kram ausgibt«, warnte ihn Bubakar. »Mit den Frauen, da musst du vorsichtig sein, und mit dem ganzen Zeug, das sie angeblich brauchen, bevor sie nach Hause zurückgehen. Alles, womit sie gut dastehen, ist ein Muss.«

»Zu spät, Mr Bubakar«, sagte Jende lachend. »Dafür ist es zu spät.«

Er hatte Neni mehr Geld zum Shoppen gegeben als eigentlich geplant. Bei dem Satz, sie könnte für fünfhundert Dollar kaufen, was sie wollte, hatte sie zum ersten Mal seit langer Zeit wieder gelächelt. Letztlich hatte sie achthundert ausgegeben und Dinge gekauft, die man in Limbe nicht so leicht bekam: Spielzeug aus Ramschläden für die Kinder, damit sie nicht mit Dreck und Stöckchen spielen mussten, haltbare Konserven und die ganzen süßen Frühstücksflocken, an die sich Liomi so gewöhnt hatte, außerdem bergeweise Klamotten für die nächsten Jahre, damit die Kinder ihre amerikanische Aura noch lange behielten.

Für sich hatte sie in Chinatown Schönheits- und Anti-Falten-Cremes gekauft – Mixturen, von denen sie sich erhoffte, dass sie ihre Schönheit und Jugend für lange Zeit bewahren und sie unter den Frauen zu Hause hervorstechen lassen würden. In Limbe sollte es jetzt viele junge Singlefrauen geben, attraktive und freche *wolowose*, die die Ehefrauen ganz nervös machten. Okay, Jende war definitiv kein großer Eroberer und hatte in der ganzen Zeit ihrer Ehe selbst die tiefsten Dekolletés keines Blickes gewürdigt (zumindest nicht in ihrem Beisein), aber sie hatte sich auch noch nie Gedanken darüber machen müssen, dass eine andere Frau ihn ihr vielleicht wegnehmen wollte. Warum sollte irgendeine Frau in New York versuchen, ihn ihr auszuspannen, wo es hier doch Tausende Männer gab, die mehr Geld hatten? Aber in Limbe war es anders. Die jungen Singlefrauen dort würden sich sicher nur zu gern an ihn ranschmeißen. Er wäre jetzt nicht mehr der arme Junge aus einer einfachen Hütte in New Town, sondern ein Mann, der mit einem ordentlichen Batzen Dollarscheine aus Amerika zurückgekommen war. Diese *wolowose* würde ihn wie Bienen umschwärmen, kichern und ihm ihr strahlend weißes Lächeln zeigen, sagen, *Mr Jende, wie läuft's so? Sehr schick, Mr Jende!* Sie durfte ihm keinen Grund geben, sich nach anderen umzusehen, vor allem jetzt, wo sie nicht mehr mit den Vorzügen dieser Frauen punkten konnte. Nie wieder würde sie aussehen wie diese Frauen, denn durch die Schwangerschaften und das Stillen hatten ihre Brüste an Reiz verloren und auf ihrem Bauch waren Streifen der Erschöpfung zu sehen. Ihr Körper war kein Wunder der Schöpfung mehr, darum konnte sie ihren Mann jetzt nicht mehr mit Nacktheit bezirzen, sondern musste ihr strahlend reines und glattes Gesicht einsetzen und ihren Körper mit hübschen Kleidern und Accessoires zur Geltung bringen, diesen Körper, den sie in den kommenden Monaten auch noch von drei Kilos befreien wollte.

Sie musste sich gut auf Limbe vorbereiten.

»Mädchen bei dir zu Hause gehen auch fein mit Creme aus Amerika, musst du nicht denken«, sagte Fatou, als Neni sie in ihrer Wohnung schräg über die Straße besuchte, um ihr die Handtasche zu schenken, die sie ihr als verspätetes Geburtstagsgeschenk gekauft hatte, und ihr erzählte, sie wäre jetzt gewappnet, ihre Ehe lebendig zu halten. »Das wissen die Mädchen da auch, wie das mit Creme und Parfüm funktioniert für Hübschsehen wie aus Amerika.«

»Wenn die sich an ihn ranmachen«, sagte Neni, »bring ich sie um.«

Fatou schaute in Nenis weit aufgerissene Augen und lachte. »So ein Problem gehört nie für mich«, sagte sie. »Für meinen

Ousmane kommt keine Frau zum Klauen her. Wer will meinen Ousmane mit Beinen dran wie Storch? Keine Frau. Behalt ich ihn also.«

Neni lachte. Zusammen mit einer guten Freundin konnte sie ihre Zukunftsängste einen Augenblick lang vergessen und lachen. Für sie war es ein Fluch, der sich als Segen tarnte, wenn man einen Mann hatte, den andere Frauen wollten. Aber sie konnte trotz allem ja auch stolz sein. Wenn sie jetzt zurückgingen nach Limbe, dann war Jende wer. Dann war er ein Geschäftsmann. Er würde ihnen ein schönes Ziegelsteinhaus in Sokolo oder Batoke oder Mile Four kaufen, und sie hätte sogar ein Dienstmädchen. Das alles hatte er ihr, während Winston und Maami auf die Kinder aufpassten, bei einem Abendessen im Red Lobster erzählt. »*Bébé*, ich verspreche es dir mit Herz und Seele«, hatte er gesagt, »du wirst in Limbe leben wie eine Königin.«

Sie hatte mit ihrem Essen herumgespielt und ihm nicht in die Augen schauen wollen. »Was soll ich sagen? Wir müssen gehen, ob ich will oder nicht.«

»Das stimmt, *bébé*, aber du sollst glücklich gehen. Du sollst nicht zurückgehen und weinen, wie du die ganze Zeit geweint hast, ja? Das mag ich nicht.« Er schob die Unterlippe vor und schaute sie an wie ein kleines schmollendes Kind – da musste sie lachen.

»Ich liebe New York so sehr, Jends«, sagte sie. »Ich bin so glücklich hier. Ich weiß nicht … Ich weiß nicht, wie …«

Er griff nach ihren Händen und küsste sie so, wie er es sich bei den Schauspielern in Filmen abgeguckt hatte. Nachdem er das Essen bezahlt hatte, gingen sie zum Times Square, einem seiner Lieblingsorte in der Stadt. Bevor Neni nach Amerika gekommen war, war der Times Square – gleich nach dem Columbus Circle – sein zweitbester Ersatzfreund gewesen, ein Ort, der ihn immer daran erinnerte, was er zurückgelassen hatte. Dort hatte er das Gefühl, er wäre an der großen Kreuzung in Half Mile, Limbe, wo über den staubigen Straßen Werbeplakate für Ovaltine und Guinness prangten, wo Taxifahrer hupten und dreiste Fußgänger beschimpften, die Drinking Spots an den Wochenenden praktisch die ganze Nacht über geöffnet blieben, üppig ausgestattete Prostituierte ihre geldgeilen Zuhälter verfluchten und es nie still wurde.

Im Zentrum des Times Square, direkt an der Kreuzung Broadway und 42. Straße, standen Jende und Neni nebeneinander und genossen den Augenblick. In Limbe würde es keinen Times Square geben, dachte Neni. Keine Reklametafeln, die glitzernd Dinge anpriesen, die sie zu gern gekauft hätte. Es würde kein McDonald's geben, wo sie ihre heiß geliebten Chicken McNuggets hätte essen können. Nicht all die Menschen verschiedenster Hautfarben, die sich auf den verschiedensten Sprachen unterhielten und auf dem Weg zu den verschiedensten Orten waren, an denen man Spaß haben konnte. Keine Karriere als Apothekerin. Keine Eigentumswohnung in Yonkers oder Mount Vernon oder Rochelle.

Sie vergrub ihr Gesicht an seiner Schulter und wünschte sich inständig, glücklich zu sein.

57.

Mit den zehntausend Dollar, die sich Neni von Cindy geholt hatte, plus den achttausend angesparten (fünftausend, weil sie in den vierzehn Monaten, die Jende für die Edwards gearbeitet hatte, jeden Monat gewissenhaft dreihundertfünfzig Dollar beiseitegelegt hatten, und dreitausend von den vier Wochen, die Neni für Cindy gearbeitet hatte) waren sie in Limbe weit mehr als nur Millionäre. Selbst nach Abzug der Flugtickets und allen notwendigen Anschaffungen würde Jende mit dem noch übrigen Geld einer der reichsten Männer in New Town sein.

Durch den neuen Wechselkurs von einem Dollar zu sechshundert CFA würde er mit fast zehn Millionen CFA nach Hause zurückkehren, genug, um irgendwo ein hübsches Haus mit einer Garage für seinen Wagen zu mieten und ein Dienstmädchen einzustellen, damit seine Frau sich wie eine Königin fühlen konnte. Genug Geld, um ein eigenes Geschäft aufzubauen, das es ihm irgendwann ermöglichte, ein geräumiges Haus zu bauen und Liomi auf die Baptist Highschool in Buea zu schicken, das Internat, das Winston besucht hatte, weil sein verstorbener Vater aus einem wohlhabenden Banso-Klan stammte, die Schule, die Pa Jonga sich für Jende nicht hatte leisten können.

Seine Rückenschmerzen verschwanden ganz von allein.

Einen Monat vor der Abreise rief Winston an und machte ihm ein Angebot: ob Jende Lust hätte, den Bau eines neuen Hotels zu betreuen, das Winston und einer seiner Freunde am Seme Beach hochziehen würden, und dann Hotelmanager zu werden, wenn es fertig wäre?

»Bo, über das Geld können wir reden«, sagte Winston. »Wir

zahlen dir ein ordentliches Gehalt, mehr als das, was du als Hilfsarbeiter bei der Stadt bekommen hast.«

Jende lachte und versprach, darüber nachzudenken. Als Winston zwei Tage darauf vorbeikam, lehnte Jende das Angebot ab. Er wusste die Hilfe seines Cousins zu schätzen, wollte aber sein eigenes Unternehmen leiten, herausfinden, wie es war, wenn man keinen über sich hatte. Sein ganzes Leben hatte immer nur aus ›Ja, Sir‹, ›Ja, Madam‹ bestanden. Es war Zeit, selbst an der Spitze zu stehen und von anderen ein ›Ja, Mr Jonga‹ zu hören.

Wenn er wieder in Limbe war, würde er sein eigenes Unternehmen gründen – Jonga Enterprises. Mit dem Slogan: »Jonga bringt die Weisheit der Wall Street nach Limbe«. Er würde alle möglichen Bereiche und Geschäftszweige unter einem Dach vereinen. Aber erst mal würde er klein anfangen. Vielleicht ein paar Taxis oder *benskins* anschaffen. Oder Leute anstellen, die die acht Acker Land in Bimbia bewirtschafteten, die sein Vater ihm vermacht hatte. Die Erträge könnte er auf dem Markt in Limbe verkaufen oder einen Teil ins Ausland verschiffen. Winston ermunterte ihn, die Idee mit der Landwirtschaft als Erstes voranzutreiben. Taxis gab es schon genug in Limbe, und *benskins* würden – was bei der hohen Unfallrate kein Wunder war, wegen der manche die Motorräder für eine Erfindung des Teufels hielten – in absehbarer Zeit an Beliebtheit verlieren. Aber zu essen bräuchte man immer, hatte Winston gesagt.

»Essen«, stimmte Jende zu, »und Drinking Spots.«

»Kannst du dir vorstellen, dass die Leute in Limbe irgendwann die Lust am Trinken verlieren?«, sagte Winston. »Ich habe gehört, es soll jetzt überall in der Stadt von neuen Drinking Spots nur so wimmeln. Angeblich verkauft einer sogar Heineken und Budweiser. Stell dir das mal vor, Heineken und Budweiser! In Kamerun!«

Jende, der auf dem Sofa saß, beugte sich vor, um die Wiege anzustoßen, in der Timba lag und aussah, als würde sie jeden Moment losschreien. Winston stand auf und äugte hinunter zu der Kleinen, grinste sie an, kitzelte sie am Bauch, gurrte, als sie ihm ihr zahnloses Lächeln zeigte, und setzte sich dann wieder aufs Sofa.

»Tja, Bo, daran siehst du, dass das mit der amerikanischen Dominanz definitiv zu weit geht«, sagte Winston. »Die *paysans* wollen jetzt nicht mehr Guinness und 33 Export, sondern Budweiser und Heineken.«

»Und Motorola RAZR«, sagte Jende. »Ich soll meiner Mutter ein RAZR mitbringen, damit sie das schönste Handy von allen Frauen hat, mit denen sie auf dem Feld arbeitet. Frag mich nicht, was sie auf dem Feld mit einem Handy will. Da draußen hast du nicht mal Empfang. Sie hat das Klapphandy in einem nigerianischen Film gesehen, jetzt muss es genau das sein.«

»Warum sollte sie nicht den Sprung ins einundzwanzigste Jahrhundert machen?«

»Neni, hab ich gesagt«, fuhr Jende fort, »ich hab ihr gesagt ›Vielleicht vermisst du New York gar nicht so sehr, jetzt, wo es auch in Limbe so viele Sachen gibt, die es in New York gibt‹. Aber nein, das hört sie gar nicht. Sie läuft weiter durchs Haus und zieht ein schiefes Gesicht, mit dem sie aussieht wie – wie was, das mir jetzt vor Schreck nicht einfällt.«

»Ach, Bo. Versetz dich mal in ihre Lage. Es ist nicht leicht für sie, dass –«

»Aber ich habe recht, oder nicht? Alles, was sie hier findet, kann sie auch in Limbe finden. Die Mädchen in Limbe sollen jetzt alle aussehen wie Beyoncé. Und keiner will mehr *country mimbo* trinken. Palmwein ist out. Alle machen jetzt einen auf Amerikaner oder Europäer. Emmanu hat mir von einem Club in West End erzählt, der ein Glas Cristal nach dem anderen verkauft.«

»Echt?«

»Ja, echt. Der Club gehört Victor. Weißt du, der eine?«

»Welcher Victor?«, fragte Winston. »Der, gegen den wir in der Stadtviertelliga gespielt haben? Der, der hinter der katholischen Kirche wohnt? Der mit dem Hintern wie eine Frau?«

»Ja, der«, sagte Jende. »Emmanu schwört, der Club ist voll *helele*.«

»Wo hat er das Geld her?«

»Wie, du kennst die Geschichte nicht? Der Junge ist rüber nach Bulgarien. Bulgarien oder Russland oder Australien – irgendwo da. Dann kommt der Junge mit ordentlich viel *kolo* zurück. In der Stadt sagen alle, er war da Tänzer. Aber wer weiß, was für 'ne Art Tanz er da drüben gemacht hat. Wenn man nach dem Geld geht, mit dem er zurück ist, muss er es sehr gut gemacht haben.«

»Ein schwarzer Mann, der für eine weiße Frau mal alles ordentlich zum Schwingen bringt«, sagte Winston. »Das wollen die doch, oder? Und Victor konnte es ordentlich krachen lassen, das sag ich dir. Ich vergesse nie, wie ich das eine Mal im Black and White diese schicke *ngah* angetanzt hab. Muss Weihnachten gewesen sein. Mann, ich sag dir, die Musik hat gedröhnt, ich hab mich voll ins Zeug gelegt, war sprungbereit und wollte loslegen.« Er stand auf und ließ die Hüfte kreisen, um die Makossa-Moves zu zeigen, die er in seiner Jugend draufgehabt hatte.

Jende schaute ihm zu und grinste.

»Dann«, sagte Winston, machte eine Pause und breitete die Arme aus, »taucht plötzlich Victor auf – bam – und macht diese Michael-Jackson-Kombination, und die *ngah* lacht los. Ich glaube, es war ›Thriller‹, denn der Typ hatte ein paar Hammer-Moves drauf. Die *ngah* lacht die ganze Zeit, und plötzlich denke ich, hä, wo ist sie? Da hat mir der Arsch die *ngah* mit seiner Michael-Jackson-Nummer weggeschnappt, direkt vor meinen Augen! Und ich stand wie ein Vollidiot mitten auf der Tanzfläche!«

Jende krümmte sich vor Lachen und schnappte nach Luft. »Limbe, Mann«, sagte er. »Unglaublich, bald bin ich wieder da.«

»Aber hey, tu mir den Gefallen und werde nicht so ein amerikanisches Wunder, wenn du zurückgehst«, sagte Winston und setzte sich lachend hin. »Ich meine, geh es schlau an, okay? Das ist alles.«

Jende schüttelte den Kopf.

Er würde nie ein amerikanisches Wunder werden, einer von diesen *mbutukus*, die nach Amerika gingen und dann mit einem lächerlichen amerikanischen Akzent redeten, wenn sie zurückkamen, und in jeden Satz ordentlich »*wannas*« und »*gonnas*« packten. Die durch die Stadt stolzierten, Anzüge und Cowboystiefel und Baseballcaps trugen und so taten, als hätten sie nicht viel Ahnung davon, wie das mit der Kultur in Kamerun lief, weil sie jetzt zu amerikanisch waren. *Come and see American Wonder*, so ging der Song. *Come and see American Wonder. Do you know American Wonder? Come and see American Wonder.*

Er würde nie eine solche Witzfigur abgeben. Er würde eine Respektsperson sein.

Später am Abend, als Neni und Liomi mit den neu gekauften Turnschuhen für Liomi nach Hause kamen, erzählte Jende Neni von der Idee, im großen Stil Nahrungsmittel zu verkaufen. Sie hielt den Kopf gesenkt und packte wortlos die Turnschuhe aus, um sie in einer Ghana-must-go-Tasche zu verstauen.

»Hey, vielleicht finden wir sogar eine Möglichkeit, einen Teil der Nahrungsmittel hier rüberzuexportieren, was meinst du?«

»Wofür brauchst du meine Meinung?«, sagte sie, hob den Kopf und schaute ihn fast schon feindselig an. »Du bist doch der, der immer alles weiß?« Und ihr Blick war jetzt so scharf, dass man eine Schweineschwarte damit hätte durchschneiden können. Der gemeinsame Augenblick am Times Square war keine Woche her, aber ihre Wut darüber, dass er sie und die Kinder zwang, aus Amerika wegzugehen, war zurück.

»Aber *bébé*«, sagte er, »ich dachte, du willst vielleicht wissen, was –«

»Wozu? Nein, lass das mit den Fragen. Mach, was du machen willst, okay? Was auch immer du machen willst, wie auch immer du es machen willst, mach einfach. Du brauchst mich nicht zu fragen.«

Zum Glück wollte Liomi inzwischen wieder sein wie sein Vater, wenn er einmal groß war, also ging Jende, nachdem Neni ihm die Schlafzimmertür vor der Nase zugeknallt und gesagt hatte, sie würde in Ruhe ihre Arbeit beenden wollen, ins Wohnzimmer, wo Liomi und er sich auf dem Boden kabbelten und kitzelten, bis sie nach Luft schnappten.

Am Tag darauf rief er seinen Bruder Moto an und bat ihn, mit der Suche nach Männern anzufangen, die taugten, um in Bimbia den Boden zu bestellen und Kochbananen, Koloquinten und Yams anzubauen. Er bat ihn außerdem, sich nach einem Haus mit drei Schlafzimmern und einer Garage umzusehen und sich um ein Dienstmädchen und ein Auto für den Übergang zu kümmern, bis der gebrauchte Hyundai, den er bei einer staatlichen Versteigerung erworben hatte, mit dem Frachtcontainer ankäme. Drei Tage später schrieb ihm sein Bruder per SMS, er hätte ein Haus in Coconut Island gefunden und auch ein Auto, einen Pajero, Baujahr 1998. Bis zu ihrer Ankunft wäre das Haus mit dem Nötigsten ausgestattet und auch ein Dienstmädchen eingestellt.

»Du kannst fort dabei«, sagte Fatou, als Neni ihr von dem Haus und dem Dienstmädchen erzählte. »Lässt du hier Wohnung klein für ein Zimmer und kriegst Villa dafür! Warum gibt Ousmane das nicht für mich dazu?«

»Dann sag Ousmane, er soll dich auch zurück nach Hause bringen«, erwiderte Neni scharf.

»Ousmane will nichts von zurück nach zu Hause wissen«, sagte Fatou. Sie hielt inne und schaute zu den leeren Taschen auf dem Wohnzimmerboden. »Ich allein, ich geh zurück. Zurück in mein Dorf und bau mir ein Haus neben Haus mit Eltern. Lebe ich Leben hübsch ruhig, und wenn ich tot bin, gehe ich ruhig. Ich allein, ich gehe nach Hause *très bientôt.*«

Neni sah, dass das immerwährende Funkeln in Fatous Augen erlosch, als sie das sagte, und sie wusste, ihre Freundin meinte es ernst. Zum ersten Mal an diesem Nachmittag war das, was sie sagte, nicht als Scherz gemeint. Fatou hatte Sehnsucht nach ihren Eltern, vor allem jetzt, wo sie in ihren Achtzigern und darauf angewiesen waren, dass sie und ihre Brüder sich um sie kümmerten. Fatou und ihre Brüder machten sich Sorgen um sie, aber aus der Ferne konnten sie nicht viel tun – einer ihrer Brüder war in Frankreich, der andere in Oklahoma. Ihre Eltern waren abhängig von der Hilfe entfernter Verwandter, denen Fatou und ihre Brüder alle paar Monate Geld schickten. Ihre Eltern mussten leben wie

Leute, die nie Kinder geboren hatten, was Fatou jedes Mal beschämte, wenn ein Verwandter bei ihr anrief, weil einer der beiden krank geworden war und Geld gebraucht wurde, um ihren Vater oder ihre Mutter ins Krankenhaus zu bringen. Fatou schickte das Geld immer noch am selben Tag, auch wenn sie selbst offene Rechnungen hatte. Was konnte sie denn sonst tun?

Nach sechsundzwanzig Jahren hätte sie den Job mit dem Haareflechten nur zu gern aufgegeben und wäre nach Hause zurückgegangen, aber sie allein hatte das nicht zu entscheiden. Und selbst wenn Ousmane hätte zurückgehen wollen, so waren ihre Kinder doch Amerikaner, die das Land, aus dem ihre Eltern kamen, nie kennengelernt hatten. Keiner der sieben – drei in ihren Zwanzigern und vier Jugendliche – wollte in Westafrika leben. Manche von ihren Kindern betrachteten sich nicht einmal als Afrikaner. Wenn andere sie fragten, wo sie herkamen, sagten sie oft ›Na von hier, aus New York‹. Sie sagten es voller Stolz, glaubten es auch. Nur wenn jemand nachbohrte, gaben sie widerwillig zu, ja, stimmt, ihre Eltern, die waren aus Afrika. Aber wir sind Amerikaner, sagten sie dann immer. Das schmerzte Fatou und sie fragte sich, ob ihre Kinder sich vielleicht für etwas Besseres hielten.

58.

Die Bakwiri in Limbe glauben, auf dem Monat August liege ein Fluch. Die Regengüsse sind zu heftig und zu lang, die Flüsse steigen zu stark und zu schnell an. Es gibt wenige trockene Tage, es gibt viele kalte Nächte. Der Monat ist lang, trostlos und feindselig, und aus diesem Grund vermeiden es viele der Bakwiri, in diesem Monat zu heiraten, Häuser zu bauen oder ein Geschäft zu eröffnen. Sie warten, bis der August verronnen ist und mit ihm der Fluch.

Jende Jonga, auch ein Bakwiri, glaubte nicht an Flüche.

August oder nicht, für ihn war es Zeit, nach Hause zurückzugehen, so einfach war das. Er war nicht traurig, zu gehen, als er während seiner letzten Tage in New York durch die Straßen lief, und er wünschte sich auch nicht, es wäre alles anders ausgegangen. Es war genug! Er hatte keine Lust mehr auf ein Leben in einer Wohnung mit Kakerlaken in einer Gegend von Harlem, in der es vor allem Brathähnchenbuden, Kirchen in Ladengeschäften und Bestattungsunternehmen gab, vor denen dauernd junge Männer mit Cornrows und Baggypants herumlungerten, um einen der ihren trauerten und gleichgültig in seine Richtung spuckten. Er hatte keine Lust, noch länger bis in den fünften Stock hinaufzusteigen, um sich dann das Ehebett mit seiner Tochter teilen zu müssen, während sein Sohn in einem Kinderbett unmittelbar daneben schlief. Er hatte keine Lust mehr, sich beim Tellerstapeln und Besteckpolieren ein Lächeln abringen zu müssen, und er hatte absolut keine Lust mehr darauf, spät nach der Arbeit mit der U-Bahn fahren zu müssen und verschwitzt, verschmiert und erschöpft nach Hause zu kommen.

Für ihn wäre es ein Fluch gewesen, auch nur ein Jahr länger so leben zu müssen. Nicht zu merken, dass es Zeit war, nach Hause zurückzukehren. Sich nicht einzugestehen, dass es ihn glücklicher machen würde, ein eigenes Schlafzimmer für sich und seine Frau zu haben, seine Mutter und seinen Bruder besuchen zu können, wann immer er wollte, seine Freunde in einem *boucarou* am Down Beach zu treffen, um mit Blick aufs Meer gegrillten Fisch zu essen und Bier zu trinken, in seinem eigenen Auto umherzufahren und im Januar zu schwitzen …

Glaubst du echt, Amerika wird dir gar nicht fehlen, fragten seine Freunde auf der Arbeit ständig. Nicht mal Football? Er lachte jedes Mal, wenn sie das fragten. Na ja, Football vielleicht. Und Cheesecake.

Neni hingegen fühlte beim Näherrücken der Abreise so gar keine Freude. Sie weinte ohne den kleinsten Anlass in der U-Bahn, bei Pathmark, im Central Park oder in der Wohnung bei der Hausarbeit. Sie fühlte keine Euphorie bei dem Gedanken, bald wieder mit ihrer Familie und ihren alten Freunden vereint zu sein, sondern nur die Angst, in Limbe nie wieder so glücklich zu werden wie in New York. Sie hatte Angst, dass sie und ihre Freundinnen sich auseinandergelebt haben könnten, jetzt, wo Neni so anders war als sie, weil sie ein anderes Leben kennengelernt und sich durch so viele ganz unterschiedliche Einflüsse verändert hatte, im guten wie im schlechten Sinn, weil das Leben sie bereichert und beraubt hatte, in einem Maß, das ihre Freundinnen sich gar nicht vorstellen konnten.

Sie freute sich auf das Wiedersehen mit ihrer Mutter und ihren Geschwistern, hatte aber Angst vor dem Wiedersehen mit ihrem Vater, den sie zuletzt im Mai gesprochen hatte, als er sie angerufen und gesagt hatte, dass sein unehelicher Sohn, der im Portor-Portor-Viertel lebte, im Krankenhaus liegen und Geld für die Medizin brauchen würde. Neni hatte gesagt, sie könnten ihm nichts geben, sie hätten kein Geld, und ihr Vater hatte sie angeschrien. Wie konnte sie nur sagen, sie hätte kein Geld, wo doch ihr Bruder im Sterben lag! Er wäre nicht ihr Bruder, hatte Neni zurückgebrüllt. Nach diesen Worten hatte ihr Vater aufgelegt, und sie hatte sich nicht die Mühe gemacht, noch mal anzurufen, um sich nach dem Jungen zu erkundigen. Der Junge war nicht ihr Bruder, und er würde auch nie ihr Bruder sein. Es interessierte sie nun mal nicht, ob er lebte oder starb.

Was die Kinder anging, war Neni zerrissen, schwankte zwischen Freude und Sorge hin und her – Freude wegen der wundervollen Dinge, die Kamerun ihnen zu bieten hatte; Sorge wegen der Dinge, die es ihnen nicht bieten konnte. Sie würden in einem geräumigen Haus in Limbe aufwachsen, Französisch lernen und Makossa tanzen. Sie würden in der Nähe ihrer Großeltern leben, die ganz vernarrt in sie waren, und unzählige Onkel und Tanten, Cousins und Cousinen haben. Sie würden sich an Weihnachten und Silvester ihre schicksten Sachen anziehen und mit Freunden durch die Stadt ziehen, dabei lachen und *chin-chin* und Kuchen essen. Sie würden sich nie fragen müssen, warum ihre Mutter am liebsten im Ramschladen einkaufte und ihr Vater immer nur zu arbeiten schien. Liomi würde mit den Kindern der Elite auf die BHS Buea gehen, und er würde immer noch Anwalt werden können wie sein Onkel Winston. Timba würde mit ihren Freundinnen im Mondschein tanzen und in den Nächten, in denen die Wolken Platz machten für die Sterne, würde sie singen, *Gombe, gombe mukele mukele*. Sie würde lernen, im Sprechchor zu rufen *Iyo cow oh, njama njama cow oh, your mama go for Ngaoundéré for saka belle cow oh, oh chei!* Sie würde das Mädcheninternat des renommierten Saker Baptist College besuchen und jedes Jahr für acht Monate hinter verschlossenen Eisentoren, fernab von Jungen, mit anderen Mädchen lernen, allesamt zukünftige Ärztinnen und Ingenieurinnen.

In Limbe würden Liomi und Timba viele Dinge haben, die sie in Amerika nicht gehabt hätten, und doch ging ihnen viel zu viel verloren.

Sie verloren die Möglichkeit, in einem großartigen Land voll verrückter Träumer aufzuwachsen. Sie verloren die Möglichkeit, sich von erstaunlichen Dingen beeindrucken und inspirieren zu lassen, die im Land geschahen, von unglaublichen Erfindungen und Leistungen, die Frauen und Männern zu verdanken waren, die aussahen wie sie. Sie wurden um Freiheiten, Rechte und Privilegien gebracht, die Kamerun seinen Kindern nicht geben konnte. Indem sie New York verließen, verloren sie unzählige Vorteile, denn auch wenn es überall auf der Welt herrliche Städte und Orte gab, so gab es doch eine bestimmte Art von Vergnügen, eine bestimmte Art abenteuerlicher und verwegener Kindheit, die nur New York einem Kind bieten konnte.

59.

Betty hatte in der Bronx eine Abschiedsparty für sie organisiert. Fast alle ihre Freunde, die sie seit ihrer Anfangszeit in der Stadt begleitet hatten, auch bei Timbas Geburt und Pa Jongas Tod, kamen dort zusammen. Winston und Maami waren da, Olu und Tunde, der Mathelehrer – der mit seinem attraktiven asiatischen Freund auf dem Weg zu einer anderen Party kurz vorbeigeschaut hatte, um sich noch mal persönlich mit einer Umarmung von ihr zu verabschieden –, und auch Fatou war da und Ousmane mit seinen Storchenbeinen, an die Neni sofort denken musste, als er in seinen ausgeblichenen Jeans mit hohem Bund und zu kurzen Beinen zur Tür hereinkam. Bei dem Gedanken musste sie breit grinsen – das erste echte Lächeln des Abends.

Jeder brachte etwas zu essen mit: frittierte Kochbananen, Bitterspinatsuppe, Egusi-Eintopf, Rinderhufe mit Bohnen, Poulet DG, gegrillte *tilapia, attiéké, moimoi, soya, jollof,* Curryhuhn und Yamsbrei.

In Bettys spärlich eingerichtetem Wohnzimmer aßen und tanzten sie zu Petit-Pays und Koffi Olomidé, zu Brenda Fassie und Papa Wemba. Dann schallte »200 Zoblazo« von Meiways aus den Lautsprechern. Trompeten und Keyboards ertönten und riefen alle auf die Tanzfläche. Der Rhythmus – feurig, pulsierend und treibend – war eine einzige Aufforderung, zu tanzen. Wer aß, stellte das Essen weg. Wer trank, stellte die Flasche weg. *Ting, ting, ting, ding, ding.* Neni stürmte in die Mitte des Raumes, bei derart guter Musik bewegten sich ihre Hüften von ganz allein. Da konnte sie die Füße einfach nicht stillhalten, auch wenn es nicht der glücklichste Tag ihres Lebens war. Keiner saß mehr, alle drängten sich auf der zwei Mal drei Meter großen Fläche in der Mitte des Zimmers. Arme wurden in die Luft gerissen, die Frauen ließen die Hintern kreisen, lasziv, wenn sie in die Knie gingen, schnell, wenn sie wieder hochkamen. Hinter ihnen standen die Männer, legten einen Arm um die Hüften der Frauen und gaben alles mit ihrem Becken: links, rechts, hoch und runter, vor, zurück, hipp und munter. Überall bewegten sich Hintern und Becken zum selben Beat, aneinandergepresst im Rhythmus der Musik. Dann kam der Refrain. Die Hände in die Luft gereckt, sprangen sie auf und ab und sangen in voller Lautstärke: *Blazo, blazo, zoblazo, on a gagné! On a gagné!* Als Jende von einem seiner nicht afrikanischen Restaurantkollegen gefragt wurde, was das heißen würde, brüllte er, ohne dass er zu springen aufgehört hätte, ›Mann, das heißt, wir haben gewonnen. Wir haben gewonnen!‹

Auch die Judson Memorial Church verabschiedete sich von ihnen.

Natasha fragte Neni, ob Jende sie am zweiten Augustsonntag begleiten könne. Jende stimmte zu – es schien ihm ein guter Zeitpunkt, eine amerikanische Kirche zu besuchen und herauszufinden, ob man die Bibel in Amerika auf dieselbe Weise interpretierte wie in Kamerun.

An diesem Morgen wurde aus dem Ersten Buch Mose Kapitel 18 gelesen, die Geschichte von den erschöpften Männern, die Abraham besuchen und denen Abraham, nicht wissend, dass es sich um Engel handelt, gütig begegnet. Natasha sprach in ihrer Predigt von den erschöpften Fremden in Amerika. Sie prangerte an, dass erschöpfte Fremde in Amerika unterdessen als »illegale Ausländer« bezeichnet würden. Wisst ihr noch, wie wir die Einwanderer auf Ellis Island einst mit Proviant empfangen haben?, fragte sie unter donnerndem Applaus. Und einer kostenlosen medizinischen Untersuchung!, rief jemand aus einer der hinteren Reihen. Die Kirche tobte. Natasha lächelte, als sie die Gemeindemitglieder aufgeregt tuscheln sah. Es ist traurig, sagte sie und schüttelte den Kopf, dass wir Freunde in Not wie Feinde behandeln. Auch wir könnten eines Tages auf der Suche nach einem Zuhause sein, das vergessen wir zu schnell. Und das ist nicht die Liebe, von der in der Bibel die Rede ist, der Liebe, von der Jesus Christus predigte, als er sagte, wir sollten unseren Nächsten lieben wie uns selbst.

Bevor sie zum Ende ihrer Predigt kam, bat Natasha die Familie Jonga nach vorn. Liebe Gemeinde, das sind die Jongas. In knapp einer Woche gehen sie zurück in ihr Heimatland Kamerun. Sie sind nach Amerika gekommen, um hier zu leben, aber wir lassen sie nicht. Jetzt gehen sie zurück nach Hause, weil man ihnen keine Papiere gibt, mit denen sie hier bei uns im Land bleiben und für sich und ihre Kinder ein besseres Leben aufbauen können. Sie gehen zurück, weil wir als Land verlernt haben, Fremde bei uns willkommen zu heißen, ganz gleich, woher sie kommen. Sie machte eine kurze Pause und schaute die Gemeindemitglieder an. Dann drehte sie sich zu Neni und Jende, umarmte sie und dankte ihnen dafür, ihre Geschichte mit ihnen allen geteilt zu haben. Vater, Mutter, Sohn und Tochter kehrten unter den Blicken der Gemeinde an ihre Plätze zurück.

Amos, der Vikar, erhob sich, um im Anschluss an die Predigt ein paar Worte zu sagen. Ihr habt gehört, was Natasha in ihrer Predigt gesagt hat, und ihr habt die Jongas kennengelernt. Sie sind keine Fremden. Sie sind unsere Nächsten, aber sie können sich in unserer Mitte kein Zuhause aufbauen. Darum möchte ich euch alle zu einer großzügigen Spende aufrufen, damit es ihnen mit dieser Hilfe in ihrem eigenen Land gelingen kann. Und während der Kollekte, fuhr er fort, wollen wir daran denken, dass es da draußen viele wie die Jongas gibt. Schlimmer noch – viele, die nicht in ein warmes friedliches Land zurückkehren können. Viele, die nur hier in Amerika die Chance auf ein neues Zuhause haben.

Neni und Jende schauten sich an, als Amos das Geld erwähnte. Natasha hatte ihnen nichts davon gesagt, und diese unerwartete freundliche Geste ließ Neni kurz die Tränen in die Augen steigen, weil sie ein Land verließ, in dem es so viele Institutionen gab, die für Toleranz und Mitgefühl eintraten.

Nach dem Gottesdienst bildete sich eine lange Schlange von Gemeindemitgliedern, die ihnen noch etwas sagen wollten. Eine

Frau wollte wissen, wo auf der Karte Kamerun lag, eine andere, ob Jende Hilfe bei der Suche nach einem Anwalt brauche, um seinen Asylantrag durchzukämpfen. Zu der ersten Frau sagte er, direkt neben Nigeria. Zu der zweiten, nein, er bräuchte keinen Anwalt, man hätte seinen Fall schon zu den Akten gelegt.

Die meisten Gemeindemitglieder wollten ihnen einfach nur die Hand schütteln und ihnen alles Gute wünschen oder ihnen sagen, wie dankbar sie seien, dass die Familie Jonga ihre Geschichte mit ihnen geteilt habe. Einem Mädchen brach die Stimme weg, als sie Jende vom Vater einer Freundin erzählte, den man nach Guatemala abgeschoben hatte, obwohl er dort niemanden kannte. Ihre Freundin sei furchtbar traurig, sagte das Mädchen. Jende nahm sie in den Arm und sagte, wir haben zum Glück noch viele Verwandte und Freunde in Kamerun.

60.

Zwei Stunden nachdem Jende auf *Senden* geklickt hatte, kam die Antwort auf seine Mail. Wie schön, von Ihnen zu hören, schrieb Clark. Ich bin überrascht, dass Sie nach Hause zurückgehen, aber ich verstehe es. Manchmal muss ein Mann einfach zurück nach Hause. Natürlich können Sie vorbeikommen und sich verabschieden. Sprechen Sie mit meiner Sekretärin.

Bei seinem Besuch in Clarks Büro trug Jende denselben schwarzen Anzug wie an seinem ersten Tag als Clarks Chauffeur. Neni hatte gesagt, der Anzug wäre nicht nötig, aber er hatte darauf bestanden. Die ganzen Leute um mich herum werden alle Anzüge tragen, erinnerte er sie. Warum soll ich dann aussehen wie ein Niemand?

Als er den Raum betrat, stand Clark von seinem Schreibtisch auf, um ihn zu begrüßen. »Es ist sehr nett von Ihnen, dass Sie extra vorbeikommen, um sich zu verabschieden«, sagte er und streckte ihm lächelnd die Hand entgegen.

»Ich danke Ihnen, dass Sie sich Zeit genommen haben, Sir«, erwiderte Jende und umschloss Clarks Hand mit beiden Händen.

Clark wirkte überaus froh, ihn zu sehen, sein Lächeln war breiter, als Jende es je an ihm gesehen hatte, seine Augen strahlten kräftiger als in all den Monaten, die Jende ihn umhergefahren hatte, und er sah jünger aus im Gesicht. Jende spürte, dass Mr Edwards Freude nicht nur daher kam, ihn zu sehen – sein ehemaliger Chef schien endlich ein wirklich glücklicher Mann zu sein.

»Ich wollte Ihnen noch mein Beileid sagen wegen dem Tod von Mrs Edwards, Sir«, sagte Jende, nachdem sie sich beide gesetzt hatten. »Ich war beim Trauergottesdienst, Sir, aber es gab keine Möglichkeit, an Sie heranzukommen, um Ihnen zu sagen, wie leid es mir tut.«

Clark nickte. Jende schaute sich in dem Büro um, in das Clark gezogen war, seit sie sich zuletzt gesehen hatten. Es gab kein Sofa und auch keinen Ausblick auf den Central Park, aber der Ausblick auf Queens war auf seine eigene bescheidene Weise auch nicht zu verachten.

»Wie geht es Ihrer Familie?«, fragte Clark. »Sind sie glücklich, zurück nach Hause zu gehen?«

»Es geht allen gut, Sir, danke. Meine Frau ist verärgert, aber sie wird nicht für die Ewigkeit verärgert sein. Mein Sohn ist glücklich, weil ich ihm von all den tollen Sachen erzähle, die ich in Kamerun mit ihm machen will. Das Baby versteht nichts, und das macht mich glücklich.«

»Sind Sie glücklich?«

»Das bin ich, aber ich bin auch ein bisschen traurig, je näher der Tag kommt, weil ich die Stadt vielleicht nie wiedersehe. New York ist eine tolle Stadt. Es wird schwer, nicht hier zu leben.«

»Ja, ich werde mich auch umstellen müssen. Nächsten Monat ist es so weit.«

»Oh? Sie meinen, Sie ziehen auch um, Sir?«

Clark nickte. »Mighty und ich ziehen nach Virginia.«

»Virginia?«

»Ich habe in Washington, D.C., eine neue Stelle gefunden. Jetzt am Wochenende schauen wir uns ein paar Häuser an. Ich hoffe, wir finden etwas, das nicht so weit weg ist von Arlington und Falls Church.«

»Falls Church? Sir, ich erinnere mich … Mrs Edwards kam von da, richtig?«

»Ja, Sie haben ein gutes Gedächtnis. Und meine Familie hat eine Zeit lang in Arlington gewohnt, bevor wir nach Illinois gezogen sind. Meine Eltern ziehen von Kalifornien dahin, damit sie in unserer Nähe sein können.«

»Sir, das wird sehr gut für Sie sein.«

»Die Familie ist alles«, sagte Clark. »Aber das wissen Sie sicher längst.«

»Ja, alles, Sir.«

»Ich hab dort in der Gegend ein paar Cousins, und Cindys Halbschwester lebt da. Cindy hatte vor ihrem Tod keine enge Beziehung zu ihr, aber sie war bei der Beerdigung und seit einer Weile haben Mighty und ich recht viel Kontakt zu ihr.«

»Das ist gut, Sir.«

»Ja, vor ein paar Monaten haben wir sie besucht und hatten viel Spaß. Mighty freut sich wirklich sehr darauf, mit seinen Cousins aufzuwachsen. Für ihn ist es wichtig, zu wissen, dass er eine Familie hat, jetzt, wo … also, jetzt, wo so vieles anders ist.«

»Ja, da haben Sie recht, Sir«, sagte Jende und nickte. »Absolut. Und wie geht es Vince?«

»Gut. Ich habe erst heute Morgen mit ihm gesprochen. Er überlegt, ein Meditationszentrum für amerikanische Führungskräfte zu eröffnen, die nach Mumbai kommen, damit sie zwischen all dem Rumgerenne auf der Jagd nach Geschäftsmöglichkeiten Ruhe und Frieden finden können.« Clark lachte. »Klingt ein bisschen speziell, aber vielleicht hat er da gerade etwas für sich entdeckt.«

»Er ist ein sehr kluger Junge, Sir«, sagte Jende.

Der Manager lächelte, es war nicht zu übersehen, wie stolz er war. »Ja, es ist nur schwer zu sagen, wo er eines Tages mal landen wird.«

»Vielleicht landet er in Limbe«, sagte Jende lachend.

»Vielleicht«, sagte Clark und lachte auch. »Man kann nie wissen. Könnte sein, dass er nach Limbe geht und den Leuten dort beibringt, wie sie eins mit dem Universum werden und sich von ihren Egos befreien können. Oder er bringt sie dazu, überall herumzulaufen und die Abkehr von der großen Illusion zu predigen.«

»Oder«, sagte Jende, der sich vor Lachen kaum noch halten konnte, »er könnte abends mit den Leuten an den Strand gehen, Sir, und sie könnten sich den Sonnenuntergang ansehen. Dann kommen auf der einen Seite vom Strand die Fischer mit ihren

Kanus an Land zurück und auf der anderen Seite vom Strand sitzen Vince und seine Anhänger im Schneidersitz und machen diese Singsang-Meditationssache.«

»Gar nicht mal so unwahrscheinlich!«, sagte Clark, der jetzt laut lachte und auf den Tisch schlug. »Ich kann mir lebhaft vorstellen, dass er das macht.«

»Er kann bei mir und meiner Frau bleiben, bis er es satthat, immer am selben Ort zu sein.«

»Oh, ich bin mir sicher, dass es nicht lange dauern wird, bis er einen neuen Ort findet, der ihn interessiert. Er hat gesagt, wenn aus seiner Geschäftsidee in Indien nichts wird, geht er vielleicht nach Bolivien. Fragen Sie nicht, warum ausgerechnet Bolivien.«

»Vielleicht gibt es dort viele erleuchtete Menschen, Sir?«

»Ja, vielleicht liegt es an den vielen erleuchteten Menschen!«, sagte Clark und sie lachten zusammen.

»Vince ist ein sehr besonderer junger Mann, Sir«, sagte Jende, als ihr Lachen abebbte.

»Ja, ›besonders‹ ist ein gutes Wort.«

»Wenn es nur zehntausend Männer geben würde, die sind wie er, oder nur eintausend wie ihn, dann, Sir, das schwöre ich, dann wäre mehr Freude in der Welt.«

Clark lächelte.

Jende rutschte auf seinem Stuhl hin und her. Er genoss diesen Augenblick mit seinem alten Boss, aber die neue Sekretärin hatte schon angekündigt, dass Clark für dieses Treffen nur dreißig Minuten hätte. Er warf einen Blick auf die Uhr. Ihm blieb wenig Zeit. Er musste schnell sagen, weshalb er gekommen war.

»Sir«, setzte er an, »ich bin nicht nur hier, um mich persönlich zu verabschieden, sondern auch, weil ich mich für den Job bedanken will, den sie mir gegeben haben. Vielleicht verstehen Sie nicht, wie sehr es mein Leben verändert hat, aber durch den Job konnte ich Geld sparen. Und jetzt kann ich nach Hause gehen und ein gutes Leben haben. Ich hätte lieber weiter für Sie gearbeitet und wäre in Amerika geblieben, aber wenn ich jetzt zurückgehe, bin ich glücklich, weil ich ein besseres Leben haben kann als das Leben, das ich vor meiner Zeit in Amerika hatte. Also, Sir, ich bin Ihnen wirklich sehr dankbar.«

Clark rutschte auf seinem Stuhl vor und zurück und rieb sich die Augen. »Wow«, sagte er. Es war offensichtlich, dass keiner je so weit gereist war, nur um sich bei ihm dafür zu bedanken, dass er eine Dienstleistung bezahlt hatte. Das Telefon auf seinem Schreibtisch klingelte, aber er nahm nicht ab.

»Ich höre die ganzen Sachen, die die Leute über die Leute von der Wall Street sagen, Sir, darüber, dass das schlechte Leute sind. Aber ich sehe das nicht so. Weil Sie, ein Mann von der Wall Street, mir einen Job gegeben haben, der mir geholfen hat, meine Familie zu versorgen. Und Sie waren sehr nett zu mir. Ich finde, Sie sind ein guter Mann, Mr Edwards, und darum bin ich hergekommen und will mich bei Ihnen bedanken.«

Clark Edwards starrte seinen ehemaligen Chauffeur an und suchte offensichtlich nach den richtigen Worten, um zu sagen, wie überrascht er war. »Das berührt mich, Jende«, sagte er, »ganz im Ernst, und ich möchte Ihnen ebenfalls danken. Es war eine tolle Erfahrung, Sie als Chauffeur gehabt zu haben. Ein echtes Erlebnis. Und falls ich es nie gesagt haben sollte: Ich hoffe, Sie wissen, wie sehr ich geschätzt habe, mit welcher Loyalität und Hingabe Sie Ihren Job ausgeführt haben.«

»Danke, Sir.«

»Und Jende, es tut mir leid …«

»Nein, bitte, Mr Edwards, Sie müssen sich nicht entschuldigen. Wofür?«

»Dass unsere Zeit zusammen ein Ende nehmen musste. Ich weiß nicht, wie ich es sagen soll, aber … Wissen Sie, ich finde das sehr schade.«

Jende schüttelte den Kopf. »Bei uns sagt man, nichts bleibt immer gleich, Mr Edwards. Gute Zeiten müssen genauso enden wie schlechte, ob wir wollen oder nicht.«

»Das stimmt«, sagte Clark. »Ich bin nur froh, dass wir als Freunde auseinandergehen können.«

»Ich bin auch froh, Sir«, sagte Jende und nickte, bevor er den Stuhl zurückschob und aufstand.

Auch Clark erhob sich und die Männer gaben sich die Hand, neben ihnen sah man durchs Fenster die Straßen von New York, durch die sie eine Zeit lang zusammen gefahren waren.

»Grüßen Sie Neni von mir«, sagte Clark.

»Das mache ich, Sir. Bitte sagen Sie Mighty, dass Neni und ich ihn ganz besonders herzlich grüßen lassen.«

»Mach ich. Er hat Sie sehr gerngehabt. Vielleicht haben Sie es gar nicht wahrgenommen, aber Sie beide haben einen großen Eindruck auf ihn gemacht und ihm viel bedeutet. Er sagt immer noch ständig, Jende hat dies gesagt, Neni hat das gesagt.«

»Wir denken auch an ihn, vor allem seit Mrs Edwards gestorben ist. Manchmal wollte ich Sie anrufen. Ich dachte, wir sollten versuchen, ihn mal zu sehen, aber … meine Frau und ich hatten so viele Probleme, da hatte ich nicht die Zeit für die Dinge, die ich gern machen wollte. Aber wir vergessen ihn nicht. Er ist ein guter Junge.«

»Das ist er. Ich bin froh, dass er sich über den Umzug nach Virginia freut. Wenn er es nicht gewollt hätte, hätte ich das Angebot sausen lassen, auch wenn es etwas ist, das ich schon seit Langem machen will.«

»Will Barclays Sie an einen anderen Firmensitz in D.C. versetzen, Sir?«

»Nein, ich fange etwas völlig Neues an. Ich werde ein Lobbyunternehmen leiten.«

Jende kratzte sich am Kopf.

»Es ist ein Unternehmen, das Lobbyarbeit betreibt, um die Interessen von Organisationen zu schützen«, sagte Clark. »Ich werde eins leiten, das sich für kleine Genossenschaftsbanken einsetzt. In dem aktuellen wirtschaftlichen Klima ist diese Arbeit sehr wichtig. Das ist eine aufregende neue Herausforderung für mich.«

»Klingt nach einer anderen Art von Arbeit, Sir.«

»Das ist es. Die Wall Street war gut zu mir, aber ich glaube, für

Leute wie mich ist hier kein Platz mehr. Außerdem bin ich nach allem, was passiert ist, bereit für eine Veränderung.«

»Das freut mich, Sir«, sagte Jende und lächelte. »Ich hoffe, Sie haben Erfolg mit der Lobbyarbeit.«

»Danke«, sagte Clark und lächelte zurück. »Das hoffe ich auch.«

»Ach so, Jende«, rief Clark auf einmal, als Jende schon auf dem Weg zur Tür war. »Ich habe Sie noch gar nicht gefragt, warum Sie zurückgehen.«

Diesmal musste Jende nicht lange überlegen, was wohl die beste Antwort war. Er drehte sich um, ging zurück zum Schreibtisch und sagte die Wahrheit. »Weil mein Asylantrag abgelehnt wurde, Sir.«

»Asyl? Ich wusste gar nicht, dass Sie Asyl beantragt haben.«

»Ich habe es Ihnen gegenüber nie erwähnt, Sir. Das habe ich nur mit meiner Frau und meinem Anwalt besprochen. Ich wollte Sie nicht damit belästigen.«

»Ja, das versteh ich natürlich. Ich bin nur überrascht. Was heißt das, der Antrag wurde abgelehnt? Werden Sie abgeschoben?«

»Nein, Sir, ich werde nicht abgeschoben. Aber solange ich kein Asyl bekomme, kriege ich keine Greencard, und damit das klappt, müsste ich viele Jahre immer wieder vors Einwanderungsgericht und viel Geld ausgeben. Und vielleicht lehnt der Asylrichter meinen Antrag trotzdem ab und dann schiebt mich die Regierung irgendwann ab. So will ich mein Leben nicht leben, Sir, auch weil es in diesem Land sehr schwer ist, das Leben zu genießen, wenn man arm ist.«

»Aber gibt es keine andere Möglichkeit für Sie, eine Greencard zu bekommen?«, sagte Clark, nachdem er zuvor den eingehenden Anruf entgegengenommen und der Person am anderen Ende gesagt hatte, dass er zurückrufen würde. »Ich weiß, wie sehr Sie sich gewünscht haben, dass Ihre Kinder hier aufwachsen können.«

»Ich habe getan, was ich konnte, Sir, aber –«

»Es gibt doch ganz sicher eine Möglichkeit für einen anständigen und hart arbeitenden Mann wie Sie, in Amerika zu bleiben.«

Jende schüttelte den Kopf. »Es gibt Gesetze, Sir«, sagte er.

»Hören Sie«, sagte Clark und richtete sich auf. »Ich habe einen guten Freund aus meiner Zeit in Stanford, der ist stellvertretender Direktor der Einwanderungsbehörde. Wenn Sie mir erzählt hätten, dass Sie ein Verfahren laufen haben, hätte ich ihn angerufen und um Rat gefragt oder ihn wenigstens gebeten, mir einen hervorragenden Anwalt zu empfehlen. Ich hatte ja keine Ahnung.«

Jende schaute kopfschüttelnd zu Boden und lächelte betrübt.

»Vielleicht ist es noch nicht zu spät«, fuhr Clark fort. »Vielleicht können Sie den Flug umbuchen? Dann rufe ich meinen Freund an und finde heraus, ob wir noch etwas für Sie tun können?«

»Ich glaube, es ist zu spät, Sir.«

»Aber einen Versuch ist es doch wert, oder?«

»Der Richter wird es nicht erlauben, Sir, und selbst wenn …«

»Für Sie ist es Zeit, zurückzugehen.«

Jende lächelte. »Wissen Sie, Sir«, sagte er, »mein Körper ist hier, aber mein Herz ist nach Hause zurückgereist. Es stimmt, ich bin nach Amerika gekommen, weil ich einem harten Leben entkommen wollte, ich wollte nicht zurückgehen. Aber als mir keine andere Wahl blieb, war ich glücklich beim Gedanken an zu Hause, Sir. Amerika wird mir fehlen, aber es wird gut sein, wieder in meinem eigenen Land zu leben. Ich male mir aus, wie ich das Grab von meinem Vater besuche und ihm meine Tochter zeige. Wie ich mit meinen Freunden durch Limbe laufe und etwas trinken gehe, meinen Sohn mit ins Stadion nehme. Ich habe keine Angst vor meinem Land wie früher.«

»Aber was ist mit Ihren Kindern?«

»Es wird gut für sie, Sir. Den amerikanischen Pass für meine Tochter haben wir geholt. Wenn sie so weit ist, kommt sie hierher zurück und stellt irgendeinen Antrag, um ihren Bruder nachzuholen. Wenn nicht, geht mein Sohn nach Kanada, und meine Frau kann alle paar Jahre auf Besuch nach Amerika und Kanada fliegen.«

Clark nickte und lächelte.

Jende schaute auf die Uhr und wandte sich schon wieder Richtung Tür, als Clark ihn bat, noch kurz zu warten. Er ging zu seiner Aktentasche, die auf einem Stuhl rechts von seinem Schreibtisch lag, setzte sich einen Augenblick hin, um etwas zu schreiben, und kam dann mit einem weißen Umschlag auf Jende zu. »Nehmen Sie das«, sagte er. »Und passen Sie gut auf Ihre Familie auf.«

»Oh, Sir … Oh, ich danke Ihnen so sehr«, sagte Jende, griff mit beiden Händen nach dem Umschlag und verbeugte sich leicht. »Ich danke Ihnen von ganzem Herzen, Mr Edwards.«

»Nicht der Rede wert. Gute Reise.«

»Oh, noch was, Sir, ich wollte nur wissen«, sagte Jende, als Clark einen Schritt in Richtung Tür machte, »haben Sie was von Leah gehört? Meine Frau und ich wollten sie zu unserer Auf-Wiedersehen-Party einladen, aber ihr festes Telefon ist abgemeldet.«

»Ja, ich habe vor ein paar Monaten von ihr gehört«, antwortete Clark. »Sie hat mir ihren Lebenslauf geschickt, damit ich ihr helfe, hier einen Job zu bekommen, aber vermutlich hat es nichts gebracht, dass ich ihn an HR weitergereicht habe, weil dann ja die Sache mit dem anderen Job kam und so.«

»Sie hat also immer noch keine Arbeit?«

»Wahrscheinlich nicht. Der Arbeitsmarkt da draußen ist hart, vor allem für jemanden in ihrem Alter. Sie hat sicher zusammengepackt und ist aus der Stadt weggezogen, damit ihr das Geld nicht ausgeht.«

Jende schüttelte überrascht den Kopf. Leah hatte nicht erwähnt, eventuell wegziehen zu wollen, als er sie am Weihnachtstag das letzte Mal gesprochen hatte. Sie hatte gut geklungen, aber der Gedanke an die Zukunft musste sie bedrückt haben – keine Aussicht auf einen neuen Job, schrumpfende Ersparnisse, die Jahre, die ihr noch fehlten, um die staatliche Rente zu bekommen. Sie musste Angst gehabt haben, auch wenn sie es sich nicht hatte anmerken lassen. Hatte sie sich deswegen so gefreut, sich den Weihnachtsbaum am Rockefeller Center anzuschauen? Hatte sie in hoffnungsfrohe Stimmung eintauchen und ihre Lage für ein paar Stunden vergessen wollen?

»Sir, falls Sie sie irgendwann wiedersehen«, sagte Jende, »sagen

Sie ihr bitte, ich wollte mich von ihr verabschieden und es tut mir leid, dass ich das nicht persönlich machen konnte. Sagen Sie ihr, ich gehe nach Kamerun zurück, aber mit ein bisschen Glück komme ich zu Besuch her und sehe sie wieder.«

»Ich hoffe, ich kann mir das alles merken.«

»Ich fühle mich so schlecht, wenn ich an sie denke«, sagte Jende.

»Die Wirtschaft erholt sich langsam wieder«, sagte Clark und wandte sich in Richtung Tür.

»Ja, das hört man überall, Sir, aber ... Ich hoffe, es geht ihr bald besser.«

»Da bin ich mir sicher«, sagte Clark, als sie sich an der Tür alles Gute wünschten und sich noch ein letztes Mal die Hände schüttelten.

61.

Die Töpfe und Kochutensilien schenkte sie Betty, das Geschirr und Besteck Fatou. Winston und Maami bekamen die Gewürze und Lebensmittel aus dem Vorrat: Gari-Pulver, Palmöl, Krabbenfleisch, Fufu, Egusi, Yamsbrei und Räucherfisch. Olu kam vorbei und holte die alten Lehrbücher und den Schreibtisch ab – für einen Neffen ihres Mannes, der bald aus Nigeria kam, um an der Hunter einen Abschluss in Krankenpflege zu machen.

Natasha freute sich über die ungetragenen *kabas*. Sie sind den Platz nicht wert, den sie im Gepäck wegnehmen, sagte Neni zur Pfarrerin, die es aufregend fand, die farbenfrohen Kleider mit ihren Sachen kombinieren zu können. Die Essecke verkauften sie bei Craigslist, genauso wie die Schlafzimmerkommode, den Fernseher, die Mikrowelle und Liomis Kinderbett. Wintersachen, alte Sommersachen und abgetragene Schuhe brachte sie zu Goodwill. Das alte Sofa stellte Jende raus auf die Straße, wer es brauchen konnte, sollte es mitnehmen.

Am Abend vor der Abreise war die Wohnung komplett leer, nur ihr Gepäck stand noch in einer Ecke des Schlafzimmers. Sie hatten alles weggeschmissen, was sie nicht hatten verschenken können, bis auf das Bett, das für die Nachmieter in der Wohnung blieb.

Die Nachmieter hatten sich mit Mr Charles die Wohnung angesehen und die Chance genutzt, um Neni mit Fragen zu löchern: War es sehr anstrengend, immer bis in den fünften Stock hochzumüssen? Waren die Nachbarn okay? Wo konnte man spätabends am besten noch was vom Chinamann oder Thailänder bestellen? War Harlem mittlerweile wirklich sicherer, so wie alle sagten? Die Interessenten waren ein junges Pärchen – Anfang bis Mitte zwanzig, gut aussehend, aufgeregt, weiß, beide mit langen Haaren –, die aus Detroit abgehauen waren und auf ein Leben als erfolgreiche Musiker hofften. Als Neni nach der Musikrichtung fragte, grinsten sie und sagten, schwer zu beschreiben, eine Mischung aus Techno, Hip-Hop und Blues. Sie nannten sich die Love Stucks.

Erst hatte sie sich kurz über die beiden geärgert, aber dann boten sie ihr für das Bett das Doppelte von dem, was jemand anders bei Craigslist geboten hatte. Sie bezahlten gleich in bar und besiegelten den Kauf mit einem Kuss im Schlafzimmer. Als sie die Wohnung verließen, hörte Neni, wie Mr Charles sie noch mal daran erinnerte, auch ja keinem von dem Deal zu erzählen, denn wenn er die Sozialwohnung verlor, würden sie alle dabei verlieren. Die junge Frau versprach, dichtzuhalten; sie konnte nicht fassen, soeben in New York eine bezahlbare Wohnung gefunden zu haben.

Bis zu ihrem Abflug waren es keine achtzehn Stunden mehr und Neni saß allein im Wohnzimmer. Timba schlief im Schlafzimmer, und Jende hatte Liomi eingeladen, noch ein letztes Mal *attiéké* und gegrilltes Lamm in einem Restaurant auf der 116. Straße essen zu gehen. Und danach wollten sie sich auf der 115. Straße eine letzte Kugel amerikanisches Eis gönnen, vielleicht auch noch ein Stück Cheesecake.

Jetzt, wo alles gepackt war, die Sachen für die Reise bereitgelegt und alle Unterlagen ausgedruckt waren, gab es kaum noch etwas zu tun. Neni saß auf dem Boden, den Rücken an die Wand gelehnt, und schaute sich im Wohnzimmer um. Kleiner und dunkler kam es ihr vor. Seltsam, so als wäre sie in einer Höhle ganz weit weg in einem Wald irgendwo in einem völlig fremden Land. Sie fühlte sich wie in einem Traum von einem Zuhause, das nie ihr Zuhause gewesen war.

Sie schaute zum Fenster und überlegte, ob sie noch etwas vergessen hatte. Ihr fiel nichts ein. Jemanden, von dem sie sich nicht verabschiedet hatte? Ihr fiel niemand ein. Ihre Freundinnen hatten angeboten, sie könnten diesen letzten Abend gemeinsam verbringen, in Erinnerungen schwelgen und lachen, denn wer konnte schon wissen, ob und wann sie sich wiedersehen würden. Sie hatte sich bedankt, aber abgelehnt. Ihren letzten Abschiedsbesuch hatte sie am Tag zuvor bei Fatou gemacht. Sie hatten sich lange umarmt und Fatou hatte gesagt, warum machst du, dass ich weine wie ein Baby? Sie wollte sich nicht noch mal verabschieden müssen. Weder von Fatou noch von Betty noch von Olu oder Winston oder irgendeinem anderen Freund.

Sie wollte ins Bett gehen, aufstehen, duschen, die Kinder fertig machen, sich das Gepäck schnappen und gehen.

62.

Sie verließen New York an einem der heißesten Tage des Jahres. Es war Ende August. Ungefähr die gleiche Zeit, zu der er vor fünf Jahren angekommen war. Ihr Flug ging mit Air Maroc vom JFK über Casablanca nach Douala. Während der Taxifahrt zum Flughafen starrte sie schweigend aus dem Fenster. Alles zog an ihr vorbei. Amerika. New York. Brücken und lächelnde Menschen auf Werbetafeln. Wolkenkratzer und Brownstones. Schnell. Zu schnell. Für immer.

Er fühlte nichts.

Zwang sich, nichts zu fühlen.

Er saß auf dem Beifahrersitz und hielt das Startkapital für ein neues Leben in einem JanSport-Rucksack auf dem Schoß, einundzwanzig Geldbündel, zusammengehalten von braunen Gummibändern. Jedes Bündel enthielt eintausend Dollar seines Vermögens: zehntausend von Cindy Edwards, achttausend Erspartes, vierzehnhundert von der Judson-Gemeinde und zweitausend von Clark Edwards.

»Warum schickst du es nicht einfach per Western Union und holst es ab, wenn du ankommst?«, hatte Winston ihn gefragt.

»Vergiss es«, hatte er geantwortet. »Oder soll die Regierung in Kamerun von dem Geld wissen? Dann sind die gleich hinter mir her.«

»Du und deine Ängste«, sagte Winston und lachte. »Was sollen die machen? Auf Geld, das du überweist, können sie keine Steuer erheben.«

»Das glaubst du! Warte nur ab, bis Biya beschließt, das Gesetz zu ändern. Dann kommt die Regierung und will von allen Western-Union-Überweisungen zehn Prozent.«

»Ach, Bo! Das kann die Regierung nicht.«

»Wie willst du das wissen?«

»Keine Ahnung. Ich mach dir keinen Vorwurf, ich meine, jetzt, wo du's sagst. Der Regierung kannst du nie trauen – der amerikanischen Regierung traue ich nicht und der Regierung in Kamerun erst recht nicht.«

»Stimmt, aber es ist unsere Regierung und unser Land. Wir lieben es, wir hassen es, trotzdem ist es unser Land. Was soll ich machen, Brother?«

Winston stimmte ihm zu. »Es ist unser Land. Also hängen wir dran.«

Die Reise dauerte fast einen ganzen Tag, morgens um vier kamen sie in Kamerun an. Und es war genauso, wie alle vorausgesagt hatten – das Land hatte sich während ihrer Zeit in Amerika kein bisschen verändert.

Alles war wie immer: Der internationale Flughafen in Douala war schwül und überfüllt. Die Zollbeamten verlangten Schmiergeld, das die Reisenden ihnen widerstandslos gaben, zu erschöpft, sich gegen das zwielichtige System zu wehren. Hinter der Absperrung am Ausgang drängten sich zahlreiche Männer und Frauen in leuchtenden afrikanischen Stoffen und riefen die Namen von Familienmitgliedern und Freunden, brüllten auf Englisch, Französisch, Pidginenglisch und in allen möglichen anderen der zweihundert indigenen Sprachen des Landes, schrien ›Hier, hier drüben‹. Vor der Ankunftshalle warteten überglückliche Eltern und teils, zumindest wirkte es so, ganze Großfamilien auf ihre Söhne und Töchter, die ins Ausland gegangen waren und jetzt zurückkamen und sie stolz machten. Die Verwandten schoben und drängten sich durch die Menge, um sich endlich die lang ersehnte Umarmung abzuholen. Noch immer lungerten auf den Parkplätzen am Flughafen junge, in Lumpen gekleidete Männer herum und hielten nach leichtgläubigen Reisenden Ausschau, die ihnen ihre Geschichte von Hunger und Obdachlosigkeit abnahmen und einen Dollar oder einen Euro lockermachten. Die Fahrt von Douala nach Limbe war noch so beschwerlich wie früher, Fahrer und Fußgänger beschimpften sich gegenseitig, Alte und Junge kämpften auf den staubigen und verstopften Straßen von Bonaberi um Platz.

Jendes Bruder Moto holte sie mit einem geliehenen Ford Pick-up am Flughafen ab und fuhr sie die zweistündige Strecke bis nach Limbe. Der Ford war der einzige auffindbare Wagen gewesen, in den die ganze Familie samt ihrer sieben Koffer voller Kleidung und Schuhe hineinpasste. Der Rest ihres Hab und Guts würde einen Monat später mit einem Frachtcontainer ankommen: der alte Hyundai, vier große Kisten gebrauchter Klamotten und Schuhe, drei Kisten haltbarer Lebensmittel, alle vom Discounter, zwei Koffer mit Liomis Spielsachen und Büchern, ein Kindersitz fürs Auto, ein Buggy und das bei Craigslist für Timba erstandene Babyreisebett. Außerdem noch drei Koffer mit den Sachen, die Neni von Cindy geschenkt bekommen oder in Chinatown ergattert hatte: Imitate von Chanel-, Gucci- und Versace-Handtaschen, billiger Schmuck, Sonnenbrillen und Schuhe, Perücken und Haarteile aus Echthaar, Cremes, Parfüms und Make-up. Sie würde den Singlefrauen in Limbe mit diesen Errungenschaften beweisen, dass sie in einer ganz anderen Liga spielte. Cindys Sachen wollte sie für besondere Anlässe aufheben. Für Hochzeiten und Geburtstage. Denn sie war zwar nach Hause zurückgekommen und lebte unter ihnen, hob sich aber ab – sie war jetzt eine Frau mit Klasse, mit echten Designerstücken, und keines dieser Mädchen konnte mit ihr mithalten.

Kurz nach sieben, während Neni und die Kinder schliefen, fuhr der Pick-up auf dem Highway unter der Brücke mit dem roten Schild hindurch, auf dem mit weißer Schrift geschrieben stand: »Willkommen in Limbe, der Stadt der Freundschaft«. In seinen ersten Tagen in Amerika hatte es Jende getröstet, an dieses Schild zu denken, und er hatte fest daran geglaubt, dass, sollte er irgendwann wieder darauf zufahren, in seinem Leben alles anders sein würde als bei seiner Abreise.

»Ja, aber echt, willkommen«, sagte er nur zu sich, als in der Ferne die Lichter seiner Heimatstadt aufblitzten. Moto nahm eine Hand vom Lenkrad und klopfte ihm anerkennend auf die Schulter.

»Papa? Was hast du gesagt?«, fragte Liomi, der gerade aufwachte und noch ganz verschlafen war.

Jende drehte sich zu ihm um und schaute ihn an. »Weißt du, wo wir sind?«, flüsterte er.

»Wo?«, fragte Liomi, die Augen noch immer halb geschlossen.

»Rate«, flüsterte Jende.

Da öffnete der Junge die Augen und sagte: »Zu Hause?«

Danksagung

Die Autorin dankt ihrer fantastischen Agentin Susan Golomb, die riesige Tore für sie aufgestoßen hat, und Susans ehemaligen und derzeitigen Assistenten Krista Ingebretson, Scott Cohen und Soumeya Bendimerad Roberts für all die viele Arbeit, die sie geleistet haben und weiter für sie leisten. Ein großer Dank geht an David Ebershoff, der nicht nur ein hervorragender Lektor, sondern auch ein gütiger Mensch ist, ebenso an Caitlin McKenna, seine engagierte Assistentin. Die Autorin dankt ihrer Verlegerin Susan Kamil für die unfassbare Chance, die sie von ihr bekommen hat, und Susans ganzem Team bei Random House für die Hingabe und Begeisterung. Besonderer Dank geht an Molly Schulman, Hanna Pylväinen und Christopher Cervelloni, die frühe Fassungen des Manuskripts gelesen und die Autorin mit ihrem Wohlwollen und ihren Anregungen unterstützt haben. Und schließlich ist die Autorin auf ewig dankbar für ihren (tollen!) Mann und ihre (wunderbaren!) Kinder, für die bedingungslose Liebe ihrer Mutter, für die unerschütterliche Unterstützung ihrer Schwester und ihres Schwagers, für die Liebenswürdigkeit und Zuneigung so vieler guter Menschen ihrer großen Familie, für Fremde und Bekannte, deren Geschichten und Großzügigkeit diesen Roman inspiriert und möglich gemacht haben, und für ihre absolut fantastischen Freunde, die ihr wahnsinnig oft zu Hilfe geeilt sind und sie während dieser höchst außergewöhnlichen Reise immer wieder zum Lachen gebracht haben.